Desenzano, giugno 1988.

Maria Antonietta Macciocchi

DI LÀ DALLE PORTE
DI BRONZO

*Viaggio intellettuale
di una donna in Europa*

ARNOLDO MONDADORI EDITORE

Dello stesso autore:

Sulla stampa femminile, Roma 1950

Persia in lotta, Roma 1952

Lettere dall'interno del PCI, Milano 1969

Dalla Cina, Milano 1971

Per Gramsci, Bologna 1975

Elementi per un'analisi del fascismo, Parigi 1976

La Donna Nera, Milano 1976

Sessualità femminile e fascismo, Milano 1977

La talpa francese, Milano 1977

Della Francia, Milano 1978

Dopo Marx, Aprile, Milano 1978

Le Donne e i loro padroni, Milano 1979

Pasolini, Parigi 1980

Duemila anni di felicità, Milano 1983

ISBN 880429841-3

SOMMARIO

DI LÀ DALLE PORTE DI BRONZO

RINGRAZIAMENTI

L'Autrice ringrazia per il contributo dato coi loro interventi a questo libro e per avere agevolato le sue ricerche: Umberto Eco, Jacques Le Goff, Claude Lévi-Strauss, André Fontaine, Edgar Morin, Mons. Achille Silvestrini, Piersandro Vanzan (redattore della rivista «Civiltà Cattolica»), Rudolf von Thadden, Simone Veil e Juan Luis Cebrián. Ricorda, a due anni dalla sua scomparsa, Fernand Braudel, che a lungo le parlò d'Europa per questo libro.

L'Autrice, consapevole che il colloquio accordatole è un atto di grande portata, che consente di dare a questa ricerca sull'Europa un apporto e un significato eccezionali, ringrazia Giovanni Paolo II.

Parte Prima
ALLA RICERCA DEL CONTINENTE PERDUTO

I

COME DISCUSSE UN GRUPPO DI INTELLETTUALI
IN UN CAFFÈ D'EUROPA
IN UNA CITTÀ PRECISATA NELL'IMPRECISIONE
VISIBILE NELL'INVISIBILITÀ DEL CONTINENTE EUROPEO

Nessuno si decide a penetrare nel labirinto europeo, per trovarvi il filo mille volte spezzato e riannodato del pensiero degli intellettuali nel XX secolo. Pur nella velleità, compresa la mia, il progetto tenta molti, soprattutto quando ci si incontra in uno dei tanti caffè d'Europa, tra Venezia, Parigi, Madrid o Roma. Non si tratterebbe certo di far opera apologetica, e nemmeno di rifondare la fragile identità europea, ma di disegnarne il percorso zigzagante fino alla pallida riabilitazione dell'oggi, verso l'Europa del Duemila ed oltre.

Ne avevo chiacchierato di recente a Ginevra con alcuni amici, in una di quelle tristi birrerie che chiudono i battenti alle undici di sera, mentre dalle otto in poi servono solo birra o burrosi panini al formaggio (ah, le montagne di burro europeo! Ci tornerò in seguito...).

Eravamo un gruppetto di intellettuali quantomeno composto. Un protestante, professore di storia all'Università di Gottinga; un filosofo francese ex comunista e un altro ex maoista; un cattolico polacco, professore di storia e filosofia all'Università Cattolica di Cracovia, del quale si diceva che fosse consigliere di Walesa; una studentessa ebrea di Amsterdam. E infine c'ero io, italiana, ma in parte anche francese per dimestichezza con questa cultura e con questa lingua, «cosmopolita» ed «ecumenica» o cristiana anonima (per dirla con Karl Rahner) o «inquieta ribelle» (come mi definì una volta Pertini, ricevendomi al Quirinale).

C'eravamo ritrovati verso sera, in attesa della conferenza notturna che chiudeva il XXX Incontro Internazionale di Ginevra, nell'Aula Magna dell'Università di Ginevra. Il primo incontro si era tenuto nel settembre 1946 e tra i conferenzieri si contavano Benda, Bernanos, Jaspers, Lukàcs, de Rougemont, Flora ed altri. Il dibattito, al quale avremmo partecipato l'indomani, aveva per abituale sconsolato tema «L'Europa oggi».

Al caffè, io iniziavo dicendo che tra noi europei continuiamo a non capirci. Neppure Stendhal fu esente dai luoghi comuni, per esempio verso gli inglesi (la «perfida Albione»): «Io credo che gli inglesi siano il popolo più ottuso, più barbaro del mondo, e lo sono a tal punto che perdono loro le infamie di Sant'Elena».[1] Chateaubriand, poi, se la prendeva addirittura con gli stessi francesi: «Tra tutti i popoli i francesi sono i più disumani... Ci è rimasta la ferocia dei Galli: solo che l'abbiamo nascosta sotto la seta delle nostre calze e delle nostre cravatte». I francesi, quando vogliono dire di uno che è «cafone», dicono che interviene nella conversazione «con gli zoccoli» (olandesi, naturalmente), per significare l'assenza di ogni *esprit de finesse*. E Baudelaire non se la prese forse con i belgi, ai quali dedicò il pamphlet *Pauvre Belgique*, descrivendoli come grassi mercanti che emettono rutti osceni? L'Italia, poi, è vista ancora dai suoi vicini come il paese della *pagaille* (termine popolare che esprime il guazzabuglio) e solo di recente (agosto 1986) l'autorevole «Guardian» mostrava di aver cambiato opinione: «Gli inglesi hanno dell'Italia queste due immagini... La prima è quella di un paese popolato da contadini caotici che gestiscono ristoranti. La seconda è quella di raffinati aristocratici che conservano la cultura da museo di Venezia e di Firenze. L'Italia moderna dell'industria e del livello di vita in rapida ascesa non è degnata neppure di uno sguardo... Eppure, entro un anno o due, l'italiano medio ci supererà. Nel 1984 ha speso in beni di consumo 6251 dollari, mentre il britannico medio ne ha spesi 6535... È poi vero che il sistema elettorale proporzionale trasformerebbe l'Inghilterra in un'altra Italia? Ebbene, il sistema italiano, a guardare l'andamento della sua economia, sembra aver avuto maggior successo del nostro». Alcuni anni fa «Der Spiegel» rappresentò l'Italia in copertina attraverso un fotomontaggio di un piatto di spaghetti conditi con una rossa salsa di pomodoro sulla quale affondava una P38. «L'Espresso», dal canto suo, ci riassumeva la Repubblica Federale Tedesca in un altro stereotipo aggressivo: la foto di una *choucroute* sulla quale era posta a mo' di salsiccia una bomba a mano.

Mi tornò in mente la storica contrapposizione tra Nord e Sud e quel giudizio di Aristotele, nella *Politica*, che vantava il privilegio della centralità per la Grecia: «Le nazioni site nei luoghi freddi... sono piene di coraggio ma talora deficienti per intelligenza... I popoli d'Asia sono intelligenti e abili per temperamento, ma mancano di coraggio... La razza greca, invece, partecipa dei due caratteri, proprio perché occupa la posizione geografica di mezzo». Pensai ai tratti sanguinari che sempre assunsero in Europa le ostilità religiose tra Nord e Sud e mi ricordai dell'impressione diabolica che fecero i protestanti inglesi, a Londra, a François Leclerc du Tremblay, più noto come padre Joseph. Il futuro ministro di Richelieu (così brillantemente descritto nell'*Eminenza grigia* di Aldous Huxley), almanaccava a proposito della sorte che attendeva gli inglesi: «Quella gente piacevole e amichevole, che parlava latino con un accento deliziosamente comico, era tutta fatta di eretici. La nazione intera era condannata. Milioni e milioni di uomini, di donne e di bambini, perduti nell'oscurità spirituale che portava diritto ai tormenti eterni. [...] E quelli passavano tranquillamente il tempo come se per loro tutto andasse per il meglio! Eppure di lì a pochi anni ognuno di loro si sarebbe ritrovato all'inferno».[2]

«L'Europa dovrebbe spagnolizzarsi!», fu l'invito con cui ci accolse a Madrid il filosofo Xavier de Ventos, al Congresso sullo Spazio Culturale Europeo, mentre al Parlamento Europeo gli eurodeputati presentavano risoluzioni per l'abolizione delle corride, scuole di violenza e di ferocia. Si facevano dotti riferimenti alla «scomunica» di Pio V, nel 1567, che colpiva i partecipanti alle corride. Un'atroce foto a colori del toro di San Juan, immerso nel proprio sangue, ci guardava da sopra la legenda: «L'altra faccia della cultura spagnola da non mostrare a Europalia. Il popolo di un intero paese tortura il toro». Ed è il gesuita Baltasar Gracián, lo spirito più europeo del XVII secolo, a dipingere il ritratto dello spagnolo, con il quale è difficile convivere e che pratica l'autosegregazione: «... amor proprio, disprezzo per gli altri, desiderio di tenere tutto in pugno e non seguire nessuno, certezza di essere il più bello, di essere uscito dalla coscia di Giove, ostentazione nel far bella figura, autoelogio, parola ricca, altisonante e vuota, solennità, pompa, brio e presunzione, sotto ogni forma, dalla più nobile alla più volgare».

Nella nostra conversazione, andavamo allineando, tra ricordi colti e fatti di cronaca, le immagini che i paesi europei si rimandano l'un l'altro. Talora bastano le dispute più stravaganti a dividere i popoli. Feci l'esempio di quella avvenuta nel Parlamento Europeo tra francesi e tedeschi a proposito della maionese. I primi contestano, infatti, ai secondi di gratificare con tale appellativo una dubbia salsa sintetica che non contiene traccia di tuorlo d'uovo né tantomeno d'olio d'oliva e succo di limone. Dacché ha cominciato ad esistere, la Comunità Europea non è riuscita a eleggersi una capitale unica; così, i governi europei hanno scelto una Capitale Trinità, situata in un triangolo tra Bruxelles, Strasburgo e Lussemburgo. I deputati e i funzionari europei errano dall'una all'altra, trascinandosi dietro, in soste che vanno dalle ventiquattro ore ai cinque giorni, i documenti e i materiali d'archivio. Collaboratori, dattilografe, interpreti, li inseguono, spostandosi da una città all'altra, in lunghe carovane di camion, automobili, come se si trattasse di un circo o di una compagnia di zingari. Allorché scrissi questa riflessione, in un articolo per «Le Monde», fui accusata di antioperaismo da un duro comunicato del Sindacato degli Impiegati Europei. Mi contestavano di voler privare della loro giusta mercede gli onesti funzionari che vivevano all'estero con le loro famiglie. Esiste, infatti, un'indennità di «spaesamento» per l'europeo che va a vivere in un altro paese europeo, come si fa con i diplomatici inviati nelle sedi disagiate. Mi accorsi che la difesa corporativa di questa fascia di mondo lavorativo europeo è tra le più impressionanti. Raccontai in proposito ai miei amici:

«Quando la Russia ha invaso l'Afghanistan, eravamo tutti lì, al Parlamento Europeo, in grande agitazione. L'orologio segnava già le otto passate. Secondo una precisa convenzione sindacale, alle otto gli interpreti interrompono il loro lavoro. Poiché, invece, noi continuavamo a parlare, si scatenò improvvisamente uno sciopero. Restammo senza lingua... Da allora abbiamo capito che anche se scoppiasse un'altra Chernobyl oppure ci fosse una strage terrorista, la seduta si chiuderebbe comunque alla stessa ora, in base alle convenzioni sindacali. Sembra, talvolta, che questa Comunità fondi la sua essenza strutturale su una folla di salariati o di corporazioni "mercenarie" (nel senso stretto della mercede, che in Europa è assai generosa). Gli organici della sterminata ramificazione impiegatizia si gonfiano senza posa: sono centomila almeno tra Bruxelles e Lussemburgo.»

«L'Europa d'oggi» intervenne il filosofo francese più giovane «dà spesso l'impressione di essere tessuta su un intreccio di corporazioni più che sul rispetto dei popoli. Quando è nato il Mercato "verde" (Mercato agricolo comune), sono emerse anche le varie lobbies agricole; le sovvenzioni per produrre montagne di burro, di latte, di carne e di cereali sono giunte, a quel che so, a inghiottire più dell'80 per cento del bilancio generale. E poi latte e burro devono esser venduti a prezzi stracciati ai paesi arabi produttori di petrolio e all'Unione Sovietica».

«O semplicemente» aggiunsi io «riconsegnati alle vacche che l'hanno prodotto, come autoforaggio, ma opportunamente camuffato affinché quelle non si accorgano di rialimentarsi col loro stesso latte! È il ventre molle dell'Europa! Vi confesso che mi affascina tanto che mi piacerebbe fare una vera inchiesta al riguardo».

Nella solenne e squadrata birreria di Ginevra, l'inserviente che prendeva le ordinazioni, sentendomi parlare, mormorò diffidente: «Italiani, paisà».

«Anche questa è l'Europa» dissi ai miei amici. «L'antipatia razzista tra popolo e popolo, che qui in Svizzera si avverte in maniera acuta. È forse troppo fosco ricordare quel che accadde allo stadio di Bruxelles? Tutti quegli italiani massacrati dai tifosi inglesi? Prendiamo allora il beffardo film di Manfredi, *Pane e cioccolata*. Vi ricordate l'operaio italiano che si ossigenava per somigliare a uno Svizzero, ma poi al momento del goal dell'Italia contro la Svizzera fa un urlo di gioia e si tradisce?»

«Sì, l'abbiamo visto,» disse il francese più anziano. «Ma adesso le cose sono molto cambiate, soprattutto in Francia. Se una volta gli italiani erano soprannominati *Spaghetti* (e "la Cinq" fu definita al suo apparire "Telespaghetti") o peggio: *ritals* (toponi, come gli algerini), adesso invadono Parigi, ricchi, eleganti e belli. Gli *chauffeurs* e gli albergatori se li disputano...»

«Quel che oggi colpisce di più è il dinamismo dei finanzieri e degli industriali italiani» notò l'altro francese. «L'"Express" li definì "I nuovi condottieri", mettendo in copertina il terzetto che ha cominciato la *campagna di Gallia*: Agnelli, De Benedetti, Berlusconi. Ora il francese medio vuole capire come funziona "l'azienda Italia"; sono finiti i *reportages* sulle gondole, la miseria allegra dei napoletani, la mafia e il terrorismo, che non è più una "specialità" esclusivamente italiana. Dietro gli industriali, con l'insediamento di Mitterrand all'Eliseo e di Lang alla Cultura, sono arrivati gli intellettuali: architetti, scrittori, uomini di teatro... L'avventura architettonica della Gare d'Orsay trasformata in museo porta il nome di un'italiana, Gae Aulenti. Ma è soprattutto con il *Nome della Rosa* di Umberto Eco che si è raggiunto il *must* del successo italiano. A ogni ristampa, Eco batte implacabile tutti gli altri autori nella classifica delle vendite...».

«Il nome Eco» raccontai ridendo «è diventato sinonimo della popolare interiezione italiana *Ecco*. (*Voilà*)! Un impiegato di banca francese, la cui moglie prenota ogni anno una pensione a Rimini, mi ha chiesto in confidenza: "Mi scusi, ogni volta che mia moglie telefona a Rimini, la proprietaria della pensione esclama sempre: 'Ecco!'. Ma perché ripete il nome dello scrittore che conosciamo?"».

I miei amici sorrisero e l'altro filosofo francese intervenne nuovamente nella conversazione:

«L'industria italiana ha capito che la cultura premia. Mettiamoci nei panni del telespettatore che ha visto al Telegiornale Agnelli alla

"Coupole" del Quai de Conti (l'Accademia di Francia), tra gli immortali, mentre faceva il discorso per l'inaugurazione della Fondazione Fiat-France/Académie de France. Il colosso Fiat distribuirà qualche miliardo di franchi all'*Institut* per finanziare dei premi annuali di ricerca che colleghino la cultura all'industria. È un mecenatismo importante per l'Europa, in quanto sceglie la via dell'europeizzazione a fianco della mondializzazione che è la tentazione costante delle nostre economie. Non si faranno passi veramente decisivi verso l'unità europea se l'apertura del mercato, prevista per il 1992, non sarà sorretta dalla cooperazione scientifico-industriale. Gli industriali costituiscono un buon esempio per gli stati, nel superamento degli egoismi nazionali».

«C'è anche De Benedetti» aggiunsi «che ha finanziato Saint-Laurent e adesso si spinge fino in Inghilterra, dove è già diventato azionista del "Financial Times" e dell'"Economist". La "Cinq" di Berlusconi, sebbene penalizzata dalla copresidenza Hersant, viene adesso accettata in Francia al pari delle altre televisioni. Si dice che sia la versione pacifica del *De Bello Gallico*... Ma tutto non va certo così liscio. Prendiamo per esempio l'*Appello degli intellettuali*, promosso nel 1986 da Marek Halter e da Bernard-Henri Lévy per chiedere l'assoluzione di Verdiglione (paragonato a Dreyfus!) nel processo dei giudici milanesi. Lo firmarono cinquanta intellettuali parigini, che si definivano indignati e preoccupati "per le sorti della libertà dell'intellettuale in Italia", in quanto la condanna di Verdiglione appariva loro di "una gravità estrema, senza precedenti in nessuna nazione occidentale", "un pericolo tanto per l'Italia che per l'Europa, perché riguarda la nozione stessa di giustizia e di diritti umani"».

«È un rigurgito del paternalismo e della superiorità culturale di una volta,» disse ridacchiando il professore tedesco, «un riflesso arcaico...».

«Penso che in fondo il successo italiano in Francia sia soprattutto un fenomeno di moda, di *look*» ripresi io. «Mi interessa di più analizzare l'altra faccia della medaglia: il provincialismo italiano (altra forma di nazionalismo...). Ogni volta che a Parigi esce un articoletto sull'Italia, i nostri quotidiani giubilano: "'Critique' parla di noi e titola: *E l'Italia va...*" (Prima si citavano "Les Temps Modernes"). Il settimanale l'"Espresso" esce con il titolo: *La presa di Parigi: gli italiani in Francia*. In Italia si continua a pensare (e non a torto) che Parigi sia la capitale culturale: è a Parigi che si viene incoronati scrittori, filosofi, registi[3]... Guttuso, "il Michelangelo del comunismo italiano", è morto nella speranza, peraltro delusa, di una sua grande

esposizione a Parigi, ed era anche disposto a ripiegare ai margini del-
l'esagono, alla Fondazione Maeght di Saint-Paul-de-Vence, se non
l'avessero offeso chiedendogli di pagare tutte le spese della mostra...
Gae Aulenti è stata furiosamente insultata per la Gare d'Orsay.
Gare!, scrivevano i giornali contro di lei. *In guardia! Attenzione!
Cave canem!* Invece i giornali italiani si pascevano di cronache entu-
siasmanti, quasi fossimo la Juventus che gioca fuori casa. Inoltre, si
ripetono sempre i tre o quattro nomi di italiani eccellenti, come per
i vini d'esportazione... Anche per Agnelli in televisione, suvvia, in
fondo non è apparso che per sessanta secondi e nessun giornale francese influente, di quelli che fanno l'opinione intellettuale, ha parlato
dell'avvenimento. Io l'ho letto sul "Corriere" e su "Repubblica", fi-
guratevi un po'... Insomma, da una parte per l'intellettuale Parigi resta a tutt'oggi il punto culturalmente più elevato del continente ed
ogni artista aspira ad esser riconosciuto a Parigi; dall'altra, con la destra al potere, in Francia si delinea di nuovo un movimento culturale
centripeto, esagonale, come dicono i francesi, culturalmente poco
europeo, che pone al centro ancora una volta in primo luogo il genio
francese».

«In fondo, siamo ancora tutti nel solco delle rivalità nazionalistiche sul piano culturale» riprese il professore di Gottinga. «Ma non
dimentichiamo che esiste anche un'altra Europa, non disegnata negli
atlanti geografici e nei libri di testo, e tuttavia non meno reale. È
l'Europa che chiamerò spontanea, fatta di giovani, di studenti, lavapiatti o pizzaioli, che parlano due o tre lingue europee come se fosse
un fatto naturale. Scuole di lingue per stranieri, con il sistema delle
cassette, appaiono un po' dappertutto. Si allarga la fascia di quelli
che sollecitano programmi televisivi multilingue. I canali televisivi
che si riescono a captare oltre frontiera, come il francese "Antenne
2", che ho visto ritrasmesso a Roma dalla Corsica, hanno moltissimi
spettatori giovani. Si fanno sempre più numerosi quelli che vanno a
studiare, a vivere e a lavorare, che viaggiano, si abbronzano o fanno
l'amore, in un paese diverso dal paese natale. Ci sono sempre più ma-
trimoni tra europei e quindi sempre più figli bilingui».

Il filosofo francese più giovane incalzava, rilevando come queste
trasformazioni nei popoli europei fossero la cosa più nuova nella vecchia Europa:

«Quel che più di ogni altra cosa ha trasformato gli europei è il
mese di ferie che molti di loro passano ogni anno oltre frontiera...
Questi contatti diretti fra la gente dovrebbero essere favoriti non solo
al momento delle vacanze ma anche durante l'anno, cominciando per

esempio a facilitare l'ascolto dei programmi televisivi da un paese all'altro. Monopolio o non monopolio, non c'è ragione perché un francese non debba usufruire di tutti i canali tedeschi, belgi, italiani...».

«C'è un nuovo "dato antropologico" che si manifesta in una delle tre capitali europee, la città di Lussemburgo», ironizzavo un po' perplessa. «Assistiamo qui a un fenomeno curioso: è nata una sorta di nuova "tribù": un incrocio tra francesi, tedeschi, italiani, irlandesi, ecc. E questo grazie alla presenza di funzionari di tante nazioni diverse che vivono da più di trent'anni nel Lussemburgo. L'Europa dell'amplesso? Ma il "popolo" dell'innesto europeo mi sembra piuttosto incline alla malinconia, alla lamentela, al computo costante delle ferie, che trascorrono il più lontano possibile dal Lussemburgo. Tutti si lamentano del clima, delle scuole, della distanza da Parigi, con i suoi teatri e le sue università. In generale, per i loro figli, ripiegano sulle università della RFT, più vicine. Le mogli fanno marmellate di mirtilli in gara tra di loro. I funzionari esibiscono esplicitamente la loro fierezza per gli orti lussureggianti e in autunno mostrano l'abbondanza delle uve. Sembra una popolazione bucolica. Mi sono accorta, poi, che vivono con un trauma interiore il cui unico lenimento consiste nel fatto che pur sentendosi emigranti, guadagnano uno stipendio così alto come in nessun altro posto del mondo. Sono tutti europei, e magari di paesi che distano l'uno dall'altro appena cento chilometri, ma sono a tal punto "spaesati" che viene loro assegnato un premio... Ci fu perfino un ricorso presso la Corte di giustizia della Comunità contro la Commissione, presentato da un italiano, perché venivano esclusi dall'indennità di "spaesamento" coloro che già risiedevano o lavoravano nel paese dove erano successivamente diventati funzionari europei...».

Il cattolico polacco, seduto pensoso al nostro tavolo, prese a dire che secondo lui le uniche vere frontiere per gli intellettuali europei dovrebbero esser quelle della democrazia e della libertà spirituale: quelle stesse che oggi ci separano dall'Europa centro-orientale. E poi continuò:

«Ai nostri occhi l'Europa occidentale rappresenta un valore relativamente autonomo, tanto più elevato ed idealizzato nella misura in cui viene bistrattato o tradito da coloro stessi che l'hanno reso possibile, e cioè gli occidentali. Per molti polacchi questa valutazione critica è autorizzata dalla conferma che le due recenti guerre mondiali e l'esistenza dei campi di concentramento sembrano aver dato alle nostre più cupe previsioni. Infatti, dal romanticismo in poi, ed anche prima, noi abbiamo sempre opposto i valori europei al dispotismo. Mi chiedo: perché nell'elaborazione del bene comune dell'Europa si ha tanto spesso l'impressione che ogni nazione sia ben lungi dall'apportare ciò che ha di migliore? E mi chiedo ancora: quali sono i mezzi per rafforzare quel valore autonomo che l'Europa rappresenta, e non parlo unicamente dell'Europa dell'Ovest? È forse questa una condizione di sopravvivenza?».

Man mano che la conversazione avanzava e si facevano le ore piccole, ci rendevamo conto che le nostre vite s'intrecciavano in tanti modi e che pian piano si andava evidenziando una curiosa identità comune. Sia lo storico tedesco, figlio di protestanti prussiani ligi all'ordine, sia io stessa, figlia di un antifascista, avevamo vissuto la Resistenza. A un certo punto il professore di Gottinga, capelli biondo oro perfettamente divisi dalla scriminatura, mi confessò:

«La mia bisnonna era veneziana; il mio bisnonno, von Thadden, nobile ufficiale prussiano, la incontrò in una *calle* e l'indomani la chiese in moglie. Partì con lo sposo ed ebbe otto figli. Da casa spediva un gran numero di lettere sui costumi locali. Aveva i capelli color biondo-veneziano e gli occhi azzurri. Il mio bisnonno, invece, era nero come un italiano. Le lettere che dalla Prussia lei scrisse alla famiglia italiana sono molto belle e molto acute».

«Bisognerebbe pubblicarle» feci io.

«No», rispose con fermezza, «sono troppo intime».

A un certo punto della serata giunse al nostro tavolo la studentessa Sarah, figlia di un ebreo francese sfuggito ai campi di concentramento, dove era stata invece massacrata tutta la famiglia. Allorché si rese conto che c'era al nostro tavolo un professore tedesco, tacque arrossendo di colpo. Più tardi mi confessò:

«È la prima volta che mi trovo seduta allo stesso tavolo con un intellettuale tedesco. Per me, finora, tutti i tedeschi erano SS e qui scopro un professore antifascista, amico degli ebrei».

Il professore tedesco e la ragazza ebrea, in quella serata passata a discorrere in una birreria di Ginevra, sembravano voler trovare una propria via d'uscita dal trauma storico.

Osservandoli, il filosofo francese più giovane disse a proposito delle differenze di valori tra i nostri popoli:

«Per l'italiano è ripugnante la bruttezza, per il francese la stupidità; il tedesco, invece, ha sempre paura di non essere buono».

«Quando il cosmo cristiano cedette dinanzi all'Europa moderna», intervenne il professore cattolico, «la cultura si spaccò in due controcorrenti: così la Francia crede d'esser nata direttamente dalla *ra-*

gione, la Germania non sa immaginarsi se non originata dal *bene*».

«Goethe, però,» aggiunsi dubbiosa, «nel suo viaggio in Italia invocava l'Altro, l'Italia, come bene supremo ed esclamava "Et in Arcadia ego"!».

«Il dramma dei tedeschi» intervenne la studentessa ebrea «è che non dovrebbero aver paura di trovare qualcosa di marcio non solo nel regno di Danimarca di shakespeariana memoria, ma perfino nello sguardo innocente della Carlotta innamorata o della Gretchen dalle bionde trecce e dagli occhi azzurri. Erano forse chiuse queste palpebre, erano forse addormentati quegli sguardi, quando i corpi degli ebrei furono trasformati in sapone e magari in pelle per *abat-jour*? La Germania, nel suo culto del bene, è colpita da una specie di cecità verso il male; ed è proprio questo che la portò a consentire che il male fosse compiuto come a sua insaputa. Si può veramente credere che le contadine tedesche non avvertissero il lezzo dei cadaveri che si levava dal fumo dei forni crematori? È una domanda che mi tormenta».

«Ci tormenta tutti», assentii. «Ma mi preoccupa anche il fatto che scorgere il torbido nella romantica Carlotte alimenti la vecchia polemica che ha spaccato in due l'Europa: lo spirito della filosofia dei Lumi (francese) contro il romanticismo (tedesco)».

«Francia e Germania» continuai poi «da quel che constato da anni non fanno che scrutarsi. Tacito aveva già sottolineato la loro purezza, confrontata alla depravazione di Roma imperiale (in *De origine et situ Germanorum*). Madame de Staël, condannata all'esilio da Napoleone, scrisse *De l'Allemagne*, tutto un elogio dei tedeschi, leali, forti, ammiratori della musica, poeti e artisti. A Parigi, il libro non fu pubblicato per ordine del Prefetto di Polizia (Savary) che le scrisse come "i Francesi non fossero ancora ridotti a cercare i modelli nei popoli" che la Signora ammirava... "La sua ultima opera non è francese", concludeva il Prefetto. Solo nel 1913 apparve a Londra. Goethe la trovò un po' eccessiva nell'ammirazione per la probità tedesca. Oggi, comunque, l'opera di Madame de Staël è cancellata dal repertorio europeo, e quasi mai citata. Curioso, non vi sembra?».

Il filosofo francese più anziano replicò, allora:

«Sì; e adesso si è riaccesa in Francia la diatriba sul romanticismo tedesco. C'era già stato il libro di Glucksmann, *Les Maîtres penseurs*, e adesso c'è Finkielkraut[4] che dice che tutte le disgrazie vengono dal romanticismo, da Herder, dal "particolare", ai quali bisogna opporre la filosofia dei Lumi. Io ritengo che bisogna superare questa opposizione. Così come penso che bisogna superare l'opposizione tra coloro che dicono che l'Europa è figlia della Grecia e coloro che dicono che è figlia del Cristianesimo. Credo proprio di aver ragione e la mia non è una posizione eclettica. L'Europa è viva appunto perché esiste un conflitto permanente tra la ragione greca e la fede cristiana».

«Quando a Parigi c'è stata la mostra su Vienna, a Beaubourg», incalzai interrompendolo «gli intellettuali francesi hanno subito rivendicato il ruolo culturale di Parigi con una furia provocatoria. Sollers scrisse sul "Figaro": "Morboso sonnambulismo. Kitsch! Kitsch! Kitsch! Un solo collage di Picasso, nel 1912, e già siete a centomila anni luce da Vienna... Ah Parigi... Altro che Vienna! Musil, Wittgenstein, Freud, Kelsen, Klimt, Mahler, Bauer? Proust, Céline, Lacan, Foucault, Sartre, Débussy, Picasso! È la guerra delle culture!"».

«Il calamaio che il giovane Lutero gettò in faccia al demonio spande ancora l'inchiostro della notte,» ironizzò il colto amico dell'università polacca.

«Io non capisco questa febbre anti-tedesca», riprese il filosofo francese che aveva appena parlato. «E non si tratta solo dei tedeschi d'oggi: si tirano in ballo Hegel, Fichte... Mentre la bellezza dell'Europa sta proprio nel fatto che ha creato i Lumi e il romanticismo. Io naturalmente sono per l'"universale", ma a patto che non sia astratto. D'altra parte sono anche per il "particolare", purché non sia razzista e rinchiuso in se stesso. Il travaglio dell'Europa sta proprio nella ricerca di "universale" e "particolare" e nel fatto che essa si strazia a forza di cercare l'uno e l'altro. È il solo luogo in cui ogni volta che si conquista il senso dell'"universale", si riscopre il "particolare", ed ogni volta che si riscopre il "particolare", si ritorna all'"universale". Globalmente l'Europa è più importante delle sue componenti, che lottano l'una contro l'altra. È vitale capirlo».

«Queste polemiche», conclusi, «contribuiscono ad allontanare lo spirito europeo, come esprime bene la formula "Europa/anti-Europa"».

Il filosofo parigino più giovane disse che tuttavia il concetto di Europa non era stato sempre così vuoto:

«Si è piuttosto svuotato, dopo che il progetto dei tre cattolici, padri fondatori della Comunità, Adenauer, Schuman, De Gasperi, fu portato a termine. La Comunità è diventata la seconda potenza economica del mondo, il cittadino europeo ha raggiunto lo stesso livello di vita di uno statunitense. Questo fatto sarebbe stato inimmaginabile nel 1945, per l'intellettuale europeo come per il semplice cittadino del Vecchio Continente in rovina».

«Il secondo progetto dei padri fondatori», proseguii convinta, «ha poi trionfato in tutta l'Europa occidentale: è la democrazia. Sono scomparse le tre dittature fascistizzanti che oscuravano l'immagine dell'Europa e la vita degli europei. La Spagna, il Portogallo e la Grecia hanno ritrovato le istituzioni del sistema rappresentativo e della democrazia. L'Europa, in questo senso, è stata un successo. Ma proprio nel pieno del successo ci si è accorti che il pensiero originario dei tre, soprattutto in campo culturale, era stato troppo riduttivo. L'integrazione europea è fallita perché non ha osato affrontare quel problema dell'identità culturale comune che solo definisce l'europeo in quanto europeo. Il problema dell'identità consiste, in definitiva, nel considerarsi all'interno di una storia comune, che tra guerre di religione, reciproci massacri e movimenti unitari, tra invasioni barbariche e assorbimento dell'elemento barbarico, tra monarchie assolute e repubbliche, tra democrazie costituzionali e dittature, ha tuttavia vissuto, pur nello scarto storico secolare tra paese e paese, le sue diverse identità in una certa coesione di spazio e di tempo. Questa coesione va dal Medioevo, che va posto in primo piano come fulcro del pensarsi europei, al secolo dell'Europa colta di Erasmo, all'Illuminismo, che per primo formulò il concetto di Europa come concetto di tolleranza, di comprensione per il pensiero altrui. Ma perché da quegli spiriti appassionanti tra Medioevo e Illuminismo, siamo giunti al grigiore attuale?».

«Noi siamo figli di epoche totalitarie», intervenne di nuovo il filosofo francese più giovane, «tra Hitler e Stalin...».

«Perdurante tragedia» approvai io. «Come Berlino, dove il muro spacca in due la Germania come un'accetta».

Il professore tedesco disse allora:

«Oggi, noi europei viviamo una complicata scala di diverse identità di appartenenza. L'identità di un tedesco, per esempio, passa per differenti forme di lealtà: oltre che verso l'Europa, verso la Germania dell'Ovest, verso quella dell'Est (i fratelli separati). Verso gli USA (lealtà prudente...), verso l'URSS (buon vicinato ovvero *Ost-Politik*). Così, non si tratta di rinnegare la complessità delle identità nazionali, bensì di cancellare il semplicismo di un'identità esclusivamente italiana o tedesca o francese. Per lungo tempo la Germania ha avuto la reputazione di non vivere in armonia con il resto dell'Europa. Per Bismarck l'Europa non sarebbe stata altro che una nozione geografica. Nel corso della prima guerra mondiale, l'impero tedesco ha rotto le relazioni con quasi tutta l'Europa. La conseguenza della politica di Hitler è che attualmente le potenze europee svolgono solo un ruolo secondario sul piano mondiale. In contrasto, tuttavia, con questa immagine molto poco pro-europea, la Germania del dopoguerra ha fatto decisamente la figura della "scolara modello" a livello europeo. Nel processo di unificazione europea, la Repubblica Federale svolge spesso il ruolo di motore; alle conferenze di Bruxelles e di Strasburgo si è lasciata guidare molto meno della Francia dai propri interessi nazionali. I sondaggi confermano che oggi i tedeschi fanno parte dei popoli più pro-europei del Vecchio Continente».

«Il fatto è» replicò il professore polacco «che dal dopoguerra ad oggi molti intellettuali, anche tedeschi, non hanno mai smesso di provare vergogna per l'Europa, come Kundera ha detto, e di esplicitare polemicamente la loro rinuncia a pensarsi europei».

«Però», feci io, «si delinea anche una consapevolezza nuova negli intellettuali tedeschi, soprattutto in quelli di Berlino, e penso ai miei amici scrittori Peter Schneider e Hans Christoph Buch; per loro, il pacifismo è stato più che altro una milizia unitaria, una disciplina mentale, un modo di sentirsi nazione integra, al di là della divisione tra est ed ovest della Germania. Anche se, in verità, resta aperto il problema della difesa dell'Europa e nessun buon sentimento pacifista può cancellarlo. Nel pacifismo acefalo delle nostre contrade, io avverto talora un pericolo di dimissione e di resa».

Il filosofo francese più giovane ripropose, allora, una tesi che gli era cara:

«I padri fondatori dell'Europa si sono riposati sulla presupposta eternità della protezione americana. Non hanno mai veramente riflettuto sulla natura della minaccia sovietica sull'Europa occidentale, e di conseguenza gli SS20 hanno preso alla sprovvista i nostri politici. L'Europa è nata mutilata; della cultura, della difesa... La politica sovietica, con Gorbačëv, è più abile, anche perché uno dei due bracci della tenaglia non funziona più. Tutte le forze vive americane, compresi i conservatori alla Kristoc, desiderano il ritiro delle truppe stazionate in Europa. Così sono cambiati gli accordi sui missili a media gittata... Per i sovietici è stata una fantastica sorpresa: da quarant'anni non pensano ad altro... Dal 1975 alla firma degli accordi di Helsinki, "il processo globale europeo", di cui parla la "Pravda", spesso vuol dire il processo grazie al quale gli americani saranno eliminati dal continente, che resterà così libera preda dell'influenza sovietica, senza bisogno di un'invasione».

«Secondo quel che ipotizzava Braudel», continuai io, «i sovietici, servendosi degli eserciti tradizionali, possono arrivare in 24 ore fino a Gibilterra. Quel che glielo impediva, secondo lui, era solo la saggezza, in quanto l'Europa diventerebbe un vaso vuoto, allorché cessasse di essere il *trait-d'union*, la via di comunicazione tra i due continenti...». «Le belle chiacchiere degli intellettuali al Forum della Pace di Budapest», concluse il francese, «dispensano forse gli intellettuali europei dall'analizzare lucidamente la politica sovietica? E le ragioni della difesa dell'Europa? Io credo di no...».

«Metto in primissimo piano che viviamo una fase nuova, quella dell'Europa dopo la peste di Chernobyl, che accomuna Est ed Ovest...».

Il filosofo francese, che era da sempre anti-verde, sviluppò allora per noi un'affascinante argomentazione:

«Alla lunga Chernobyl sconvolgerà gli equilibri geopolitici in maniera più grave di Hiroshima. Il principio della dissuasione nucleare – se tu lanci il missile, lo lancio pure io, perciò stiamo buoni tutti e due – ha congelato la divisione dell'Europa. Al contrario, non serve a niente minacciare un incidente Chernobyl n. 2 per prevenire il n. 1. Il ricordo di Hiroshima rafforza lo *status quo* delle frontiere, mentre Chernobyl necessita di comuni procedure d'informazione, di controllo e sicurezza. L'Europa delle nazioni e dei blocchi è improvvisamente invecchiata; il solo concetto che per tre secoli ha strutturato l'ordine nelle relazioni tra gli Stati, quello cioè della sovranità territoriale (*cuius est regio, illius est etiam religio*), è rimesso in causa. La sopravvivenza dei tedeschi e dei francesi dipende da un incidente in uno stabilimento nucleare dell'Ucraina e dalle correnti d'aria. Bonn e Parigi controllano tanto poco la meteorologia quanto la sicurezza in una centrale sovietica. Ci sfugge la logica o l'assenza di logica delle burocrazie dell'Est, ma noi non sfuggiamo a loro».

Si parlò poi dell'altra questione, alla quale il solito terzetto dei Fondatori non aveva saputo dar risposta: quella che concerne la cultura. Il professore polacco citò il filosofo Kolakowski:

«L'Europa è un territorio spirituale, una tensione comune, nata certo sulla base dell'unità religiosa, ma proiettatasi poi al di là della stessa comunanza religiosa. L'Europa è una cultura che si definisce nel suo spirito di autointerrogazione, nella sua capacità di porsi domande su se stessa».

La ragazza ebrea aggiunse una citazione di Milosz, che paragona la missione della Polonia a quella di Israele.

«L'esistenza di un Papa polacco» conclude il professore di Cracovia, «è oggi l'evento storico dell'Europa, nel senso che si ristabilisce una coesione religiosa e spirituale tra le due parti che Yalta ha diviso. Non credete?».

La conversazione si interruppe, attratti da quel quesito cui non riuscivamo ancora a rispondere. Nel corso di quella serata, che non fu così interminabile come appare, perché il pensiero e la vita vanno sempre più rapidi della scrittura, dopo aver passato in rassegna tante tematiche, ci soffermammo sull'apporto che le altre culture europee avevano dato alla nostra formazione. I viaggi, gli studi, l'insegnamento della storia avevano distrutto molti stereotipi. Raccontai che a Segovia avevo visto l'acquedotto romano, solida teoria di pilastri, che funziona ancora, trasportando acqua alla città da duemila anni. Manifestavo ai miei amici l'intensa emozione che avevo provato dinanzi a quell'opera fatta di blocchi di granito provenienti da Roma e da Genova. Mi sembrava di vedere dinanzi a me, nella sua faccia positiva di architetti e ingegneri, la storia della civiltà romana condensata in un arcobaleno di pietra. Mi coglieva una strana contentezza nel pensare che almeno lì, a Segovia, gli italiani non fossero associati a cose molli: pizza, mozzarella, spaghetti, ma a immagini di granito. Poi, nella piana di Sagunto, dove Annibale era sbarcato vittorioso, una declinante piana dorata lambita dal mare, avevo ritrovato con gli amici di Valencia i segni dell'assedio cartaginese. Di lì Annibale era partito alla conquista della Spagna; l'aveva attraversata, aveva valicato le Alpi ed era piombato vittorioso su Roma, che si voleva invitta e intangibile. La umiliò, com'è noto a tutti gli studenti liceali, si divertì forse un po' troppo a Capua, poi rimase senza i rinforzi che dovevano arrivare da Cartagine (Asdrubale, infatti, non riuscì a raggiungerlo perché fu sconfitto dai romani sul Metauro). Quel che si lascia da parte è il fatto che la conquista dell'Europa era cominciata anche per lui dalla Spagna, così come avverrà a più riprese, nel VII secolo, dopo la morte di Maometto. Allorché, infatti, l'ondata araba si riversò sull'Europa e s'impadronì del Mediterraneo, i due imperi, il romano e il persiano, vigilavano al Nord, contro la minaccia germanica... Con l'Islam, poi, un nuovo mondo entrò nel Mediterraneo, dove Roma aveva diffuso il sincretismo della sua civiltà.

Queste evocazioni ci convinsero ancor più della necessità di far conoscere ai popoli europei una storia d'Europa «riformata», eliminando tutte le banalità ricorrenti nei libri di testo e i *clichés* nazionalistici. Uno dei presenti ricordò un'idea che aveva espresso Le Roy Ladurie:

«Per creare sentimenti europei più forti basterebbero anche cose semplici, come per esempio avere una carta meteorologica dell'Europa invece che della Francia: sarebbe già un mondo. Negli Stati Uniti, al mattino, si guarda la carta meteorologica alla televisione e *ipso facto* ne deriva un sentimento di unità».

Arrivammo, quindi, alla conclusione che il francese vive la cultura francese come l'italiano vive la cultura italiana, e così via. Il tedesco, poi, ripiegato su se stesso, vive la propria cultura con quel difficile senso di colpa che ha verso il proprio passato. Sembrava proprio che i popoli europei non si capissero, oggi, più di quanto non si capissero alla fine della seconda guerra mondiale, nonostante la loro profonda civiltà. Quella sera convenimmo tutti che una storia d'Europa sarebbe veramente stata utile...

E per la prima volta capimmo, anche, che tale storia implicava la dimensione religiosa dell'Europa, come disse il professore protestante; era una cosa del tutto nuova tra laici affrontare questo argomento, al quale non ci eravamo mai veramente interessati. Convenimmo che sul nostro continente doveva finire l'era dei fanatismi religiosi e doveva inaugurarsi quella del rispetto di ogni religione. L'Europa avrebbe dovuto adoperarsi perché si ponesse fine ai conflitti tra protestanti e cattolici nell'Irlanda del Nord, all'antislamismo, sempre più o meno latente, all'antisemitismo, origine del genocidio hitleriano; se le fedi e le pratiche religiose dovevano rispettare la neutralità degli Stati in materia religiosa, questi a loro volta dovevano rispettare la libertà di culto, come invece non è avvenuto nell'Europa dell'Est, dove la persecuzione religiosa è stata un fatto avvilente per la civiltà. Ci trovammo così d'accordo su un tema del tutto insolito: l'esistenza di un'Europa delle religioni soggiacente all'Europa politica, e convenimmo che per la cultura europea il fondamento cristiano è stato l'elemento decisivo, ravvisabile finanche nelle sue espressioni più laiche.

Pensai, da parte mia, che sarebbe stato del tutto nuovo per il cittadino delineare, in una storia europea, la mappa delle religioni: la *mappa impensata...*

Note

1 Stendhal, *Ricordi di egotismo*, trad.it., Einaudi, Torino 1977.
2 Aldous Huxley, *L'Eminence grise*, Gallimard, Paris 1980, pp. 60–61.
3 Moravia, come è riportato in un'intervista su «Panorama» (28 luglio 1987), afferma che vuole «celebrare il suo ottantesimo compleanno a Parigi», e spiega, tra melodramma e riflessioni serie: «Parigi è il posto giusto per morire... È la città giusta, la città della letteratura... La vita culturale francese è una bellissima macchina, che produce libri, riviste, dibattiti... L'impero francese non esiste più, ma questo rimane uno dei grandi centri di smistamento delle idee, forse il solo».
4 Alain Finkielkraut, *La défaite de la pensée*, Gallimard, Paris 1987.

II

RIFLESSIONI SUL PERCHÉ
NON C'È UNA STORIA D'EUROPA

Il segreto di tanti noiosi vertici europei, di tanti scacchi politici e di tante inutili maratone agricole risiede non solo nell'ostilità dei singoli Stati dinanzi alla limitazione della loro sovranità a favore di un vero potere comunitario ma nel *vuoto storico*, dove l'unica storia che ancora si insegna è quella patriottarda, la storia «dell'Italietta, della Francetta, della Germanetta», come Pasolini scriveva. È indicativo che le due più importanti storie d'Europa siano state scritte nel corso degli ultimi due conflitti mondiali. Quella del belga Henri Pirenne,[1] morto in campo di concentramento, e quella di Federico Chabod,[2] nata da quei corsi universitari che i fascisti interruppero, costringendo il professore alla clandestinità. Croce, sebbene si fosse limitato alla storia d'Europa nel XIX secolo, concependola come storia della libertà, ne aveva fatto un manifesto antifascista.[3]

Dinanzi alla corsa dell'Europa verso l'abisso troviamo il panico di Husserl, nelle due celebri conferenze che il filosofo tenne a Vienna e a Praga, nel 1935, tre anni prima della sua morte. Il teorico della fenomenologia pura si chiedeva allora se l'Europa sarebbe mai uscita dalla sua crisi. Ma lo sguardo severo che si posa sui tempi moderni, sull'ambiguità dell'epoca, che nutre degradazione e progresso insieme, contiene anche la speranza della rinascita. «La passione di conoscere», che Husserl considera l'essenza della spiritualità europea, poggia sulla nostra stessa storia, che è d'altra parte anche un labirinto di reciproche falsificazioni, nazionalistiche e no. Husserl pensa che l'idea di Europa può rivivere ancora se si recupera l'idea di umanità, perché solo l'idea europea esprime pienamente quella di umanità. Il filosofo pone, inoltre, la filosofia al centro della sua idea di Europa: «Nel varco aperto dalla filosofia, nel senso in cui tutte le scienze vi sono co-incluse, io vedo, per quanto paradossale possa esserne la risonanza, il fenomeno primo dell'Europa spirituale». L'americano Bierce, morto nel 1914, scriveva con scetticismo: «Storia: Resoconto generalmente falso di avvenimenti generalmente di scarsa importanza, provocati da capi di governo generalmente ribaldi e da soldati generalmente stupidi.»[4]

Sembra proprio che dalle tragedie, dalle guerre e dalle dittature rinasca come la Fenice, là dove tutto è cenere, la ricerca dell'identità storica dell'Europa. Lo spirito europeo, il sentimento di unità, si iscrivono più chiaramente nel dramma della guerra che nella pace. Dopo l'esplosione di Chernobyl, come si è visto, gli intellettuali europei si sono sentiti più vicini, dallo Skagerrak allo stretto di Scilla e Cariddi, nell'analisi dell'Europa del «dopo Chernobyl»! Scriveva, tuttavia, Glucksmann con pessimismo:

«Malvolentieri gli europei si lasciano scuotere. Sono accampati su posizioni ideologiche già pronte in anticipo, nulla li sorprende e nulla li smonta; non cedono di un pollice il loro terreno mentale e Chernobyl sembra passare come una lettera alla posta, senza suscitare né angoscia né idee nuove. Ogni lobby ci tiene ad essere immancabilmente rassicurata sui propri pregiudizi; così, per quindici giorni, la popolazione francese fu privata di informazioni particolareggiate come lo furono i bambini tedeschi di mucchi di sabbia. [...] Come la peste antica, il pericolo nucleare è di natura duplice, al tempo stesso tecnologica e politica. Se fosse esclusivamente di natura socio-politica, i nostalgici della guerra fredda occuperebbero le scene: "Succede solo ai russi", "È la logica del capitale". Se fosse solo di natura medico-fisica, avrebbero ragione gli ecologisti: "Il rischio è uguale e identico ovunque". Resta il fatto che ognuno sa che in nessun luogo la minaccia è completamente assente e che l'assenza di democrazia l'aggrava. Dai due lati della cortina di ferro, i diritti dell'uomo diventano una condizione di sopravvivenza».[5]

La prima *riforma europea*, che avrà più peso del mercato unico europeo per trecentoventi milioni di consumatori, fissato per il mitico 1992, sta nella riforma dell'insegnamento della storia d'Europa. Ripensare la storia d'Europa implica una conseguenza apparentemente banale, ma facilmente constatabile da tutti: la necessità di scrivere una *storia comune* che non esiste ancora. Ma da quest'orecchio non ci sente nessuno! Il problema resta lo stesso drasticamente aperto nel 1946, allorché Julien Benda ne parlava in questi termini:

«Ho talora rimproverato ai professori di storia, che pur aderivano all'idea dell'unificazione europea, di non dare ai loro alunni qualche lezione sull'Europa, presentata come una realtà politica indivisa. Essi mi opponevano la necessità di rispettare i programmi, di trattare esclusivamente problemi suscettibili di esser portati al baccalaureato, ed altre considerazioni di ordine pratico. La vera risposta sarebbe stata che essi non vedevano nel loro spirito l'Europa come realtà politica indivisa!»[6]

Non solo allora, ma ancor più oggi, a distanza di quarant'anni, lo storico dovrebbe assumersi la paternità di una storia europea che non consista più nell'esaltare nel passato solo ciò che si è orientato verso la formazione delle nazioni, sottovalutando tutto ciò che ha cercato di costituire l'Europa, bensì nell'operare in senso inverso, e pur senza disprezzare i primi fattori, parlare in tutt'altri termini dei secondi. Tale revisione della storia era apparsa auspicabile anche al Congresso degli intellettuali, a Madrid, nel 1985: sulla base di una lettera indirizzatami da Georges Duby, lo spagnolo Artola, che presiedeva la riunione, chiese agli storici presenti di aderire al progetto che lo storico francese proponeva in questi termini:

«Un gruppo di storici, provenienti da tutti i paesi d'Europa, dopo essersi accordati sul quadro cronologico e spaziale e aver naturalmente tenuto conto dei dati dell'ambiente, potrebbe concepire un piano generale, articolato in maniera da poter collegare gli eventi alle strutture economiche, politiche, giuridiche e culturali, che ne sono state l'eco e al tempo stesso il supporto. Potrebbe poi dividersi i compiti in modo da preservare la coesione dell'insieme...» Duby auspicava che l'impresa sfociasse «in una grande opera, pubblicata simultaneamente in tutte le lingue», nonché «in edizioni abbreviate di uso più popolare, destinate in particolare all'insegnamento medio»; bisognava anche prevederne «l'adattamento... ad altri mezzi di comunicazione, e soprattutto alla televisione».[7]

Il Congresso di Madrid rispose molto positivamente alla proposta di Duby e il Manifesto degli intellettuali contiene un punto che dice:

«Il Congresso sostiene con entusiasmo il progetto di creare una storia d'Europa e a tal fine viene eletto un comitato costituito da storici di diversi Paesi, che s'impegna a riunirsi a Parigi nel gennaio 1986».[8]

Successivamente, tuttavia, ricevetti una lettera di Jacques Le Goff, che mi spiegava le ragioni per cui il progetto rischiava di dissolversi:

«Sono stato scoraggiato da un certo numero di persone interessate al progetto di una storia europea. Vedo sbocciare contraddizioni e intrighi. Non pensavo che un progetto simile potesse costituire una posta così importante di potere e, a quel che sembra, di appetiti finanziari. Tu sai che sono sempre stato disposto ad occuparmene, ma senza egemonia alcuna, come di un progetto scientifico di costruzione europea. Non ho più alcuna voglia di immischiarmi in queste faccende. E non sopporto che ti mettano in difficoltà. Spero che tu non me ne voglia, se mi tengo lontano da questi maneggi».[9] Dal canto suo, Braudel aveva già abbandonato il suo progetto di una storia d'Europa e me l'aveva amaramente confermato nell'estate del 1985: «Dio non ci ha designati per costruire l'Europa. È necessario aiutare il parto, ma è molto tardi e direi anche che il mondo non ci aiuterà: né il mondo sovietico né il mondo americano. Non ci aiuteranno affatto».[10]

Allorché gli chiesi se secondo lui esisteva qualcosa come uno spirito europeo, mi rispose che certamente esisteva, ma che la sola prospettiva che personalmente lo interessasse era quella dell'Europa dei popoli: «Bisognerebbe, cioè, che si creasse un *mélange* europeo, di popoli europei... E le faccio notare che dovrebbe essere un *mélange* profondo, non foss'altro che attraverso gli spostamenti, i viaggi di massa verso Spagna e Italia...».[11]

Gli chiesi quale fosse ai suoi occhi l'ostacolo maggiore che si opponeva alla costruzione europea. Mi rispose che ci saranno sempre diversi ostacoli, ma che «il giorno in cui il francese penserà di essere uguale a un italiano, il giorno in cui l'inglese penserà di non essere superiore agli altri, il tedesco, invece, di non essere il più coraggioso e lo spagnolo di non essere il più fiero, e così via, ebbene allora le cose cambieranno. Adesso ci si urta contro questa cattiva erba».[12]

Ma chi insegna sui banchi di scuola francesi che non fu grande solo Ugo Capeto, di cui la Francia si appresta a celebrare con fracasso il millennio, ma anche Costantino, Enrico VIII, Carlo V, Filippo II?... Per costruire l'Europa occorre ribaltare la vecchia lezione.[13] Il protezionismo culturale ed ideologico che si nasconde dietro il rifiuto di una storia comune fu svelato dal discorso dell'ambasciatore italiano a Mosca, Sergio Romano, pronunciato a Venezia, nell'autunno 1986, in occasione dell'incontro «Europa-genti». In quella stessa Fondazione Cini dove il 1° Congresso degli intellettuali aveva inviato il primo messaggio europeo per l'identità culturale, egli ci descrisse l'origine dell'impossibilità di mettersi d'accordo su una storia comune dell'Europa. Il colto Ambasciatore ci informò che questa continua esplorazione alla ricerca di un «continente introvabile» era destinata a fallire in quanto dietro ogni idea di Europa, dietro ogni riflessione sull'unità europea, si nascondeva sempre un progetto politico nazionale. Mi parve, in verità, un discorso molto sconfortante. Partecipava all'incontro un antropologo sovietico, un uomo grosso, rossiccio e buontempone, che si era seduto al mio fianco e dopo aver ascoltato l'intervento dell'Ambasciatore, mi bisbigliò all'orecchio in inglese: «A Mosca, all'Accademia delle Scienze, abbiamo appena portato a termine una *Storia d'Europa* in sei volumi...». Che cosa rispondergli? Forse che quando la Russia sarà arrivata a Gibilterra, nell'apocalittica previsione di conquista dell'Europa, potremo avere, infine, una *Storia d'Europa* per i nostri pavidi insegnanti e per i nostri «sciovinisti» Ministri della Pubblica Istruzione?

Il protezionismo culturale e ideologico, simboleggiato anche da questo rifiuto di una *Storia d'Europa*, ambiguamente mascherato dietro la «difesa del patrimonio culturale» oppure la «difesa della nostra memoria storica», innalza spesso quell'insormontabile muraglia tra studiosi, che ostacola la formazione di un «pensiero europeo» nelle nuove generazioni. Se si aggiunge che dalla firma dei Trattati di Roma ad oggi si sono tradotti la metà dei libri pubblicati nei paesi europei, rispetto all'immediato dopoguerra, mentre sono state raddoppiate le traduzioni di libri americani, ci si renderà conto di come le barriere dell'incomunicabilità persistano nonostante tutti i magniloquenti discorsi sull'Europa, e nonostante tutti i Piani Erasmus, i piani tecnici, gli spostamenti delle *élites* studentesche, che se ne andranno a imparare non la storia europea ma quella del paese vicino. L'ostacolo contro cui continuiamo ad urtare è sempre lo stesso: da un lato, lo statalismo e il nazionalismo dei *Dodici*; dall'altro, l'opaca, torbida ostilità di fondo degli intellettuali, che perdura e resta attaccata al corpo come una seconda pelle. È una sorta di antipatia biologica per l'Europa d'oggi, che ha messo le sue radici negli anni trenta ma è esplosa nel dopoguerra e nella nostra epoca *terzomondista*, che ha spesso voltato le spalle all'Europa per sposare altrove, anche se per generosità, le cause della libertà, della giustizia, in terre sempre più lontane da noi.

In occasione del 1° Incontro Internazionale di Ginevra, Julien Benda individuava la causa dell'assenza di uno spirito europeo nella disarmonia delle epoche di formazione delle nazioni europee:

«Il XX secolo, che assisterà forse alla costituzione dell'Europa, soffre del trionfo violento dell'anti-Europa... Una delle ragioni consiste nel fatto che le diverse parti dell'Europa non si sono evolute sincronicamente ma in modo indipendente le une dalle altre. La Francia e l'Inghilterra hanno realizzato l'unità nazionale fin dalla fine del XIII secolo, mentre la Germania e l'Italia erano ancora nel caos e raggiungeranno l'unità solo nel XIX secolo. Quelle stesse nazioni conobbero relativamente presto le libertà individuali: l'Inghilterra, di diritto fin dalla Magna Charta; la Francia creò i diritti dell'uomo e del cittadino, mentre ancora in epoca recentissima la Germania giaceva sotto un regime che calpestava l'individuo».[14] Si potrebbe aggiungere che anche la Spagna ha realizzato la propria unità alla fine del secolo XIV e ha raggiunto l'apogeo sotto il regno di Isabella e di Ferdinando, all'epoca della scoperta dell'America, e sotto il dominio di Filippo II, con l'impero coloniale che aveva fatto della Spagna il regno «dove non tramonta mai il sole».

Ma l'assenza di ogni sincronismo nello strutturarsi delle nazioni europee, lo scarto profondo tra il diverso grado di sviluppo statale dei vari paesi europei, costituiscono davvero nuove ragioni per spiegare l'inesistenza di un'identità culturale? Se l'Europa non ha mai avuto coscienza di costituire una realtà politica comune, neppure quando i popoli più diversi del continente hanno condiviso una comunanza di interessi, di sentimenti o di passioni, di chi è la responsabilità? Sulla *Res Publica Christiana* è calato il silenzio, come sull'europeismo del Rinascimento e la conquista ideologica dell'Europa da parte dei Lumi. Penso, poi, ai sentimenti che mossero le folle europee, quando all'inizio del Millennio attuale (settembre 1086), al tempo della Prima Crociata, esse attraversarono le pianure dell'Europa centrale per raggiungere il sepolcro di Cristo; oppure al terrore collettivo che colse le popolazioni europee al tempo delle invasioni normanne (quando in tutta l'Europa riecheggiava il grido: *A furore Normanorum libera nos Domine!*) o dell'invasione dei Mongoli nel XIII secolo; o al panico popolare per l'irruzione turca del XVI secolo, quando l'esercito ottomano raggiunse le porte di Vienna, nel 1529, e assediò la città. Storia comune e, poi, storia di massacri reciproci nelle guerre di religione. L'altra data di fuoco della storia dell'Europa è quel 1527, anno del Sacco di Roma, recentemente riletto da André Chastel, in un libro uscito prima negli Stati Uniti e poi in Francia (!)[15] come un evento che costituì non solo uno stupro religioso, sorretto dalle armi, ma anche una terribile dissacrazione dell'arte e dello spirito creatore. La spedizione mercenaria, guidata da francesi e spagnoli contro «la grande prostituta» evocata da Lutero, assume il significato di una distruzione simbolica del pensiero e dell'arte. Lucas Cranach aveva inciso, con la violenza furibonda del genio, l'immagine di Roma-Babilonia, facendone la donna immonda che Lutero, scomunicato nel 1520, aveva voluto condannare a morte. Ubriaca, folle, prostituta discinta, con uno scettro infame in pugno, se ne sta a gambe larghe sopra un trono di cadaveri.

I libelli diffusi in Francia e in Germania per denunciare la diabolica Babilonia della Cristianità, accesero la furia degli eserciti puritani che bruciarono sul rogo del fanatismo anche gli architetti, i pittori, gli orafi e gli incisori di Roma, come Benvenuto Cellini, che si arroccò in Castel S. Angelo per difendere l'arte e la città. Nella sua autobiografia, la *Vita*, l'artista racconta le atrocità che vedeva dalla fortezza assediata di Castel S. Angelo: «Si vedono gli avversari uccidere, stuprare, rubare». E a fianco di Benvenuto, altri orafi, altri artisti, difendono non solo la città ma quello stile clementino che si esprimeva rigoglioso nel 1527.

Con il ritorno del papa, che portava la barba del penitente, Roma si riconcilia, nella Controriforma, anche con l'arte possente del Michelangelo del *Giudizio Universale*, dove fiammeggiano le maledizioni sulle conseguenze della violenza esercitata contro Roma. Come scrisse lo storico Chastel:

«Il Sacco di Roma ad opera degli eserciti del nuovo Carlo Magno è stata la tremenda risposta della storia ai sogni degli umanisti italiani».

Se tuttavia, nel corso dei secoli, le popolazioni europee hanno patito spesso gli stessi mali, hanno anche vissuto in comune le epoche in cui fiorirono le cattedrali (che De Gaulle fu il primo a ricordare come simbolo dell'unità europea), s'incrociarono le opere dei poeti, dei musicisti, dei pittori, dei letterati. Una civiltà senza pari, le cui origini portano inscritti gli stessi nomi: Atene, Roma, Bisanzio, Gerusalemme. Ma nel divenire dell'Europa, gli slanci di comunicazione ideale e artistica tra i popoli europei saranno non solo reinghiottiti dalle reciproche stragi, che durano da duemila anni, ma saranno cancellate dalla nascita degli Stati e degli appetiti di conquista culturale reciproca. E adesso posso essere d'accordo con Julien Benda, quando dice:

«Per secoli interi l'azione politica in Europa consisterà in un duplice lavoro: da una parte, costituire degli stati-nazione, dei complessi nazionali; dall'altra, renderli indipendenti e ostili gli uni agli altri. L'opera cominciò con l'arrivo dei barbari, che furono all'origine delle divisioni nazionali, giacché opposero le *gentes* a quegli elementi di internazionalismo rappresentati, malgrado tutti i difetti, dall'impero romano e dalla Chiesa cattolica».

Per tornare al progetto di una *Storia d'Europa*, incontrai Le Goff qualche mese dopo aver ricevuto la sua lettera e gli chiesi qualche spiegazione supplementare su quel che era effettivamente accaduto. Lui mi rispose con brusca franchezza (anche per la sibillina frase che mi riguardava):

«Già quando rinunciai al progetto di una *Storia d'Europa* ti scrissi nella lettera: "Non sopporterò che ti mettano in difficoltà". Oggi posso aggiungere quel che effettivamente accadde: un'importante Istituzione europea (il Consiglio d'Europa?) mi inviò due messi per mettermi in guardia: "Lei, professor Le Goff, ha tutta la nostra stima. Sono già pronti gli editori e i fondi necessari per il progetto di una *Storia d'Europa*. Ma che c'entra la signora Macciocchi, da voi eletta segretaria di questo comitato di 24 storici? Guardi che c'è una condizione ai finanziamenti ed è che non si parli più di lei, che scompaia". Io rifiutai, affermai che la tua presenza era necessaria, che saresti stata capace di creare e organizzare quel che spesso noi non avevamo saputo fare, come a Venezia e a Madrid. Se ne andarono e non li ho mai più rivisti. Scrissi poi una lettera alla Commissione, su tuo suggerimento, sempre per caldeggiare questo progetto di una *Storia d'Europa*, inviando anche i documenti di Madrid e chiedendo un appuntamento per noi tutti, a Bruxelles o a Parigi. Non mi hanno mai risposto. Ora sono io a chiederti: che fine ha fatto la *Storia d'Europa*?».

«Beh, adesso c'è un'altra *Storia d'Europa*, accreditata dalla Commissione» gli raccontai. «Le istituzioni bruxellesi hanno deciso di fabbricarsene una con una persona di loro fiducia, lo storico professor Duroselle, che non sembrava ancora aver aggiornato la sua visione derelitta dell'Europa.[16] Ne è stata data la notizia a Firenze, in occasione del convegno "La sfida culturale"; il piano dell'opera è stato esposto da un rispettabile cattedratico, delicato come una statuetta di porcellana antica, il cui nome, per mia ignoranza, non avevo mai udito prima. Il professore faceva mettere da un suo segretario inglese, dentro l'apparecchio per le proiezioni, delle diapositive che venivano proiettate su una gran carta geografica d'Europa affissa sul muro, per mostrare a noi tutti i confini progressivi della millenaria storia europea. Ma il suo giovane assistente metteva sempre le diapositive storte oppure le scambiava l'una con l'altra. Così, con nostra grande meraviglia, vedevamo l'Europa giungere fino alla Russia nel V secolo a.C.; occupare il Turkestan già nel Medioevo; poi, all'epoca della conquista dei Mori, quelli se ne restavano fermi sul Mediterraneo, attorno ad Algeri. "Oh, oh!", tossichiava qualcuno. Ma il professore continuava a leggere le sue note e non si accorgeva del disastro delle proiezioni. Allora il Commissario alla Cultura, per togliere ogni imbarazzo ai presenti, ci disse con la sua notoria dolcezza di modi, la bocca a bocciolo, in qual modo avesse incontrato l'eletto professor D., membro dell'Accademia di Francia. "Fui inviato, un giorno, a Parigi dal presidente della Commissione Delors, con l'incarico di prendere contatti con questo nostro storico eccelso. La Commissione aveva deciso di dare il via alla *Storia d'Europa* e mi aveva incaricato di chiedere al signor D. di assicurarne la direzione. L'esimio Maestro – lo stesso che lasciava proiettare le diapositive in un "casino" pazzesco – accettò"».

«E tu non hai detto niente?» mi chiese Le Goff, un po' sorpreso.

«Sì, tentai di prendere la parola, per svelare ai convenuti che c'era già un piano per la *Storia d'Europa* redatto da Georges Duby al Congresso di Madrid. Volevo chiedere al Commissario: "Che fine ha fatto quel piano? Dov'è finito il comitato fondato da Le Goff con ventiquattro storici di tutti i paesi? Perfino l'*'Express'* ne aveva dato notizia!". Ma quando chiesi la parola il funzionario di turno mi avvertì che la discussione era già chiusa. "Ma se non è mai stata aperta", feci io. Più tardi cercai d'infilarmi nella conferenza stampa per i giornalisti, convocata per annunciare con solennità la nascita della *Storia d'Europa*. Avevo sempre l'intenzione di chiedere che fine avesse fatto la "nostra" *Storia d'Europa*, in quale dossier bruxellese fosse andata a morire. Ma il funzionario europeo responsabile della conferenza stampa mi avvertì che non potevo prendere la parola, perché non ero giornalista. "Sì, fra l'altro..." replicai. "Ma non accreditata!" rispose lui.

«Allora me ne andai a rifugiarmi nel giardino del Boccaccio, che circonda la splendida Villa Schifanoia. Sognai l'epoca della licenziosa Fiammetta e le sue storie d'amore, con la libertà che aleggiava tutt'intorno. Mi dissi che stavo perdendo gli anni e la vita nella più inodore e superficiale battaglia che si possa immaginare. In quella Firenze, punto di riferimento di ogni arte, ebbi una crisi, un *coup de pompe*, come si dice a Parigi».

«Ma quanto è costato quel colloquio sulla sfida culturale?» mi chiese Le Goff.

«Me lo ha domandato anche Anthony Burgess» risposi polemica e beffarda; «lo scrittore inglese doveva prendere la parola l'ultimo giorno ma scomparve misteriosamente, insalutato ospite. Così mi sono informata: qualcuno mi ha rivelato che è costato 700 000 Ecu: un miliardo e cinquantamila lire, cinquecento milioni di franchi francesi...».

«Ma una cifra così,» esclamò sbalordito Le Goff «sarebbe bastata a far la *Storia d'Europa*...».

«Ecco, per l'appunto... e così il cerchio si chiude... *senza* storia, ma *con* magnificenza medicea nell'ospitare quelli che non la vogliono...».

Note

[1] Henri Pirenne, *Histoire de l'Europe* (pubblicata postuma, così come fu lasciata dall'autore, nel 1936).

[2] Federico Chabod, *Storia dell'idea dell'Europa*, Laterza, Bari 1961. Il libro contiene il corso universitario sulla «Storia d'Europa», tenuto a Milano nel 1943-44, ripreso poi in due altri corsi tenuti a Roma nel 1947-48 e nel 1958-59. Fin dalle prime pagine lo storico precisa quel ch'egli intenda per «Europa»: «Quel che a noi interessa è il concetto di Europa dal punto di vista culturale e morale; dell'Europa che forma un *quid* a sé, distinta dalle altre parti del globo, proprio soprattutto per certe determinate caratteristiche del suo modo di pensare e di sentire, dei suoi sistemi filosofici e politici: dell'Europa, come "individualità" storica, che ha una sua tradizione, che può fare appello a tutta una serie di nomi, di fatti, di pensieri, che le hanno dato, nei secoli, un'impronta incancellabile (*op. cit.* p. 20)».

[3] Benedetto Croce, *Storia d'Europa nel secolo decimonono*, Laterza, Bari 1932.

[4] Ambrose Bierce, *Devil's Dictionary*, trad. it. *Dizionario del diavolo*, Elmo ed., Milano 1955.

[5] André Glucksmann, *La Peste à Tchernobyl*, in «Lettre Internationale», autunno 1986, n. 10, p. 74.

[6] *Rencontres internationales de Genève*, La Baconnière, Neuchâtel 1946.

[7] Progetto di Georges Duby al Congresso degli intellettuali sullo *Spazio culturale Europeo*, Madrid 1985.

[8] *Manifesto degli intellettuali* riuniti al Congresso sullo *Spazio Culturale Europeo*, pubblicato dalla Comunità Europea.

[9] Lettera di Jacques Le Goff a Maria Antonietta Macciocchi del 15.3.1986.

[10] Dialogo di Fernand Braudel con Maria Antonietta Macciocchi (v. qui pp. 197 sgg.).

[11] *Ibidem*.

[12] *Ibidem*.

[13] Scrive Julien Benda in proposito nel *Discours à la nation européenne*, Gallimard, Paris 1933: «Quando gli uomini della mia generazione erano sui banchi del collegio i loro maestri insegnavano a sorvolare su certi imperatori e papi del Medioevo, su quei "sognatori" che vollero fare l'Europa della Cristianità, e a non prender sul serio altro che quella gente pratica che aveva fatto la Francia, e ancora, quando i maestri erano di spirito largo, gli Hohenzollern che avevano fatto la Prussia, gli Asburgo che avevano fatto l'Austria... Se volete costruire l'Europa, occorrerà rovesciare questi insegnamenti, proclamare che quei "sognatori" furono grandi, che a dispetto delle loro debolezze e dei loro accecamenti, l'anima dell'Europa era in loro, e che nelle loro cavalcate da un capo all'altro del continente, essi hanno rappresentato un tipo di umanità più puro, più generoso dei contadini dell'Ile de France o del Brandeburgo, impegnati di padre in figlio ad arrotondare il loro campo...».
E ancora: «Soprattutto, occorrerà che voi cambiate la lezione sulla divisione di Verdun e invece di esaltare questo avvenimento, perché ruppe il blocco d'Occidente e consentì "l'irrompere" delle nazionalità, dovete deplorarlo per questa ragione...».

[14] *Ibidem*.

[15] André Chastel, *Il sacco di Roma*, Einaudi, Torino 1985.

[16] Cito alcune frasi di Jean Baptiste Duroselle, che dimostrano come la sua visione della storia sia estremamente *datata*, agli anni '50 per spiegarci:
«Quando mi si dice che l'Europa è il paese del diritto, penso all'arbitrio; che è il paese della dignità umana, penso al razzismo; che è quello della ragione, penso ai fantasmi romantici. E trovo la giustizia in Pennsylvania, la dignità umana tra gli arabi, la ragione dovunque nell'Universo, se è vero, come dice Descartes, che il buonsenso è la cosa meglio divisa nel mondo» (*L'idea d'Europa nella storia*, Denoël, Paris 1956).

III

COME L'AUTORE CERCÒ DI SPIEGARE
L'EUROPA AGLI SVIZZERI

Il concetto di «Terzo Mondo», come quello di Divina Provvidenza, sembra avere un potere di salvazione universale. Io, invece, ho cercato, nei diversi incontri e colloqui di intellettuali europei, di bilanciare il dialogo con un altro concetto, ben più ingrato: quello di «identità» e di «spirito europeo».

Mi trovai, un giorno, in uno di questi insulsi incontri «istituzionali» fra intellettuali, che aveva però la particolare caratteristica di svolgersi nella pingue e doratamente inerte Svizzera. C'era, per certo, un entusiasmo eccessivo in quel che dicevo e una certa fastidiosa (considerata la speciale natura del pubblico) credulità nella cultura, nel progresso e soprattutto nel futuro dell'Europa. Nella passione del discorso, avevo perso di vista il fatto che stavo parlando in un paese costipato di banconote, di diamanti e quadri d'autore, nel rifugio prediletto di banchieri e bancarottieri. Il mio entusiasmo europeizzante risultava tanto più sgradito in quanto quella grassa assemblea non aveva che un'unica aspirazione, masochista al massimo grado: essere insultata, calpestata, colpevolizzata. Per poter infine venire assolta, e quindi nuovamente assunta nell'empireo della propria bontà, fatta di piccole elemosine e sentimenti a buon mercato. Oppure: pagare forbiti oratori e apprendere, nel gran finale, che in un mondo europeo ridotto come un pantano, c'è un'isola di salvezza, un luogo assoluto di democrazia, ed è questa Svizzera, con i suoi cantoni e i suoi cantoncini – dove nemmeno le radiazioni atomiche possono giungere, grazie alla democratica rete antiatomica che fa da parapioggia al miasma nucleare.

Una signora che mi sembrò tenere in bilico sulla chioma a parrucca un cappellino nero infilzato da due spilloni, mi guardava con l'aria completamente spiritata. Alla conclusione del mio discorso, troppo «europeo» per gli «incontaminati» Svizzeri, ci fu un applauso gelido e carico di risentimento. Ma come poteva questa signora italiana credere *ancora* nell'Europa? Non aveva già creduto nella Cina?

L'oratore successivo, un tempo leader della «Gauche Prolétarienne» ed ora brillante e arguto castigatore d'Europa, come tutte le grandi intelligenze ebree, che sembrano uscite dal film di Woody Allen *La rosa purpurea della «Rive gauche»* (così scriverebbe Gore Vidal), riuscì subito a trovare una metafora tanto gradita quanto, a dir poco, pittoresca, per spiegare l'Europa agli Svizzeri: si trattava di nient'altro, in linguaggio translato, che di una mastodontica «m...». Aveva rispolverato per l'occasione il linguaggio di famiglia dei primi aggregati di pensiero marxista, in auge dentro le «scuole di partito m.-l.», ma poi veicolato essenzialmente (involontariamente) dalla filosofia sartriana, e quindi travestito da pensiero *libertario/esistenzialista:* gli Europei? Affamatori del «Terzo Mondo», venditori d'armi, colonialisti, persecutori, antipacifisti e assassini, basti ricordare come ultimo crimine l'affare *Greenpeace.* Eppure mi sembrava di ricordare che proprio l'oratore in questione aveva un tempo attaccato i movimenti pacifisti, riconoscendo nella formula «meglio rossi che morti», la sintesi lapidaria di ogni filosovietismo. «Ma che cos'è dunque l'Europa?» si chiedeva accanito l'oratore, come se dicesse: «Ma che cos'è la materia cancerogena?». E le orecchie già attente e ottimamente predisposte del pubblico svizzero, si lasciavano penetrare dalla definizione bramata: «L'Europa è vuota dentro, mentre all'esterno non è che un oggetto di odio o di invidia».

Ci fu un applauso scrosciante e vidi agitarsi cento mani ingioiellate: le mogli dei banchieri gradivano infinitamente la bella definizione! Un applauso riconoscente e incoraggiante al tempo stesso, come a dire: «Continua! Uomo giusto e profeta! Dicci ancora che siamo attorniati da nient'altro che un mare di m...». La grande metafora scatologica scuoteva le poltrone dell'Aula Magna, dove stavano appollaiate le pingui signore, e le trascinava in un entusiasmo vigoroso che mai avrebbe potuto suscitare la mia buona fede nell'identità culturale europea. Ancora una «fede»! Che orrore!

L'intuizione dell'oratore era stata geniale: per spiegare l'Europa agli Svizzeri, aveva imboccato nuovamente l'antica via del *gran buco universale,* del Terzo Mondo – sacco contenitore perfetto per gettarvi tutto dentro alla rinfusa: dai campi polpotiani ai polinesiani, dal Sud Africa razzista agli abitanti delle isole Figi, dagli esquimesi alle tribù ottentotte.

L'altro filosofo, con la testa pelata – uomo autorevole e interessato a disseppellire lo «spirito europeo», che seguiva nell'ordine dei discorsi –, tentò disperatamente di tenergli testa, cercando di delineare un abbozzo almeno di quella «nuova coscienza europea» per la quale ci eravamo in fondo riuniti. Ma il suo sforzo si rivelò ben presto vano, giacché gli impagabili Svizzeri non erano affatto guadagnati dal suo eloquio rapido e «dialogico»: essi volevano solo che il filosofo dalla zazzeretta nera riprendesse a insultarci tutti, per il Vietnam e addirittura per la Cambogia di Pol Pot, e facevano il tifo per il nostro Platini filosofico (*goal*, contro l'Europa! il centesimo!), che naturalmente aveva dimenticato i suoi entusiasmi per Mao, per il Vietnam. Con un bel colpo di genio, aveva fatto uscire dal suo cappello il massacro dei tifosi italiani a Bruxelles da parte dei tifosi del Liverpool, per concludere demagogico: «Razzisti, nient'altro che razzisti, in Europa».

Il *terzomondismo sartriano* e quello post-moderno servivano ancora a scaricare le impotenze e i fallimenti degli intellettuali europei e parigini. Risuonava nella platea golosa l'eco del gran masochismo dell'uomo bianco, il ritorno trionfante del «buon selvaggio» di Lévi-Strauss. «L'Europa è *foutue*!». Tutti bramavano che si ripetesse lì la frase pronunciata da Sartre: «È una verità che non usa dirsi, ma, miei cari continentali, ne siamo tutti convinti: *L'Europe est foutue*!». Già gli Svizzeri si leccavano i baffi: «Che bello essere Svizzeri e non Europei!».

Chiesi allora la parola, non potendo più contenere la mia indignazione: «Ma certo! E perché mai, in fin dei conti, i russi non dovrebbero occupare l'Europa fino a Gibilterra? Ridurci al destino di piccole nazioni, come hanno già fatto con il centro d'Europa? Se siamo un coacervo di criminali diversi, vecchi e nuovi, perché mai si dovrebbe alzare un solo dito per difenderci?». Mi rivolsi, poi, al gran castigatore d'Europa, che rimetteva in auge lo spirito dell'ex colonizzato Franz Fanon, ripreso, annotato e citato da Sartre: «Sono secoli che l'Europa impedisce il progresso degli altri... della quasi totalità dell'umanità. Guardatela, oggi, dondolarsi tra disintegrazione atomica e disintegrazione spirituale...». Gli dissi: «Lei ha parlato, tra l'altro, dei "diritti umani" nell'Est; ma questo bisogno d'Europa è proprio lì che si avverte di più, nei paesi dell'Est. Mi consentirà almeno di affermare che quelle popolazioni di cui lei sente il "grido", secondo la sua stessa espressione, si rivolgono appunto all'Europa: invocano l'Europa... Ma non siamo forse noi stessi troppo vigliacchi, come abbiamo dimostrato una volta a Monaco e quindi a Yalta? Nel suo slancio terzomondista, Sartre aveva dichiarato che non avrebbe mai più scritto un rigo finché al mondo ci fosse stato ancora un bambino che moriva di fame. Adesso lei ricomincia. Ma proprio come Sartre, lei scriverà ancora decine di libri, nei quali naturalmente le marginalità di tutti i tipi, compresi i pellerossa, saranno i suoi interlocutori privilegiati, anche se le sono del tutto estranei. Finché ci sarà la fame, finché ci saranno la tortura, la prigione, la schiavitù e finché i diritti umani saranno calpestati non ci sarà l'Europa... È vero. Ma è un vecchio motivo che gli intellettuali fischiettano a intervalli regolari. Se mi consentite, da anni vado pensando che gli intellettuali europei debbano uscire dall'umiliazione, *riabilitarsi*, esplorare le vie per pensare l'Europa, e una identità possibile, magari rispondendo all'invocazione, al bisogno d'Europa che ci viene da Varsavia, da Praga...».

Il filosofo con la zazzeretta nera, per celare un certo imbarazzo, mi fece un piccolo applauso, anche se contenuto, di cortesia. Avevo vinto? Certo non era facile rispondere, guardando gli *Svizzeri*, con le loro scarpe lucide, tutte quelle pellicce e i soprabiti di cachemire nero, le dentature brillanti. Mi ricordai del sarcasmo di Baudrillard sull'autosoddisfazione dell'essere americano: «À défaut d'identité, les Américains ont une dentition merveilleuse».[1] Pensai a quella «Svizzera al di sopra di ogni sospetto» di Ziegler, che mi si drizzava innanzi come un muro di prigione e provava indicibili sospetti verso l'oratrice, che, fra l'altro, era italiana, e si sa che nell'immaginazione di uno Svizzero l'abitante delle Muroroa è spesso più credibile di un italiano! Pensai a Zorn e al suo libro terribile, *Mars*: «Sono giovane, ricco e colto; e sono infelice, nevrotico e solo. Discendo da una delle migliori famiglie della *rive droite* del lago di Zurigo, quella che viene anche chiamata la *Rive dorée*. Naturalmente ho il cancro...». Forse li avevo veramente perduti per sempre.

Quando scesi dal palco, mi venne incontro un uomo dai capelli grigi, malinconico, che mi aveva conosciuta da giovane: «Ma come fa lei ad essere ancora capace di quest'entusiasmo?». «E perché no?» gli risposi. «Direi che è la Gaia Scienza, dopo la malattia». Ma tutti, come scriveva di sé il signor Nietzsche, se ne infischiavano che la signora oratrice fosse stata malata, molto malata. Gli Svizzeri facevano grappolo intorno al francese dai riccioli, e gli tendevano mani grassocce e bianche da antropofagi, gli chiedevano autografi e gridavano: «Bravo, bravo! Finalmente l'ha detto che l'Europa è una m...». La più potente banalizzatrice della storia, che è dovunque la televisione, lì, a Ginevra, dispiegava tappeti di velluto sotto i piedi del mio amico e lo trascinava verso le cabine approntate all'interno dell'università, come un gladiatore vittorioso. Ci divisero con la spiegazione: «La signora oratrice narrerà la sua meravigliosa, fantastica, sublime storia di donna appassionata ex comunista, ex maoista, ex radicaleggiante, ex parlamentare europea, ex di ex...». Ricominciava la ridda degli ex, che pronunciati l'uno dopo l'altro, davano la sensazione della frivolezza femminea: «La donna è mobile... muta d'accento e di pensier...».

In una cabina a fianco, che era poi una saletta, fu condotto il filosofo, prima per un dialogo con l'altro filosofo dalla testa pelata, quindi per essere interrogato, da solo, da esperti svizzeri di filosofia in generale e della sua opera in particolare. Quando terminai il mio *speech*, in un'autonoia e autocommiserazione grandissime – sotto il lampo/flash dell'ironia che proiettavo io stessa sulla mia balda vita, ecc. ecc. – mi vollero trascinare per un atto residuo di stima, ad ascoltare l'ex «nuovo filosofo». Intesi allora qualche frase, dove al ricalcato disprezzo di Sartre si intrecciava la visione gobinista del mondo, nutrita dal pessimismo di Lévi-Strauss: la storia dell'uomo europeo è la storia di una lunga e inesorabile *déchéance*: «Tutto ciò che egli può fare è di opporsi alla decadenza, sebbene sia vano». Sbadigliai. E uscii senza chiudermi la porta alle spalle. Presi un ascensore, ma invece di trovare l'uscita, piombai nei sotterranei dell'università, dove c'erano tantissime macchine, e come in un film di Hitchcock, mi guadagnò un'angoscia sottile; qualcosa sarebbe successo.

D'improvviso m'imbattei nella mia amica Simone V., che usciva da un altro ascensore luminoso, accompagnata da uno Svizzero – stazza 150 kg – per raggiungere una limousine nera. Per sconfiggere il labirinto che mi circondava, le chiesi di poter salire con lei nella macchina nera, per tornare in albergo e anche perché la sua presenza aveva per me qualcosa di stranamente rassicurante in quel momento e in quella situazione. Così le ripetei con petulanza: «Potrei venire con lei?». Ma lo Svizzero me lo impedì, facendo quasi un altolà («La vuole forse contaminare?»): «Andiamo dalla parte opposta a quella del suo albergo», stabilì in maniera inflessibile. «Per uscire, riprenda l'ascensore, vada al quarto piano, poi ritorni al terzo con un altro, lì se la sbroglierà...». La macchina partì morbida come un guanto. Mi diedi da fare per cercare una via d'uscita dal sotterraneo e con l'ascensore andai su e giù: ma la porta si apriva sempre su un altro piano del garage, con tutte le macchine allineate. Infine, trovato un nuovo ascensore, a destra di quello dei garages, sbucai su un corridoio di moquette grigia e lo infilai tutta contenta. Ma di colpo mi ritrovai davanti alle cabine televisive con gli oblò, da dove ero fuggita. Sbirciai e dentro c'era sempre il filosofo con la chioma nera, al quale gli

Svizzeri radiofonici continuavano a far domande per sei, dieci, venti trasmissioni a venire, per l'eternità. Domande da un milione di dollari! «Il filosofo verrà, spero, a Ginevra, per la vendita dei suoi libri, per le conferenze...», diceva quello della TV. Lui non era solo un filosofo, era un «filosofo popolare tra gli Svizzeri»! Intanto muoveva svelto le labbra e mi sembrava che dicesse ancora: «Che vergogna essere europei! Ma io, un Franco-svizzero, post-terzomondista e post-nuovo filosofo... Come dire? C'è differenza fra gli atomi degli angeli ordinari rispetto agli atomi dei cherubini».

Indietreggiai, facendomi inghiottire dal corridoio, che seguii fino al lato opposto, dove trovai un nuovo ascensore, che mi sbarcò ad un'uscita secondaria del garage, dove c'era una scaletta per pompieri, e salendola fino a sbucare alla strada, mi si parò innanzi una Renault guidata da una ragazza, che mi rimproverò: «Ma come fa a mettersi lì? Non lo sa che questo è un passaggio per sole auto?». Le spiegai che non ce la facevo a uscire dal Labirinto. Mi prese in macchina giusto per aggirare l'edificio universitario, tutto sbarrato, e lasciarmi in un angolo di strada. «Ecco, percorra la strada fin su in alto. Lì c'è un bar e un telefono». Ai tavolini del bar, nel giardino illuminato da globi bianchi, mi imbattei di nuovo nei cronisti radiofonici intervistatori del filosofo – quelli che avevano smontato la guardia per cedere il posto ad altri, più freschi. Cercai di passare al largo ma mi intercettarono e mi chiesero cordialmente se volevo una birra.

Aspettavano che il parigino insvizzerito emergesse dai bassifondi della TV per cenare con loro. La tavola era già imbandita. Lo attendevano anche un giornalista peruviano e uno studente guatemalteco. Ma la Bionda (di) Burro svizzero, arrivando trafelata, diede a tutti la brutta notizia: «È stanco. Non viene più...». Delusi, si decisero allora a riaccompagnarmi all'albergo.

Note

[1] «In mancanza di identità, gli Americani hanno una dentatura meravigliosa.»

IV

DUE DONNE IN VISITA A CASTEL DEL MONTE ALL'IMPERATORE FEDERICO II

> «I cacciatori cristiani di manoscritti greci e arabi scendono fino a Palermo, dove i re normanni di Sicilia, ma soprattutto Federico II, in mezzo alla loro Cancelleria trilingue – greca, latina, araba – animano la prima corte italiana rinascimentale...».
>
> *Jacques Le Goff*

Levammo in alto il viso e Castel del Monte ci apparve tra gli ulivi, ottagonale fortezza di ardite mura, lisce come lastre di pannelli solari che sembravano riflettere il sole dagli otto lati. La mia compagna di viaggio era l'ex Presidente del Parlamento Europeo, Simone Veil. Entrambe guardammo attonite. La vista si estendeva dal Tavoliere delle Puglie, tutto biondo di grano maturo, a quell'ottagonale miracolo architettonico che si ergeva sopra le vigne e il grano della piana. La strada scoscesa s'innalzava a giravolte e la massa del Castello appariva sempre più compatta e più pura nelle sue linee.

«Per noi che amiamo l'Europa,» dissi io, interrompendo il silenzio «è molto seducente questo sogno di Federico imperatore, che ne avrebbe voluto l'unificazione! Ma forse, alla fine, la ritenne impossibile, tra intrighi e tradimenti...».

Ci davamo del lei e questo sembrava aiutare la nostra amicizia.

«Federico aveva ereditato dagli Svevi gli ideali della politica imperiale, dai Normanni il sistema di governo centralizzato, dagli Arabi l'amore per la cultura e il senso del dispendio, il lusso e la libertà dei piaceri. Era un uomo colto e raffinato...».

Lei mi ascoltava con viso assorto e gaio, mentre sostavamo nel salone delle feste di Federico II.

«Qui riuniva gli elefanti, le tigri, le scimmie, i selvaggi animali d'Africa: uno zoo che riassumeva la geografia dei continenti. Andava a caccia col falcone e scrisse perfino *L'arte del cacciatore*, che era in realtà un trattato di ornitologia. Alla corte si parlava l'arabo, il greco e il latino. Aveva studiato avidamente, impadronendosi con furia della cultura greca ed araba. Pensi che a quattordici anni si proclamò lui stesso maggiorenne...».

Guardammo un profilo di Federico II, eseguito nel 1526 dal pittore Capriolo.[1] Mi parve un uomo molto affascinante, con quella corona tirata all'indietro, in bilico sulla testa, come fosse un berretto da chierico medievale. Simone si divertì al mio paragone. Mi lasciava parlare con gentilezza e pazienza. Avevo sempre l'impressione che io l'incuriosissi come intellettuale e perciò si lasciava guidare dalle mie rievocazioni un po' pedanti, senza mostrare mai stanchezza oppure noia. Come un'alunna diligente che assorbiva tutto. Magari per dimenticarlo in qualche salotto politico parigino! Continuai a parlare di Federico, dei suoi capelli rossi, della figura armoniosa: Federico normanno, tedesco e italiano. Cattolico e amico degli Arabi, tanto che lo chiamarono il «sultano battezzato». Cercai di spiegarle il mio appassionato interesse per quel sovrano illuminato:

«È straordinario che un uomo di quel tempo abbia gettato le basi di una cultura europea senza barriere; in questo era proprio come un libero chierico medievale! Aveva ingentilito la corte di Palermo, che conobbe ai suoi tempi una splendida fioritura culturale: i poeti della Scuola Siciliana, i dotti che traducevano dal greco e dall'arabo... Palermo era un centro luminoso che collegava la Provenza, i Normanni e l'amministrazione sveva. Pensi che irradiavano di lì ben tre civiltà: la latina, la greca e l'araba. Senza discriminazioni».

«Quel che mi sembra eccezionale» commentò lei «è che fosse stato lui stesso a progettare e seguire i lavori del Castello. Doveva sentire profondamente l'importanza della matematica e della scienza».

«Naturalmente: era l'eredità della cultura araba. Fondò anche l'Università, a Napoli, nel 1224, e poi la Scuola medica di Salerno, dove operò la prima donna chirurgo che la storia ricordi, Trotula de Ruggeri».

Salimmo fin sugli spalti del Castello e la pianura pugliese apparve come un mare dove il grano formava onde dorate. Dissi a Simone:

«Vede, in anni lontani, quando traversavo questa pianura e volgevo gli occhi a Castel del Monte, pensavo spesso a quella stravagante idea di un'Europa unita, che fin da allora mi affascinava, e all'imperatore Federico II. Ma erano sentimenti pudichi, perché a quel tempo, per una certa sinistra, esisteva solo l'amore per la Russia e l'Italia, in funzione "russo-proletaria". L'Europa era un'idea dei cattolici, dei preti, dei nemici, come De Gasperi, Adenauer, Schuman».

«A quei tempi» confessò Simone a sua volta «vivevamo nella riconoscenza verso gli Americani e verso l'Esercito Rosso. Io ero ancora in campo di concentramento, dove avevo visto morire mia madre, quando giunsero le truppe sovietiche. Furono loro a liberarmi. Come si può dimenticare questo? Marceline, già allora comunista, era amica mia e potrebbe raccontarle tutti i traumi».

Camminavamo lentamente, nel castello di Federico II, e rimuginavamo molte cose nella testa. Ci accompagnava Anna Maria M. con passi leggeri. Era lei che ci guidava in questo viaggio pugliese, dall'aeroporto di Bari, dove eravamo scese alcune ore prima, fino a Castel del Monte. Certo per lei eravamo due donne di un'altra epoca, con quel nostro discorrere seguendo un filo logico e tortuoso. Dinanzi a un frammento della scrittura di Federico II, armonioso nella perfetta composizione della minuta calligrafia, di un'esattezza quasi matematica, esclamai:

«Pensi che scriveva in latino, in greco e in arabo! Aveva molti vizi e molte virtù. Era bugiardo e fedele, crudele e dolce. Ammirava la logica di Aristotele e studiava Avicenna; diceva di essere fedele al Papa ma rinviava sempre la crociata contro Gerusalemme... Del resto fu scomunicato nel 1245, al Concilio di Lione!».

«Ma lei si è proprio invaghita di questo Federico!» disse sorridendo Simone. Cercava di sottrarsi dinanzi a quell'idea di un'unificazione imperiale dell'Europa, che pure fu il disegno che permise di costituire un'unità ideale tra le nostre terre. Era, tuttavia, un concetto troppo complesso da spiegare. Le citai Julien Benda e il suo apporto straordinario all'insegnamento di una storia rinnovata. Simone si allontanò, sola, sugli spalti. Anna Maria, allora, mi chiese:

«Ma non credi che sia una donna troppo dura? Come fate ad andare d'accordo? A capirvi?».

Cercai di spiegarle quella nostra difficile amicizia.

«Sai, è una donna piena di carattere e di volontà; credo che il suo unico punto debole sia l'amore per la cultura! E questo la rende disponibile, quando le si parla di cultura; lo si vede dagli occhi...».

Era vero. I suoi occhi verdi erano ciò che aveva di più affascinante; il suo sguardo freddo, certo duro, eppure singolarmente disponibile al nuovo. Qualcosa di difficile da definire. Attraverso la scala interna, che si srotolava come un merletto massiccio dentro il torrione, penetrammo nell'appartamento imperiale di Federico. Continuavo a manifestare non solo la mia ammirazione ma la mia riscoperta del suo ruolo europeo, che restava nella storia ed era sicuramente più importante di quei vertici di Dublino e di Bruxelles, dai quali erano da poco emersi i governanti europei. Avrei voluto che la signora Veil sentisse Federico II più vivo di quei *summit* dei Dieci che si succedevano l'uno all'altro senza decidere mai nulla. Ma la sua prudenza non le permetteva di pronunciarsi su propositi così ironici.

Scendemmo verso il mare, sempre guidate da Anna Maria. San Severo, le bianche cattedrali del gotico pugliese, che affondano nell'acqua i loro basamenti. Bianche, rosa e azzurrine, a seconda della luce del giorno, le facciate lavate dal mare in tempesta erano ridipinte dal sole che sbiancava e ricolorava tutto. Ci sedemmo sul parapetto, sotto la cattedrale. Anna Maria volle fotografarci. Sembravamo due diligenti scolare dell'Europa *in fieri*. Le mani saggiamente in grembo. Bianco del marmo, azzurro pervinca del mare, abiti estivi colorati, con le gonne che coprivano le ginocchia. Un piccolo dagherrotipo. Due donne sulla riva del mar Ionio. Senza tempo. Occhi verdi, occhi azzurri. Le pupille come due punti illuminati dal sole e riflessi sul bianco latte della pietra della cattedrale. Ci alzammo dal muretto per raggiungere una trattoria. L'oste gridò: «È pronto lo spaghetto!». Un pappagallo giallo fece eco su di un trespolo: «È pronto lo spaghetto!». «Proviene dalle Canarie» ci spiegò il padrone. «Me lo regalò una volta un marinaio». Castel del Monte era ormai invisibile dietro di noi. Ripresi a parlare delle architetture pugliesi, dei castelli creati da Federico II, dalle Puglie alla Sicilia.

«In un altro bellissimo castello da lui eretto, quello di Fiorentino, in Puglia, Federico morì nel 1250, in un gelido mese di dicembre. Colui che aveva cercato di mettere ordine nel regno di Napoli, facendo pubblicare tra l'altro quella splendida raccolta di leggi nota come *Costituzioni Melfitane*,[2] fu probabilmente avvelenato a soli cinquantasei anni».

Sotto le due bande di capelli raccolti sulla nuca in una crocchia ben ordinata, con le due ali che facevano da contorno al viso, mettendo in rilievo il verde intenso dello sguardo, lei sembrò improvvisamente addolcirsi e capire. La sorprendeva soprattutto il fatto che un'opera così immane fosse stata realizzata in meno di cinquant'anni...[3] Mentre corrono spesso interi secoli senza lasciare nulla di valido in eredità.

Riprendemmo l'aereo per Roma alle sei del mattino, e poi da Roma tornammo a Parigi. Trascinavamo nuovamente la valigia – *Donne con la valigia* – bel titolo pensavo, per la nostra avventura, dall'una all'altra città europea. Sull'aereo Simone taceva. Sentivo come un muto dissenso. Si era messa a correggere il testo di un discorso, in un silenzio di pietra. Anna Maria era spaventata. Le spiegai che spesso la nostra amicizia poneva a Simone un problema, per così dire, di etica politica (destra e sinistra). O meglio, era l'etica del Parlamento Europeo e dei nostri raggruppamenti politici ostili l'uno all'altro. Alcuni settari socialisti francesi la detestavano. Più volte qualche deputata socialista mi aveva esortato:

«Maria Antonietta, falla finita con Simone Veil!».

Oppure: «La sua amica è terribilmente reazionaria! Ha sentito quello che dice?».

Ci immergevamo, dunque, dietro il delirio di quelle barriere ideologiche che, oltre a quelle politiche, hanno costantemente separato l'Europa dal dopoguerra ad oggi. È la canzone infantile intorno alla quale fa girotondo l'impotenza europea: «Lei è di destra, lei è di sinistra. Lei è francese, lei è italiano...». Non c'è pensiero né spirito europeo, ma solo steccati politici e nazionalistici.[4] Il nostro tempo culturale mi appariva infinitamente più misero ed angusto di quel Medioevo dal quale ci era venuto incontro sorridendo beffardo e dolce il magnifico Federico II.

Una questione di bandiera

Con Simone ci lasciammo un po' in freddo, alla fine della legislatura, per una questione di bandiera. Quella europea. Nell'ultima riunione della Commissione Giuridica, che Simone Veil presiedeva e nella quale avevamo tanto lavorato insieme (contro la pena di morte, per lo statuto degli obiettori di coscienza...), dovevamo esaminare la risoluzione del Parlamento Europeo, che sollecitava l'adozione di una bandiera ufficiale e sceglieva il drappo azzurro con dentro le stelle in circolo. Ma il Consiglio d'Europa, che è l'unione di 24 Stati ed abita fianco a fianco al Palazzo a panettone di Strasburgo, ne rivendicava la proprietà, come un marchio di fabbrica. Ci battemmo come straccivendoli. Simone Veil sposava le ragioni del Consiglio. Noi eravamo contro. Espressi l'opinione che dopo cinque anni quello era uno dei pochi simboli europei un po' noti: attaccato sui muri delle aule, riprodotto sui libri di scuola, incollato sui portabagagli delle automobili, su qualche vetrina di negozio oppure sventolante accanto alle nostre bandiere nazionali. Il deputato inglese, che come tutti i suoi connazionali non intendeva contaminare l'*Union Jack*, voltò in burla la faccenda e tirò fuori dalla tasca una bandierina, da lui stesso dipinta a mano, che riproduceva il disegno di un'Europa senza Spagna né Portogallo, tutta proiettata verso il Nord. Si scatenò la gazzarra. I deputati sembravano impazziti. C'era chi voleva come simbolo il Pomo, chi la Bilancia, chi la Tour Eiffel, chi la Croce... Simone Veil, con quell'irritazione appena mascherata sotto il rispetto della forma, tagliò corto per mettere ai voti la sua proposta: accettare la rivendicazione del Consiglio e dar mandato ai designer più sperimentati di studiare il simbolo di una nuova bandiera europea. Il mio braccio si levò per votarle contro. Non mi ero neppure astenuta, raccapezzai, le avevo proprio votato contro! Lei mi guardò stupita. In fondo anch'io ero sorpresa. Ma avvertii che in quel mio dire *no* c'era anche l'amarezza per cinque anni passati in gran parte a costruire i castelli di sabbia dell'unità europea, che puntualmente la prima marea portava via. Ognuna di noi riprendeva adesso la propria strada. Ci ritrovammo tre anni dopo in Campidoglio, per il trentesimo anniversario dei Trattati di Roma. Sul terrazzo pensile, che sporge come un braccio fiorito, per dividere i Fori dalla Roma rinascimentale, sotto il sole d'aprile, sventolavano proprio quei drappi azzurri dalle stelle d'oro in circolo. La bandiera per la quale avevamo litigato. Mi chiesi se lei si ricordasse ancora di quella disputa, né sapevo come fosse andata a finire con il nostro vicino di casa, il Consiglio d'Europa, che rivendicava la proprietà assoluta di quel simbolo. Ero comunque abbastanza contenta: dopo tanto risalire dalla piana di Federico II verso il Nord, ci ritrovavamo alla fine sotto la stessa bandiera europea. Anche se così fragile.

Note

1 Fa parte della serie *Cento ritratti di capitani illustri*, eseguita dal pittore Capriolo.

2 Federico II pubblicò la raccolta di leggi nota come *Costituzioni Melfitane*, nel 1231, sotto l'influsso dei giuristi educati all'Università di Bologna.

3 In Federico II c'è un senso europeo e occidentale che coincide in parte con quello della *Res-publica Christiana* che è la prima età medievale dell'Europa. Federico si trova a fronteggiare la prima invasione dei Tartari, che irrompono dall'Est e occupano le terre europee con travolgente velocità, scrive C. Curcio, in: *Europa. Storia di un'idea*, ERI, Torino 1979.
    Il confine dell'Europa si restringeva ad Est, mentre dal Sud premevano i Turchi o i Saraceni. Lo stesso Occidente europeo sembrava rimpicciolirsi. I Tartari erano per Federico un elemento nuovo non solo di attrito ma di diversità nella coscienza dell'autonomia spirituale. L'Occidente è separato dall'Oriente o opposto ad esso non soltanto dall'indole religiosa, ma politica e istituzionale; lì l'assolutismo, qui costumi civili. Così la pensa Federico. Egli espone questa idea nella lettera del 1241 ai principi cattolici mentre i Tartari marciano velocemente sulle città cristiane. Chi minacciano i Tartari? Certo, l'*universitas Christianitatis*, ma non solo questa. L'imperatore si rivolgeva *expertis occidentis viris*, agli uomini esperti dell'Occidente, affinché la cristianità non venisse sopraffatta, affinché l'*Europa imperialis* fosse salva. Ma metteva anche in evidenza l'opposta natura degli occidentali di fronte a quegli invasori appartenenti ad una razza che era tutt'altra da quella europea. Violenti, abili nel maneggiare le armi, li descriveva, piccoli di statura ma solidi e coraggiosi, *fortes* e *animosi*, ma di torbido aspetto, *humanitas ignara, feralis et ex lege*. [Ignara di ogni forma di umanità, bestiale e fuori delle leggi.]

4 Cfr. «Le Quotidien de Paris», 10 ottobre 1983: «La focosa italiana (M.A. Macciocchi) stima che l'ex Presidente del Parlamento Europeo è una donna onesta che non esita a gettarsi in una causa giusta... e che è classificata a destra, in modo stupido».

V

A COLLOQUIO CON UN GESUITA
DOVE SORGE LA PALMA DI GOETHE

Come tra Parigi e Roma l'Autore incontrò i Gesuiti

Quel mattino la portiera del n. 1 della rue Bonaparte mi mise più presto del solito la posta sul tavolo. Gettai un'occhiata distratta e vidi emergere un pacchettino con francobolli italiani, legato da uno spago casalingo, che attirò la mia curiosità. Dentro vi trovai un numero di «Civiltà Cattolica» (la più antica rivista dei Gesuiti italiani) e, ordinatamente piegata, una pagina dell'«Osservatore Romano». Si trattava di un errore? Qualcuno voleva forse prendersi gioco di me? Una beffa ulteriore, dopo il tiro mancino di Pivot, che mi aveva fatto passare nella sua trasmissione di *Apostrophes* (che si vede anche a Roma) come Sovrana Assoluta dell'ex maoismo parigino, grazie all'aiuto di uno strano sinologo? Questi mi aveva lanciato insulti così rabbiosi che sembrava aver atteso quell'occasione per un antico regolamento di conti. Questo dibattito, che fece scalpore, era accaduto qualche settimana prima, ma non riuscivo a cancellarlo e continuavo a svegliarmi al mattino di pessimo umore, avvilita. Come uno che senta di essere caduto in una trappola, tesagli a tradimento. Si doveva parlare, in quella trasmissione, del mio ultimo libro *Duemila anni di felicità* (uscito nel 1983, da Grasset), ma con uno di quei colpi mancini che la TV può produrre con grande effetto sui telespettatori, il dibattito si era ribaltato, spostandosi indietro di tredici anni, all'epoca successiva al maoismo, e lì venne rispolverato con perfidia il libro che avevo scritto tanto tempo prima sulla Cina di Mao, come se fosse fresco di stampa. (Il lettore troverà più avanti, visto che da più parti si continua ad avere qualche curiosità per questa vicenda televisiva, il racconto dettagliato di quel che era accaduto.)
   In questo stato d'animo che in me perdurava, vidi emergere con sorpresa, negli eleganti caratteri dell'«Osservatore Romano», il titolo del mio libro: *Duemila anni di felicità*, un occhiello che diceva: «Storia della liberazione di una donna» e un articolo che iniziava

così: «Coraggiosa e originale autobiografia...». Mi precipitai a leggerlo. Il critico ignoto, che firmava tanto l'articolo quanto il saggio di «Civiltà Cattolica», sembrava aver capito che sotto il cielo ci sono tante più cose di quel che non immaginino ad «Antenne 2» o a Roma. Anche a Roma, infatti, il libro aveva subito un trattamento di choc, ma diverso da quello parigino: c'era stato il black-out della stampa. Soltanto l'Ambasciatore di Francia, Gilles Martinet, aprendomi le porte di Palazzo Farnese per una conferenza stampa, aveva spezzato il silenzio ufficiale.

Va da sé che leggendo quel testo sereno e ammirevole per bontà, mi sentii come Joyce, allorché nel silenzio totale della stampa (che si occupava solo di guerra) scoprì sull'«Osservatore Romano» l'unica recensione di *Finnegan's Wake*. Risposi per ringraziare. La lettera fu rinviata dall'«Osservatore» a «Civiltà Cattolica», dove il mio critico lavorava e viveva. Un gesuita? Non rinvenivo dalla sorpresa. Anche a causa degli schemi che ci portiamo dietro sui Gesuiti-intellettuali litigiosi e reazionari, creati da Loyola non esattamente a scopi di pace («Gesuiti a bordo! Gettateli a mare!» fu il grido che si udì su di una nave salpata da Genova, allorché, scacciati dalla Spagna, cinquemila Gesuiti ammassati in dieci navi chiesero di essere accolti negli Stati italiani).

La sede della rivista, che venivo invitata a visitare, si trovava duecento metri più su di casa mia, là dove via Crispi si inerpica per finire nel verde sublime di Villa Medici. Con un filo d'incertezza varcai l'alto cancello di ferro, risalii la strada ghiaiata e penetrai in uno studio nudo e severo, dove incontrai intellettuali civili ed eleganti.

Mi accompagnarono nella sterminata biblioteca che affonda nel ventre del centro romano e si allunga verso via Sistina. Mi impressionò il loro rapporto con il tempo: di qui all'eternità. Nessuna fretta cieca, nessuna corsa al cronometro. Tempo riposante come quello depositato dalla sabbia nella clessidra. Nacque un'amicizia intellettuale; la sola su cui contassi a Roma, città di deserto culturale dove i pochi intellettuali esistenti cercano di farsi ricevere nei salotti delle molte false contesse sfaccendate. Allora dirigeva la rivista il gesuita padre Sorge,[1] di nome Bartolomeo – un Colleoni dell'ordine «nero» – prima di essere spedito, obbediente al diktat della Curia, in un luogo periferico, (anche se decisivo per combattere la mafia siciliana), a Palermo. I Gesuiti si interessavano, credo, soprattutto al mio ruolo di deputato europeo; avevano per l'Europa politica una curiosità divorante, che voleva nutrirsi di una testimonianza diretta, al di là delle frivole gazzette, per favorire quella svolta della Chiesa, che Giovanni

Paolo II andava dispiegando nella sua strategia «ecumenica», dall'Atlantico agli Urali. Loro mi incuriosivano come focosi intellettuali della Chiesa – misticismo in politica? mutamento di strategia in quella milizia di Dio che è la Compagnia di Gesù? – e attenti conoscitori della grande storia europea. Cosicché, oltre a conversare con Le Goff, mi trovai ad annodare un dialogo col Gesuita non solo sulla dimensione religiosa dell'Europa ma sul Medioevo, sulla dialettica tra ragione e fede e su tante altre cose che il lettore troverà nella conversazione che segue del tipo di quelle, un po' severe, che Mann introduce nella *Montagna incantata*.

Sotto le palme di Goethe e di Ludovico di Baviera

Il Gesuita mi offrì una rigida sedia di legno, qualche libro estratto dalla biblioteca e una gran voglia di parlare, nella saletta per gli ospiti, con sedie squadrate intorno a un tavolo disadorno. Eravamo nella sede di «Civiltà Cattolica», nella Villa Bülow (fino al '50, e prima: Villa Malta), nel cui giardino le cronache dicono che Goethe piantò una palma, durante il suo viaggio in Italia.

«Questa nostra generazione che forse farà l'Europa», cominciai io, «le confesso che ha vissuto pensando la rivoluzione come rifiuto di accordare allo spirito e alle fedi religiose una dimensione culturale. Abbiamo elaborato i concetti solo in termini di filosofia materialista, e ciò significava estirpare ogni più piccola erba dello spirito. Si è ritenuto di non poter costruire un sistema di pensiero rivoluzionario nella contaminazione tra "religioso" e "problemi concreti delle società", i quali si situavano, per così dire, in un'altra "zona", che implicava il rifiuto della dimensione dello spirito. Ignoranti come eravamo della storia delle religioni, la vetta della rivoluzione restava atea, lo spirito incredulo, le dinamiche critiche radicali. Gli dèi avevano abbandonato il fondo europeo delle cose, anche se nessuna epopea è andata scissa dallo slancio religioso. Abbiamo cercato di voltar pagina sulla storia delle religioni e per l'Europa abbiamo ignorato anche che il Medioevo poggiò sull'architrave possente della Cristianità. Quei dottori, quei chierici, quei filosofi che percorrevano a piedi o a dorso di mulo l'Europa intera come una terra unica, ignoravano i confini di quelle nazioni, che sorgeranno più tardi dalle rovine dell'impero carolingio, con la spartizione di Verdun.

«Avevano dimenticato che la Cristianità è stata una delle incarnazioni dell'Europa, e sebbene la nostra ideologia fosse fondata sulla volontà umanitaria di liberare l'uomo dalle ingiustizie, dalle dittature, dalle torture, ci siamo accorti che ci sfuggiva qualcos'altro. Riabilitando l'Europa, se ne scopre il fondo multireligioso, come una stoffa più solida delle ideologie».

«Un'ideologia, nel senso moderno della parola», replicò il Gesuita, «è assai differente dalla fede, benché sia fatta per soddisfare alle stesse funzioni sociali. Essa è un'opera umana, uno strumento col quale la forza politica cosciente tende a modellare la tradizione sociale in vista dei propri fini. La fede invece volge i suoi sguardi al di là dell'uomo e delle sue opere, e introduce l'uomo in un ordine di realtà assai più alto e più universale del mondo finito e temporale al quale appartengono lo Stato e l'ordine economico. In tal modo, la fede introduce nella vita umana un elemento di libertà spirituale che può avere un influsso creativo e trasformatore sulla cultura sociale e sul destino storico dell'uomo, come pure sulla sua intima esperienza personale. Perciò, se studiamo una civiltà nel suo insieme, troviamo che esiste una stretta relazione tra la sua fede religiosa e il suo grado di perfezione socioculturale e politica. Ciò è chiarissimo nell'Europa medievale, la cui ricchezza e varietà di forme e strutture dipendono appunto dalla forte unità di fondo».

«Tanto più mi colpisce quel che lei dice in quanto i nostri maestri avevano liquidato il Medioevo già sui banchi di scuola», ripresi io, «l'avevano messo in svendita! Oggi, invece, a molti il Medioevo appare come l'opera di un'*idea*, che resta esemplare in quanto l'*anima dell'Europa* era in quei chierici medievali. Qualcuno ne ha tratto la conclusione che la Cristianità del Medioevo fu soprattutto l'opera di un'idea; e che anche oggi, l'Europa sarà la vittoria di un'idea, come scrive Alberto Savinio sull'amore degli oggetti concreti: le nazioni.»

«Quel che va forse rilevato meglio», intervenne nuovamente il Gesuita, «è che nel Medioevo appaiono i postulati della sana distinzione tra cultura e politica, tra Stato e Chiesa, tra *sacerdotium et imperium*, secondo lo statuto dell'*et...et* o dell'unità dei distinti, che ai nostri giorni è stato ripreso da Maritain e Lazzati. La sintesi medievale (e la civiltà occidentale), grazie a questo statuto, ha impedito che si finisse nelle secche del mondo bizantino».

Quell'uomo colto, dal viso asciutto, come divorato dalla tensione interiore e dagli studi, si impegnò in una serrata spiegazione della sintesi:

«Questa indipendenza della sintesi medievale cristiana, tra guida culturale e potere politico, fu uno dei principali fattori che produsse la libertà e l'attività dinamica della civiltà occidentale. Ma la storia dell'Europa è la storia d'un susseguirsi di rinascite, il più sovente grazie agli influssi religiosi che si propagarono in forza d'un processo spontaneo di libera trasmissione. Un simile processo lo troviamo in azione nei periodi posteriori al Medioevo, per esempio nell'influsso dei monaci riformatori di Borgogna e di Lorena sulla riforma della Chiesa nei secoli X e XI; e ancora nell'attività degli Italiani in Normandia, ove tutta una serie di monaci missionari venuti dall'Italia settentrionale – Guglielmo di Volpiano, Giovanni di Fécamp, Lanfranco di Bec e Anselmo di Canterbury – sollevarono la Normandia da una condizione semi-barbarica e la misero alla testa del progresso intellettuale nell'Europa nord-occidentale.

«Ma negli ultimi secoli del Medioevo, il movimento vitale di cultura non rimase più confinato nella vita monastica. Esso si fece sentire in tutti i dominii dell'attività sociale e intellettuale, dal campo economico del comune e della corporazione sino alle speculazioni astratte della scienza e della metafisica. Ovunque troviamo la stessa trasmissione rapida e spontanea d'influssi che si estende da un capo all'altro dell'Europa occidentale, per creare un tipo di civiltà comune, ma grandemente vario nei suoi aspetti, che si diffonde attraverso la Cristianità occidentale.

«In breve, dai pellegrini che in gran numero percorrono l'Europa in lungo e in largo (e giungono fino in Terra Santa) ai *clerici vagantes* delle Università (Bologna e Parigi tra le prime); dai soldati di ventura o dai mercanti come Pietro di Bernardone – che da Assisi commerciava panno in Francia (dove prende moglie e il figlio sarà san Francesco) – agli artisti o ai dotti, come san Tommaso d'Aquino, che va da Napoli a Parigi, e viceversa, maestro di teologia in entrambe le Università...».

«Senta», lo interruppi, un po' impetuosamente, «ho per lei un'altra citazione che completa lo slancio dello spirito negli uomini medievali: "L'Europa è un'idea; essa sarà fatta dai credenti nell'Idea e non dagli uomini che hanno un focolare. Gli uomini che hanno fatto la Chiesa non avevano guanciali su cui riposare la testa"».

Poi mi arrestai di colpo, pensando beffardamente alla mia vita di europea randagia, e ai guanciali estranei su cui poggiavo la testa negli hôtel anonimi e mi dissi: «Bastasse questo!».

Il mio sguardo si levò dal nudo tavolo verso i tristi e inquietanti quadri della «donazione» di un pittore, che coprivano le pareti di quel luogo austero come una cella, mentre il Gesuita mi interrogava sul libro dal quale avevo attinto la citazione.

«Si tratta di Julien Benda», risposi io, «l'autore della celebre *Tra-*

hison des clercs, che scrisse poi nel 1932 quel *Discorso alla nazione europea* che si ergeva contro il *Mein Kampf*, contro il mito sanguinario di Hitler che glorificava la purezza della razza, premessa allo sterminio degli ebrei e di tutti i "meticci" d'Europa. Il libro fu bruciato dai nazisti durante l'occupazione di Parigi: un autodafé spettacolare per lo scrittore che aveva voluto rendere "ridicolo e odioso" il nazionalismo. Vedrà che in questo suo glorificare l'attaccamento dei chierici europei all'idea astratta di unità, egli giunge a un elogio della lingua unica degli uomini colti, il latino, e loda la Chiesa e i Gesuiti, in particolare – questo la incuriosirà – per averla perpetuata tramandandola. Certo, razionalista astratto qual è, spesso estremizza, cade in contraddizione, dove la più vistosa è quella di un'egemonia della cultura e della lingua francese sull'Europa. Ma che spirito originale!»

Incuriosito, confessò di non conoscere Benda, ma disse che lo avrebbe cercato nella loro sterminata biblioteca, i cui sotterranei sono profondi come quelli in cui giace la metropolitana di Roma.

«Il libro di Benda è introvabile», lo giustificai. «Per leggerlo con calma, ho dovuto farmelo fotocopiare alla biblioteca di Scienze Politiche di Parigi. Ne ho proposto la ristampa a vari editori, ma sembrano tutti ritrosi, per via delle tesi che anche adesso appaiono estremamente audaci: lo spirito europeo contrapposto all'ammucchiarsi ostile di nazioni e di patrie.

«Quel che mi interessa, come lei comprende,» aggiunsi «è che l'elogio del Medioevo di Benda non viene da un "clericale", come suol dirsi, ma da un umanista, un razionalista, un libero spirito europeo. Io chiamerei queste frasi, una sorta di "monito ai maestri di storia"».

«Forse la sorprenderò ancora di più». Aprii nuovamente il testo di Benda e lessi:

«"Educate i vostri scolari a venerare la Chiesa per aver così a lungo lavorato ad impedire che lo spirituale fosse inghiottito dal nazionale. Onorate, quali che siano stati i suoi motivi, il momento in cui il Concilio di Trento respinge l'impiego delle lingue nazionali per la messa, e mantiene il latino... Onorate l'ordine dei Gesuiti, quando, in piena guerra dei Trent'anni, nel brivido dei nascenti orgogli nazionali, il loro generale ordinò ai suoi confratelli: 'Non diciamo: la mia patria. Smettiamo di parlare un linguaggio barbaro'; quando alla stessa epoca, e già cent'anni prima, il loro piano di studi impone il latino nei corsi, nella corrispondenza, nella conversazione; quando sempre nel XVIII secolo, insegnano in latino le lingue nazionali... E non glorificate il giorno in cui la preghiera si è nazionalizzata...».

«Confessi che non se l'aspettava!» dissi al mio interlocutore, che aveva gli occhi semichiusi, tra riflessione e sorpresa.

L'ultima citazione, con la quale terminavo quella mia lettura sull'«internazionalismo» dei «secoli bui», fu quella che ci spinse all'apertura reciproca, in questo dialogo:

«Era facile a un Erasmo, a un Leibniz, a un Goethe», declamai, «non pensarsi come cittadini della Germania; a un Galileo, a un Tommaso d'Aquino, porre la loro vulnerabilità altrove che nei loro cuori di italiani. La Germania, l'Italia, la maggior parte delle nazioni allora non esisteva».

«Vede, soltanto nell'Europa dei cosiddetti "secoli bui"», commentò il Gesuita, «l'intera trama della civiltà si sviluppò più per una continua successione o efflorescenza di liberi movimenti spirituali nel senso più ampio, che non per la forza di un'organizzazione centralizzata o di un principio ideologico unico e uniforme. Con buona pace di certi storici, l'unità di fondo medievale – radice del suo ricco pluralismo (o ecumenismo *sui generis*) – dipende dalla fede di tutta un'epoca, e non dal papato (che ne è solo il, peraltro provvidenziale, motore d'avviamento e garante dell'unità nella diversità). Tant'è che il Medioevo cristiano non cedette mai alla tentazione teocratica. Quando parliamo dell'originale e *sui generis* "ecumenismo europeo medievale" (socioculturale e religioso), anche al seguito di Giovanni Paolo II, intendiamo quella profonda unità, sia culturale (lingua latina) sia spirituale (fede cristiana) su cui, in misura direttamente proporzionale!, si è articolato il più vivace pluralismo: tanto di scuole teologiche, scambi culturali e correnti religiose, quanto a livello di strutture e organizzazioni, civili ed ecclesiastiche (dalle corporazioni d'arti e mestieri agli ordini religiosi, monastici e mendicanti)».

«Ma quel che preoccupa gli studiosi, oggi, è se la "tentazione teocratica", come lei l'ha chiamata», ripresi allora, «non si ravvisi in quell'Europa papale-imperiale di Carlomagno; anche per capire meglio qual è il pensiero di Giovanni Paolo II, al quale si imputano disegni "politicamente" aggreganti, di "restaurazione di una nuova Cristianità medievale"».

«Comprendo queste preoccupazioni», fece il Gesuita, «ma le cose non stanno così. Tanto per cominciare, in tutta la storia dell'Occidente vediamo un solo tentativo di creare un ordine sacro unitario, che tutto include, paragonabile a quello dell'Impero bizantino o a quelli del mondo estremo-orientale (la Cina). Questo fu l'Impero carolingio, il quale era concepito come la società di tutto il popolo cristiano sotto il controllo di una monarchia teocratica e cercava di regolamentare ogni cosa dai dettagli della vita e del pensiero sino ai metodi di canto religioso e alle regole degli ordini monastici, per mezzo di decreti legislativi e ispezioni governative.

Ma fu un episodio breve e infruttuoso che sta in violento contrasto col cammino generale dell'evoluzione occidentale e, anche così, il suo perfezionamento culturale fu dovuto in gran parte al contributo di elementi indipendenti, provenienti da paesi fuori dell'Impero, come Alcuino venuto dall'Inghilterra, Giovanni Scoto dall'Irlanda e Teodulfo dalla Spagna.» E incalzò, entrando dritto nella polemica dei nostri giorni:

«A parte questo caso eccezionale, non si ebbe mai un'organizzazione unificata della civiltà occidentale, salvo in ciò che concerne la Chiesa cristiana, la quale provvide a dare un principio effettivo di unità sociale. È quanto pensa anche Giovanni Paolo II, cui i distratti (o malevoli?) imputano progetti del tipo "restaurazione d'una nuova Cristianità medievale" mentre, come intravisto, si tratta d'una scelta spirituale ben più profonda: del ritrovare, cioè, la forza aggregante della fede ecumenica, solo impropriamente detta "neomedievale"».

Uscimmo dalla severa saletta che ha l'aria di un confessionale, e prendemmo a passeggiare nel parco che circonda la Villa Malta, appartenuta già a Ludovico I di Baviera, e poi al principe Bernhard von Bülow. Nell'aria nitida, il Gesuita mi mostrò la palma che lì piantò Ludovico di Baviera, allora principe ereditario. E poi, a fianco, svetta quella celebre che la tradizione vuole sia germogliata dalla mano di Goethe nel suo viaggio in Italia e che le comitive dei turisti tedeschi vanno puntualmente a fotografare. Si slancia, orgogliosa ed elegante, intangibile dai tempi, come la sublime frase di Goethe: «Et in Arcadia ego». Nel piccolo parco ravviato in ordinate aiuole, andammo avanti e indietro parlando, sotto uno smilzo pergolato, attraversato da un pallido sole autunnale che rinfrancava la nostra conversazione e la rendeva in un certo senso più distesa.

«C'è una ripresa degli studi verso la cultura gesuitica in Europa» dissi, trattando un tema che mi incuriosiva. «Si pubblica la storia di Matteo Ricci, il Gesuita che aprì all'Occidente la Cina Imperiale. Tra le riscoperte, c'è anche quella del sottile Gesuita secentesco, Baltasar Gracián,[2] nato in Spagna cinquant'anni dopo Ignazio di Loyola, ma ben diverso dal fondatore della vostra Compagnia – focoso esempio di difensore armato dei dogmi della Chiesa – per la duttile saggezza e prudenza, acuto e astuto controriformista. Baltasar Gracián ha scritto una sorta di manuale di trecento massime (che viene adesso ristampato), che si propone come breviario per i governanti e gli uomini di mondo. L'arguzia delle massime è veramente straordinaria; ce n'è una sulla verità che dice: "La verità è una mercanzia vietata, cui non si permette di approdare ai porti della conoscenza e del disincanto, ed è per questo che abbisogna di tante maschere, se vuole trovare l'entrata nella ragione".

Viene in mente il Milton dell'*Areopagitica* che ci è stato riproposto da un giovane filosofo, Giulio Giorello, quando afferma: "Un po' di generosa prudenza, un po' di tolleranza e qualche grano di carità potrebbero riuscire a far convergere la ricerca della verità, sol che sapessimo rinunciare alla tradizione episcopale di comprimere le libere coscienze e la libertà cristiana in alcuni precetti e canoni umani"».[3]

Non era stupito e proseguii: «Questa è anche la mia idea di tolleranza, di cui lei parlava all'inizio. Milton giunge al *paradosso della tolleranza*, come afferma Norberto Bobbio: "La tolleranza deve essere estesa a tutti tranne a coloro... che negano il principio di tolleranza... tutti devono essere tollerati, tranne gli intolleranti..."».[4]

«Conosco Milton, soprattutto il *Paradiso perduto* e la sua resistenza a ogni tipo di intolleranza, ma non conosco Baltasar Gracián.»

Restai molto sorpresa e gli dissi:

«Ma vede, proprio leggendo Gracián mi sono chiesta: "Chi sono i Gesuiti?", "Che ruolo ha 'Civiltà Cattolica?'".»

«Ernesto Buonaiuti» mi rispose lui «chiamava noi Gesuiti di "Civiltà Cattolica": "I pretoriani del Papa", quelli cioè che facevano quadrato attorno al pontefice e, come voleva sant'Ignazio col IV voto di speciale obbedienza al Papa, erano pronti a difenderne le idee e propugnarne le iniziative. Non però pedissequamente con un'obbedienza di pura esecuzione, ma con intelletto d'amore.

«Quanto alla rivista "Civiltà Cattolica", fu fondata nel 1849, per volontà di Pio IX che a Portici, dove era ospite dei Borboni, concertò quell'impresa con il nostro padre Curci. Da allora, è uscita ogni primo e terzo sabato del mese, meno che dopo la Breccia di Porta Pia, quando i Gesuiti si trasferirono a Firenze. Così nella raccolta rilegata lei ha visto che c'è un solo vuoto: manca il IV volume del 1870, ultimo trimestre di quell'anno che vide la conquista di Roma capitale. Con un antico rapporto di disciplina, ogni quindici giorni, ancora oggi, le bozze sono inviate dalla Villa Malta al Vaticano, per essere lette, un tempo, dal Teologo dei Sacri Palazzi, e oggi dalla Segreteria di Stato. Il calendario è rigido. Al giovedì inviamo le bozze, e al lunedì il direttore della rivista le ritira con le varie osservazioni.»

Mi racconta che Pio XII non solo leggeva, ma correggeva di suo pugno le pagine. Paolo VI, invece, usava inviare amabili bigliettini di plauso per gli articoli che più gli erano piaciuti. Insomma la tradizione, che non s'è mai spezzata, vuole che questa rivista, certamente nella sua politica editoriale, sia funzionale in un certo senso alla più ampia politica ecclesiastica vaticana. Tale onere, che il mio interlocutore ammette essere a volte non leggero, «è però anche fonte di tutta quell'autorevolezza» concede senza falsi pudori «che tutti ci riconoscono e di cui, a volte, ci meravigliamo un po' noi stessi».

«E se sbagliate, se siete censurati o, peggio, condannati?»

Quello risponde con ironia lieve: «Sappia che a Castel Sant'Angelo c'è sempre la cella riservata ai Gesuiti, quella dove il 23 settembre 1773 venne rinchiuso il padre generale Ricci. Le condizioni di carcerazione furono inique per l'arbitrio di un vero "aguzzino", monsignor Alfani, che era responsabile di Castel Sant'Angelo. Isolamento assoluto. Assi alla finestra, contro ogni possibile segnale da fuori e da dentro. Vietato dire messa. Cibo ridotto alle minime misure carcerarie. Nessun riscaldamento d'inverno. Il generale vi morì ai primi freddi del terzo inverno, il 24 novembre 1775».

Levò gli occhi, paziente, verso la palma di Goethe, come a chiamarla a testimone e si lasciò sfuggire – stavolta divertito – un'ultima annotazione storica verso l'insperato aiuto che, alla soppressione della Compagnia di Gesù, offrirono ai Gesuiti il luterano Federico re di Prussia e Caterina II, prima protestante e poi ortodossa, imperatrice di tutte le Russie: «L'uno e l'altra ospitarono i Gesuiti esuli da tutta Europa e salvarono in quelle contrade quelli che, altrimenti, col IV voto di speciale obbedienza al Papa, avrebbero dovuto finire nelle prigioni pontificie! Come non scorgervi una specie di distrazione del diavolo?».

«E adesso? Vedo che voi vi impegnate nel dibattito politico italiano, quasi in prima fila, direi, e dall'altro lato polemiche autorevoli si aprono contro il *superattivismo gesuitico*. Non solo. Ma diventate eroi dei ragazzi, con il film *Mission*, e quel fumetto che si vende dall'America all'Italia con le avventure dei Gesuiti presso i Guarany, nel Brasile del Sud.»

«Vede», si rallegrò finemente il Gesuita, volgendo ora lo sguardo verso l'altra palma, quella più tarchiata e tozza di Ludovico II di Baviera, «oggi ci stiamo sforzando di ritrovare l'antico taglio e spirito dialogico, con un'abilità semmai, come si suol dire, *gesuitica*: quella di "entrare nell'opinione altrui con la loro, ma per uscirne con la propria!". La dialogica è per noi la ricerca e la valorizzazione di tutto ciò che di buono, di vero e di giusto è disseminato dovunque, senza settarismi né ghettizzazioni. La riscoperta di quello che lei ha chiamato *ecumenismo diffuso*».

(Qui, con mia sorpresa, mi cita un'intervista che ho dato due anni fa e che avevo del tutto dimenticata – prova ulteriore che alla loro attenzione non sfugge nulla – ad un periodico di Torino, sulle radici culturali-cristiane dell'Europa.)
Quindi mi interrogò a sua volta:
«Ma è vero che oggi gli studiosi tornano a interessarsi della dimensione religiosa dell'Europa? Mi dica, lei che conosce meglio di me la storia degli intellettuali europei...».

Gli raccontai allora del dibattito aperto da uno dei più celebri storici tedeschi, il protestante Rudolf von Thadden sull'«Europa multireligiosa», al Congresso di Madrid; gli parlai del saggio di Le Goff, *La Borsa e la vita,*[5] che commenta la lotta della Chiesa contro l'usura e suggerisce finemente come questo scontro tra etica e profitto sia all'origine del moderno capitalismo. Ma proprio in quel momento, dinanzi alla domanda del Gesuita, mi tornò in mente, immagine sepolta e quasi dimenticata, il ricordo di Foucault e del suo tentativo di trovare una *spiritualità politica* nella rivoluzione iraniana; mi tornò in mente anche il suo viaggio in Polonia, nel 1982, poco prima della morte, alla difesa dei valori spirituali di Walesa e di Solidarnošč. Dissi soltanto: «Foucault era convinto che abbandonando i cattolici polacchi, rinunciavamo a una parte di noi stessi».

«Gli spiriti più attenti e più colti del mondo intero» rispose lui «attenuano la diffidenza. Diffidenze reciproche inevitabili, se pensiamo alle ipoteche laico-secolariste degli ultimi due secoli, che sono effetto e forse causa della corrispondente miopia clerico-sacralizzante. Diffidenze che vanno attenuandosi nella misura in cui si dialoga riscoprendo insieme che la corretta laicità e autonomia del *saeculum*, secondo la tradizione giudeo-cristiana, non sono affatto concorrenziali a Dio né la consistenza del mondo viene diminuita o minacciata dalla sua apertura sulla Trascendenza. Solo così si spiega, per fare un esempio di casa nostra, come i padri fondatori della Repubblica, cattolici e non, poterono intendersi e convenire su quel capolavoro che è la nostra Costituzione: perché tutti accettarono e condivisero i valori dell'uomo che, guarda caso, erano profondamente cristiani».

«Questo è un bell'esempio», assentii. «D'altronde l'originalità dell'Europa, è vero, pare stare proprio in questo: nel dialogo. Quando avvenne la rottura tra il fondo evangelico, biblico, ripreso dai protestanti, e il fondo medievale cattolico, un dialogo si è instaurato, senza mai cessare: quello tra ragione e fede. Il Cristianesimo è fondamentale per l'Europa così come il suo contrario, la secolarizzazione, che rimette in questione la religione senza profanarla. Vi è sempre più razionalità nella critica religiosa dei limiti della ragione. Anzi a partire da Pascal la religione diventa più razionale del razionalismo nella sua critica ai limiti della ragione, come si ritrova nella critica di Kierkegaard a Hegel. Un amico filosofo, Edgar Morin, mi ha detto discutendo di questi temi prima che partissi da Parigi: "Tu non puoi, nella dialogica tra fede e ragione, opporre astrattamente questi due termini, visto che il razionalismo è diventato mitologico e la fede è diventata critica"».

Il Gesuita accolse con un arguto sorriso quest'ultima frase. Poi cambiammo completamente argomento e dialogammo su una questione di attualità: l'insegnamento religioso nelle scuole italiane.

«Non posso esentarmi dal fare un'amara riflessione sulla recente *bagarre* circa l'insegnamento della religione nelle scuole statali. La mia amarezza non riguarda tanto le più o meno valide argomentazioni dei suoi oppositori o sostenitori, quanto l'aver trascurato, nella maggior parte dei casi, l'indole squisitamente umanistica (ed europeizzante) di una tale disciplina, se gestita come si deve, vale a dire da insegnanti adeguatamente preparati, come avviene nell'area anglosassone».

«Ma perché tale processo si avvii», replicai «è necessaria una specifica "riscoperta religiosa", tanto profonda quanto vasta, improntata a una cultura ecumenica, nelle scuole statali. Il vuoto culturale, che sta alla base di quella generica proposta di includere nei programmi un'ora "alternativa" all'ora di religione, mi ricorda l'operazione di Mussolini dopo il Concordato, quando introdusse negli studi l'ora di religione obbligatoria. Bastò, a noi ragazzi, per trasformarla in un'ora di gazzarra, e perdemmo così ogni interesse alla conoscenza delle religioni. Questo ha disarmato, anche culturalmente, le nostre generazioni, soprattutto in quest'ultimo dopoguerra, quando i moti anticoloniali hanno abbracciato non solo aree politiche ma religiose. La storia religiosa fa parte non solo della storia *tout court*, ma anche del patrimonio culturale. E a questo titolo andrebbe insegnata, non solo come conoscenza ma come eredità. I suoi momenti, i suoi testi, le diverse forme della memoria religiosa andrebbero salvaguardati e fatti vivere come memoria culturale. La Bibbia, per esempio, è un *textbook* dell'Europa, come afferma Le Goff. Negli sterili dibattiti del Parlamento italiano sono mancate proposte serie, come quella di dare del testo biblico un'interpretazione che tenga conto delle diverse posizioni: quelle cristiane (cattolica, protestante e altre) e quelle laiche. E che dire poi del dato di fatto che i musulmani sono, oggi, la comunità più importante in Europa? E la seconda in Francia? Si può dedicare l'ora di religione allo studio del testo biblico senza riservare attenzione al Corano?».

Il Gesuita mi ascoltava assentendo e aggiunse:

«Come diceva Dawson, le grandi religioni del mondo sono, per così dire, dei grossi fiumi, che scorrono attraverso i secoli e attraverso il mutevole paesaggio storico che essi irrigano e fertilizzano. Ma d'ordinario non possiamo risalirli fino alla sorgente, che si perde nelle regioni inesplorate d'un lontano passato. Difatti, raramente è dato ritrovare una civiltà in cui l'evoluzione religiosa possa essere tracciata da un capo all'altro nella piena luce della storia. Solo l'eredità giudeo-cristiana è una straordinaria eccezione a questa regola».

Mi parlò infine del tema chiave del Pontificato del nostro tempo: l'Europa dall'Atlantico agli Urali, distinguendo tra slavofili estremisti e slavofili «di mezzo»; era la cattolicità di quest'ultimi a permettere di mediare tra Oriente e Occidente. Ma a questo punto egli mi incitò, lontano dalla palma di Goethe, ad affrontare questo aspetto della politica estera del Papa con la possente Curia di Roma, prospettandomi la possibilità di un appassionante incontro.

Note

¹ A Palermo, Bartolomeo Sorge dirige il Centro di Studi Sociali, che ha già trasformato in un avamposto e, come lui lo chiama, un «laboratorio sperimentale» nella città dove, non si dimentichi, la mafia spadroneggia.

² Baltasar Gracián, *Oracolo manuale e arte di prudenza*, Guanda, Parma 1987.

³ John Milton, *Areopagitica*, Laterza, Bari 1987, p. 68.

⁴ N. Bobbio, *Le ragioni della tolleranza*, citato in Giulio Giorello, *Introduzione* a J. Milton, *op. cit.*, p. XXIX.

⁵ J. Le Goff, *La borsa e la vita*, Laterza, Bari 1987.

VI

SCHEGGE DI MEDIOEVO RACCOLTE DA CHI SCRIVE TRA LA SORBONA E TOLEDO, TRA COLONIA E MONTECASSINO

Dove il Medioevo viene rivisitato dalla Commissione di Bruxelles

«Non c'è giorno in cui il medievalista» scrive Régine Pernoud «non senta qualche riflessione del tipo: "Non siamo più nel Medioevo!", oppure: "È un ritorno al Medioevo!", sia che si tratti delle rivendicazioni femministe o di deplorare uno sciopero, o di lamentare la demografia carente o magari l'analfabetismo. Medioevo significa ancora e sempre: epoca d'ignoranza, di abbrutimento, di sottosviluppo generalizzato, sebbene sia stata la sola epoca di "sottosviluppo" durante la quale si siano costruite le cattedrali». La penna graffiante di Régine Pernoud è sempre così attuale?

Pare di sì, se aprendo «Le Monde», in un pomeriggio d'aprile del 1987, trovo sotto il titolo: *Ripa di Meana mette in causa la passività degli europei*, l'accesa invettiva antimedioevale del Commissario alla Cultura della Comunità contro un gruppo di società televisive: «Hanno abbandonato la battaglia per piegarsi alle direttive da Medioevo dei *Länder* tedeschi». Il Commissario stigmatizza il loro tirarsi indietro come «barbarie, oscurantismo, accecamento medievale». Testardamente, la Comunità dei funzionari europei vuole cancellare il Medioevo come secolo grossolano ed oscuro!

Le acque sono intorbidate. I discorsi sono sempre più altisonanti: mi chiedo se definire «roba da Medioevo» le «squallide glorie del XX secolo» non sia un alibi per coprire le nostre ignominie. Auschwitz, Hiroshima, l'apartheid nel Sud Africa, il genocidio in Afghanistan sono «pezzi da Medioevo» perché ci accomoda di trasporre lontano, nel Medioevo appunto, le angosce e i malumori dei nostri tempi, di farne una metafora nera. L'aggettivo «medievale» è diventato una parola «militante» nell'organizzazione europea, per alludere a ogni tipo di stortura.

Nel Convegno di Firenze, «La sfida culturale», svoltosi nell'aprile 1987, il presidente della Commissione della Comunità Europea, Jacques Delors, si sottopose a una sorta di «processo medievale», come fu definito dai giornali, per la sua fede nelle mete culturali della Comunità. Fu una vera e propria rappresentazione, con imputato principale Delors, comparso dinanzi ai giudici, nello scenario di Palazzo Vecchio. Alla fine fu assolto dalla giuria con un po' d'imbarazzo per il ridicolo che si levava attorno a quel finto rogo, sul quale si voleva bruciare Delors, simbolica Giovanna d'Arco moltiplicata per Dodici.

Nel dibattito sulle università, avvenuto in quegli stessi giorni, mentre rievocavo come fatto esemplare la libera circolazione di studenti e professori medievali, uno dei sostenitori del piano Erasmus esclamò: «Scusi, non vorrà mica riportarci al Medioevo?». Questa frase cadde come una lama di ghigliottina sul mio intervento, mentre gli altolocati funzionari ridacchiavano con sufficienza attorno al tavolo del potere colloquiale, sito a palazzo Schifanoia, dove Boccaccio faceva narrare ai suoi licenziosamente liberi personaggi le novelle del *Decamerone*.

Mi accontenterei che la Comunità traesse una lezione da queste pagine, almeno a livello linguistico, per depennare dai propri documenti ufficiali e dai discorsi l'aggettivo «medievale» quale sinonimo di oscurantismo e di barbarie culturale.

Dove si narra della magnifica libertà degli spiriti colti del Medioevo al fine di conoscere anche il pensiero del nemico, della fioritura delle università e della continua circolazione del sapere

Nel mio percorso europeo, ad ogni angolo, svolta o piazza della mia topografia, batto la testa contro il Medioevo, il cui spirito soffierà così robusto in Erasmo e lascerà pensoso perfino Voltaire. Mi urto contro l'europeismo dello spirito medievale, come libera religione dei chierici che insieme formano la civiltà spirituale di un continente: la *Res Publica Christiana*, che la nascita delle nazioni spezzerà e sequestrerà in fasi successive.

I fatti sono testardi. Tra questi fatti, per chi si occupa di Europa, c'è anche la rilettura del Medioevo, che fa da architrave all'epoca di fioritura degli spiriti che precede la formazione degli Stati, le guerre di religione che divisero re e papi; figure luminose come San Tommaso, San Bernardo, San Francesco, Abelardo, si confrontano con il pensiero di Aristotele, di Averroè e del Corano. Dante mette in Paradiso San Tommaso e San Bonaventura, e situa al loro fianco, per evocare l'ecumenismo di allora, quel Sigieri di Brabante, assassinato ad Orvieto come averroista. «Tu duca, tu signore, tu maestro», chiama, d'altra parte, Dante quel Bernardo di Chiaravalle, fondatore di abbazie e guerriero che capeggia le Crociate; simbolo dell'intellettuale del XII secolo, Bernardo insegna ad utilizzare i materiali ereditati dagli antichi per, scrive le Goff, «spingersi così lontano come il mare che viene utilizzato dalle navi italiane per andare fino alle fonti orientali della ricchezza».

Risuona, per quell'epoca, la frase lucente di Bernardo di Chartres, che impresse il segno a quella rinascita medievale: «Siamo nani arrampicati sulle spalle di giganti. Così vediamo di più e più lontano di loro, non già perché la nostra vista sia più acuta e più alta la statura, ma perché essi ci sollevano nell'aria con tutta la loro altezza gigantesca». Queste parole, molte volte riprese, esprimono la fiducia nel progresso della cultura e, più sinteticamente, il senso del progresso della storia. Nell'alto Medioevo la storia s'era fermata. Gli intellettuali del secolo urbano rimettono in moto la macchina degli eventi e fin dal principio definiscono la loro missione nel tempo: «Veritas filia temporis».

Bisogna recarsi nel cuore dell'Andalusia, a Cordoba, per comprendere come l'interesse del Medioevo sta nell'emergere di una comunità intellettuale arabo-europea, dove al di là delle differenze religiose, pensatori cristiani e musulmani mantengono una relazione stretta, il cui nodo intermediario sta in quell'Università di Cordoba che aveva dato i natali a Seneca e Averroè, e dove insieme alle spezie e alle sete giungono dall'Oriente i manoscritti greci e arabi.

Nel mio elogio del Medioevo, vorrei cominciare dall'Abbazia di Cluny, da dove, un giorno dell'anno 1140, si mette in cammino un modesto abate, il venerabile Pietro di Cluny, che aveva concepito il disegno, ben audace in quell'anno di Crociata, di tradurre il Corano in latino per l'Occidente. Egli si diresse a tappe verso la Spagna, per trovare l'originale dell'opera, nonché traduttori degni. Aveva concepito l'idea che non si potesse combattere l'avversario senza conoscerne la cultura, giacché anche per confutare una dottrina bisogna prima impadronirsene. Tesi audace a quel tempo (e anche oggi), quando Oriente ed Occidente si scontravano sui campi di battaglia, ma ancor più forse ai tempi nostri, disseminati di censure, di persecuzioni moderne e raffinate, fino ai campi di concentramento dove sono rinchiusi gli scrittori che pensano contro il sistema statalista nazionale. Mille luci dell'intelletto si liberano in quegli anni cosiddetti bui ed illuminano le strade dei chierici e dei santi che vanno alla ricerca dei testi degli infedeli, da Parigi alla Spagna. Abelardo, dal canto suo, esortava le suore del Paracleto a tradurre le opere dal greco, lingua che ormai nessuno capiva più, e a gareggiare con gli uomini per superarli nel colmare le lacune del sapere.

Vorrei dispiegare come una volta stellata la tolleranza e la civiltà di quei secoli bui facendo parlare della propria missione culturale in Spagna l'abate di Cluny: «Sia che si attribuisca all'errore di Maometto il nome vergognoso di eresia oppure quello infame di paganesimo, bisogna agire contro di esso, il che significa: trascrivere... Ond'è che il mio cuore si è infiammato e un fuoco mi ha invaso nella mia meditazione. Mi sono indignato nel vedere i latini ignorare la causa di una simile perdizione e la loro ignoranza togliergli il potere di resistere: giacché nessuno rispondeva, nessuno sapeva nulla. Sono, dunque, andato a trovare gli specialisti della lingua araba, in cui è stato compilato questo mortale veleno che ha infestato più della metà del mondo. A forza di preghiere e di denaro li ho persuasi a tradurre dall'arabo in latino la storia e la dottrina di quel disgraziato e perfino la sua legge che viene denominata Corano. E affinché la fedeltà della traduzione sia intera e nessun errore venga a falsare la pienezza della nostra comprensione, ho posto a fianco dei traduttori cristiani un traduttore saraceno... Questo gruppo, dopo aver frugato a fondo nelle biblioteche di quel popolo barbaro, ne ha tratto un grosso libro, che è stato pubblicato per i lettori latini. Tale lavoro è stato compiuto nell'anno in cui mi sono recato in Spagna, dove ho avuto un colloquio con Sire Alfonso, imperatore vittorioso della Spagna, vale a dire nell'anno del Signore 1141».[1] Non vi è la materia per un film d'avventura, narrando di questi uomini che muovevano alla conquista non dell'oro ma di libri rari?

A quel tempo i traduttori cristiani di Spagna non si dirigono incontro solo alle opere dell'Islam, ma attraverso l'arabo s'impadroniscono dei trattati scientifici greci e arabi. Un curioso esercito di lavoratori della traduzione punta su Toledo, capitale degli uomini del sapere. In Spagna e in Italia, colmano le lacune dell'eredità latina: Euclide per le matematiche, Tolomeo per l'astronomia, Ippocrate e Galeno per le scienze, Aristotele per la fisica e l'etica. Tali opere vengono tradotte da quelli che Le Goff definisce «intellettuali specializzati» e che io chiamerei: eserciti di «operai-traduttori». Gli originali arabi e le versioni arabe dei testi greci passano in latino, grazie ai laboriosi traduttori cristiani. Ad essi danno una mano gli spagnoli, rimasti sotto il dominio musulmano, gli ebrei e perfino gli stessi musulmani. Il più celebre di questi gruppi, che riunivano tutte le competenze, è guidato dal nostro piccolo abate di Cluny, che lasciò la Francia per ispezionare i monasteri cluniacensi, sorti man mano che si sviluppava la *reconquista* spagnola, sebbene lo scopo principale dell'abate fosse quello di realizzare una traduzione corretta del Corano per confutarne la dottrina, grazie alla conoscenza diretta dei testi. La questua dei ricercatori, degli intellettuali del XII secolo, viene descritta come un'avventurosa storia dall'inglese Daniel De Morley, che narra al vescovo di Norwich il proprio itinerario intellettuale. L'aveva iniziato a Parigi, ma Parigi gli piaceva poco e i professori gli parvero dei «selvaggi installati con grande autorità sulle cattedre, con due o tre sgabelli davanti, sovraccarichi di libroni riproducenti a lettere d'oro le lezioni di Ulpiano, con penne di piombo tra le dita... La loro ignoranza li costringeva a mantenere un contegno di statue: essi pretendevano di mostrare la loro saggezza con il loro silenzio».[2]

L'inglese prende allora la via della Spagna, lasciandosi Parigi alle spalle, e subito predilige quelle altre terre, dove «l'insegnamento degli arabi, che consiste quasi interamente nelle arti del *Quadrivium* (geometria, aritmetica, astronomia e musica), viene impartito sulle piazze di Toledo. Mi affrettai verso questa città per ascoltarvi le lezioni dei più dotti filosofi del mondo... Nessuno si adonti se, trattando della creazione del mondo, invoco la testimonianza non già dei Padri della Chiesa ma dei filosofi pagani, perché pur non figurando essi tra i fedeli, talune delle loro parole... meritano di essere incorporate nel nostro insegnamento».[3]

L'arabo aveva funzionato anzitutto come intermediario. Le opere di Aristotele, Euclide, Tolomeo, Ippocrate e Galeno avevano seguito in Oriente i cristiani eretici e gli ebrei perseguitati da Bisanzio ed erano state da loro lasciate in eredità alle biblioteche e alle scuole musulmane che li avevano ospitalmente accolti. Ed ecco che adesso riapprodavano sulle rive della Cristianità occidentale, entravano nelle prime università, che fiorirono nel secolo XII, diventando piattaforme girevoli per la circolazione delle idee; i maestri giungevano, carichi di pensiero come di mercanzie, in questi crocicchi del commercio intellettuale. Nelle università i dottori della teologia come San Tommaso si impadronivano di Aristotele, della sua fisica e della sua metafisica, per contrapporgli altri sistemi filosofici. Il frutto fu l'ammirevole costruzione tomista. L'opposizione era viva, tuttavia, tanto contro l'aristotelismo quanto contro l'averroismo, e l'interdizione dello studio di Aristotele venne decretata all'Università di Parigi nel 1210, e confermata dalla Santa Sede nel 1215 e nel 1228. La tattica consisteva nel compromettere Aristotele con Averroè e San Tommaso con Aristotele, e quindi con Averroè.

Dopo lo splendente XII secolo, la nazionalizzazione minaccia le Università e arresta la libera marcia del pensiero. La scienza araba straripa sulla Cristianità, dice Le Goff, e nutre quello che viene chiamato il Rinascimento del XII secolo, senza il quale, senza l'aristotelismo arabo-spagnolo che lo feconda, nessun Rinascimento italiano, nessuna rivoluzione scientifica (Galileo, Cartesio, Newton e Leibniz) sarebbero stati possibili.

L'aspetto «Eco» del Medioevo

Il Medioevo mi affascina come spazio circolare, moto circolatorio da paese a paese, senza frontiere, senza passaporti né guarentigie. I poveri soggiornano nelle locande, i dotti si fanno ospitare nei monasteri. È l'aspetto «Eco» del Medioevo, quello del *Nome della Rosa*.

Quel Medioevo che secondo Pirenne non inizia con la caduta dell'Impero romano ma con l'invasione musulmana, che in un primo tempo accerchia l'Europa e la feudalizza, l'immobilizza. Il mare Mediterraneo, che era il centro della Cristianità, ne diventa la frontiera. Gli Arabi, diversamente dai Germani, che nulla avevano da opporre al cristianesimo, sono portatori di una fede e di una cultura nuove. Da un lato, ciò li rende inassimilabili e dall'altro, con l'Islam, un nuovo mondo entra nel Mediterraneo, dove Roma aveva diffuso il sincretismo della sua civiltà. La tesi di Pirenne è ancor oggi condivisa dalla maggior parte degli storici, anche se il Lombard[4] afferma il contrario, ovvero che è la civiltà islamica che feconda l'Europa, io penso che le due verità siano accettabili in quanto successive nel tempo: la tesi di Pirenne si riferisce al regno di Carlo Magno e riguarda l'VIII, il IX secolo: da una parte l'Islam, dall'altra i Carolingi. Senza Carlo Martello e Poitiers non ci sarebbe stato forse più un Occidente cristiano. La tesi del Lombard si riferisce a un'epoca successiva, al momento di massimo splendore della grande civiltà araba dell'XI secolo, che permetterà, attraverso le vie che ho cercato di ripercorrere, l'«acculturazione» dell'Europa medievale. Visto che ci sono due secoli di differenza, le due tesi non sono incompatibili e possono essere dialettizzate nel tempo.

L'idea medievale di una Comunità Europea

Il Medioevo, sembra un paradosso, supera la città greca, madre di democrazia, contro l'eredità antica dell'esclusione dei «metechi», gli inferiori, i servi, i marginali. Il Medioevo, che assorbe Aristotele, lo supera nell'adombrare la convivenza, contro la tradizione greca dell'esclusione, della paura dell'altro, fondata sulla triade: xenofobia, ostracismo dell'esilio, razzismo contro il barbaro.[5] Questa tesi fu il cuore di una relazione di Alain Houlu (in un convegno tenutosi a Parigi sull'idea d'Europa, diretto da Colette Audry, nel 1985) e ne traggo una citazione che mi sembra di grande finezza:

«All'inverso degli antichi, ivi compresi gli intellettuali e i filosofi dell'antichità, il Medioevo conosce, grazie ad alcuni suoi pensatori, l'emergere di una integrazione dell'uomo in seno ad una comunità più vasta che non il nazionalismo panellenico o romano degli antichi. L'interessante è che si assiste all'emergere di una comunità intellettuale arabo-europea, dove al di là della differenza religiosa, pensatori cristiani e musulmani sono, soprattutto grazie all'Andalusia, in relazioni molto strette tra loro».

Per sottolineare l'antica forma del parossismo contro lo straniero, o il dissidente, Houlu ripresenta la lettera di Aristotele (nella versione pervenutaci dall'arabo) inviata ad Alessandro per consigliarlo sulla politica di sradicamento e trasferimento obbligato dalle terre e città originarie (*resettlement*, come si dice oggi, in linguaggio internazionale, magari prendendo a esempio l'Etiopia nel 1986).

«Dovrei lottare con l'esempio della punizione contro quelli che si avvicineranno a te con la menzogna e contribuiranno ad un conflitto tra le genti... Io ritengo che sarebbe bene per il tuo regno, e contribuirebbe a rinforzare il ricordo della tua grandezza, se tu trasferissi obbligatoriamente la popolazione di Persia dai suoi domicili paterni, e se non è possibile spostarli tutti, che almeno vengano trasferiti in numero importante, e con essi quelli che detengono il potere, per farli stabilire nei paesi di Libia e d'Europa».

Aristotele, Bernardo e Abelardo

Si può in ogni caso affermare che alcuni santi e alcuni pensatori medievali, tra i quali soprattutto Abelardo, costituiscono il punto di rottura con gli Antichi e si spingono più innanzi di tutti sulla via del Rinascimento, quella che condurrà Erasmo l'Europeo ad esclamare:

«Voglio essere cittadino del mondo, compatriota di tutti, oppure straniero per tutti».

Personaggio enigmatico, questo Bernardo che nel XXVI Commento al più intenso dei testi biblici, il *Cantico dei cantici*, scriveva parole battagliere: «Noi siamo qui come guerrieri sotto la tenda, cercando di conquistare il cielo con la violenza, e l'esistenza dell'uomo sulla terra è quella di un soldato». È giocoforza interrogarsi su quel che Bernardo chiamava arte: era uno slancio proveniente dalla sua stessa eloquenza, che sconvolgeva gli animi, era la pressante richiesta di costruire qualcosa di enorme, che si elevasse da terra verso il cielo, le Abbazie cistercensi. L'opera di coloro che dedicarono la vita per costruirle era infiammata da quello slancio, perché «tutti», scrive Georges Duby, «hanno voluto renderla conforme all'insegnamento di un maestro, San Bernardo. Questi non aveva fondato l'Ordine cistercense, ma ne aveva fatto il suo successo. Citeaux vegetava da quattordici anni nel centro della foresta borgognona, allorché Bernardo vi arrivò con trenta compagni per convertirsi e vi creò il monastero. Ormai fino alla sua morte, nel 1153, la cristianità fu sconvolta nel più profondo dalla sua parola. Anche quando il discorso non era profferito davanti alle folle, come nel 1146, nella grande riunione da cui sorse la seconda Crociata; anche quando veniva dal fondo di un chiostro isolato contro altri monaci, i concorrenti, quelli di Cluny, che Bernardo voleva contenere, respingere, o attirare per costringerli ad emendarsi. O contro Abelardo che egli schiacciò».[6]

Contro Abelardo, la più alta espressione dell'intellettuale parigino, insorge lui, Bernardo, che rifiuta di comprendere l'intelligenza urbana, lui, il guerriero, l'uomo d'arme e di fede totalizzante. L'Inquisitore, *ante litteram*.

Abelardo è il nemico più pericoloso, il nuovo teologo, l'eretico più subdolo. Dopo vari confronti, Bernardo riesce a strappare al Papa la condanna di Abelardo, i cui libri sono bruciati in San Pietro. Per Abelardo, scomunicato, si apre solo la porta del monastero di Cluny, dove quell'anima buona di Pietro il Venerabile l'accoglie con pietà e amore. Pietro utilizza le sue relazioni a Roma e briga per ottenere l'annullamento della scomunica, un'assoluzione scritta, che raggiunge Abelardo morente nel convento. «Quello stesso testo di salvezza papale sarà consegnato da Pietro a Eloisa, divenuta badessa del Paracleto, con atto squisito», scrive Le Goff.

Abelardo è il simbolo della tolleranza tra opposte fedi e culture. Dopo la feroce mutilazione e la persecuzione delle autorità ecclesiastiche, egli pensò a fuggire nell'Islam, come altri intellettuali, usu-

fruendo dello statuto di Dhimmi, che i principi musulmani accordavano a ebrei e cristiani, allorché Pietro il Venerabile gli aprì le porte dell'Abbazia di Cluny. Nella ritrovata serenità, prima di morire, nel 1142, Abelardo abbozza la sua ultima opera rimasta incompiuta: *Dialogo tra un filosofo, un ebreo e un cristiano*:
«Mi apparve una visione notturna, ed ecco che tre uomini, provenienti da strade diverse, si fermarono dinanzi a me. Subito, così com'è d'uso in una visione, io li interrogo su quel ch'essi professino e sulle ragioni della loro venuta. "Siamo uomini", essi dissero, "che provengono da confessioni religiose diverse. Tutti facciamo professione allo stesso modo di onorare un Dio unico, ma lo serviamo in maniera diversa, sia per fede che per costumi. Uno di noi, un pagano, uno di quelli che sono chiamati filosofi, si contenta della legge naturale. Gli altri due possiedono le Scritture, ed uno si dice ebreo, l'altro cristiano..."».
Contraddizioni fitte tra i protagonisti del Medioevo, tra tolleranti e intransigenti. L'abate di Cluny è l'uomo della tolleranza, della cultura che dialoga con tutti. Bernardo di Chiaravalle è il guerriero in armi, il predicatore dello sterminio degli infedeli. Mentre San Francesco d'Assisi si reca a trovare il sultano che lo ha invitato a discutere. L'abate di Cluny e Francesco d'Assisi sintetizzano la pace e la tolleranza contro il grido dell'abate di Citeaux, Arnaud Amalric, sotto le mura di Béziers: «Uccideteli tutti. Sarà Dio a riconoscere i suoi».

A proposito di europei e di Cattedrali

Chi di noi, europei, non ha negli occhi l'immagine di una cattedrale? Oppure di un'abbazia? A pochi chilometri dal luogo in cui sono nata, c'è Roccasecca, dove nacque San Tommaso, e il Monastero di Montecassino, dove egli studiò prima di andare a Parigi. San Benedetto aveva fondato il Monastero sulle rovine di un antico tempio romano dedicato ad Apollo, abbandonato alle erbe dai conquistatori ostrogoti. Egli aveva creato una regola di vita, che univa il rigore alla semplicità (*Ora et labora*), e la descrisse nei suoi *Dialoghi*. Da questa prosa ardente, sorta di umile diario della vita del padre dei monaci d'Occidente, Luca Signorelli trasse l'ispirazione per i trentacinque mirabili affreschi, gemma del Rinascimento, che ornano il chiostro di Monte Oliveto Maggiore (Siena).
Ogni tanto, da bambina, salivo in macchina con i miei genitori verso Montecassino o verso l'Abbazia di Casamari, vicino ad Arpino.

I monaci cistercensi di Casamari venivano incontro a mio padre, signore di quelle lande ciociare e offrivano a noi ragazze la merenda nel gran refettorio: le marmellate di mirtilli, i biscotti al miele, i pani allo zibibbo.

Sento ancora l'odore di anice e incenso, di erbe medicamentose, che mi riporta indietro: è un certo non so che di fragrante e di amarognolo che aleggiava in quei luoghi nudi, attorno alle nostre gonnelle svolazzanti, mentre correvamo via verso l'auto che ci aspettava, coi dolci stretti in mano, lasciandoci alle spalle quell'enorme massa di pietra. Soltanto in seguito ho appreso che Casamari era una delle 160 abbazie cistercensi, create nel giro di qualche decennio nell'Europa medievale.

«Queste costruzioni si sono edificate durante i due ultimi terzi del XII secolo, attraverso l'Europa intera» scrive Georges Duby. «Dopo la caduta di Roma, nessuno aveva potuto erigere un insieme monumentale così coerente, ampio, espanso... Migliaia di uomini vi hanno lavorato, divisi in piccole squadre, che un grande corpo unico, l'Ordine di Citeaux, riuniva. Dei monaci... seppelliti senza epitaffio nella terra nuda, nel luogo stesso del loro lavoro, in mezzo alle pietre del cantiere. Sono loro i costruttori. Anonimi».[7]

La lezione del Duomo di Colonia e il ruolo del Nord nella costruzione dell'Europa medievale

Su tutto l'Occidente, da Roma, da Parigi, da Colonia, si innalzano le bianche cattedrali, quelle stesse che udii esaltare da De Gaulle in un sorprendente discorso all'Eliseo, nel 1964, come la nostra più forte identità culturale, il vallo che racchiude la civiltà europea. Nel dopoguerra, vidi il Duomo di Colonia demolito dalle bombe e ancora ricoperto dei sacchetti di sabbia, che dovevano proteggerlo dal fuoco che il cielo sputava. Adesso il Duomo è risorto. Facendo tappa a Colonia, diretta verso Bonn (dove mi attendeva un gruppo di professori tedeschi, con i quali andavo organizzando il 3° probabile incontro di intellettuali: a Stoccarda, a Berlino?), il Duomo mi si para innanzi come un'estrema linea d'orizzonte. Le guerre hanno massacrato gli europei per duemila anni: guerre di religione, guerre di conquista e di riconquista. Alle distruzioni che hanno ferito il corpo dell'Europa, sembrano sopravvivere le cattedrali. Non so per quale evento miracoloso, esse continuano a punteggiare la storia europea.

Il Duomo di Colonia, il più grande del continente, mi appare in questa luce come un bastione imprendibile. Due date simboliche nella memoria: 1248, 1944. Nel 1248 l'arcivescovo Conrad von Hochstaden ne pose la prima pietra dinanzi al legato pontificio e al futuro re d'Olanda, Guillaume; nel 1944 fu sventrato da quattordici bombe pesanti e da cento bombe incendiarie, grazie ai tiri di precisione delle fortezze volanti americane, nella guerra contro Hitler. Sprofondarono ben tredici volte dell'antica cattedrale. Nel corso di tre anni, le mani amorose ed esperte di cento artisti artigiani (attorno al maestro Weyres) la restaurarono, finché nel 1948, in occasione del Giubileo, fu celebrata la rinascita di quella chiesa che era stata definita da Petrarca «tempio meraviglioso».

Entrando, sono annichilita dalla grandiosità dei volumi, dall'estensione degli spazi, opera di un genio preveggente per combattere l'imprevidenza umana. Deve essere stata questa l'idea chiave che guidò la costruzione architettonica degli artefici medievali: farne il tempio più grandioso, con quella sterminata facciata, racchiusa tra le due torri che volano verso il cielo con guglie leggere, come frecce ardenti. È come se la cattedrale rinata volesse significare la rinascita dello stesso popolo tedesco alla vita.

Uscendo sul sagrato mi avvolge una bianca fitta pioggia: dal cielo, che resta azzurro, nevica allegramente, come mille coriandoli bianchi. Rabbrividisco dal freddo. Io appartengo al Sud dell'Europa. Ma nella landa nordica, il Duomo di Colonia, dove mi rifugio ancora, mi appare più familiare delle strade e degli edifici ricostruiti anch'essi, puntigliosamente ricopiati. Le lisce pareti di cemento, che sanno ancora di calce fresca, nella loro scrupolosa ricostruzione di quello che fu un centro meraviglioso di civiltà, infondono nostalgia per l'antica Colonia che non esiste più. A conti fatti, solo la dignità architettonica del Duomo ha resistito: sorta di specchio in cui si riflette la storia di un popolo europeo, che sempre risorge dalle distruzioni. Ma così grandioso e severo, non si leva anche a ricordare la bestialità degli uomini? La loro idiozia distruttrice? Come a ripeterci che dopo il lavoro frenetico di generazioni di formiche umane, c'è sempre la furia sterminatrice delle generazioni successive per distruggere ciò che le precedenti hanno costruito. Il genio umano crea una civiltà di monumenti, che la furia e la violenza degli uomini riducono successivamente in macerie. Anche questa è l'Europa.

Un altro segno della più indegna e aberrante vicenda europea l'ho ritrovato nel Refettorio della Chiesa di S. Maria delle Grazie, dove Leonardo dipinse l'*Ultima Cena*. All'ingresso del Cenacolo il visitatore s'imbatte nella fotografia del Refettorio distrutto dalle bombe nel 1943: un macello di detriti e macerie, dietro il quale si intravede un fregio deturpato della visione leonardesca. C'è voluto più di una quarantina d'anni per restaurarlo e solo nel 1987 è riapparsa finalmente l'*Ultima Cena*.

La civiltà del Duomo di Colonia ci ripropone le riflessioni di Henri Pirenne, in quello stupendo libro che porta il titolo *Maometto e Carlo Magno*. Pirenne sottolinea come nell'epoca successiva a quella in cui l'Islam aveva rotto l'unità del Mediterraneo e l'antico mare era diventato confine tra l'Islam e la cristianità, intervenga «la fine della tradizione antica e l'inizio del Medioevo». «La cultura» scrive Pirenne «che fino allora si espandeva in tutte le regioni del Mediterraneo, emigrò verso il Nord, dove si elaborò la civiltà del Medioevo. La Germania convertita prese una parte essenziale alla civiltà, alla quale fino a quel momento era rimasta estranea. La cultura era stata fino ad allora tutta romana: da allora diventò romano-germanica, localizzandosi però nel seno della Chiesa. Non c'erano più barbari, ma una ecclesia che guardava verso Roma, che si era distaccata da Bisanzio, e non poteva non guardare al Nord... La cultura che sarà quella del Medioevo primitivo fino al Rinascimento del XII secolo, conserverà l'impronta carolingia. L'unità politica sparì: ma sussistette un'unità internazionale di cultura».

Le cattedrali attestano come la Chiesa, più ancorata di oggi alle pluralità politiche, economiche e sociali, conferisse a ogni Stato qualcosa della sua dignità; impegnata nella storia, essa crea, contribuisce a costruire, in terre lontane da Roma. «Il Sacro Impero» scrive Pirenne (sorta di Stato sovranazionale, direi io) «trova una coincidenza con la Chiesa che, spinta dall'evoluzione dei secoli precedenti, formava a sua volta una pietra miliare necessaria nella storia delle comunità cristiane d'Europa: è quel che il Medioevo chiamava cristianità... Il mondo dove il sovrannaturale e il temporale trovavano un punto di approdo. Lo Stato e la Chiesa, anche se i loro destini non si confondono mai del tutto, restano almeno solidali». È la questione dell'oggi, forse, per l'Europa.

Note

[1] Citato in Jacques Le Goff, *Gli intellettuali nel Medioevo*, Mondadori, Milano 1979, p. 19.
[2] *Ivi*, p. 20.
[3] *Ivi*, p. 21.

4 Maurice Lombard, *L'Islam dans sa première grandeur*, Flammarion, Paris.

5 È nel Medioevo europeo che sorgono le prime democrazie delle *città*, senza schiavi esclusi dalla cittadinanza (comuni italiani dell'XI e del XII secolo, cantoni svizzeri del XII e del XIV secolo); è in Inghilterra che appaiono i due eventi chiave, il cui originario antiassolutismo sarebbe diventato il senso stesso della democrazia nel corso della storia: la Carta della Libertà, imposta da Giovanni senza Terra, nel 1215, che interessava tutte le classi della società e la creazione del Parlamento inglese con le sue due Camere (1265).

6 Georges Duby, *Saint Bernard. L'art cistercien*, Flammarion, Paris 1979, p. 9.

7 *Ibidem.*

VII

A BOLOGNA LA DOTTA, DOVE GLI STUDENTI ERANO ELETTI RETTORI

Goethe stesso evocava l'idea che la coscienza dell'Europa nacque in pellegrinaggio, e da un punto all'altro delle università o dei luoghi d'incontro, tra Cambridge, San Giacomo di Compostella, Salamanca, Heidelberg, Lovanio, la Sorbona. La più antica università nata dai pellegrinaggi studenteschi e dagli uomini di cultura è Bologna, che, come è noto, è stata definita «la Dotta». L'Europa vi accorse. Bologna, riletta oggi in questo contesto, appare la più europea delle università in quanto prefigura strutture che vedremo nascere a quell'epoca come un'invenzione tipicamente europea, e al giorno d'oggi realizzate soprattutto nelle università americane. Il primo concetto è: c'è uno studioso libero, che per la prima volta, anche se per caso è monaco, non è legato né a un ordine religioso né a una scuola-cattedrale, né a un governo. Nel momento in cui la sua ricerca dà frutti, egli la comunica a degli studenti, che non sono i novizi di un monastero, ma è gente che paga di tasca propria muovendosi liberamente. Quindi c'è un rapporto «chiuso» che prefigura già un'economia di tipo capitalistico cittadino. Cioè: un chierico, potenzialmente indipendente dal potere politico e religioso, vende una merce che produce e della gente lo paga. Infatti le prime *querelles* dell'università sono per ottenere il breve dell'imperatore che attesta come quell'università sia indipendente; anche il rapporto conflittuale arriva a patti con l'amministrazione cittadina, per mantenere un'autonomia. Che poi questo essere indipendente sin da allora – come adesso – voglia dire che si paghi la libertà vendendo consulenze, è la norma. Ma queste consulenze sono liberatorie, liberamente date e non ubbidiscono ad alcun comando dell'imperatore. Anche l'imperatore, se assume quattro canonisti dell'Università di Bologna per avere un parere canonico (a lui basta che tre gli diano parere favorevole), li paga con un decreto che ne assicura l'indipendenza. Se la città ha bisogno di notai, af-

finché nasca una scuola notarile, essa a sua volta, per così dire, ap-
palta questa funzione all'università. E la paga. Secondo elemento, di
compromesso: se i soldi che danno gli studenti non sono sufficienti,
il Comune interviene per finanziare. Certo, con questo, diminuisce
un po' l'autonomia del professore. È una dialettica di patteggiamenti, di rosicchiamenti della sua zona di indipendenza. Il concetto è tipicamente europeo, per la verità: una entità indipendente, che si fonda
su basi commerciali; e quanti più studenti vengono e quanti più studenti pagano, tanto più l'università funziona. Secondo concetto, tipicamente europeo, che nasce a Bologna: l'università è un organismo
internazionale, dove sono presenti le *nationes*.[1] C'è la *natio* dei tedeschi, la *natio* degli spagnoli, dei francesi: l'università non è bolognese, è un'università europea. È un centro di contatto europeo. Certo che erano centri di contatto europeo anche i monasteri, le scuole-
cattedrali, ma l'università lo è come centro indipendente.

Terzo elemento originale: vige il governo degli studenti, che poi
pian piano finisce. Ma, inizialmente, essendo appunto un'impresa
capitalistica, governano i clienti, quelli che pagano, e cioè gli studenti. A Bologna i rettori erano studenti, sino al Cinquecento. Poi cominciarono i patteggiamenti col Papa, con il cardinal legato, una storia complessa. Però i rettori sono studenti. Mentre a Parigi e ad Oxford (e successivamente a Bologna), avvenivano ancora patteggiamenti tra potere politico e potere religioso, per dare spazio, voce in
capitolo agli studenti. In ogni caso, per la prima volta, a Bologna accade che i rettori siano studenti. E poi avviene, naturalmente, che taluni studenti siano i più ricchi perché figli di nobili ecc.; questo è nel-
l'ordine delle cose. Però il governo dell'università appartiene agli studenti. Questa è la significanza dell'episodio bolognese, in termini europei. Bologna non subisce forme di nazionalizzazione universitaria
fino al Cinquecento; poi c'è un declino, perché il potere papale si fa
sentire sempre di più. Gli anni della gloria di Bologna sono quelli della sua nascita; dopo il XIV secolo, Bologna può avere i suoi grandi
scienziati (i Malpighi, i Galvani, ecc.), ma in termini di autonomia
rientra nella sfera del potere pontificio.

Il modello bolognese è interessante perché è il primo che con le *nationes* ammette il principio di meticciato. Poi anche lì, con tutti i
compromessi e con tutte le reazioni, ad un certo punto si istituiscono
i *collegia*, specie di organi che fissano i prezzi del calmiere «culturale», e di cui sono membri anche i cittadini; tutto questo per «calmie-
rare», per così dire, le lauree e per paura che siano troppi gli stranieri. È ovvio che il corpo si difende, ma contemporaneamente nella cit-

tà fioriscono decine di collegi internazionali e quindi il meticciato è accettato. A Bologna si trovano i danesi che fanno linguistica, Copernico, Erasmo, Paracelso che passa di lì. Copernico fa le prime osservazioni astronomiche mentre studia diritto a Bologna. Erasmo è lì presente il giorno dell'arrivo di Carlo V. Adesso tutto questo è un sogno per qualsiasi università italiana, o europea.

In fondo, le università che mantengono o accrescono il prestigio e l'importanza scientifica sono quelle che hanno il più alto tasso di meticciato, come Parigi, nel continente europeo. Questa capacità di assorbire gli stranieri (anche se si accentua ora il carattere nazionalista europeo), si ritrova nelle università americane d'oggi, dove è nata la figura del professore la cui nazionalità sta nell'appartenenza alla Città degli Studi dove opera, con tutti i diritti, come allora.[2] Quindi, questa caratteristica bolognese dell'internazionalità passa all'università americana e in piccola misura a quella francese, passa alle grandi università inglesi che assorbono tutto, anche il mondo coloniale.

Direi che così come lo era a Bologna, il tasso di meticciato è la garanzia di crescita dell'università. Quella americana diventa grande quando assorbe tutti gli ebrei tedeschi (i fisici, gli scienziati), e quando, come adesso appunto, è quasi impossibile chiedersi di quale nazionalità sia un professore.

Note

[1] Anche se all'interno di ogni università, secondo le informazioni di M.A. Rastoul, «L'internazionale universitaria e la cooperazione intellettuale del Medioevo» (Enciclopedia Pax, 1932), gli studenti si raggruppavano in «nazioni», queste non corrispondevano affatto alle divisioni politiche dell'Europa ma si trattava di studenti che avevano scelto liberamente di mettersi insieme per affinità di lingua o di razza. Nell'Università di Vienna, nel XIV secolo, la nazione d'Austria comprende gli studenti d'Italia; la nazione di Ungheria, gli slavi; la Renania, i francesi; la Sassonia, tutti gli scandinavi e i britannici. Le università del Medioevo mettevano lo studio al di sopra dell'arte della guerra. Invitavano i cittadini delle nazioni nemiche a proseguire il loro lavoro, come dicono gli statuti delle università di Firenze, nel 1387: «Malgrado tutte le ostilità, tutte le guerre e tutte le rappresaglie...»

[2] L'opposizione degli uni agli altri, secondo le proprie nazionalità, nell'interno di una stessa scuola, era molto meno reale ai loro occhi che non l'opposizione che tutti loro avvertivano contro il mondo dei funzionari e dei mercanti. Quanto agli insegnanti, il diritto che dava loro il grado di «insegnare per tutta la cristianità» (*jus ubiqui docendi*) li elevava, anche agli occhi dei loro studenti a un vero carattere sovranazionale. Non veniva in mente ad alcuno studente parigino di stupirsi di avere per direttore di studi il tedesco Alberto il Grande o l'italiano Tommaso d'Aquino, né ad alcun baccelliere viennese veniva in mente di trovare cattiva cosa l'affidare la formazione del proprio spirito al francese Jean Gerson.

VIII

CONVERSAZIONE TRA L'AUTORE
E JACQUES LE GOFF

*Dove si parla di Università medievali
e di Università europee, per delineare qualche viva proposta
per studenti e professori contro l'Europa-Museo*

Mi aveva dato appuntamento nell'ufficio che si affaccia sul Boulevard Raspail, con i vetri che non impediscono al frastuono delle automobili di far tremolare i fogli della sua scrivania. Portavo stretto in mano il suo libro, *Gli intellettuali del Medioevo*, pubblicato nel 1957 e ancora puro come un'aurora. Quando uscì, fu un'esplosiva rivelazione contro quella lezione della storia che ci aveva consegnato il Medioevo, esclusivamente sotto il segno della negazione della cultura. Le illustrazioni, scelte con eleganza impareggiabile, fissavano i volti dei santi medievali, tratti da opere rare: san Tommaso, Ippocrate, Galeno, Cosma e Damiano. *Una lezione universitaria* dipinta da Frater Henricus d'Allemania, col maestro issato su un'alta cattedra davanti a quattro rigide file di studenti attoniti che prendono appunti, mentre uno sull'angolo si addormenta. *Abelardo ed Eloisa*, in una mirabile miniatura tratta dal *Roman de la rose*. Tutta la scuola di Braudel, di cui fa parte Le Goff, costituì, a partire dagli anni cinquanta, il silenzioso antidoto a una certa storia edificante scaturita dal dopoguerra, quella dei manuali del «marxismo-leninismo» e della storia operaia e militante dell'epoca successiva alla seconda guerra mondiale che aveva obliterato le grandi imprese storiografiche del periodo precedente. Eravamo immersi, allora, nella più dogmatica spartizione dei secoli: tutto ciò che era accaduto prima di Marx, dell'organizzazione socialista, del movimento operaio, dell'ottobre '17, era storia non avvenuta. Da Braudel in poi, da Duby in poi, gli storici europei presero a tornare indietro, per cercare l'oro nelle buie caverne medievali.

Da dietro il suo scrittoio, Le Goff mi ascoltò, mi osservò, e cominciò a parlare con quel tono che suggerisce la *politesse* francese o forse semplicemente il suo animo generoso, e che inizia sempre: «Come ben sai.... Come sai meglio di me...». È un modo al quale non siamo abituati in Italia, data la superbia e l'arroganza dei chierici d'oggi. «Tu sei un'intellettuale e una donna d'azione, una militante. Scrivi e agisci... Questo libro sull'Europa e la cultura devi scriverlo tu!» Mi aveva già incoraggiata una prima volta al Caffè Rostand, quando mi aveva sorpresa a divorare una torta al cioccolato per ingannare l'attesa, sicura che lui avrebbe tardato. Invece era stato puntuale. Aveva portato con sé il suo ultimo libro, *La borsa e la vita*, sull'usura nel Medioevo e sul puzzo diabolico che per la Chiesa ne emanava. Una perla di libro, con una dedica affettuosa. Cominciai a raccontargli delle mie esplorazioni nel Medioevo. Era attento a tanta foga; mi esortò a proseguire e mi diede un nuovo appuntamento per il mese successivo, all'Ecole des Hautes Etudes.

«Ti porterò a colazione in un ristorante straordinario. Ma ricordati: compera il *Liber manualis* di Dhuoda, forse la più possente scrittrice del Medioevo!».

Trovai infine, con molta difficoltà, il libro alla Procure, la libreria cristiana e di storie delle religioni di Place Saint-Sulpice, e fui affascinata dalla magia di Dhouda, come il lettore vedrà nel capitolo che segue.

La nostra conversazione riprese un mese dopo: lui aveva avuto il tempo di pensarci ed io di formulare qualche domanda più precisa. Gli chiesi se il passato può aiutarci per il presente, se le università del Medioevo, prima dell'appropriazione da parte degli Stati, possono ricreare la memoria di un'epoca di intensa comunicazione inter-universitaria. Non per tornare al passato, ma per meglio capire gli assurdi ostacoli del presente.

Egli prese, da quel magnifico professore che è, il tono colto e preciso dell'universitario di razza:

«La comparsa delle università del Medioevo, alla fine del XII secolo, è anzitutto qualcosa di importante per la società medievale stessa: le scienze escono dai monasteri dove, certo, non erano incarcerate, sebbene costituissero un privilegio della Chiesa, dei chierici. Mentre le università nascenti dalle scuole ribelli, pur creando studenti, maestri e chierici, sono legate al movimento urbano e alle corporazioni, nel senso della comparsa delle professioni, e assumono valore capitale per tutta la società. La scienza diventa una faccenda di uomini, di uomini di mestiere».

Dall'Università medievale all'Università come Istituzione Cristiana

«Ciò sconvolge» continuò Le Goff «i tradizionalisti, che affermavano che la scienza apparteneva solo a Dio; mentre le università si mettono a vivere della loro scienza facendosi sovvenzionare dai governi, dagli studenti e dai bilanci delle città in cui sorgevano, come nei Comuni medievali italiani.

«La comparsa delle corporazioni universitarie, del sapere come mestiere e l'introduzione del sistema degli esami, crea le élites del merito, e non più quelle provenienti dalla nascita aristocratica, dalla ricchezza, dal privilegio, o dal tirare a sorte il nome dello studente. La scienza si espande attraverso la qualità. Ancora oggi, quel che conta in Europa, è l'ingegno.

«Qualunque sia la potenza finanziaria dei tre giganti USA, URSS e, domani, la Cina, i quali hanno il denaro e le masse umane, la risorsa culturale dell'Europa è sempre la materia grigia, che definisco senza mezzi termini la principale ricchezza europea. L'università in Europa è il più antico centro di formazione della materia grigia nella nostra civiltà. L'Europa universitaria deve, tuttavia, evitare i difetti delle università medievali, quelle università con una sola lingua, ma più rigidamente, divise in facoltà, secondo le diverse discipline. C'era, certo, una facoltà di base per tutta la scienza, la Facoltà delle Arti. Ma poi c'era la teologia, la medicina, il diritto, ed è qui che si sono alzate barriere tra l'una e l'altra, barriere dannose per l'avvenire intellettuale. A noi occorre un'Europa intellettuale interdisciplinare, nel campo intellettuale e universitario. È ciò che ha permesso, per un certo periodo, alle università medievali, di costituire il punto di confluenza della società; esse vivevano dentro questa società, se ne nutrivano e poi le rendevano quel che ne avevano tratto come alimento. Quando le università si sono chiuse, quando si sono divise, sono diventate torri d'avorio del sapere.

«Il sapere è passato altrove, si è frammentato. Ed è stata una delle debolezze dell'Europa post-medievale, quando sono sorte le università nazionalizzate. Le arti erano arte e scienza, nel Medioevo, divise in *Trivium* e *Quadrivium*. Nel *Trivium* le lettere, come oggi diremmo, con la grammatica, la retorica, la dialettica; nel *Quadrivium* le scienze, con l'aritmetica, la geometria, l'astronomia e la musica. Sono le attuali scienze, ad eccezione della musica, che è diventata arte per noi e che si situava allora in una struttura scientifica. Ci si specializzava sempre di più, con il rischio di tagliarsi fuori dalla società. Occorre, invece, restare nella società.

«Occorre costruire una Comunità Europea non più solo agricola, ma una *Comunità della materia grigia*. Certo, vi sono differenze; certo occorre tener conto dell'esistenza delle nazioni. Ma dobbiamo ritrovare quel che c'era d'europeo nello spirito della Cristianità. Le università come istituzioni di cristianità, con l'apporto delle diverse nazioni. L'essenza europea della Cristianità la si ritrova nel Rinascimento, con lo spirito dell'Umanesimo e poi, benché l'università giocasse un minor ruolo, nel secolo dei Lumi».

«Questo lo dici tu, con la tua autorità indiscussa», replicai, «ma l'abitudine corrente nel nostro razionalismo, che ignora il fondo medievale-cattolico dell'Europa, è che non si vuol sapere come nel Medioevo si chiamasse Cristianità un mondo dove il soprannaturale e il temporale trovavano un punto di contatto, di convergenza. Chabod afferma che il concetto di *Christianitas* contiene tutto il pensiero medievale. Il Medioevo infatti, poggia sull'idea di cristianità, dalla quale precisamente deriva la sua aspirazione a tendenze unitarie: l'unità del genere umano sotto un solo capo: nel temporale, l'imperatore; nello spirituale, il pontefice. L'uno e l'altro potere non sono che i due volti di un essere bifronte, i due fianchi di uno stesso corpo. È l'accezione laica della Cristianità, contenuta anche nella *Storia d'Europa* di Chabod, che tu conosci bene».

«Certo», replicò Le Goff. «E proprio in quanto Istituzioni di Cristianità, le università, oggi, nel senso che ho detto, sono le più adatte a creare una rete di produzione culturale e di scambi. Dobbiamo poter arrivare alla costruzione di un'Europa intellettuale e scientifica. E per questo occorrono rapporti ininterrotti, liberi e senza ostacoli. Nel Medioevo si diceva che la condizione essenziale per apprendere, per diventare sapiente, era di andare all'estero, in *terra aliena*. Ora la prima *terra aliena* per noi sono le università degli altri Paesi. Bisogna accogliere questa lezione, tradurla nell'oggi, e moltiplicare le esperienze degli scambi tra le università delle diverse nazioni. È chiaro che esiste un quadro universitario nazionale che non intendiamo far scomparire (nessuno se lo augura), ma occorre reinventare da cima a fondo le relazioni tra università, in Europa. Per raggiungere la meta che ci sembra l'unica degna, quella, cioè, costituita dalle università come *Istituzioni di Cristianità*, ovvero propriamente europee con l'apporto di diverse nazioni».

Il volto bonario di Jacques si accese di generosa collera contro la latitanza delle nazioni e il suo dire si fece tagliente e coraggioso, in un paese per tanti versi giacobino e intollerante. Il corpo massiccio, la faccia piena con la cordiale collottola del buongustaio, il gesto largo delle mani, tutto ciò mi faceva pensare a un coltissimo monaco medievale, come quelli che Eco descrive nella Biblioteca del misterioso convento. Emanava un'irresistibile simpatia da quel gran corpo, che per certo non conosceva la tortura delle diete dimagranti.

«Curiosa questa tua nozione di cristianità», dissi io, «però adesso si è perduta; essa contiene in sé l'abitudine allo scambio, alla comunicazione. Come scrisse Pirenne nello stupendo libro *Maometto e Carlo Magno*, veniva definita *Cristianità* l'incrocio, il punto di contatto tra sovrannaturale e temporale, tra potere politico e fede religiosa».

Ma in quale lingua parlarci, adesso che non c'è più il latino?

«È così», continuò Le Goff. «Non è solo il Cristianesimo, che pure ne è la componente essenziale, ma si va dal Cristianesimo per muovere verso il pensiero di tutte le grandi tradizioni successive, dal Rinascimento fino ai Lumi. Certo, oggi per noi esiste un grave problema rispetto a quei tempi. Quel che ha facilitato la cultura del Medioevo e l'espansione fantastica delle università, è che allora si usava una lingua internazionale, la lingua dei chierici, il latino, albero rigoglioso della comunicazione al centro del Medioevo. Oggi non c'è più il latino. Ed è anche inutile voler far prevalere una lingua sull'altra. Certo, dobbiamo tener conto dell'importanza che ha assunto l'inglese nel mondo. Ma per l'Europa della "materia grigia" è fondamentale rafforzare e far circolare tutte le lingue. Non lo dico perché sono francese e so bene che il francese indietreggia e mi piacerebbe quindi rafforzarne la conoscenza. Penso ad un'altra cosa. Occorre che le scuole delle nazioni si strutturino in modo nuovo, al fine di far imparare ai loro figli tutte le lingue europee fondamentali, perché il pensiero circola con la lingua. Ed è vero in ogni campo, anche per le scienze della natura. La base della cultura è plurilingue, in Europa.

«L'Europa può inventare il nuovo, anche per intendersi, per parlarsi. Ma deve basarsi sulla propria eredità. Ed ogni lingua – l'inglese, il tedesco, il francese, l'italiano, il portoghese, lo spagnolo, il greco – veicola un'enorme eredità culturale, che dobbiamo rendere operante. Come? Rafforzando la presenza delle lingue nei programmi d'istruzione di tutte le scuole».

«Ma c'è anche la questione delle minoranze linguistiche» aggiunsi io. «Abbiamo già nove lingue ufficiali a livello comunitario. A queste si aggiunge una miriade di lingue regionali da rispettare, da studiare, di cui consentire l'insegnamento, e nelle quali stampare anche i libri. È la richiesta costante delle minoranze in tanta parte d'Europa. Mi dico sempre che sarà allora davvero più che mai la torre di Babele».

Il problema della lingua mi interessava particolarmente, anche perché sapevo, per esperienza di emigrante, quanto la lingua fosse importante, nelle nostre capitali del sapere, per non essere trattati da *métèques*. Ma Le Goff mi calmò, dicendomi serenamente:

«Vedi, bisogna guardare con razionalità ed equilibrio a questo problema, perché forse la questione della lingua è la più grave per l'Europa. In primo luogo, bisogna distinguere tra Europa intellettuale ed Europa culturale. L'Europa intellettuale non può pagarsi il lusso delle minoranze linguistiche. Sarebbe l'anarchia. In Europa ci si dovrebbe parlare facendo leva su un piccolo gruppo di lingue. Certo, questo creerà una gerarchia di lingue, ma, nel caso contrario, l'Europa non esisterà; non ce la farà mai a tener testa ai giganti mondiali, che sono relativamente monolingui. I grandi blocchi parlano infatti *una sola lingua*: l'inglese (anche se al suo interno vi sono cento varianti dialettali); il russo (malgrado le tante minoranze linguistiche); il cinese (anche se esistono molte altre lingue chiave dal Sud al Nord di quello sterminato paese). Né la lingua europea può essere l'esperanto, come qualcuno farnetica. Sarebbe aberrante rinunciare alla civiltà delle lingue per un puro artificio linguistico comune».

Poi Le Goff prese a parlarmi in italiano, lingua che parla benissimo, al pari dell'inglese e del tedesco. Lo complimentai. Ma lui mi disse con modestia:

«Ma no! Il mio ghetto è proprio quello di non sapere parlare le lingue. I giovani sì che le imparano presto! È perché sono *branchés* sulla società attuale. Se la fanno da soli la loro Europa. Anche se ogni tanto li cacciano, perché vanno coi sacchi a pelo, senza un soldo, in una di quelle stupende città destinate ad essere una volta o l'altra Capitali-Museo d'Europa...».

La neolingua europea

«A proposito di artifici linguistici», risi io, riprendendo il tema dell'esperanto, «potremmo fare come i sordomuti col sistema Braille, per denunciare la nostra mancanza d'orecchio e di parola... Ma quel che tu forse non sai è che nella Comunità c'è oggi una comune "lingua di legno", sorta di *neolingua europea*, di linguaggio esperantico comune, fabbricato attraverso il consenso internazionale che riduce all'osso le varie lingue. Un calcolatore scriverebbe in uno stile più duttile ed elegante di quello di certe risoluzioni comunitarie. Con l'apporto che ci viene dalla psicolinguistica, siamo oggi in grado di dire che la "lingua di legno", o neolingua, della Comunità e del Parlamento, è già arrivata a livellare nove lingue ufficiali, in un nuovo linguaggio rudimentale, in cui vengono trascritti documenti, appunti, interrogazioni.

«De Gaulle si faceva beffe della lingua degli eurocrati, ricordi? La chiamava *pelikulì* oppure *volapük*! Scompaiono dalle lingue le *nuances*, l'inclinazione al ragionamento di una, o l'ironia di un'altra o la concretezza caratteristica di una terza. La neolingua europea, azzerando le nove altre in un gergo legnoso, ci sta già minacciando come lingua comune dell'*establishment*. La sua forza sta nel fatto che grazie a questa *neolingua*, si formula e si ottiene il consenso internazionale degli apparati governativi su scelte politiche, economiche e culturali decisive. Esattamente il contrario di quello che tu auspichi: lo studio rafforzato delle grandi lingue, con tutta la loro eredità culturale, da strutturare nell'insegnamento scolastico, fin dalle prime classi».

«Mi rendo conto di quel che dici» conviene il professore. «Forse comincia ad esistere un'appropriazione delle lingue da parte delle istituzioni statali, per comunicare a livello di potere. Tu parli di una *neolingua* nel senso in cui ne parlava Orwell?» mi chiese Le Goff, scoppiando in una gran risata che fece traballare la scrivania e si diffuse, oltre la parete leggera, verso il corridoio. Ma era ormai l'ora di pranzo e la scuola si era svuotata.

L'Europa intellettuale deve definirsi al di fuori della politica

Senza guardare l'orologio, Le Goff riprese con ardore:

«Senti, tu sei stata deputato europeo e sai bene che l'Europa intellettuale, e questo per me è il problema più grave, non deve imprigionarsi né nell'Europa economica, né nell'Europa operaia, né nell'Europa politica. In particolare l'Europa intellettuale deve definirsi al di fuori della politica, nel senso deteriore di questa parola. Non deve avere relazioni con il politico se non nella misura in cui c'è una politica intellettuale e culturale».

«Giusto, assolutamente giusto», sottolineai, «soprattutto per le

nuove istituzioni universitarie europee. Tu hai scritto a lungo sulle
università confiscate dal potere politico, nel Medioevo, che si trasformano in università nazionalizzate, cosicché perdono carattere e funzione progressivi, come fu il caso, invece, di Bologna, di Parigi e di
Oxford».

Le Goff cercò allora di riassumere il suo punto di vista, tanto quel
tempo gli sembrava affine alla problematica dell'oggi:

«Le università, all'epoca in cui termina la rinascita medievale,
sono considerate ormai a loro volta potenze politiche, destinate a
prendere parte attiva nelle lotte tra gli Stati. Esse diventano teatro di
crisi violente. Si trasformano in uno degli elementi portanti delle
nuove strutture che vanno assumendo le nazioni. La Sorbona tende
a diventare "francese", Carlo V la chiama "figlia maggiore del Re".
Nel periodo della conquista inglese della Francia, i professori rimasti
in Sorbona si sottomisero agli eserciti invasori».

«E non fu forse allora» feci io pedantemente «che in Sorbona venne condannata Giovanna d'Arco, che lottava contro l'alterigia di
quegli intellettuali? Non fu forse attaccata per la sua ingenuità, per
il suo candore, per la sua ignoranza? Come si può dimenticare che
fu l'Università di Parigi ad organizzare il processo contro la giovanetta e ad annunciare la sua condanna a morte al Re d'Inghilterra?».

Mi interruppi, perché mi tornò in mente Edgar Morin, che mi aveva dedicato il suo libro *Penser l'Europe*, con una frasetta che suonava ironica: «A Maria Antonietta, nostra Giovanna d'Arco europea».

«Ma via», mi prese in giro Le Goff, «tu non hai mai pascolato le
pecore!».

«Morin pensa, però» replicai io «che ho sentito le voci e sono andata a parlare con l'Imperatore e magari andrò dal Papa...».

«In un certo senso ha ragione...», fece lui pensoso.

«Quel che è vero è che per quanto riguarda l'Europa della cultura
sono andata a vederli proprio tutti, i potenti del nostro tempo: Mitterrand, Delors, Gonzales, Soares, Craxi, Papandreu, Andreotti; e
poi gli ambasciatori... Ho bussato, infine, alle porte della "grande
Curia" romana che, contrariamente alla leggenda, non suggerisce affatto l'idea della "torre d'avorio".»

Le Goff ridacchiò, come approvando e continuò:

«All'origine della disgregazione dei centri universitari quali fanta-
stici luoghi di circolazione del pensiero, va posta in effetti la caratteristica che assumono le università nazionali, allorché emergono come
luoghi di egemonia culturale di uno Stato sull'altro.

«La prima università nazionale è Praga, esempio di come il mondo intellettuale si coagula negli stampi della politica. Praga era stata ben presto accaparrata da maestri e studenti tedeschi, che vi riaffluivano da Parigi. Basterà che Giovanni Hus professi una dottrina filosofica legata a Oxford, perché i conflitti si manifestino e un decreto reale stabilisca che i professori devono giurare fedeltà alla corona di Baviera. Ogni potere regnante cercò allora di creare la propria università. Così Padova fu eletta a sede dell'Università della Repubblica Veneta. Lorenzo il Magnifico (1472) preferì trasportare a Firenze l'Università di Pisa che esisteva dal 1314. Tuttavia, l'antica Università di Bologna, dove la Scolastica aveva la stessa tradizione che a Parigi e a Oxford, fu la prima ad aprirsi ai nuovi gusti (l'Umanesimo). Parigi si trasformava nel centro assoluto che dominava le terre francesi, ad eccezione dell'Università di Montpellier. Insomma, l'università diventa alla fine del Medioevo un vero e proprio potentato politico».

«Non credi» chiesi allora a Le Goff «che questa tradizione involutiva si sia introdotta nelle fibre della cultura nazionale fino al punto che oggi appare impossibile creare in Europa un tessuto universitario di scambi, di riconoscimento dei diplomi, di libera circolazione degli studenti? Si aggrava lo spirito e la volontà di predominio nazionalistico che si esprimono attraverso il cosiddetto primato di una cultura nazionale sulle altre culture europee. Anche tutta la polemica anti-tedesca, che riprende fiato a Parigi (e forse nella RFT.), è, a conti fatti, una polemica sull'egemonia dell'uno (i Lumi) o dell'altro (il Romanticismo) sull'Europa universitaria. Ma come vedi tu il rapporto tra università nazionali e scambi a livello europeo?».

Le Goff appoggiò il viso sul palmo della mano, accese una centesima sigaretta e riprese:

«A mio avviso, occorrono organismi di tipo universitario pluridisciplinare, disseminati a livello europeo. Occorre aumentare scambi e collaborazione tra università e università, in piena libertà. Abbiamo l'Istituto di Firenze, come università europea, ma, tu forse lo sai meglio di me, sembra che non funzioni bene e mi chiedo: perché?».

«Per quel che hai detto» risposi. «Sta chiuso nella *torre d'avorio comunitaria*. Come avvertiva Braudel, l'Istituto di Firenze non bagna le radici nella società fiorentina. Professori e studenti sono prigionieri felici dentro una stupenda villa del Quattrocento sulle colline di Fiesole, fra tesori di biblioteche. Ma quel che si chiede loro, secondo i programmi, non è pluridisciplinarità, ma la conoscenza del funzionamento comunitario: economico, giuridico, ecc. Diciamo che questa conoscenza è limitativa, soprattutto nel campo delle scienze umane, per la storia...

«Ho fatto un corso in Sorbona sull'evoluzione delle strutture europee. Beh, è una barba se non leghi gli avvenimenti, anche quelli di trent'anni fa, quelli dei Trattati di Roma, alla grande storia d'Europa, la storia delle nazioni, e alla storia minore, quella della gente quotidiana, dei costumi di popoli così diversi quali noi siamo».

«Ma allora», fece Le Goff, «a Firenze è stato fatto proprio quello che non si doveva fare. L'orientamento è completamente sbagliato; noi abbiamo bisogno dell'opposto di una monade universitaria europea. Occorre costruire l'esatto contrario. L'università dev'essere immessa nella società, deve ricevere sangue vivo dal cuore stesso della società».

«E poi, caro Jacques», lo interruppi, «se una delle forze del Medioevo, dell'espansione universitaria, stava nella libera circolazione degli studenti, oggi questi vengono inquadrati, impacchettati, scelti e prescelti – come, non so – dagli Stati, dai ministeri dell'Educazione o della Cultura, in concorsi di cui non si sa niente, per frequentare a gruppetti le altre università. So qualcosa di questi corsi di specializzazione della Comunità, che si tengono magari a Bruxelles, dove gli studenti sono alloggiati e per un anno ricevono uno stipendio. Mio nipote, che si sta laureando in Scienze Agrarie alla Statale di Milano ed ha brillantemente superato tutti gli esami, mi ha chiesto di aiutarlo ad entrare in un corso di specializzazione a Bruxelles, perché secondo l'opinione sua e dei suoi compagni di studi, i posti in concorso sono già ripartiti in base a raccomandazioni "comunitarie". Non gli ho creduto e gli ho portato i moduli da riempire per partecipare al concorso. Lui li ha riempiti, li ha spediti, ma nessuno gli ha mai risposto. Quando ha insistito, allora gli hanno risposto o che la domanda non era ancora arrivata, o che era troppo tardi per il concorso. Ho chiesto a mia volta informazioni. Ho saputo allora, in via confidenziale, che ci sono migliaia di lettere inevase, che non vengono neppure smistate. Gli eletti, quelli scelti per partecipare ai corsi di specializzazione a Bruxelles, vengono reclutati attraverso altri canali: quelli che in Italia si chiamano "lottizzazione"».

«Anche noi» fece Le Goff «siamo stati spesso angustiati dalla maniera in cui si sceglievano gli studenti provenienti dall'estero, con borse di studio per le università francesi».

«È vero» confermai. «Una volta Braudel mi disse: "Non ho fiducia nel drappello che mi inviano da un Paese dell'Est, mettiamo la Polonia, magari per fedeltà al partito, più che per meriti intellettuali. Però dentro il gruppetto riesco sempre a trovarne uno capace". È la stessa cosa per quelli prescelti dagli Stati europei: quanti ve ne sono tra di loro, arrivati lì perché raccomandati dai partiti, dai ministri o da altri mammasantissima? Tuttavia anche tra questi se ne tira fuori sempre uno buono. Peccato che per tanti cattivi, un solo buono sia presente.»

Gli ricordai la frase di Nietzsche: «Le Università non sono stazioni termali». E la sua risata «rabelaisiana» esplose di nuovo.

Per uno Statuto europeo dell'Università, cambiare le leggi nazionali

«Quel che limita la prospettiva attuale» disse Le Goff «è la costituzione di fatto di un mercato comune intellettuale universitario. La Comunità e gli Stati fanno tutto: concorsi, scelte di merito, promozioni ecc. Mi auguro che il Piano Erasmo, che si sta varando adesso, per gli scambi inter-universitari, superi queste barriere amministrative specificamente nazionali, che funzionano al punto che decidono delle carriere degli studenti e dei professori. Questi sono presi nel *cancan* nazionale. A questo punto mi pare necessario che su base giuridica, nel modo più serio, si formuli, e sia approvato dal Consiglio, uno *Statuto europeo*, valido per tutti gli Stati della Comunità e per tutti gli studenti, che dia diritto d'accesso, come fa la scuola obbligatoria, per consentire di effettuare parte degli studi nel proprio paese e parte in un altro. Quanto al professore, egli dovrebbe per Statuto poter insegnare da una città universitaria all'altra. Per legge, in ogni nazione, il 20% dei posti dovrebbe essere occupato da professori di un altro paese europeo. Noi abbiamo un esempio positivo, qui, a l'Ecole des Sciences Sociales, università di ricerca, dove invitiamo ogni anno almeno cento professori stranieri per offrire corsi di insegnamento agli studenti. Bisognerebbe internazionalizzare questa esperienza, centuplicarla, scioglierci dai lacci delle burocrazie nazionali».

«È la cosa più difficile, e più giusta» ribadii: «Occorre approvare nuove legislazioni nazionali sull'apertura "automatica" a un *quorum* di professori non nazionali. L'Italia, ad esempio, è più "chiusa" di Francia e Inghilterra verso i professori d'oltralpe.[1]

«Questo *Statuto europeo*, dovrebbe, a mio avviso», continuai io, «prevedere un *libretto dello studente*, come un passaporto europeo. Come ricordi, ne avevamo parlato a Madrid: René Thom, insignito del Nobel per la matematica, ci presentò un facsimile di libretto per lo studente di scienze. Ne occorrerebbe anche uno per la storia, per la letteratura, ma pare sia più difficile».

«Non credo», affermò convinto Le Goff, «anche per la letteratura abbiamo esperienze letterarie comuni straordinarie: la Scolastica, l'Umanesimo, il Romanticismo, il Classicismo, il secolo dei Lumi. Tutto questo è europeo. Abbiamo le basi per realizzare un programma di studi da un paese all'altro, valido per un solo studente. La nostra non sarà una costruzione *ex nihilo*».

Non fare dell'Europa un Museo!
Le Istituzioni di Commemorazione

«Credo che si debba agire, uscire dall'inerzia», riprese ancora Le Goff, «per fare in modo che le "imprese" intellettuali, culturali, universitarie europee non si barrichino dentro un orizzonte limitato, magari ripiegandosi a studiare se stesse, per sapere da dove le varie civiltà provengono. Anche se è capitale recuperare una memoria storica, va fatta circolare e vivere l'abitudine intellettuale di creare insieme nuove cose. Come hai visto siamo partiti dal Medioevo, ma per volgere lo sguardo verso l'oggi, verso il futuro. A me sembra, invece, che molte di queste istituzioni europee vadano passando il tempo a guardarsi l'ombelico della nostra millenaria civiltà. E bada che qui parla uno storico, dunque un uomo non sospetto di mancanza d'amore per il passato dell'Europa. Ma proprio per questo, proprio perché so qualcosa della nostra storia, ho l'impressione che le attuali istituzioni vadano diventando sempre di più Istituzioni di Commemorazione. Le chiamerei *Istituzioni di Nostalgia*. Per me devono diventare invece istituzioni di speranza, d'avvenire. Il passato deve essere la terra su cui poggiamo i piedi. Ma per avanzare verso il nuovo tempo, occorrono nuove iniziative, nuove idee».

«Anche modeste, non geniali» aggiunsi io. «Il problema è *osare pensare*. Ma i cervelli appaiono come intorpiditi nella venerazione del proprio essere stati grandi, e nel frenetico computo algebrico della rappresentanza sulla scena della storia dei Dodici, in ogni campo del sapere. Inghiottiti nel repertoriare monumenti, eventi, fatti d'arme o fatti creativi».

«Sono istituzioni di nombrilismo», tagliò corto il grande storico.

«Anche il fatto di creare ogni anno una "capitale europea"» dissi io «costituisce un rischio ai miei occhi. La città eletta capitale d'Europa è sempre celeberrima come Atene, Firenze, Amsterdam. Città dove già i turisti non arrivano più a circolare. Anche Braudel si lamentava: "Ma come faccio, ormai, a entrare a Firenze, agli Uffizi?"».

E in Firenze-capitale, o in un'altra capitale prescelta, andranno le solite élites, i soliti governanti, i soliti managers, i soliti grandi nomi dei
mass media, e le signore indosseranno vestiti da sera, le cene saranno
a lume di candela. È questa l'Europa? Credo che si debba cambiare
tutto. Qualche volta mi viene in mente che bisognerebbe prendere a
punto di riferimento come capitale d'Europa un piccolo centro, magari nel Sud della Francia o dell'Italia, o nel Nord dell'Irlanda e lì
far conoscere altre realtà culturali, intellettuali».

«C'è un vero narcisismo, un segno negativo, quindi involutivo» affermò Le Goff. «Non bisogna che l'Europa intellettuale contribuisca
a trasformarsi sempre di più in un museo, l'Europa-Museo, così
come ci vedono gli americani».

La conversazione con Le Goff sul Medioevo
e sull'oggi continua dinanzi a una bottiglia di Henri IV

«Ma come far circolare» gli chiesi io «le idee che mi hai esposto, senza protagonisti intellettuali? La situazione degli intellettuali europei
si è immalinconita. Anche se non meritano nessun elogio, gli intellettuali sono quasi ignorati nella Comunità a Dodici. Ed essi rispondo-
no ignorandola a loro volta, trattandola da burocrazia inetta. C'è
una sostituzione dei ruoli: il funzionario europeo, *grand commis* dello Stato a Dodici, va sempre più sostituendo l'intellettuale nei punti
nevralgici non già del Potere, ma dello stesso Sapere. Questi nuovi
intellettuali "eurocratici" sembrano nascere da una manipolazione
genetica, da un incrocio tra la fecondazione degli ovuli dell'Istituzione con il seme comunitario eurocratico. L'intellettuale è marginaliz-
zato, trattato come chiacchierone voltagabbana, uomo avido di denaro. Di fronte a lui si delinea l'uomo serio, responsabile: il funzionario degli Stati. Ecco, ti faccio un esempio. A presiedere l'Istituto
europeo di Firenze, dopo il tedesco Mainhofer, professore che aveva
il torto... di essere stato ministro dell'Interno a Bonn durante il '68
(ma qualcuno dice che non aveva bistrattato troppo gli studenti) è
stato adesso nominato (la rotazione avviene per nazionalità) il francese Noël, attuale Segretario generale della Commissione. Si tratta
di un degno funzionario, che fra l'altro ha dedicato quarant'anni
della sua vita a inventare quella specie di macchina astrale che è la
burocrazia bruxellese, con devoto sacrificio. Al momento di andare
in pensione, anche in riconoscimento dei suoi meriti di amministratore, è stato nominato preside dell'Istituto di Firenze...».

«Ma non se ne sa nulla» fece Le Goff, irritato « del fatto che hanno messo un non-universitario a guidare un Istituto come quello di Firenze! È una vergogna e dovremmo protestare. Per dirigere un'università, occorre gente che abbia vissuto dentro le università, che abbia conoscenza degli insegnamenti, esperienza di direzione del sapere universitario, degli epicentri culturali europei. Occorre farci sentire dalla Commissione! Il bravo amministratore deve affiancare, non sostituire l'intellettuale! Il guaio è che le cariche sono assegnate dall'alto: c'è l'autopromozione dell'istituzione».

«Non solo», aggiunsi io, «ma la Commissione ha poteri assoluti, come Luigi XIV, senza nessun controllo dei cosiddetti popoli europei. Basta un *imprimatur* dei vari Stati, e via! In un colloquio, proprio a Firenze, e in quello stesso Istituto, ho cercato di protestare: Se voi, signori della Commissione, avete il potere di nominare un alto funzionario a rettore d'università, un professore universitario dovrebbe poter essere nominato Commissario! Hanno riso a crepapelle!».

Insieme al buon pasto francese, col classico piatto di *gigot*, nel bistrot da buongustaio dietro l'Ecole des Hautes Etudes, dove il professor Le Goff mi aveva invitata, finimmo col bere quasi tutta la bottiglia che portava nel bollo la testa di Henri IV, signore di Navarra, il quale, secondo la tradizione, pronunciò la fatidica frase dell'abiura: «Parigi val bene una messa!». Le Goff mi raccontò l'aneddoto che narra come il re avesse bagnato le labbra con quel vino al figlioletto appena nato, per battezzarlo «uomo coraggioso». Per questo forse in Francia l'Henri IV è un vino tanto apprezzato dai conoscitori...

Note

[1] Si veda in proposito la ferma opinione di Umberto Eco, pp. 289 sgg.

IX

DHUODA

Dhuoda, la donna dell'Alto Medioevo di cui mi aveva parlato Le Goff, bussa alla mia porta. La intravvedo all'alba. Una corona ferrea calzata sulla fronte lunare, trecce bionde delle aristocratiche carolingie, occhi cerulei. È di stirpe germanica, ma innestata nel ceppo meridionale dei principi di Aquitania per matrimonio. Mi appare anche come una di quelle vergini bizantine in San Vitale, che si allineano lignee, gli occhi sgranati, dietro Giustiniano o Teodora.

Fingo di non ascoltarla nella sua impazienza di entrare in queste pagine dedicate in prevalenza ai grandi spiriti di cui vibrava l'Europa e che, guarda caso, sono quasi sempre uomini. Undici secoli sono moltissimi, anzi troppi, le dico. Ma lei mi conquista pian piano, con quei rotoli di pergamena in mano, e una sottile penna d'oca in pugno, come uno spadino, con la sua assolutezza trascendentale. Conosco queste storie di donne sublimi. Non si suicidano per la loro derelitta sorte, abbandonate dagli uomini, dai mariti, dai figli, dai potenti, da Dio, forse. Scrivono, traggono dal cervello una linfa strana che le irrora; salamandre intatte al fuoco del dolore. E allora entri, contessa Dhuoda, e non se lo lasci ripetere due volte. Lei si libera subito dalle sue tessere di mosaico, in cui l'hanno pietrificata e ritratta nel palazzo di Uzés, nel Sud della Francia. E agita come un peplo le vesti già rigide, liberate dalla prigione. Con le braccia protese. Disincarnata vergine dell'Alto Medioevo, mi tende palinsesti in latino. O come la Sibilla di Michelangelo, poi con la destra svolge un rotolo di scrittura, una pesante pergamena ingiallita. Ma quasi che qualcuno la sorprendesse, getta indietro uno sguardo di spavento. Anzi, sembra che una notizia atroce, intollerabile, la raggiunga in quel momento, quando la sua pergamena è tutta scritta. Col volto annuvolato dal dolore, mi porge i palinsesti che si srotolavano dalle sue mani e vi leggo il titolo: *Liber manualis*.[1]

Il *libro-manuale* è un trattato di pedagogia per il figlio; è quel testo di cui mi ha parlato Le Goff. «Lei ha ammiratori eccelsi», faccio in tempo a bisbigliarle. Il manuale è rivolto al figlio Guglielmo; sono consigli ad un giovane uomo di arme e di corte, come Machiavelli scriveva per il Principe, ma con ben altro spirito. Anzi il suo *Speculum principis* si situa all'opposto del feroce rigore strategico machiavelliano, dell'invito all'astuzia volpina per suggerire all'uomo che lotta in politica ogni scellerataggine. Dhuoda gioca tutto sul registro femminile della madre che consiglia prudenza, saggezza, probità, devozione del figlio a Dio e al sovrano. Gli inculca fermezza nelle convinzioni, priorità delle virtù morali, condotta di vita onesta, un successo ottenuto col coraggio e la purezza.

Dhuoda trasforma il balbettante lamento femmineo del dolore per la separazione da questo stesso figlio Guglielmo (e poi dal secondo figlio quando avrà appena sei mesi), in lingua colta, in pensiero, in un latino frammisto di qualche impurità, dicono i latinisti, ma colmo di forza poetica.

Ma l'abbandono, la solitudine di Dhuoda sono sconfinati, fin dall'inizio. «La maggior parte delle madri di questo mondo può godere della vicinanza dei suoi figli, mentre io, Dhuoda, sono tanto lontana da te, figlio mio Guglielmo, e perciò in uno stato di ansia, acuito dal desiderio di esserti utile; ecco perché ti invio questo opuscolo scritto a mio nome, affinché tu lo usi come specchio ai fini della tua formazione; sarò felice se, pur essendo io assente fisicamente, proprio questo libretto ti richiamerà alla mente, quando lo leggerai, ciò che devi fare per amor mio.»

Mi ricorda, insistente, che lei ha vissuto alla corte di Aix, sposa di Bernardo, cugino germanico di Carlo Magno, tra aristocratici eccelsi e gloriosi uomini d'arme, ma rozzi e incolti nelle lettere. Lo stesso grande imperatore Carlo Magno era semianalfabeta, mi rammenta in un sussurro, e il monaco Alcuino gli insegnava paziente la grammatica. Lei invece si distacca dalla stirpe guerriera, e in Catalogna, dove cresce, si educa alla filosofia e alla teologia, scrive e poeta in latino.

Il testo è lacerante, sotto l'impulso della passione materna, ed ha il pregio raro del tono autobiografico, quando racconta di sé e della famiglia al figlio, nell'epoca torbida che succede alla morte di Ludovico il Pio, e alla divisione di Verdun (anno 843). «Considera» lei suggerisce al figlio «che il Manuale sia per te come un gioco di specchi e di dadi.[2] Ti esorto, Guglielmo, a non tardare di procurarti, pur negli obblighi mondani di questo secolo, le copie di moltissimi

libri, scritti da Santi dottori. Come è scritto in Giobbe, cingi da uomo
i tuoi fianchi; sii umile di cuore, casto, rivolto a ciò che è sublime,
e vestito con magnificenza...». Più volte, nel manuale, lei mi indica
la parola *fragilitas* o le espressioni «fragilità del mio sesso» o «fragile
come un'ombra», parole umili di donna, che emozionano. E definizioni moderne, per donne solitarie, senza uomo (il marito, Bernardo
di Septimia, l'aveva abbandonata per un'amante potente, l'imperatrice Giuditta, seconda moglie di Ludovico), senza Chiesa o Corte
protettrice, né Dio pietoso. Mi chiedo perché, a parte i medievalisti
che la esaltano, lei è così ignota, relegata nel silenzio degli autori minori, quasi anonimi. Eppure è creatrice del primo trattato per un giovane di corte da educare alla morale, ai sentimenti, alla vita di società, da comparare, per il valore, a quello che sarà, in tutt'altri tempi
rinascimentali, il trattato di Baldassar Castiglione, *Il Cortegiano*.

Quanto a me, la preferisco a Rosvita (nata un secolo dopo, attorno
al 935), più letterata di Dhuoda, più feconda di scritti, e al centro di
un «salotto culturale» per i rapporti che intratteneva con gli uomini
colti dell'epoca, nella sua qualità di badessa del Convento di
Gandersheim, un piccolo principato indipendente, guidato da sole
donne. Rosvita agita, nei secoli che verranno, lo scettro del suo potere, forte come un vero leader, alla testa della prima autorità tutta
femminile: «Il convento aveva i propri tribunali, facoltà di battere
moneta, un proprio rappresentante presso la Dieta imperiale, e la
protezione della sede papale senza ingerenze vescovili...».[3]

Bisogna ben riconoscere che, con Rosvita, la libertà intellettuale
del Medioevo, di cui ho parlato, raggiungeva le donne, e le incorag-
giava in un'ascesi che era anche personale, culturale, regale. Matilde
di Toscana faceva incontrare nel suo Castello di Canossa (1077) il
Papa Gregorio VII e l'Imperatore Enrico IV. Ruoli che le donne non
conosceranno più, a dire il vero, nei nostri tempi.

Così Dhuoda è più vicina a noi per questa sua emarginazione e per
il lutto di cui porta i segni violetti. È madre due volte, ma altrettanto
ferita che la marchesa Griselda, nel mito di Boccaccio e di Petrarca.
Riassumo. Il marito la tradisce con l'imperatrice, come ho detto, e
la relega a Uzés. Il figlio Guglielmo le viene strappato dal padre a
quattordici anni, quando Bernardo l'offre giovanetto, come ostag-
gio, alla Corte di Carlo il Calvo. «Ho appreso» lei scrive arrossendo
di timido sdegno «che tuo padre Bernardo ti affidò nelle mani di re
Carlo...». Poi Bernardo, in una delle rare visite che le rende a Uzés,
dove la tiene in esilio, la ingravida di nuovo, ma le strappa subito
dopo il bambino, a soli pochi mesi, e se lo porta con sé in Aquitania.

È allora che Dhuoda comincia – è il 30 novembre 841 – a scrivere il suo Manuale per «restare vicina» al suo figlio maggiore, cui consiglia, discreta, di fare leggere il libro, un giorno, al fratellino più piccolo. «Ad me recurrens lugeo» (Pensando a me stessa non ho che motivo di lacrime), si lascia sfuggire. Non è l'urlo di Niobe. Giusto una notazione, cui si aggiunge, in versi, questa confessione: «Quando siedo sola / torturata dai pensieri, pallida / se per caso alzo il capo, allora / non sento e non vedo».

Da questa Dhuoda pietrificata sgorga una prosa tanto più ardente quanto più è nascosta nel pudore. Un libro perfettamente concepito e composto in dieci grandi parti, non solo trattato morale, ma trattato di teologia, trattato sociale, e guida culturale. Lo scrive in un anno e tre mesi. E ne verga l'ultima frase il 2 febbraio 843, pochi mesi prima delle morti, tante volte annunciate, che sono quelle di Bernardo e di Guglielmo nel fratricida sterminio che segue la feroce spartizione di Verdun. Il guerriero e baldanzoso marito (844), che si è battuto a Fontenoy contro i figli di Ludovico e di Carlo Magno, è condannato a morte a Tolosa. Dalla parte degli Aquitani si schiera il figlio Guglielmo, duca di Bordeaux, che vuole vendicare il padre. È lui che ha ricevuto dalla Madre, per il suo sedicesimo anno, il trepidante manuale d'amore. Non sappiamo se lo portasse sotto il giustacuore, quando fu decapitato dai nemici, dopo l'assedio fallito di Barcellona, a ventun anni. Il *Nobilis puer*, Guglielmo, come la mamma lo chiamava, e che avrebbe dovuto essere il suo «cavaliere nel regno dello spirito», l'ha preceduta. Dhuoda muore a Uzés di crepacuore nello stesso volger di tempo, a meno di quarant'anni. Il secondo figlio scompare per sempre nelle pieghe di una storia oscura; oppure, secondo rari cenni storici, è lui quel Bernard Plantevelue, padre di Guglielmo il Pio, fondatore dell'Abbazia di Cluny?

Cara Dhuoda, le dico chiudendo queste righe, scrittrice ineffabile, raffinata analista che riflette nello specchio «le cose dietro le cose» entri pure in queste pagine, se lo desidera, e prenda pure posto tra i grandi spiriti, lei che preannuncia il Medioevo colto. Lei ha tutte le stigmate del martirio. Non vergine bizantina, palma nobile e sterile, ma madre due volte, lei è quella che si avvicina di più all'archetipo di Maria di Nazareth, la più problematica delle madri. Lei vive, più delle grandi e caste badesse medievali, un'ascesi doppia, e una doppia sublimazione; è la donna più moderna con cui possiamo ancor oggi fare i conti. Anche se è estinta da secoli, lei è terribilmente attiva. Il manuale, che è un «poema senza eroe», come dal titolo del poema della russa Achmatova, si chiude con parole che ancora una volta graffiano il cuore: «Lettore, prega per questa Dhuoda di cui qui termina, sia resa grazia a Dio, il manuale di Guglielmo, con la parola del Vangelo: *consummatum est*». L'anima dell'Europa era in Dhuoda.

Note

[1] Dhuoda, *Manuel pour mon fils*, introduzione, testo critico e note di Pierre Riché, Editions du Cerf, Paris 1975.
  Il manoscritto del *Liber manualis* è conservato nella Biblioteca Nazionale di Parigi, sotto il n. 12293 del fondo latino, e comprende 90 fogli.

[2] L'immagine degli specchi viene analizzata con finezza, così: «Come infatti il gioco dei dadi fra gli altri giochi mondani appare oggi il più rispondente e adatto ai giovani, o come certe donne riflettono negli specchi il loro viso per detergerlo dalle impurità e mostrarlo nel suo fulgore e si adoperano per piacere nel mondo ai loro mariti, così io spero che tu, soffocato dalla moltitudine degli impegni mondani e secolari, legga sovente in memoria di me questo libretto che ti ho mandato e mi auguro che non te ne dimentichi: considera che sia un gioco di specchi e di dadi».

[3] Cfr. F. Bertini, *Il teatro di Rosvita*, Tilgher, Genova 1979 e soprattutto P. Dronke, *Donne e cultura nel Medioevo*, prefazione di Mariateresa Fumagalli Beonio Brocchieri (da cui ho attinto per le traduzioni dal latino di Dhuoda), Il Saggiatore, Milano 1986.

Parte Seconda
IL GENIO DELL'EUROPA

I

LO SPIRITO DELL'EUROPA
DA ERASMO A VOLTAIRE

Onoriamo Voltaire, continuatore di Erasmo!

Lo spirito di Cristo è molto lontano da questa distinzione tra italiano e tedesco, francese e inglese, inglese e scozzese. Che cos'è diventata questa carità che fa amare perfino il nemico, mentre ora un cambiamento di nome, un colore d'abito un po' differente, una cintura, una scarpa e simili invenzioni umane, fanno sì che gli uomini si sentano odiosi gli uni agli altri...? Noi siamo stati tutti battezzati da uno stesso spirito per essere un solo corpo: e noi abbiamo tutti bevuto l'acqua spirituale zampillante dalla roccia per avere lo stesso spirito.

ERASMO DA ROTTERDAM
Manuale del soldato cristiano («Sentimenti che deve avere un cristiano»).

Questo non è un libro di storia dell'idea di Europa, perché risulterebbe troppo incompleto, ma il viaggio di una donna con la valigia, che muovendosi dall'uno all'altro paese europeo ne rilegge la storia passata per trarne qualche lezione o riflessione per l'oggi, al fine di delineare la costante ricerca di un'unità culturale europea negli spiriti più eletti. Di tale unità Montesquieu e Voltaire gettano le fondamenta all'epoca dei Lumi. A Voltaire, continuatore di Erasmo, principe degli umanisti, l'Europa appariva da lungo tempo terra di «principi comuni di diritto pubblico» e non più, come al Machiavelli, un'entità politicamente caratterizzata: «La prima formulazione dell'Europa come di una comunità che ha caratteri specifici anche fuori dell'ambito geografico e caratteri puramente "terreni", "laici", non religiosi», scrive Chabod[1] «è del Machiavelli. E poiché è del Machiavelli, non potrà essere che una formulazione di carattere politico». Voltaire, formulando la «società degli spiriti», si riallaccia al capostipite degli umanisti europei, quell'Erasmo da Rotterdam per il quale l'Europa è la terra dei letterati, degli uomini uniti nel culto dell'intelligenza dei dotti. In Voltaire, l'elemento che assume importanza fondamentale è il concetto di Europa morale e civile, quel modo di sentire che nasce con l'Umanesimo, nel pieno della civiltà rinascimentale. Egli compie un grande passo in avanti non solo rispetto a Machiavelli ma rispetto allo stesso Montaigne, che rappresenta la più argomentata e drammatica espressione della polemica antieuropea.

L'idea del tramonto dell'Occidente, infatti, non è un'idea nuova. Comincia a delinearsi alla fine del Cinquecento, quando si afferma: «Vires Occidentis consumptae sunt»; quando Montaigne scommette sull'America e nasce quel mito della Cina che sarebbe continuato per tutto il Seicento, fino a trovare negli Illuministi i più esaltati ammiratori. La difesa dell'America da parte di Montaigne (*Essais*, I, 30) appare singolare. Lo scrittore non aveva mai attraversato l'Oceano, ma dava ascolto all'esperienza di un vecchio colono francese del Brasile, che era poi diventato suo cameriere. Egli prese così a domandarsi se quei selvaggi, come li definivano gli europei, fossero poi veramente «barbari» e dediti al cannibalismo. «Possiamo chiamarli barbari riguardo alle regole della ragione», scriveva, «ma non rispetto a noi stessi che li superiamo in tante barbarie». Per lui gli uomini europei erano mangiati vivi dall'usura (ed è più barbaro «mangiare un uomo vivo che uno morto»); essi avevano inventato raffinati strumenti di tortura, avevano messo al rogo e fatto azzannare da cani e maiali i nemici. I due capitoli degli *Essais* in cui Montaigne mette in discussione la presunta superiorià europea sui selvaggi sono: il capitolo trentesimo del primo libro, dove parla dei cannibali; il sesto del terzo libro, dove parla dei costumi del Nuovo Mondo e della crudeltà degli europei verso i suoi abitanti. Anzitutto Montaigne contesta la nozione stessa di «selvaggi», giacché noi europei li definiamo così, ma in realtà essi sono ricchi di «virtù naturali», come i frutti che produce la natura, mentre noi abbiamo perduto quelle virtù, proprio come i frutti coltivati. La natura è superiore all'arte e noi abbiamo corrotto le virtù naturali perché abbiamo voluto adeguarle «au plaisir de notre goust corrompu». La poligamia che ci ripugna tra i selvaggi è in realtà un fatto positivo, visto che da noi le mogli cercano solo di allontanare le altre donne dai mariti, mentre da loro si preoccupano di procurar ai mariti proprio simili amicizie. L'altra invettiva rivolta agli europei riguarda la crudeltà da questi esercitata nella conquista del Nuovo Mondo: Montaigne afferma che la conquista del Messico e del Perù è stata un vero e proprio macello (*boucherie*) di cui sono stati vittime uomini innocenti, ed è questa la vera barbarie. Montaigne giudica stupido lo spirito di superiorità degli europei, che chiamano «barbari» uomini migliori di loro solo perché possiedono costumi diversi e aggiunge con sublime ironia che tutto questo succede perché «ils ne portent point de hault de chausses»! L'atto di accusa di Montaigne contro la ferocia dei conquistatori europei è terribile e fa seguito a quello di Las Casas. Montaigne afferma che non solo gli Indiani d'America ma anche i musulmani sono migliori di noi. Nasce da qui il mito del «buon selvaggio» che tanta fortuna avrà nel Settecento e farà riflettere Robinson Crusoe al ritorno dall'isola di Venerdì: egli scopre, infatti, un'Europa corrotta e decadente rispetto alla purezza e alla semplicità della vita da «selvaggio».

Ma non c'è solo l'America oltre all'Europa, c'è soprattutto la Cina, «il più vecchio mito esotico che gli Europei si siano forgiati».[2] Né Montaigne la sottovaluta: «Nella Cina, la cui organizzazione e le cui arti, senza aver relazioni né conoscenza delle nostre, sorpassano i nostri esempi in parecchie parti di eccellenza, e la cui storia mi insegna quanto il mondo è più ampio e vario di quel che gli antichi e noi ci figuriamo...» (*Essais*, III, XIII). Là Cina è dunque sempre in auge tra gli europei, e poco ci manca che si esclami: «Sancte Confuci, ora pro nobis!».[3]

Le *Lettres persanes*, prima delle grandi opere dell'altro pensatore di Bordeaux, Robert de Montesquieu, sono pubblicate nel 1721. In Montesquieu, ogni distinzione tra Oriente e Occidente depone a favore dell'Europa. Comincia ad emergere in lui il tema della «libertà», dei diritti del singolo, che egli ravvisa già nelle repubbliche (Olanda e Venezia) e che gli fanno pronunciare su di esse un giudizio diverso da quello del Machiavelli, per il quale non c'è alcun riguardo verso i singoli ma tutto è visto nell'interesse dello Stato, del Principe. Montesquieu esalta le repubbliche come ottimi modelli di governo e afferma che in esse «la mitezza del governo contribuisce meravigliosamente alla propagazione della specie» (lett. CXXII). Nella CVI lettera, Montesquieu non manca di esaltare il progresso dello spirito europeo, dovuto anche agli sviluppi della scienza e della tecnica, ed è questa «la maggior novità di fronte al "sentire" europeo del '500 il quale si fondava soprattutto sul fattore religioso (cristianità) e culturale, ma d'una cultura prettamente umanistica, cioè letterario-filosofica. Ora, a siffatta cultura (*les arts*) s'aggiunge la cultura scientifica (*les sciences*)...».[4]

Nell'*Esprit des lois*, uscito ventisette anni dopo le *Lettres persanes*, l'Europa è vista decisamente come la terra della libertà, in contrapposizione all'Asia, terra di dispotismo. Se, inoltre, nell'opera prima, Montesquieu aveva attaccato il cristianesimo, adesso quest'ultimo gli appare come la religione che più si addice a un governo moderato, al contrario della religione musulmana che si accorda invece con il dispotismo. Montesquieu ravvisa, quindi, nella molteplicità dei piccoli stati il fondamento stesso della libertà (nell'*Europe rétrécie*, come diciamo oggi, con preoccupazione: l'Europa dei piccoli spazi), perché «un grande impero presuppone un'autorità dispotica in colui che governa» (libro VIII). Così l'Asia possiede grandi imperi ma è soggetta al dispotismo; l'Europa ha molti Stati ma gode della libertà. Ed anche la Cina, checché ne dicano i suoi ammiratori, è uno Stato dispotico. Montesquieu fa l'elogio assoluto dell'Europa d'oggi e giunge finanche ad affermare: «Gli antichi facevano passi da gigante, e indietreggiavano nello stesso modo; loro scrivevano sulla sabbia, noi scriviamo sul bronzo» (*Riflessioni e pensieri inediti*).

Quando nel 1756 Voltaire pubblica l'*Essai sur les mœurs et l'esprit des nations*, egli tesse a sua volta un alto elogio di Confucio e della Cina, iniziatrice in quasi tutti i campi del sapere umano, ma poi riflette: «Ci si chiede perché i Cinesi, ch'erano andati così lontano, in tempi tanto remoti, siano rimasti a questi limiti... Noi, al contrario, abbiamo avuto delle conoscenze assai tardive, ed abbiamo perfezionato tutto rapidamente...» (cap. I).

La Repubblica delle lettere

Nel *Siècle de Louis XIV* (1738-1751) Voltaire celebra pienamente l'Europa: «Tutti i tempi hanno prodotto degli eroi e dei politici, tutti i popoli hanno sperimentato rivoluzioni; tutte le storie sono quasi uguali per colui che non vuol porre che fatti nella sua memoria. Ma chiunque pensa, e cosa ancor più rara, chiunque ha gusto, non annovera se non quattro secoli nella storia del mondo. Queste quattro età felici sono quelle in cui le arti sono state perfezionate e che, servendo da misura della grandezza dello spirito umano, sono l'esempio della posterità». Inutile dire che queste quattro età fanno parte della storia d'Europa: l'età di Pericle, l'età di Cesare e Augusto, l'età del Rinascimento, il secolo di Luigi XIV. L'Europa appare in Voltaire anzitutto come un'unità culturale: «Si è vista una repubblica delle lettere stabilirsi insensibilmente nell'Europa, malgrado le guerre e malgrado le religioni diverse. [...] L'Italia e la Russia sono state unite dalle lettere. L'Inglese, il Tedesco, il Francese andavano a studiare a Leyda... i veri scienziati in ogni ramo hanno stretto i legami di questa grande società degli spiriti, ovunque diffusa e sempre indipendente. Questi legami durano tuttora.» (*Le Siècle de Louis XIV*, cap. XXXIV). L'Europa dei letterati, degli scienziati, delle Accademie, quella di Locke, di Leibniz, di Galileo, quest'Europa Voltaire la sente come la sentiva Erasmo all'inizio del Cinquecento: come unità culturale e spirituale, distinta dal resto del mondo. «Io viaggio in Germania, in Francia, in Spagna e una corrispondenza permanente collega tutte le parti dell'Europa, malgrado le guerre provocate dall'ambizione dei re e malgrado le guerre di religione... Le arti, che costituiscono la gloria degli Stati, hanno raggiunto altezze così elevate che né la Grecia né Roma conobbero mai.» (*Essais sur les mœurs*).

Nel 1777 l'Enciclopedia affermava nella voce «Europa» che il nome deriva dal fenicio *uruppa*, che significa «viso bianco», in contrapposizione quindi ai visi d'altro colore. Così l'Europa scopriva di possedere un uomo a sé stante, diverso da tutti gli altri uomini del mondo: un *Homo Europaeus*.

L'europeizzazione della cultura, anche nella sua accezione prettamente umanistica di «vita di società» (è il concetto di *civilisation*, che caratterizza tanto la cultura francese quanto quella italiana, con i loro valori di *politesse*, di convivialità, d'*esprit de finesse*; qualcosa di analogo al concetto tedesco di *Zivilisation*, contrapposto al concetto di *Kultur*), è fondamentalmente opera dell'Illuminismo e in particolare di Montesquieu, Fontenelle e Voltaire. Questa europeizzazione della cultura ignora ovviamente le barriere geografiche e politiche e porterà Voltaire e Diderot fino in Russia, gettando un ponte tra Parigi e Mosca. Il regno di Pietro il Grande viene celebrato da Voltaire e da Montesquieu come uno Stato moderno, una nazione europea; se nell'*Esprit des lois* (XIV) Montesquieu afferma che Pietro I aveva dato alla Russia «i costumi e i modi dell'Europa», Voltaire scrive con ammirazione, nell'*Histoire de Russie* (cap. II): «Infine Pietro nacque e la Russia fu formata».

Nel 1766 Voltaire, esaltato dall'ampiezza delle nuove costruzioni, scriveva a Caterina II: «Muoio dal dispiacere di non vedere deserti trasformati in splendide città... È la rivoluzione più bella e più grande; il mio cuore è come la calamita: si volge verso il Nord». Ma in una lettera dell'agosto 1774, conservata alla Biblioteca Nazionale di Parigi, Voltaire, che ha ottant'anni e morirà quattro anni dopo, mostra più tristezza che ammirazione verso la zarina, che sembra averlo lasciato solo nella sua vecchiaia. Nonostante l'età, la calligrafia resta limpida, in righe perfettamente allineate come in una partitura musicale. Anche la *verve* non manca sebbene il cuore sia grosso:

«All'imperatrice di Russia
Signora
sono veramente caduto in disgrazia nel Vostro cuore... Vostra maestà imperiale mi ha messo da parte per Diderot o per Grimm o

per qualche altro favorito; non avete avuto alcun riguardo per la mia vecchiaia; si capirebbe se Vostra maestà fosse una civetta francese, ma come può un'imperatrice vittoriosa e rispettosa delle leggi essere così volubile? Per Voi ho rotto le relazioni con tutti i turchi e perfino con il marchese Pugatshew e ne ricevo per ricompensa il Vostro oblio!... Non amerò più un'imperatrice in vita mia».

Alla morte del filosofo, (1778) la zarina acquistò la biblioteca di Voltaire a Ferney, recuperando quel genio con un bel gesto di mecenatismo.

Nel secolo dei Lumi, una voce si leva contro l'europeismo di Voltaire e di Montesquieu: quella dell'enfatico e severo Rousseau, il filosofo del *Contratto Sociale*, il maestro di *Emile* e di *Eloisa*. Nelle *Considérations sur le gouvernement de la Pologne* (cap. III), trova che l'unica identità degli europei sta nella loro comune abiezione:

«Non vi sono oggi più Francesi, Tedeschi, Spagnoli, perfino Inglesi, checché se ne dica; non vi sono che degli Europei. Tutti hanno gli stessi gusti, le stesse passioni, gli stessi costumi... Che importa loro il padrone a cui obbediscono, di quale Stato seguano le leggi? Purché essi trovino denaro da rubare e donne da corrompere, si sentono ovunque in patria».

Per Jean-Jacques l'uomo cosiddetto civile, l'europeo, era in realtà un autentico selvaggio.

Per attenuare il tono brutale delle tesi di Rousseau ci si può forse servire di quanto scrive Lévi-Strauss, a proposito delle sue concezioni: «Il fine ultimo della scienza umana non consiste nel costituire l'uomo, ma nel dissolverlo... Al di là della diversità empirica delle società umane, l'analisi etnografica vuole raggiungere delle invarianti... Rousseau (2, capitolo VIII) l'aveva presentito con l'abituale chiaroveggenza: "Quando si vogliono studiare gli uomini, bisogna guardare vicino a sé; ma per studiare l'uomo bisogna imparare a spingere la vista in lontananza: bisogna prima osservare le differenze per poi scoprire le proprietà". Tuttavia non sarebbe sufficiente avere riassorbito taluni particolari in un'umanità generale; questa prima operazione ne promosse altre, che Rousseau non avrebbe ammesso così volentieri, e che incombono alle scienze esatte e naturali; reintegrare la cultura nella natura e, in sostanza, la vita nell'insieme delle condizioni fisico-chimiche».[5] Rousseau restò infatti solo alla prima operazione, almeno per quel che concerne gli Europei.

Note

[1] Chabod, *op. cit.*, p. 48.

[2] *Ibidem*, p. 82.

[3] P. Hazard, *La crise de la conscience européenne*, Paris 1935, I, p. 30.

[4] Chabod, *op. cit.*, p. 96.

[5] Claude Lévi-Strauss, *Il pensiero selvaggio*, Il Saggiatore, Milano 1964.

II

IPOTESI EUROPEE
RIECHEGGIA LA POLEMICA TRA LUMI
E ROMANTICISMO

Che cos'è l'Europa? Che cos'è la cultura?
Umanesimo, Lumi o Romanticismo?

Quando ci chiediamo: «Che cos'è l'Europa? Che cos'è la cultura?»
– domande di portata enorme, alle quali nessuno può aver la pretesa
di rispondere – possiamo solo ripercorrere qualche tracciato. Quale
quello di Spengler che ospita drammaticamente la tesi della morte
della cultura col tramonto dell'Occidente.[1] Europa è *una* cultura nel
senso dello spirito unico, carattere specifico, anima, che si diffonde
nel corpo di una comunità specifica (il *Geist*, spirito unico della nazione, che penetra in tutte le attività della comunità costituendola in
Volksgeist, genio nazionale). Secondo il filone umanistico, invece, la
cultura non si può identificare con il genio di una nazione o di una
comunità. La cultura è un campo autonomo dell'esistenza e non conosce frontiere nazionali. Il genio italiano, il genio tedesco, il genio
francese, sono (a guardarli dappresso) espressioni logore, usate solo
dai poteri totalitari, come quando rimbombavano dai megafoni di
Berlino, Roma e Parigi. La filosofia umanista consiste nell'idea che
la cultura è un campo indipendente; essa è apparsa in Europa con il
Rinascimento e nega che lo spirito sia un aspetto dell'Essere nazionale o di una qualsivoglia comunità difendendone così l'autonomia. Se
dunque nel Rinascimento lo spirito è autonomo, tanto la creazione
artistica quanto la scoperta scientifica superano il contesto storico e
geografico in cui si vive e si nutre la passione e l'impegno. L'artista
appartiene ad ogni lembo di terra che nutre la sua ispirazione. Chi
potrebbe rivendicare del resto la nazionalità di Dante o di Raffaello,
di Mozart o di Schönberg, di Leibniz o di Einstein?

Tornando da Marx a Platone

Per ritrovare la matrice originaria della cultura europea, quella della
civiltà greca, tema complessissimo che lambisce personalità e movi-

menti culturali sideralmente diversi (facciamo qualche esempio: Sade, Goethe, Nietzsche, Rodin...), occorre ritornare da Marx a Platone. Non bisogna più «prosternarsi all'altare di Marx» scrive Benda, «ma tornare a Platone»; bisogna «ripudiare i miti germanici a favore di quelli ellenici» e «convertirsi agli deî mediterranei, abbandonando quelli del Mare del Nord».[2] Fare l'Europa, nella misura in cui si tratta di costituire una comunità politica, una città terrestre, suppone che si instauri un «sistema di valori». Sebbene alcune idee di Benda siano prese in prestito dai concetti di mito e di mistica, cari a Sorel e a Péguy, contro i quali aveva scagliato una virulenta polemica nel suo libro *La Trahison des clercs*, tuttavia mito e mistica si purificano in lui attraverso i filtri della ragione. «Si farà l'Europa», scrive ancora Benda, «come si sono fatte le nazioni. Si è fatta la Francia perché in ogni francese all'amore per il suo campicello o per la sua provincia si è sovrapposto l'amore per una realtà che trascende queste cose volgarmente tangibili: l'amore per un'idea. È perché avevano gli occhi fissi sull'*idea* di Francia che i francesi hanno rifatto la loro nazione ogni volta che essa si è smembrata nell'ordine delle cose sensibili... Così sarà per l'Europa. Sarà la vittoria di un'idea sull'amore per gli oggetti immediatamente sensibili, perché tali sono le nazioni in rapporto all'Europa».[3] Tornando quindi a Platone, il contenuto dell'idea d'Europa è l'idea di Europa in sé, l'intelligibile opposto alle realtà sensibili, l'universale opposto al particolare, il trascendente all'immanente, l'eterno opposto al temporale.

Si chiede che vengano privilegiati i valori di oggettività e di verità rispetto a quelli romantici di creatività, invenzione ed originalità – tutti valori che favoriscono in maniera sottile il culto dell'alterità. Non si tratta di attaccare l'Altro ma di distogliersene e di «invitare gli uomini a porre attenzione all'Identico».[4] Come vediamo, nella sua visione europea Benda si contrappone nettamente all'idea romantica, secondo cui l'uomo è l'espressione della comunità alla quale appartiene; a tale idea risale quella formula quasi scolpita nel marmo di Hippolyte Taine, un autore che tuttavia Benda amava molto: «Più l'artista è completo, più il suo genio risplende come genio *nazionale*».

Del resto Taine pensò anche di dividere i popoli europei in base alle razze (i latini, i germanici; il Sud, il Nord) e, come se non bastasse, ne stabilì la differenza anche riguardo alla misura del cranio, al colore della pelle, ai caratteri e alla psicologia.

Per Benda l'Europa non può essere un armonioso concerto di na-

zioni; è necessario che l'identità europea domini le identità nazionali.[5] Né l'Europa dev'essere una specie di sovranazione. Le nazioni
avrebbero dovuto proporsi la ricerca di una fraternità tra simili, ma
questa ricerca di comunione avrebbe acquistato il suo vero senso solo
alla fine, alla conclusione, ponendo come distinta la comunità dei simili.

Così Benda concepiva l'Europa come un momento «del nostro ritorno a Dio, in cui tutti i distinti e tutti gli egoismi sono destinati a
sprofondare».[6] E giungeva perfino ad affermare che l'Europa
«quand'anche empia... sarebbe pur sempre meno empia della nazione».[7] La contraddizione tra contenuto dell'idea di Europa, ricerca
dell'universale nella ragione e prospettiva della sua realizzazione,
cioè del suo farsi particolare, dunque della sua stessa negazione, percorre il libro di Benda. Ma tale contraddizione non è forse l'essenza
dialettica stessa dell'Europa e l'impulso che muove la sua storia?

Mi sono resa conto che Benda può esser letto in due opposte ma-
niere, quella che ne ho fatto qui e quella che ne fa Finkielkraut, che
finisce per esaltarlo come franco-tiratore contro il romanticismo tedesco e come capostipite della superiorità del genio francese su quello
tedesco. Anche questa seconda lettura è utile, nel senso che ci spinge
a evitare gli equivoci, a valutare i limiti e le contraddizioni di Benda.
La più esplicita è quella tra colui che vuole «rendere il nazionalismo
odioso» e colui che chiede di restaurare in Europa «la stima suprema
per la parte razionale dell'uomo, per lo spirito socratico, per il genio
francese...». Egli stesso si rende conto della contraddizione, quando
scrive: «Qualcuno troverà strano che io predichi... l'egemonia dello
spirito francese, mentre altrove predico l'affrancamento dal giogo
nazionale... il ridicolo di tutte le passioni nazionaliste». Ma Benda
si giustifica pretendendo di difendere «a sangue freddo» valori e diritti della sua nazione come se si trattasse di un'altra. Alla domanda
quale sarà la lingua nazionale, risponde: «Ma questa lingua è già
pronta! È il francese... lingua eminentemente razionale... Vi dico che
dovete ottenere che l'Europa l'accetti, se volete fare l'Europa; che
l'Europa l'accetti proprio per la sua razionalità». Un discorso sche-
matico, e oggi fortunatamente superato.

La polemica tra Lumi e Romanticismo

Nell'opposizione tra Secolo dei Lumi e Romanticismo, che è poi an-
tagonismo tra due concezioni della civiltà francese e tedesca, opposi-

zione assai schematica e ricca di problemi, ma provvisoriamente utilizzabile ai fini di questo discorso, le due interpretazioni sono rivolta-
te spesso come un vecchio vestito, a seconda dei tempi e di chi domina la storia d'Europa. Oggi si usa ascrivere al *Volksgeist*, termine che
compare nel 1744, in *Un'altra filosofia della storia* di Herder, per de-
signare il genio nazionale, l'approccio romantico all'idea di Europa.

Le due tradizioni costitutive della modernità – l'Enciclopedismo e
il Romanticismo – sono contrapposte in modo netto: nella prima troviamo l'uomo astratto, con il linguaggio della ragione e dei diritti;
nella seconda, l'artista, così come l'uomo, è figlio della comunità e
appartiene al popolo con tutta la sua creatività. Da un lato c'è la nazione di Herder, con l'affermazione del genio del popolo, del quale
la lingua è la matrice stabile; dall'altro Robespierre e gli emuli di
Rousseau, del *Contratto sociale*, per cui la nazione è un corpo da costituirsi, attraverso il quale l'appartenenza all'umano si risolve con
l'appartenenza alla città, con l'integrazione.

Queste due polarizzazioni estreme che guidano ancor oggi l'intellighenzia europea, fanno dell'uno una specialità francese e dell'altro
una specialità tedesca. Ho sotto gli occhi un articolo del filosofo
Alain Finkielkraut, comparso su «Lettre Internationale»,[8] nel quale
viene adombrato con invidiabile sicumera l'aut aut che si pone all'europeo: «Il nostro problema, adesso, la questione capitale, credo sia
quella di decidere quale idea di Europa difendiamo: l'idea elaborata
da Spengler nel *Tramonto dell'Occidente* oppure quella espressa da
Benda nel *Discorso alla nazione europea*. Questi due nomi vanno letti come simboli: l'uno dell'approccio romantico, l'altro dell'approccio umanista alla cultura in Europa». Vorrei rispondergli che non si
tratta di decidere per l'uno o per l'altro. Il lettore sa quale importanza io abbia accordato a Benda nella formulazione dell'idea di Europa, ma mi sembra un grossolano errore tracciare una linea di demarcazione così irriducibile tra pensiero francese e pensiero tedesco. L'i-
dea di Europa discende da Illuminismo e Romanticismo, che, insieme, formano l'eredità a cui attingiamo. «L'Idea di Europa come entità civile e morale... così come noi l'abbiamo accolta, quest'idea è
tipica elaborazione settecentesca...» scrive Chabod. «Il *sentire europeo* è un sentire di schietta impronta illuminista...». Ma al tempo dei
Lumi segue rapidamente il pensiero successivo, quello romantico,
che completa il modo di pensarsi europei. «Quanto al Romanticismo», annota sempre Chabod,[9] «significa anche la rivalutazione e
l'esaltazione del fattore religioso nella vita umana [si pensi a Chateaubriand e a Manzoni] e quindi nella storia e nella vita europea; si

riallaccia, in questo senso, alla più antica tradizione cinquecentesca, senza più pathos propagandistico, ma con la stessa sensibilità per i problemi Dio e Chiesa. E ne deriva la rivalutazione del Medioevo. Nella storia dell'umanità, per Voltaire e i suoi colleghi c'era, a un certo punto, un grosso buco, una zona oscura, senza fondo né luce... Alla tradizione classica greco-romana, al Rinascimento, al secolo di Luigi XIV, il Romanticismo aggiunge, giustamente, il Medioevo [contro quella particolare tradizione del protestantesimo avversa al Medioevo, dell'epoca dell'antipapismo]: l'età che ha segnato di indelebile impronta cristiana il volto dell'Europa, l'età per cui il pensiero e il modo di sentire degli Europei non possono non poggiare su basi cristiane oltre che greco-romane».[10]

Mi chiedo se non sia giunto il momento di inventare il nuovo, in questo secolo in cui siamo stati spettatori, diciamo la verità, di due sciovinismi, di due fanatismi culturali, reciprocamente appartenuti alla nazione francese e alla nazione tedesca, sia pure con le visibili sfumature. La storia e l'esperienza ci hanno insegnato che c'è uno stesso fondamentale orgoglio nazionale tanto dietro il «linguaggio della ragione» quanto dietro «la parola dell'anima». L'una come l'altra peccano della medesima prepotenza... linguistica. Attraversando la furia creativa e i dilemmi degli uomini di cultura, io ho visto spesso aggrapparsi ora al primato culturale francese ora a quello tedesco, figli eletti dell'uno o dell'altro. Chi di noi non ne è stato o non ne è ancora vittima? Eppure tutto ciò mi appare come una discrasia permanente che ostacola la nascita di uno spazio culturale europeo e quell'autonomia creativa dello spirito che dovrebbe guidare gli uomini di cultura in un campo illimitato, senza domini privilegiati né specializzazioni nazionali.

Ritratto di Julien Benda

In Francia si parla poco di Benda – spirito europeo su cui la pressione per il razionale e per l'egemonia francese fa aleggiare il nostro dubbio. Edgar Morin, che, stranamente, non l'ha citato nel suo libro,[11] mi rivelò un giorno le sue perplessità, e al tempo stesso mi descrisse il volto di un personaggio rimasto per molti versi senza contorni.

«Ho conosciuto benissimo Julien Benda: era durante l'occupazione. È un uomo che ho amato molto. Quest'uomo, che aveva vissuto a Parigi, nei salotti parigini, alla "Nouvelle Revue Française", insieme con Paulhan, l'ho trovato che viveva a Carcassonne, in una stanzetta piccolissima, in condizioni di vita di una semplicità monacale.

«La gloria di Benda è nata da due libri pubblicati dopo la guerra del '14, *Belfagor* e *La Trahison des clercs*. Il suo principale nemico è stato il sensualismo, i sensi, le emozioni, l'affettività. Diceva che il pensiero è la ragione. Ha criticato tutti gli scrittori francesi, Valéry, Gide, ecc., dicendo che erano persone che non sapevano quel che dicevano, che si lasciavano trascinare dall'umore, mentre bisogna esser guidati dalla razionalità. Beninteso, il suo razionalismo era totalmente astratto. La prova è che durante il processo Rajk, disse: "È assolutamente razionale che Rajk sia un traditore e uno spione, poiché confessa di essere traditore e spione".

«Quando l'ho conosciuto io, Benda viveva come un santo, come un monaco. Gli scrittori che voleva attaccare lo disgustavano a tal punto che non voleva perder tempo a leggerli. Così accettai di farlo io al posto suo; mi piaceva molto. Era il '40, '41, durante l'occupazione. Tutti quei libri erano stati distrutti dai nazisti. Viveva molto solo; aveva appena cinque libri nella sua biblioteca, tra i quali Spinoza.

«Mi diceva: "Sembra che nei *Conquérants* Malraux abbia detto cose assolutamente stupide... Sembra che Paul Valéry... Vuole leggere queste cose per me?". Allora cominciavo a leggere. Vi scoprivo frasi assolutamente arbitrarie, ma anche cose bellissime. Allora glielo dicevo, gli scrivevo: "Certo, è vero... però...". Lui mi rispondeva: "No, si sbaglia". È grazie a lui che ho letto Taine. Gli piaceva Taine, gli piaceva il suo stile di idee, perfino il suo riduzionismo. Gli piaceva quella specie di razionalismo. Benda era uno spirito raziocinante e anche un po' schizofrenico. Era un uomo che amava molto la musica, ma aveva smesso di suonare il pianoforte a vent'anni, per non lasciarsi dominare dalla sensualità. Quando l'ho conosciuto, era già abbastanza vecchio (65-70 anni); io gli parlavo di musica: era contentissimo. L'ho portato perfino a un piccolo concerto di un pianista. L'ho conosciuto bene, Benda; era un tipo che ho amato molto, ma era uno spirito completamente astratto... Ho collaborato anche al suo libro, uscito dopo la guerra, che si chiama *La France byzantine*; lui mi cita dicendo: "Un giovane dottore mi dice...". Sono io quel giovane dottore».

Note

[1] Oswald Spengler, *Il Tramonto dell'Occidente* (1918), Longanesi, Milano 1957.

2 Julien Benda, *op. cit.*, p. 14.

3 *Ibidem*, p. 59.

4 *Ibidem*, p. 76.

5 *Ibidem*, p. 180; cfr. anche cap. 10.

6 *Ibidem*, p. 196.

7 *Ibidem*, p. 197.

8 «Lettre Internationale», 1986, n. 8.

9 Chabod, *op. cit.*, p. 161.

10 *Ibidem*, pp. 161-162.

11 Edgar Morin, *Penser l'Europe*, Gallimard, Paris 1987.

III

IL «TRAMONTO DELL'OCCIDENTE»
NON È UN'IDEA NUOVA

Il *Tramonto dell'Occidente* di Spengler, su cui ragionano oggi filosofi come Finkielkraut, sparse il panico nel pensiero europeo, negli
anni compresi fra le due guerre, allorché si diffuse nella cultura il
sentimento della crisi della civiltà occidentale. Per Spengler sono le
civiltà e non le nazioni che costituiscono l'unità di base, che si scon-
trano tra di loro, declinano e sono sostituite da nuove civiltà. Tra
queste egli ne enumera sette: l'egiziana, la babilonese, la cinese, la
greca, l'araba, l'occidentale e quella dei Maya. Spengler parla esclusivamente di Europa occidentale, rifiutandosi di includervi la Russia.
Non sono le culture o le mentalità nazionali a creare le civiltà, bensì
è l'umanità che «imprime alla sua civiltà la propria forma, la propria
idea, le sue proprie passioni, la sua vita, il suo volere, il suo proprio
sentire e la sua propria morte» (*Il tempo della riflessione*). Per Spengler il sistema di cultura occidentale è entrato in una fase di decomposizione, con i valori centrali che sono: disciplina, onore, fedeltà,
obbedienza, sentimento dell'eterno, dell'universale e intensità spirituale. In lui si avverte l'influsso di Schopenhauer e talora di Nietzsche. La sua visione apocalittica, così energica e «faustiana», apre le
porte alla denuncia della crisi dello spirito europeo.

Però in Spengler c'è anche la reazione o la risposta a Joseph de
Maistre, archetipo della filosofia della controrivoluzione, che aveva
al contrario esaltato con furia sanfedista come unico valore la Nazione, la lingua, i costumi, il modo di pensare nazionale. Non vi sono
che le nazioni che «hanno un'anima e una vera unità morale, che le
costituisce per quel che sono. Quest'unità è soprattutto enunciata
dalla lingua». Ma le nazioni di de Maistre non sono forse nazioni di-
sabitate? Per lui «non c'è uomo nel mondo»: «Ho visto», dice in una
celebre frase, «francesi, italiani e russi nella mia vita, e grazie a Montesquieu so che si può essere anche persiani; ma quanto all'uomo di-

chiaro di non averlo mai incontrato nel corso della mia vita. Se esiste
è a mia insaputa».

Dopo Spengler, per il quale lo stadio finale della nostra civiltà sta
«nell'esatto governo dei mezzi di dominio e nell'esatto calcolo degli
effetti voluti», c'è Huizinga che nel 1938 pubblica la sua *Crisi della
civiltà*. Da Erasmo all'Illuminismo, a Rousseau c'era stata fiducia
nell'uomo e nella sua perfettibilità. Su questo filone nasce l'idea di
rivoluzione che «rimase sempre in armonia coll'antico concetto di un
atto salvatore compiuto una volta per sempre». La difficoltà, per
Huizinga, sta nel definire la parola cultura diffusasi sulle orme del
tedesco *Kultur*; secondo lui, cultura significa signoreggiare la natura
umana, ed esiste «una cultura o civiltà che dir si voglia, in quanto
indirizzo e atteggiamento di una società, quando il predominio sulla
natura nel campo materiale, morale e spirituale mantiene uno stato
di cose più alto e migliore che non comportino di per sé le condizioni
naturali, e questo stato è caratterizzato da un armonico equilibrio tra
i valori materiali e quelli spirituali». La critica più attuale e presaga
di Huizinga, nella nostra epoca dominata dai mass media, è forse
quella che concerne l'acculturazione: «Anche dove l'individuo sia
animato da un sincero impulso verso la conoscenza e la bellezza, dato
l'ossessionante sviluppo dei mezzi di diffusione meccanica dello sci-
bile, difficilmente egli potrà sottrarsi alla noia di ricevere bell'e con-
fezionati o strombazzati giudizi e nozioni».

Al contrario di Spengler, Nietzsche evoca l'avvento non del predominio di una nazione ma dell'Europa unita: «Quel che mi interessa
– perché vedo che si va preparando lentamente e quasi con esitazione
– è l'Europa unita. Per tutti gli spiriti profondi e vasti del secolo, il
compito in cui essi hanno posto tutta la loro anima è stato di preparare questa nuova sintesi e di anticipare a titolo di prova l'europeo del
futuro» (1885). In *Al di là del bene e del male*, Nietzsche immagina
«la creazione dell'Europeo che crescerà in veemenza e profondità»
ed evoca «la lenta apparizione di una specie d'uomo essenzialmente
sovranazionale e nomade, che possiede come segno distintivo, fisio-
logicamente parlando, il massimo di facoltà e di forza di assimilazio-
ne». In questo delinearsi in Nietzsche di uno spazio europeo, si situa
il rifiuto della cultura tedesca e la sua esaltazione di quella francese,
che secondo Nietzsche è l'erede legittima del pensiero greco:

«Se si legge Montaigne, La Rochefoucauld, La Bruyère, Fontenelle (soprattutto i *Dialogues des morts*), Vauvenargues, Chamfort, si
è più vicini all'Antichità di quanto accadrebbe scegliendo un gruppo
qualsiasi di sei autori nelle altre nazioni. Questi sei autori hanno risu-

scitato lo spirito degli ultimi secoli dell'età antica e costituiscono l'importante anello di una grande catena che è stata ininterrotta dal Rinascimento in poi. I loro libri si innalzano al di sopra dei mutamenti di gusto della nazione... e contengono più *idee reali* di tutti i libri dei filosofi tedeschi messi insieme...».[1]

Nietzsche fu talmente obnubilato dalla polemica antitedesca e dall'odio per Wagner che giunse a contrapporre a quest'ultimo la *Carmen* di Bizet, vantandone il genio musicale come incomparabilmente superiore a quello del tedesco, e affermò: «Io credo esclusivamente alla cultura francese: fatta questa eccezione, tutto ciò che in Europa si chiama "cultura", riposa secondo me su un malinteso, per non parlare della cultura tedesca...».[2]

Musil, il cavallo e Richelieu

I letterati europei hanno scoperto tardi Musil. Il quale scrisse una celebre recensione all'opera di Spengler intitolata *Spirito ed esperienza, Osservazioni per i lettori scampati al tramonto dell'Occidente* (1921).[3] Tutta l'ironia riguardava lo stile di argomentazioni del *Tramonto*. Il suo maggior romanzo, *L'Uomo senza qualità*, tradotto in Italia negli anni cinquanta, è stato conosciuto dai francesi con un ritardo di più di vent'anni,[4] ed è stato letto soprattutto al momento in cui, in occasione dell'esposizione su Vienna, si sono voluti livellare i valori della cultura mitteleuropea. Quel che non si comprende nell'odierna e affrettata lettura di Musil è che egli non respinge solo il vuoto ideologico dell'Austria *felix* alla vigilia del '14, ma quello francese, italiano o europeo. I testardi assertori del genio francese, sostenitori all'interno dei musei di una gerarchia di genî, con distribuzione di voti e giudizi da parte dei direttori, trascurano che l'idea centrale di Musil è quella di valori cosmopoliti, senza gerarchie nazionali, con la stessa chiarezza che si trova nel romanzo «polistorico» di Broch, nella sua vocazione cosmopolita e sovranazionale. La Cacania è la nazione kitsch per eccellenza e si identifica non solo con un paese ma con l'idea stessa di nazione, «quella nazione» scrive Musil ironicamente «incompresa e ormai scomparsa che in tante cose fu un modello non apprezzato». Musil vi ridicolizza il genio nazionale, affermando che «è proibito ai servitori della cultura di identificarsi del tutto a uno stadio momentaneo della loro cultura nazionale». Per l'uomo di cultura preso di mira dalla furia nazista, Musil invoca «l'extraterritorialità dell'intelletto»: «Ecco la formula giusta in quest'epoca di sangue, di razze, di masse, di capi e di patrie». Raramente statuto più alto per l'intellettuale può essere trovato in questa extraterritorialità di Musil contro tutti i de Maistre, i Taine, gli Herder, gli Spengler e i loro eredi, comunque mascherati sotto nuovi travestimenti nazionali. «La marcia intellettuale dell'umanità», afferma Musil, «ha sempre ripartito i suoi progressi tra diverse nazioni e solo un'epoca di scoraggiamento può mostrarsi nazionalista o conservatrice nel campo dello spirito... La cultura è stata sempre sovranazionale... A parlare in senso appropriato, in tutte le versioni che se ne sono date, la nazione è una finzione».

Di questa dimensione di Musil non si trova traccia negli elogi dedicati da qualche critico francese a quel passaggio dell'*Uomo senza qualità*, dove Ulrich sentendo definire geniale la corsa di un cavallo, rinuncia definitivamente alle proprie ambizioni: «Il cavallo che l'aveva preceduto, lo salutava di laggiù». Per una beffa della storia, al sarcasmo di Musil per quel cavallo si contrappone il cavallo... di Richelieu: «Richelieu era in preda ad accessi depressivi morbosi e ad esplosioni di furore quasi epilettico... L'arrogante genio, deificatosi da solo, era condannato, con un atto di giustizia splendidamente poetico, ad essere persuaso di star al di sotto dell'uomo. Nelle sue crisi di aberrazione mentale, il cardinale immaginava di essere un cavallo».[5] Insomma, c'è cavallo e cavallo...

Dal «Tramonto» alle dittature

L'idea di un'Europa in preda alla crisi, alla decadenza irreversibile, al suo tramonto, non è estranea all'insorgere delle sue cupe dittature nel ventesimo secolo, anzi è proprio il piagnisteo continuo sui valori perduti, che prepara il letto di quattro foschi salvatori: Hitler, Mussolini, Franco, Salazar. Che scriveva quell'imbianchino di Monaco, delicato acquerellista di angoli di città e di paesaggi bucolici (li abbiamo visti con sbalorditivo interesse a Beaubourg, nell'esposizione su Vienna), nel *Mein Kampf*? Quando Hitler afferma che «nel nostro continente la civiltà e la cultura sono inesorabilmente legate agli Arî», non si tratta più di Europa, né di Occidente, ma solo di razze: quelle che creano le civiltà (gli Arî), quelle che le «portano» e quelle che le distruggono (gli ebrei).

Mentre il nazionalsocialismo riesumava gli antichi miti della comunità germanica, Mussolini prendeva a punto di riferimento della propria mistica l'impero romano e disseminava la via dei Fori, a Roma, di carte geografiche in pietra, su cui stavano scolpiti gli sterminati confini del dominio di Roma. Per Mussolini, la civiltà si identifica con quella romana, civiltà di guerrieri, i cui eredi erano gli italiani...

È forse interessante non trascurare come l'antipatia per l'Europa priva di valori, presso gli intellettuali pro-fascisti come Drieu La Rochelle, si associ al rigetto dell'America, la grande corruttrice, la pietra dello scandalo, per il suo privilegiare l'*homo oeconomicus* sull'uomo morale. Al *Jeune Européen* di Drieu La Rochelle ripugna quell'America verso cui muove invece Kafka.

In nome dell'etnia, della purezza della razza, Hitler aveva voluto uccidere la tradizione umanista dell'Europa. E anche se ha fallito, paradossalmente, è proprio Hitler che resta all'origine dell'equivoco che provocherà la nausea di tanti intellettuali per i quali la parola «Europa» emanava un tanfo di razzismo e di persecuzione dell'uomo. Con il risveglio della lotta per l'indipendenza del Terzo Mondo, le cose peggiorarono per l'Europa, giacché gli uomini di cultura non si stancarono di presentarla sotto luci diaboliche, e la «milizia» per la causa degli oppressi sembrò esigere una crociata antieuropea. Quasi automaticamente.

Da tanta lezione e di fronte all'indifferenza per uno spirito europeo, da formare nelle nuove generazioni, esiste il pericolo di consegnare l'Europa, ancora una volta giudicata in piena decadenza, disarmata, alla temibile forza che vigila sulle sue frontiere ad oriente. Sulla cenere delle ideologie – capitalismo liberale e marxismo – non basta applaudire. Chi delinea il nuovo tramonto dell'Occidente e della eredità giudeo-cristiana, non può non capire che questa volta, all'alba del terzo millennio, la «deriva» prelude alla scomparsa dell'Europa. Al contrario, proprio nel frantumarsi delle dottrine che sembravano blocchi di granito, si apre un modo di pensare europeo, il varco storico attraverso cui passa quel che chiamiamo lo «spirito europeo».

Thomas Mann contro l'Europa tedesca

Dopo aver per qualche tempo sacrificato agli «Dei germanici» e aver rivendicato l'eredità del XIX secolo tedesco, opponendo nelle sue *Considerazioni di un impolitico* la *Kultur* alla *Zivilisation*, Thomas Mann, a partire dagli anni venti, ebbe un ruolo militante nella difesa della democrazia e nella critica del nazionalismo. Mann è tra i più eminenti rappresentanti degli intellettuali tedeschi che si opposero al nazismo e partirono in esilio in America. Mentre la guerra infuriava, si rivolse ai suoi compatrioti con un appello in cui chiedeva loro di dissociarsi dalla barbarie nazista, che sotto la copertura della nazione e dei valori tedeschi, in realtà si accaniva solo perché voleva la loro distruzione. Ascoltiamo le sue parole: «Se l'umanesimo europeo non è più capace di prendere coscienza di se stesso, di prepararsi alla lotta per un rinnovamento di forze vitali, allora esso morirà e con esso morirà l'Europa, il cui nome non sarà più che un'espressione puramente geografica e storica». Contro lo slogan nazista dell'«Ordine nuovo», egli difese il futuro dell'Europa: «Sono arrivati al punto di degradare l'idea stessa di Europa: sì, hanno storpiato quest'idea più di ogni altra... Il concetto di Europa ci era caro e prezioso; era per noi un pensiero e una volontà naturali. Era l'esatto contrario della ristrettezza provinciale, dell'egoismo meschino, della volgare incultura nazionalista; significava libertà, generosità, intelligenza e bontà. L'Europa rappresentava una specie di "metro" culturale: un libro, un'opera d'arte erano validi se raggiungevano un valore europeo. Il nazionalsocialismo si è impadronito di questo concetto: anch'esso parla di "Europa", allo stesso modo in cui parla di "rivoluzione", "paese" o "patria". Solo che non è più la Germania a dover diventare europea, bensì l'Europa a dover diventare tedesca». Thomas Mann si rifiutava di lasciare nelle mani dei nazisti quest'Europa che essi volevano infangare: «Quando avremo abbattuto Hitler, bisognerà restaurare, in primo luogo e al tempo stesso, l'idea d'Europa, che era nel cuore dei migliori un'idea di libertà, di onore, di solidarietà e di collaborazione umana, e che tale deve tornare ad essere».

Ma c'era una conclusione, una constatazione amara:

«I valori della civiltà occidentale sono oggi meglio custoditi in America».[6]

Note

[1] F. Nietzsche, *Humain, trop humain*, Paris 1968, p. 247.

[2] F. Nietzsche, *Aurore*, Paris 1970, p. 147.

[3] Robert Musil, *La conoscenza del poeta*, Sugarco, Milano 1979.

[4] In Francia, *L'uomo senza qualità* fu pubblicato integralmente nel 1974 (Ed. Gallimard, Paris).

[5] Aldous Huxley, *op. cit.*, p. 202.

[6] Thomas Mann, *Considerazioni di un impolitico*, trad.it., De Donato, Bari 1977.

IV

L'«INFAME» MALAPARTE

Malaparte è morto trent'anni fa: 19 luglio 1957. Ed è stato «riabilitato» trent'anni dopo, nel 1987.

In Francia, «Le Monde» è intervenuto e l'ha presentato come «scrittore europeo esemplare» nell'analisi critica dell'opera di Malaparte, firmata da Bertrand Poirot-Delpech, dell'Accademia Francese (24 luglio '87). «L'Europa dei mercanti farà un salto in avanti, si dice nel 1992», scrive Poirot-Delpech «e l'Europa degli spiriti, quella della sensibilità?... Nel grande suicidio degli anni quaranta, pochi artisti europei hanno saputo non insultare l'avvenire per quel che avevano in comune. Si dovrebbe intitolare a Malaparte un grande istituto culturale in Europa. La sua vita e la sua opera sono quelle di un europeo esemplare... Bisogna leggere o rileggere *Kaputt* e *La pelle*. Malaparte vi dà, sui massacri fratricidi della seconda guerra mondiale, il punto di vista più europeo che esista perché il più schiacciato dall'inutilità dello scontro, il più liberato dalle ideologie che l'hanno preparato... Altro merito di Malaparte: contro l'apparenza egli non si compiace affatto nella descrizione delle mostruosità della guerra. Lui è l'anti-Céline, nella misura in cui ha un sacro orrore della distruzione che egli ha osservato e subito. La necessità in cui affonda la guerra di salvare la propria pelle o di venderla, lui non la vede come una fatalità, né come il fine dell'uomo... Solo un combattente "al di là delle cause" poteva raccontare la Moldavia dei pogrom del 1941... E non ci si stanca di rileggere la discesa finale verso Napoli dove, uscendo una volta ancora dalla prigione, il narratore, dopo quattro anni nell'Europa delle battaglie, delle piaghe, delle pestilenze, riscopre il mare, il calore vibrante, le mosche...»[1]

Malaparte Arcieuropeo

Malaparte da bruciare come Sade? In un certo senso è andata così. Calcolo veloce: da trent'anni (morì il 19 luglio '57, a 59 anni), l'opera è stata *messa al bando*.[2] I letterati italiani (i più nobili e celebrati) si sono fatti spazio anche liberandosi dell'ombra inquietante del suo genio, il più europeo tra tutti, nella cui opera America e Europa si sono specchiate.

Seppellendolo sotto gli improperi: avventuriero, voltagabbana, Casanova, Narciso depilato, amorale, scrittore mediocre e, soprattutto... fascista. Anche l'Istituzione politica l'ha cancellato rapidamente (si era iscritto al Pci sul letto di morte, nel '57), dopo averne strumentalizzato l'adesione. E l'Istituzione religiosa, a sua volta, ha voltato pagina su quella clamorosa conversione, (credo sincera), dal protestantesimo al cattolicesimo. L'opera di Malaparte è «sotto sequestro». Riesce più facile trovarne i libri a Parigi e a New York in edizione tascabile, che a Roma o Milano. Il testamento con cui lasciava in eredità la Villa di Capri agli scrittori cinesi fu impugnato, con varie complicità e una sentenza di Stato restituì la «Casa Matta», come lui la chiamava, alla Famiglia. Quella villa – gabbiano rosso che si fionda nel mare ceruleo di Capri – m'appare simbolo del rigetto di Malaparte, il meno provinciale degli intellettuali italiani, da parte della società colta. Dilapidata, saccheggiata, violentata. Fili spinati, reticolati come in trincea, drizzati non dai guardiani, ma dai ladri per lavorare tranquilli, ne impediscono al visitatore l'accesso dalla terra ferma. Io vi arrivai dal mare, in un'estate di due anni fa, tuffandomi dalla barca e nuotando fino alla scaletta scavata nella roccia. Mi inerpicai per i cento gradini e piombai nel salone della villa, su una tavolata «tedesco-napoletana», che spaghettava. Riuscii a non farmi buttare fuori da un custode come Totò, qualificandomi per *Onorevole*. Il guardiano acconsentì a che visitassi la villa. I vandali mi apparvero, in confronto, conservatori d'arte. Nelle nude sale laterali, si allineavano brandine sudice di strani pigionanti. Tutto era stato scardinato dai muri, perfino gli alti stigli di noce pesante della biblioteca, e asportate le statue in pietra viva, tra cui una Madonna primitiva. E la pesante stufa nordica, ricoperta da maioliche disegnate a mano, anch'essa aveva preso il volo. Dai bagni scavati nel marmo, mancavano le rubinetterie, strappate via. I quadri celebri (De Chirico, Morandi, Carrà) erano scomparsi. I suoi libri formavano un mucchio di carta straccia, da cui emergeva la copertina gialla e rossa della sua rivista, «Prospettive». L'avevo incontrato lì, nel gennaio

'56, davanti a quel camino di marmo di Carrara non ancora divelto, la cui parete di fondo è fatta come un oblò, e si vedono le onde azzurre contro le fiamme rosse del fuoco acceso. Io avevo appena assunto la direzione del più importante settimanale comunista, «Vie Nuove». Ero giovane, anticonformista, un misto di puritanesimo e dogmatismo, di ribellione e di ingenuità. L'idea che Malaparte volesse scrivere per me e diventare l'inviato del giornale in Cina mi soggiogava. Lui era bellissimo, asciutto, alto, le ciglia ricurve a raggiera intorno agli occhi neri inquietanti, un che di femmineo, come si era descritto nella dedica in *Donna come me* (1940) a Virginia Agnelli (madre di Gianni, di Suni, forse la sola donna che abbia amato di amorepassione): «Fin dal primo giorno, volgendo verso di me la tua nera testa da cavallo... hai capito che io non sono soltanto un uomo: ma donna, cane, pietra, albero, fiume». Diventammo amici. Lo incuriosivo: gli ricordavo la sua giovinezza alla «Stampa».

«Come fa una donna in Italia a dirigere un giornale importante?» «Solo per sbaglio» ridevo. Partì per la Cina. «Controcorrente» mentre *esplodeva l'Ungheria* e l'intellighenzia staliniana si convertiva, con una piroetta, al «progressismo» (falso, fra l'altro) – «io sto al mio posto» mi scriveva. Si innamorò dei cinesi, di tutti i cinesi, dall'uomo di Pechino vecchio di mezzo milione di anni, fino a Mao Zedong che intervistò. Ma io non potevo pubblicarne i reportages abbaglianti (saranno raccolti nel volume: *Io, in Russia e in Cina*) perché gli intellettuali comunisti (compreso, ahimè, Calvino) avevano inviato una protesta a Togliatti contro la collaborazione alla proba stampa del PCI del «fascista Malaparte». Tornò a Roma col polmone a pezzi, invaso dal cancro. Mi aveva scritto molte lettere, quasi un giornale di bordo. «Io amo i cinesi», ripeteva al ritorno, testardo. E provocatorio. Quelle tre o quattro cose che so di lui, quel percorso accidentato della sua vita d'artista – che mette la scrittura e lo stile al di sopra di tutte le scellerataggini attribuitegli – provengono dalle conversazioni al capezzale di quest'uomo che vedevo morire un po' ogni giorno.

Malaparte mi insegnava, come un maestro socratico, tre passioni «strategiche»: per la Cina, per l'Europa, per la Francia. «Senza la Francia, Antonietta, l'Europa sarebbe un'enorme Bulgaria», amava bisbigliarmi, citando Voltaire. In Francia si era rifugiato sotto il fascismo, lì aveva scritto *Tecnica del colpo di stato* (1930), conosciuto successi da capogiro, un turbine di amori. L'annotazione ironica su se stesso come *Arcitaliano*, adesso si urta, secondo me, contro quella più veritiera e moderna di un Malaparte *Arcieuropeo*. In lui si mescolano tutte le vigliaccherie e le nefandezze, le abiure e le fedi, le meschinità e il genio, la ferocia e la dolcezza, il coraggio e la paura degli europei, del nostro tempo di feroci guerre civili, di fascismo, di campi di sterminio. Lui, come Hemingway, *vive* due guerre, ma vi è implicato da europeo, non da americano innocente e senza rugosa storia alle spalle. Si hanno per sempre in mente quei reportages del «Corriere della Sera» dove, descrivendo le carogne dei cavalli che imputridiscono sulle piane ucraine, dà il primo segnale della disfatta nazista. Quegli operai-soldati di Leningrado (1942) che difendevano la città col «sangue operaio» e al tempo stesso eroi-vittime di una calcolata ecatombe voluta da Stalin. Al contrario della visione di un'*Europa dall'Atlantico agli Urali*, lui faceva *nascere il Volga in Europa*. Nella convinzione orgogliosa del primato dei Lumi su ogni barbarie. Nella *Storia di domani*, immaginava l'Europa tutta invasa dall'Unione Sovietica meno l'Inghilterra. Gli Stati Uniti allora dichiaravano subito guerra. Ma era una guerra per burla, né americani né russi si muovevano, e lo scontro, sempre rimesso, diventava un minuetto, a distanza. Come non pensare a Berlino, al Muro? «Berlino è il cuore della Germania, io spero che ne diventi la testa», diceva Malaparte. (Era nato a Prato da un padre tedesco, Edwin Suckert, e da una ragazza milanese, si diceva «maledetto toscano», e francese d'adozione.) Parigi lo incantava, per l'eternità. Ogni tanto, mi spediva a guardare nell'anticamera della Clinica Sanatrix per capire se «la Francia si occupava» ancora di lui: «Antonietta, vada a vedere se ci sono fuori giornalisti francesi, e chieda di quali giornali».

Che Malaparte fosse stato fascista lo si sa, ma si lascia nel vago l'essenziale: era il fascismo dei «reduci» del tempo mussoliniano dopo l'«Avanti», ancora nel crogiolo socialismo-fascismo, quando inventava la strofetta: «Spunta il sole, canta il gallo, o Mussolini monta a cavallo». Pirandello e tanti altri lo erano stati più di lui (ancora sei mesi fa si è pubblicata la lista di scrittori insospettati al soldo del Duce). La *Tecnica del colpo di stato*, l'aveva scritta a Parigi nel '30: dopo essere stato licenziato in tronco da direttore della «Stampa». Sorta di manifesto antifascista, Hitler, Mussolini e Balbo («Pizzo di ferro») sbavavano di rabbia. A parte questo, nella *Tecnica*, c'è l'anticipazione della lucida polemica che interverrà mezzo secolo dopo, chiamando in causa direttamente Lenin, e descrivendo la rivoluzione leninista come quella mussoliniana, quale un *Colpo di stato*, con la stessa tecnica. Hitler, sotto la sua penna, è già negli anni trenta chapliniano: «Quell'austriaco grassoccio... coi piccoli baffetti posati a farfalla sul labbro fine e corto... Il suo eroe ideale è Giulio Cesare in costume tirolese». Mussolini chiese scusa al partner tedesco, tramite l'ambasciatore in Germania (nota diplomatica del 16-10-1931). E lasciamo al «Duce», che se ne intendeva, il giudizio sul *fascismo* malapartiano: «Malaparte è un letterato», comunicava Mussolini a Hitler, «non un facista e mai ha avuto alcuna responsabilità nella politica del fascismo». Uffa...!, basta così, non vi pare! Ad ogni buon conto lo sbatteranno in prigione. Fu condannato a cinque anni di confino a Lipari (3 novembre '33) che con l'aiuto di Ciano e le sue suppliche furono ridotti a tre. Appena riottenne il passaporto si acquattò in Francia. E da Parigi riuscì a farsi accettare nel «Corriere della Sera» come inviato, autorizzato a scrivere solo sotto lo pseudonimo di *Candido*; più tardi, firmò col proprio nome le corrispondenze di guerra, che formano la base d'acciaio su cui sorgerà *Kaputt*.

Nel dopoguerra, Togliatti l'aveva trattato da «avventuriero anticomunista», e partigiani e poliziotti della M.P. americana l'avevano, a turno, arrestato e liberato. All'origine di ogni sua viltà capii che c'era stato il panico, per quindici anni, di essere sbattuto in prigione ancora, di non scrivere più. Di nuovo cercò la patria francese. Ma Parigi lo accolse a muso duro, lo umiliò. In *Mamma Marcia*, immagine dell'Europa corrotta, disunita e vile, lui lamenta l'arrivo dei «giovani sartriani intellettualmente impotenti», una «razza marxista... nata dalla decadenza del capitalismo», mentre lui si vuole della generazione «premarxista». Quei sartriani non avevano fatto la Resistenza. Eppure si davano l'aria di vittoriosi. I soli ad aver vinto la guerra erano gli Americani, i Liberatori. Simbolizzati da quel colonnello Cumming, che incontra a Napoli. La gente aveva soltanto cercato, come a Napoli, metafora d'Europa, di salvare la *Pelle*. Né la libertà aveva risolto i veri mali d'Europa. E quale libertà? «Tutto sta tornando quel che era prima... le stesse classi, la stessa mentalità (per)... ristabilire sui popoli d'Europa l'antica oppressione... un'Europa piena di ingiustizie; fra qualche anno sarà quella di prima.» È lui, in fondo, che inventa il tema del *Gattopardo*.

«Delatori e giudici, ecco l'Europa d'oggi» si lamentava. «E quale miglior modo di apparire innocente che quello di giudicare colpevoli gli altri? Ma siamo tutti, tutti colpevoli.»

Das Kapital è fischiato alla prima, a Parigi. Lui voleva sfidare a duello il critico del «Figaro». Ma vi rinunciò perché sarebbe stato il suo diciassettesimo duello (porta male). Poi si consolava così: «A Parigi, quando si vale qualcosa, si fa scandalo. Tu puoi valere un miliardo ma se non fai scandalo conti quanto una cicca». Mentre «soffre» a Parigi, il successo gli torna, in una strana altalena, dall'Italia,

con l'uscita de *La pelle*. I salotti delle dame parigine (le sole donne
che lui stimi, intellettualmente) si riaprono; il camaleonte vi è riammesso. E lui commenta, in una lettera a Orfeo Tamburi: «È una
grande puttana. E bisogna starle sopra, a questa incantevole Parigi».
A Capri, m'aveva detto: «Senta, sono stanco morto e sfiduciato.
Devo sempre lottare contro l'imbecillità dei governi, prima quello fascista, ora questo». Prendeva il largo, verso la Cina immemorabile.
Io ero la sua piccola complice. L'ultima volta, lo vidi il 7 luglio, da
sola. A lungo. Mi aveva fatto cercare dal fratello Ezio. «L'ho chiamata perché mi sento morire. Non mi contraddica! Questa volta avverrà. Voglio che lei lo sappia da me stesso prima che l'avvisino gli
altri.» Aveva il braccio scarnito, che sembrava un ramo morto, ma
le dita si muovevano nervosamente, a rafforzare le parole mozze, che
non riuscivano più a formare il discorso elegante e beffardo che mi
aveva mille volte conquistata. «Mi difenda, non vada via, non scompaia. Torni ogni giorno. Ho paura, lei sa di che cosa.» Mi esortava
a difendere il lascito della villa di Capri ai cinesi contro quei «bottegai dei parenti» che «metteranno i centrini dappertutto». «Mi difenda, torni domani.» Poi aggiunse, ultimo messaggio non più in codice: «Muoio onesto...». Questa è l'ultima frase che ho udito da Malaparte.[3]

Alberto Savinio: «Solo un'idea potrà "fare" l'Europa»

Nella generazione italiana degli scrittori degli anni quaranta, l'altro
spirito cui occorre far posto, in un panorama spesso desolato, è Alberto Savinio, il cui libro *Sorte dell'Europa*[4] sembra parlarci, ancora oggi, di un'Europa attuale, dopo i primi trent'anni di vita, e con
le conquiste faticosamente raggiunte nel corso di questi decenni. La
prospettiva di Savinio appare attuale, per il suo offrire una risposta
alla malinconica situazione in cui si trova tanta parte d'Europa, tra
cecità politica e crisi della propria identità. Gli scritti di Savinio (si
tratta degli articoli fatti tra il 1943-44, «quando in Italia si ricominciava a scrivere di cose politiche») terminano con un'invocazione a
che il movimento di resistenza europeo venga tutto recuperato, «al
fine di creare un'Europa unita». «L'appello che termina il manifesto
del comunismo» scrive Savinio «va aggiornato così: "Partigiani di
tutta Europa, unitevi!", intendendo per partigiani e partigianesimo
l'elemento dell'Europa che opera per impulso proprio e non per ordine e disposizione altrui.»

Certo c'è anche per Savinio, come c'era per Malaparte, l'incubo del sogno europeo di Hitler, «il più grande pompiere apparso a nostro danno sulla faccia della terra e che ha sognato di rifare a suo modo l'impero di Roma». Ma contro quella idea di costruzione dell'Europa pompieristica e folle che aveva in testa Hitler, ora al contrario, scrive Savinio, «dopo la multiforme crisi che noi andiamo attraversando dal 1914 in poi,... quel che si pone come capitale è "il passaggio dell'attuale Europa divisa in nazioni, in un'Europa nazione unica". Per "fare" l'Europa bisogna liberarsi innanzitutto dal concetto tolemaico del mondo – che è concetto teocratico e dunque imperialista – liberarsi dal concetto tolemaico in tutte le sue forme (che sono infinite) ed entrare nel concetto copernicano del mondo, ossia nel concetto democratico... Perché nessun Uomo (sogno di Carlo V, di Napoleone, di Hitler), nessuna Potenza, nessuna Forza, potranno unire gli europei e "fare" l'Europa. Solo un'Idea li potrà unire: solo un'Idea potrà "fare" l'Europa».

Note

[1] Bertrand Poirot-Delpech dell'Accademia francese: «Trent'anni fa moriva Malaparte: *L'europeo esemplare*». «Le Monde», 24 luglio 1987.

[2] Geno Pampaloni, giunto nel '62 alla Vallecchi, fu incaricato di pubblicare l'*opera omnia* di Malaparte, rimasta (non capisco perché) purtroppo incompiuta. Furono, allora, sotto la direzione di Pampaloni (che lasciò la Vallecchi nel '71), pubblicati alcuni volumi, i più noti, oggi tuttavia difficilmente trovabili. È quel che definisco una «messa al bando» nei fatti. Mondadori avrebbe acquistato, poi, da Vallecchi i diritti per l'opera di Malaparte, secondo una dichiarazione di Giordano Bruno Guerri.

[3] Vedere il capitolo «Malaparte e il commendatore» in Maria Antonietta Macciocchi, *Duemila anni di felicità*, Mondadori, Milano 1983.

[4] Alberto Savinio, *Sorte dell'Europa*, Adelphi, Milano 1977.

V

EUROPESSIMISMO E FILOSOFIA DELLA DECOLONIZZAZIONE
(Dove l'Autore ritrova Lévi–Strauss, trent'anni dopo *Tristi Tropici*)

Non butto mai via i vecchi giornali, album nascosti dell'idiozia umana, con la preferenza per le grandi illusioni: ottobre '17, Spagna '36, Monaco '38, Pétain '40, guerra nazifascista '41-'45. Constato come una politica che ottiene il consenso e talora l'unanimità, si capovolge qualche tempo dopo nel suo contrario. L'europessimismo che si delinea dopo la seconda guerra mondiale, non è solo un passionale rigetto dell'Europa, ma costituisce una filosofia «neo-razionalista», quella della decolonizzazione. A guardarla freddamente, col coraggio di chi vuol risalire indietro, appare un pensiero inficiato dal disorientamento, sia per liberarsi del *cauchemar* di un nazismo e di un fascismo – fenomeni arcieuropei ambedue – sia per offuscare la memoria delle responsabilità dei popoli europei nell'Olocausto. La filosofia della decolonizzazione opera un transfert liberatorio verso il Terzo Mondo: il nazismo non è che la faccia europea del colonialismo, visto che i proletari in Europa sono asserviti e sfruttati come il colono (*même combat*). Sull'onda di questo assioma (approssimativo, tra l'altro) si evacua l'imbarazzante argomento dell'appoggio popolare a quelle dittature europee obbrobriose, durate una ventina d'anni. Anzi, a un'élite di padroni eurocentrici, razzisti e colonialisti, si oppone la compatta resistenza antifascista, come in quella vecchia canzone popolare ripresa da Yves Montand, *Le chant des partisans*. Si maschera la complicità che negli anni del totalitarismo nero venne data da francesi, tedeschi, italiani, per far rilucere la tesi filosofica: da un lato il proletariato europeo, a sua volta «buon selvaggio», come nel Terzo Mondo, e dall'altro, un pugno di aguzzini. Si dimentica che il genocidio non proviene da un cupo mondo di extraterrestri, ma che il massacro si opera tra europei, tra milioni di piccoli bianchi, che si distruggono in una guerra fratricida, una vera e propria guerra civile, di dimensioni mai viste nella storia. La carneficina non avviene nel

Terzo Mondo, di cui ci si fa mitici profeti, non si scatena da parte di bianchi contro neri, di bianchi contro gialli, bensì tra bianchi e bianchi, che si saltano alla gola, nelle nostre contrade, dentro le città, le chiese, gli appartamenti popolari, le università, le scuole.

Davanti a quella scolaresca di fanciulli francesi ridenti, stampata, mentre scriviamo, da tutti i giornali europei ad illustrare i crimini di Barbie, che la consegnò in blocco per destinarla alle camere a gas delle SS, restiamo inorriditi. Poi, un successivo orrore ci domina: quello della rinnovata coscienza, cui l'orecchio più sordo non può sottrarsi, sul delinearsi di un'immensa rete di complicità del «buon» cittadino francese con i nazisti e i loro sgherri. Era tutto innocente, quel buon popolo di Lione, tra cui Barbie rastrellava tutti i giorni i suoi condannati a morte? Era tutto antifascista, quel popolo francese che i comunisti esalteranno, esaltando se stessi come «partito dei fucilati»?

«La nostra esperienza della guerra», dice Foucault,[1] «ci aveva indicato la necessità e l'urgenza di realizzare una società radicalmente diversa da quella in cui avevamo vissuto: una società che aveva lasciato passare il nazismo, si era prostituita ad esso, e poi in blocco era passata con De Gaulle».

La storia di decenni ormai lontani ci mostra – se vogliamo andare alla sostanza del verdetto di Lione che condanna Barbie all'ergastolo – l'esigenza di fare i conti col passato di *prostituzione al nazismo*, mettere il dito sulle piaghe della Francia di Vichy durante l'occupazione, e rileggere le brutte pagine, spesso miserevoli, di un tempo, anche se oggi sono rimosse da tanti francesi.

La «vergogna» di essere europei

L'intellighentzia europea, davanti a tante responsabilità, ha trovato il proprio riscatto nella lotta anticoloniale, scrivendo una nobile pagina della sua storia, ma gettando un velo sul proprio complice protagonismo all'interno dei meandri culturali dominati per tanti anni dalla dittatura nera. Ma la sacrosanta febbre anticolonialista non sarà leggibile in modo giusto, o per intero, senza capire che essa è l'ultimo capitolo di un dramma scritto in parte già prima, dalle «mani sporche» di quelli che si riabiliteranno della loro mollezza o ignavia precedente sposando la causa dello sfruttato Terzo Mondo. Erano tutti chiusi gli occhi degli intellettuali parigini, durante le razzie a Parigi?

«Tutti collaboravano», scrive Herbert Lottman, in *La Rive Gauche*.

Se Paul Claudel scriveva l'*Ode al Maresciallo Pétain*, se François Mauriac dedicava i suoi libri al luogotenente Heller, «la carriera di Jean-Paul Sartre e quella di Simone de Beauvoir, durante l'occupazione tedesca, coincise per loro con l'inizio della celebrità. Due testi teatrali di Sartre, *Les mouches* e *Huis-clos*, furono rappresentati per la prima volta sotto l'Occupazione, e il primo romanzo di Simone de Beauvoir uscì nello stesso periodo. [...] A Parigi, Simone de Beauvoir lavorava per la radio nazionale del governo di Pétain... La linea di condotta che si erano imposti Sartre e la sua compagna permetteva loro di lavorare alla radio...».[2]

Quella «vergogna di essere europei», che tormenterà nel dopoguerra questi intellettuali, non ha dietro di sé un retroterra inconfessato e non analizzato: quello della compromissione, anche se larvata, col pétainismo? Lo spostamento di tutto il pensiero verso il Terzo Mondo ha sapore di transfert. È un fatto che dell'ampiezza del fenomeno pétainista in Francia non si seppe molto fino a quando l'americano Patton non ne ha scritto la documentata, terribile storia. Qualcuno di noi tenne, nel 1974, un corso universitario a Parigi sul pétainismo popolare, sul consenso al maresciallo, sulla denuncia accanita degli ebrei da parte dei cittadini al di sopra di ogni sospetto, che si appropriavano delle loro ricchezze e dei loro beni. Ma quel corso non solo fu male accolto, peggio ancora: fu combattuto come un insulto all'invitta storia dei partigiani, come un tentativo di sporcare l'onore della classe operaia francese. La maggior parte degli archivi di Vichy è ancor oggi tenuta segreta, perché ogni ministero francese, che aveva ricevuto puntualmente i documenti accumulati sotto Pétain dal ministero corrispondente, ha ritenuto di dover rispettare la tradizione sacrosanta del segreto di Stato. C'è stata, tuttavia, un'eccezione, quella del Commissariato Generale alle questioni ebree, che non avendo avuto alcun successore ministeriale dopo la Liberazione, è passato, nel 1955, in possesso del Centro di documentazione ebraica. Gérard Miller, che sfogliò quell'archivio, ne trasse la parte storicamente più rilevante di quel corso universitario parigino, così avversato che il professore che lo diresse venne aggredito con violenza, inclusa quella fisica, da un manipolo condotto da *gauchistes* comunisteggianti, da sempre portatori d'acqua al mito dell'incorruttibile popolo.[3]

Un mondo diseuropeizzato

Se vogliamo snidare i nuovi dogmi di un'epoca recente, e non cadere nella confusione del tempo, che rende tutti i gatti grigi, è bene ripercorrere la strada «antropologica» che porta Lévi-Strauss a farla finita con l'infatuazione per l'uomo bianco e a rimettere in causa la sua civiltà. È bene, certo, rileggere il Fanon dei *Dannati della terra*, come ha fatto Alain Finkielkraut, ma quel che appare ben dubbioso e assolutorio è il fatto di non citare nemmeno una volta quel vero e proprio manifesto antieuropeo scritto da Sartre per i *Dannati della terra*.[4] È qui la «seconda morte dell'uomo», a proposito di cui Finkielkraut scrive: «Sotto l'effetto della luna anticoloniale, i sociologi più influenti combinano l'approccio marxista con quello dell'etnologia; dopo aver lusingato l'orgoglio dell'Europa si adoperano per nutrire la sua cattiva coscienza».

Il ruolo che Sartre ebbe nel creare questa «cattiva coscienza» verso un'Europa che si rimetteva in piedi traballando dalla catastrofe, e che muoveva sonnambolica ancora nel traumatismo collettivo, fu decisivo per mettere a morte una seconda volta un generico «uomo europeo» colpevole di tutti i flagelli. Diamo la parola a Sartre stesso sulla scorta di Fanon e del suo famoso libro che riprendeva l'espressione di Marx: «L'Uomo non esiste ancora, ed incombe ai dannati della terra di realizzarne l'avvento».

«Abbandoniamo quest'Europa che non la fa mai finita di parlare dell'uomo massacrandolo ovunque lo incontra... In tutti gli angoli del mondo. Fanon constata che "l'Europa agonizza". Ha ragione. Altrimenti detto, l'Europa è fottuta. Verità non bella da dirsi. Non è vero, miei cari continentali?» Miserabili europei, incalza Sartre, con tutti i «loro sbruffoni che chiacchierano di Partenone, di Chartres, di diritti dell'uomo... Ora si sa quel che valgono, e non si pretenda più di salvarci dal naufragio col sentimento molto cristiano della nostra colpa. È la fine, come vedete, l'Europa fa acqua da tutte le parti». Da chi verrà, dunque, la salvezza? Sartre espone con genio la tesi semplicistica (che la storia dimostrerà poi falsa) per cui la sola redenzione ci verrà dai colonizzati, quelli che ci decolonizzeranno a nostra volta, strappando il marcio che c'è in Europa, e ci porteranno a costruire il «socialismo rivoluzionario».

«Ecco quel che Fanon spiega ai suoi fratelli d'Africa, d'Asia, d'America Latina: noi realizzeremo insieme e dovunque il socialismo rivoluzionario; siamo messi in guardia contro le nostre alienazioni più terribili, il leader, il culto della persona, la cultura occidentale, la vera cultura è la Rivoluzione...».

La tesi sartriana della violenza redentrice si fa tesi antieuropea fino alle estreme conseguenze. Citiamolo ancora:

«L'arma di un combattente è la sua umanità. Perché nel primo tempo della rivolta, bisogna uccidere: abbattere un Europeo significa prendere due piccioni con una fava, sopprimere al tempo stesso un oppressore e un oppresso; restano un uomo morto e uno libero: il sopravvissuto sente per la prima volta il suolo *nazionale* sotto la pianta del piede».

Noi, nemici del genere umano

Già dieci anni prima, in *Che cos'è la letteratura?* (saggio pubblicato nel 1947), Sartre analizzava la corruzione di certe parole che da semplici e astratte diventano infami o segno di costumi da trivio come la parola «Europa»:

«Se in passato questa si riferiva all'unità geografica, economica e storica del vecchio continente, oggi questa parola emana un tanfo di germanesimo e di servaggio».

Ma nel suo «*Manifesto*», che farà da filo conduttore per anni non solo alla sua filosofia ma all'azione sua e della sinistra europea, l'Europa è condannata a morte. Lasciamolo ancora dire:

«Adesso bisogna affrontare uno spettacolo inatteso; lo *strip-tease* del nostro umanesimo. Eccolo completamente nudo, e certo non bello: era solo un'ideologia bugiarda, la squisita giustificazione del saccheggio; le sue tenerezze e la sua preziosità fornivano una cauzione alle nostre aggressioni... Oggi l'indigeno rivela la verità; di colpo, il nostro club così esclusivo rivela la propria debolezza; era né più né meno che una minoranza. Ma c'è di peggio: poiché gli altri si fanno uomini contro di noi, appare chiaro che siamo i nemici del genere umano. L'*élite* rivela la sua vera natura, quella di sfruttatori. I nostri cari valori perdono le ali; a guardarli da vicino, non se ne troverà uno che non sia macchiato di sangue... È la fine, come vedete: l'Europa fa acqua da ogni parte».

Eppure, il Terzo Mondo ondeggerà tra rivoluzioni e controrivoluzioni, tra liberazione e regressione, tra trionfale abbattimento del tiranno e nuova schiavitù dell'individuo (come in Iran). È Octavio Paz a darci di questa continua ondulazione tra i due opposti una definizione che non si dimentica:

«In quello che si chiama Terzo Mondo, sotto diversi nomi e attributi, regna un Caligola dai mille volti».

«Altrove, ancora? No...»

(Breve incontro dell'Autore con Claude Lévi-Strauss)

Nella primavera del 1987, incontrai il grande etnologo francese, al cui silenzio riuscii a strappare la risposta a due domande: una sul passato (l'Altrove) e una sul presente (l'Europa).

«Vent'anni fa quel che era di primaria importanza, nel campo delle scienze umane, erano le opere di sociologia e di etnologia. Oggi sembra che la situazione si sia capovolta: la sociologia e l'etnologia sembrano passate in secondo piano rispetto alla storia, che appare invece la grande trionfatrice. Perché?», si chiese Lévi-Strauss. E continuò.

«Gli etnologi che s'interessavano a società che non possedevano né archivi né documenti scritti erano costretti a prendere in considerazione i fatti più trascurabili, quelli che gli storici loro contemporanei non avrebbero degnato di uno sguardo. Poi, a poco a poco, gli storici si sono resi conto che quei piccoli fatti insignificanti della vita quotidiana, delle reazioni individuali o collettive, erano in fondo molto interessanti. Così sono andati essi stessi alla scuola degli etnologi, per fare quel che si potrebbe chiamare l'etnologia delle società del passato. È evidente che per il lettore è molto più importante sapere come vivevano i suoi antenati vicini o lontani che come vivono i negri della Papuasia o gli indigeni sudamericani. Perciò quel che oggi si chiama l'antropologia storica ha preso il primo posto nel campo delle scienze umane».

Esposi allora la questione che maggiormente mi stava a cuore: quella dei rapporti tra intellettuali europei e Terzo Mondo:

«Non si tratta solo della storia, ma di un fenomeno nuovo che riguarda direttamente il nostro approccio rispetto a ciò che per tanto tempo ha determinato il nostro pensiero occidentale. Lei ne è stato uno dei massimi protagonisti, nonostante la frase d'apertura di *Tristi Tropici* ("Odio i viaggi e gli esploratori"):[5] si tratta delle passioni, degli interessi che mettevano da parte la società occidentale, nella quale vivevamo, per proiettarci nell'*Altrove*, fosse la Cina, l'America Latina o la Papuasia. Nessuno di noi è innocente. Nonostante la crisi dell'Europa, non crede che stia avvenendo qualcosa come un ritorno a noi stessi?».

«Quella frase era allora polemica», rispose Lévi-Strauss «e *Tristi Tropici* è un libro di cui oggi ho vergogna di parlare, tanto mi sembra invecchiato (ha più di trent'anni); era stato scritto al momento in cui era di moda riunirsi alla Salle Pleyel per tener conferenze sui grandi

viaggi e sulle esplorazioni. Ma dietro la sua domanda c'è effettivamente un grave problema. Ho cominciato la mia carriera di etnologo
molto tempo fa, quasi mezzo secolo, in un'epoca in cui un notevole
numero di società erano o colonizzate o semi-dipendenti, e comunque minacciate nella loro integrità dal colonialismo sotto diverse forme. Quel che sentivamo come nostra missione principale, andando
Altrove, come lei dice (e, in fondo, andare altrove era allora il nostro
mestiere migliore), era la difesa di quelle culture, di quelle società
contro l'oppressione e lo sfruttamento coloniale sotto ogni forma:
economica, politica e ideologica. Oggi ci troviamo in una situazione
non direi capovolta, ma comunque molto diversa. Il fatto è che tra
tutte queste culture minacciate, ci cominciamo a chiedere se non ci
sia anche la nostra. E se, fedeli a quel che noi abbiamo sempre considerato la nostra missione, il centro di gravità della nostra preoccupazione, perché dopotutto restiamo occidentali, la nostra difesa non
debba esser oggi quella di un certo numero di valori ai quali siamo
tradizionalmente legati e che valgono almeno quanto quelli che abbiamo difeso e continuiamo a difendere. Quest'insieme di valori occidentali non è più esattamente, rispetto al resto del mondo, nella posizione dell'oppressore dinanzi all'oppresso; forse oggi tali valori
sono essi stessi oppressi o rischiano di esserlo in una certa misura, da
forze che sono esterne e interne».

Lévi-Strauss, l'ultimo superstite di quella grande generazione di intellettuali i cui rapporti furono complessi, e i dibattiti incandescenti,
è oggi un anziano signore pieno di stile, diritto, asciutto, e lucido par-
latore. Dopo avere con lui evocato il tenace *Altrove terzomondista
sartriano*, gli racconto la mia impressione su una mostra retrospetti-
va inauguratasi a Roma a Villa Medici su «Sartre e l'arte» nella primavera dell'87. «Nulla decade di più che le mode intellettuali», mi
vien fatto di dire. E anche accordando a Sartre il posto di un fenome-
nale uomo d'azione per i nostri tempi, quelle fotografie ingiallite che
lo mostrano con gli intellettuali amici ai tavoli del Flore o della rivista
«Temps Modernes» sembrano antichissime, appartenenti ad eventi
di tanto tempo fa, e tutto sommato del tutto estranee a noi. Mi guarda, mi valuta...

Anche se tra Lévi-Strauss e Sartre infuriò la polemica di cui *Il pensiero selvaggio* ci lascia un'inequivocabile traccia nell'ultimo capitolo
«Storia e dialettica» – «socializzando il cogito Sartre si limita a cambiare di prigione» – e tra Sartre e Foucault, che fu accusato di essere

«l'ultima barriera della borghesia»,[6] nella grande *bagarre* sullo strutturalismo (si veda più avanti) quel che accomuna in modi diversi e spesso opposti quella generazione è tuttavia il rigetto dell'umanesimo, diventata parola bandita dal linguaggio, dopo essere stata presa di mira e distorta dallo stalinismo. Nel discredito affondava definitivamente anche il *soggetto*, visto come mito antropocentrico, che vuole conferire la propria sovranità alla Ragione, quale evidenza suprema di cui egli si fa portatore.

Noi, all'inverso, non pensiamo di purgare l'idea di uomo di ogni valore, di ogni mito e di ogni Fede. Ma un altro Umanesimo, erede dell'Umanesimo originario della nostra storia, è ancora possibile.

Note

[1] Duccio Trombadori, *Colloqui con Foucault*, Ed. 10/17, Salerno 1981.

[2] Herbert R. Lottman, *La Rive Gauche*, Ed. du Seuil, Paris 1981, pp. 231-232.

[3] *Eléments pour une analyse du fascisme*, Séminaire dirigé par Maria A. Macciocchi, Paris VIII-Vincennes 1974-1975, 10/18, Paris 1976, 2 voll.

[4] Frantz Fanon, *Les Damnés de la terre*, Maspero, Paris 1961 (Prefazione di Jean-Paul Sartre).

[5] Claude Lévi-Strauss, *Tristes Tropiques*, Plon, Paris 1955, p. 9.

[6] «Povera borghesia», risponderà a Sartre Foucault; «se avesse avuto bisogno di me come barriera, avrebbe da tempo perso il potere.» (*Op. cit.*)

TRA LE PAROLE E LE COSE DEL MAGGIO
CHE COSA FU IL '68?

Umanesimo, parola infamante

Da un libretto di dialoghi di Foucault con un redattore dell'«Unità», un testo del tutto sconosciuto in Francia,[1] (e da cui ho tratto già altre citazioni) estrapolo un giudizio per rispondere a quella persistente domanda: che cosa fu il '68?

«Il '68 ha avuto senz'altro un'importanza eccezionale», afferma Foucault. «È certo che senza il Maggio io non avrei mai fatto le cose che sto facendo oggi. Sarebbero impensabili le mie ricerche come quelle sul carcere, la sessualità, eccetera. Il clima del '68 è stato determinante. Penso di poter rispondere che il disagio provenisse dal modo in cui da parte dello Stato e di altre istituzioni si esercitava un'oppressione permanente nella vita quotidiana. Ciò che era mal sopportato, messo continuamente in questione, ciò che produceva quel tipo di disagio era "il potere". E non soltanto il potere statale, ma quello che si esercitava all'interno del corpo sociale attraverso canali, forme, istituzioni estremamente diversi. Non si accettava più di essere "governati" in un certo modo... E non solo dagli uomini che orientano la nostra vita quotidiana, ma anche attraverso le influenze dirette e indirette, come ad esempio i mass media... Ripensando al maggio '68 e andando oltre un certo vocabolario "iperteorizzante": chi non direbbe oggi che in generale si era trattato di una ribellione contro tutta una serie di forme di potere che incidevano sul mondo giovanile e su certi strati e ambienti sociali? Da tutte queste diverse esperienze, ivi compresa la mia, non emergeva che una parola, simile a quelle scritte con l'inchiostro simpatico, pronte a comparire sulla carta quando si mette il reagente giusto: la parola "potere"».

Sartre fu colto di sorpresa dal '68, la prima corrente ideologica che ripropose la sfida culturale, sociale, politica, non solo alla Francia ma all'intera Europa. Si trattò del primo ingresso di europei in Europa, della formazione di un crogiuolo di idee che raggruppava la gioventù oltre le frontiere e si allargava ai villaggi tedeschi e italiani, belgi e olandesi, oltre che ai *campus* americani, agli ignoti Rambo d'allora che subivano il contraccolpo della guerra nel Vietnam.

La rilettura della storia d'Europa, del suo fascismo e del suo nazismo obliterati, cominciò allora in Germania, con effetti imprevedibili. Per nulla ubriacati dal terzomondismo dei padri, quei giovani non erano figli di Sartre e tantomeno «nipoti» di Aragon. L'uno e l'altro pensatori cercarono di farsi accettare in quelle tumultuose assemblee, dove la storia partoriva un iniziale modo di pensarsi europei. I giovani rifiutarono di dare la parola ad Aragon. A Sartre fu, invece, accordata, ma chiamandolo a intervenire, Cohn-Bendit lo avvertì: «Sartre, sii breve, e chiaro...».[2]

Fino al '68 e durante gli anni del maoismo, la parola «umanesimo», tanto derisa, era ancora bandita, tuttavia, dal vocabolario dei giovani, era ancora una parola «prostituita». Althusser aveva portato il suo contributo filosofico per smantellarla, nella formula: «Il marxismo non è un umanesimo», applicata come una scudisciata all'opera di Gramsci; e nell'operatività di un'altra formula, dalle oscure implicazioni pratiche, quella dell'«antiumanesimo teorico». Cui si affiancava la variante dell'«umanesimo teorico» di Sartre. Per non parlare, poi, degli intellettuali detti «maoisti», come l'avanguardia culturale di «Tel Quel», di quel loro discorso ipermarxista dove era impossibile negli anni settanta, pronunciare una sola parola sui valori dell'uomo, senza farsi zittire come revisionista. Al contrario, la generazione italiana che si rivolterà una decina d'anni dopo, nel 1977, conferisce alla sua azione valori di umanesimo, e non solo illuministici, nel ripristino di una tensione europea che non conosce frontiere. L'arte, la poesia, il teatro, la radio, furono attraversati da un linguaggio che rappresentava una spettacolare rottura con il marxismo-terzomondismo sartriano. Anche se Sartre appoggerà i giovani bolognesi, partirà di lì la prima revisione del sartrismo, il distacco da esso; con la ricomposizione dei «soggetti separati» e l'evocazione dell'Europa, dei valori europei. Né è poi così strano, se si considera che quel moto nasceva nell'Università di Bologna, da sempre improntata più all'umanesimo rinascimentale che al giacobinismo, e dove la manifestazione del settembre '77 aspramente lottata dalle istituzioni, fu definita «Incontro europeo della gioventù». Quel movimento del '77 sarà poi presto soffocato sotto l'accusa di terrorismo *in potentia*, tanto che sarà difficile ritrovarne i segni nel nostro futuro del «Dopo Marx, Aprile».[3]

A conti fatti, Sartre è l'erede di un pensiero che si intreccia a quello dei rigidi intellettuali dottrinari degli anni trenta, all'Europa vista da Mosca, all'epoca dello stalinismo: «Noi siamo i disfattisti d'Europa!», sbandierava già nel 1925 Aragon. Senza essere troppo duri e senza voler ignorare le sfumature scintillanti del genio sartriano (romanziere, scrittore, filosofo), è però giunto il momento di insistere sulla grave mutilazione del suo pensiero politico: il rigetto dell'Europa. Mentre la cultura ufficiale farà, anche a Est, per converso, di Sartre, l'eroe ideologico dei nostri tempi. Cosa meno contraddittoria di quel che sembri.

Note

[1] Duccio Trombadori, *Colloqui con Foucault*, Ed. 10/17, Salerno 1981.

[2] Ho ritrovato Cohn-Bendit a Valencia nel giugno 1987, quasi venti anni dopo il '68 e gli ho chiesto, in pubblico, il perché di quella celebre frase. Lui mi ha risposto con fermezza: «Perché Sartre è stato di un opportunismo politico totale...». Voleva continuare, ma fu interrotto dai comunisti spagnoli (si veda *50 años después*, p. 157).

[3] Maria Antonietta Macciocchi, *Dopo Marx, Aprile*, Edizioni «l'Espresso», Roma 1978.

VII

COSCIENZA EUROPEA E STALINISMO

A proposito di intellettuali in servizio volontario
al Cremlino contro la cultura europea

Parlando dello stretto legame tra spirito e potere, mentre l'abitudine
vuole che l'uno non abbia nulla a che vedere con l'altro, avverto l'esigenza di ricordare il tremendo giudizio di Nadežda Mandel'štam:
«Lo scrittore è capace di un'indifferenza e di una depravazione più
profonde di qualsiasi altro essere umano».

Per dimostrare l'esistenza dell'odio reciproco tra spirito e potere,
al nostro tempo, si cita una frase che non si sa se appartenga a Goebbels o a Himmler: «Quando sento la parola cultura, tolgo la sicura
alla mia Browning!». Questo sinistro slogan – di una brutalità che
avrebbe potuto farne l'insegna di un campo di concentramento tedesco – va completato con un'altra citazione:

«Noi non abbiamo mai promesso la libertà dell'arte, come non abbiamo mai permesso quella del contrabbando della cocaina... Per
quanto bella possa essere un'opera d'arte, è naturale, fra noi, barbari, che venga proibita se porta pregiudizio alla rivoluzione». Così
parlava non più Goebbels ma Radek, compagno di lotta di Lenin nel-
l'*Epilogo* alla versione tedesca del romanzo di Boris Pilnjak: *Il Volga
si getta nel Caspio.* Non ci si stupisce che sia lo stesso Radek, in occasione del Congresso parigino degli scrittori del 1934, «Per la difesa
della cultura...», a definire l'*Ulisse* di James Joyce come «un mucchio di letame formicolante di vermi». A parte il fatto che ciò avrebbe lasciato sovranamente imperturbabile Joyce (ammonimento per
tutti noi, per imparare a opporre l'indifferenza alla prepotenza dei
politici), la lezione ironica della storia ci insegna in seguito che tanto
servilismo non servì a nulla all'intellettuale Radek. Individuato ben
presto dalla polizia di Stalin come «parassita trockista ed ebreo polacco», egli morì nel 1938 in un campo di concentramento siberiano.
Nel corso del processo che l'aveva condannato, altra ironia della sorte, aveva come compagni di sventura alcuni scrittori che egli aveva

denunciato per la loro «decadenza» (*decadenza*, parola da depennare, visto che dalla melanconia di Spengler e dal suo tormento, Ždanov estrarrà la semantica per forgiare il suo *artista decadente* che fa tutt'uno con il controrivoluzionario).

Il cerchio è chiuso. Ma la premessa dimostra che gli intellettuali stessi, invece di difendere lo «spirito» dalle strette mortali del potere, spesso giocano il ruolo di becchini di quella cultura a cui devono la loro esistenza intellettuale.

Nel dopoguerra, il potere comunista russo e i suoi reggicoda comunisti europei, compreso il PCI sul quale si getta un velo pietoso per coprire le sue responsabilità, affidano agli intellettuali il compito di falsificare l'atto di nascita della gracile Europa, farneticando che essa è generata da una coppia mostruosa, il padre SS, la madre americana; sulla sua culla i comunisti occidentali convocano le funeree madrine della guerra atomica, della fame, e di nuove barbarie.

La Germania, che si va appena risollevando dal deliquio delle sue atroci colpe, nei fantasmi evocati dagli intellettuali marxisti, è una malata immaginaria, pronta a levarsi bellicosa grazie alla CED, ed economicamente vigorosa grazie alla CECA, già sollecita a riattraversare l'Europa al passo dell'oca, il braccio teso nel saluto hitleriano. Dalle finestre dell'ex Bundestag di Hitler, a Berlino, dove si tenne simbolicamente una riunione della Commissione giuridica del Parlamento Europeo, nel 1984, guardavo sconvolta il susseguirsi di reticolati di filo spinato, i Miradors, le torri, da cui sorvegliava la polizia sovietica, l'Esercito Rosso, e ai loro piedi la distesa di tante croci bianche, levate in memoria di quelli che avevano cercato di attraversare il Muro.

Mi chiedo quanta parte abbiano gli intellettuali europei nell'intrattenere nei cuori l'odio e il terrore per la Germania, magari solo un'antipatia culturale innocente che se la prende con il Romanticismo tedesco.

Ho rimesso il naso nei vecchi giornali, nelle ingiallite riviste degli anni cinquanta, dentro la biblioteca di Scienze politiche a Parigi, per ricostruire il clima intellettuale di un'epoca. Superata la rabbia davanti a tanta scientifica falsificazione dei fatti, ho letto fino in fondo. Ora mi chiedo come siamo riusciti, malgrado tanto vomito antieuropeo, a creare l'Europa che conosciamo, certo ancora zoppicante, ma miracolosamente nata, se si giudica la violenza del nazionalismo risorgente e del prosovietismo, decisi ad ucciderla in embrione.

La palma della vergogna la portano gli intellettuali della «Nouvelle Critique», rivista culturale ufficiale del PCF, che dedica un intero numero a *Gli intellettuali francesi davanti all'Europa*.[1] Nomi di commentatori al primo sguardo poco significativi, ma che acquistano il peso di una pietra tombale, quando si ricordi che a quel tempo, come scrive Edgar Morin: «L'Europa fetida ripugna tanto più in quanto il sole rosso brilla al suo zenit per la stragrande maggioranza degli intellettuali». La stella rossa che luccica sul Cremlino è allora il messaggio risplendente di «un messianesimo e un universalismo che dimostrano come la sorgente luminosa della civiltà sia ormai fuori dal campo europeo».[2] Diamo la parola a uno degli articolisti di «Nouvelle Critique»: «L'europeizzazione», scrive Annie Besse, «aiuta il trionfo dell'immagine antinazionale perseguita dagli americani, in un processo di fascistizzazione destinato a paralizzare la nostra scienza e cultura». La condanna di Lenin pesa come una ghigliottina sull'Europa: «Già nel 1915», nota la Besse, «Lenin, in un celebre testo sugli Stati Uniti d'Europa, in risposta a quei socialisti che riponevano le loro speranze nell'unità europea, scriveva: "Si possono concepire gli Stati Uniti d'Europa come una convenzione tra capitalisti europei; ma una tale convenzione a che scopo? Essa sarebbe solo basata su una politica comune per schiacciare il socialismo in Europa e per conservare le colonie di cui ci si è impadroniti col brigantaggio". Torna qui il martellante ossessivo richiamo contro l'appello di Churchill, nel dopoguerra, affinché gli europei si uniscano contro il "Piano d'asservimento e d'assoggettamento dell'Europa all'imperialismo americano e inglese"...».

Il compito degli intellettuali di sinistra diventa allora quello di snidare la vergognosa «idea europea» dovunque si nasconda, difesa com'è dagli «intellettuali più retrogradi e corrotti... tipo Jules Romains, François Mauriac, André Malraux, Duhamel, Camus... che non possono vantare l'Europa se non celebrando la politica di espansione e di aggressione dell'imperialismo americano».

Il primo spettro che gli intellettuali, marxisti e no, devono scongiurare è quello dell'unità tra uomini di cultura; essi tendono a impedirne la comunicazione oltre le frontiere. Si tratta di battersi, per Auguste Lecœur, «contro il "Pool della materia grigia", contro ogni intesa di intellettuali e scienziati in imprese europee comuni, che perseguono due immondi fini: la maturazione di uno spirito "europeo" e di una cultura europea, con la creazione di organismi scientifici e culturali europei... protesi a creare, secondo il volere degli industriali, una mistica europea capace di ingannare le folle e farle acconsentire al massacro».

Anche l'iniziativa di un Comitato intellettuale del Consiglio d'Europa, che si crea a Strasburgo, va smascherata, e dovunque gli intellettuali si riuniscano, a Nancy, a Roma o a Bonn, si sappia che essi agiscono in senso controrivoluzionario. «La decisione di organizzare in Germania», scrive «Nouvelle Critique», «un *simposium* incaricato della revisione dei libri di storia, non sarà destinata a riabilitare tra gli alunni la memoria di Hitler?».

Il CERN (Centro europeo ricerche nucleari), che si creerà in quegli anni tra Ginevra e la frontiera francese, è stigmatizzato come «Pool atomico». «Sotto la direzione dell'italiano Amaldi si raggruppano scienziati dei paesi europei tra cui si nasconde uno dei personaggi più importanti delle ricerche atomiche naziste, Heisenberg». L'articolo conclude...: «È onestamente impossibile garantire che queste ricerche che si pongono come scopo la conoscenza delle leggi dei mutamenti nucleari non sbocchino nella costruzione d'armi di distruzioni massicce».

Vale la pena di ricordare che è proprio al CERN di Ginevra che negli anni successivi si potranno ascrivere le più notevoli conquiste delle scienze nucleari in Europa e che a quegli scienziati europei sarà attribuita la maggior parte dei premi Nobel?

Perfino il «Pool della salute» e il «Pool dello spettacolo» sono denunciati come minacciosi coacervi unitari per mettere insieme i medici e gli artisti, oltre le frontiere; essi costituiscono gli altri due nefasti *volets* del «Pool della materia grigia». «Come mettere in dubbio», farnetica ancora l'articolista «che tutti questi progetti ("Pools") sono al servizio della preparazione della guerra contro l'Unione Sovietica? Il "Pool della materia grigia", – come il "Pool carbone e acciaio" – è il banco di prova per concentrare scienza e cultura, a profitto di una coalizione antisovietica, privando i paesi europei della loro indipendenza, assicurando a Bonn un ruolo egemone, e tutto questo con l'appoggio attivo del Vaticano».

Per un'altra beffa della storia, Annie Besse, l'autrice di tante idiozie prosovietiche, sceglierà il cammino di Damasco e diventerà l'apprezzata editorialista del «Figaro», esperta di comunismo (col nome di Annie Kriegel). Ma è l'unica a salvarsi. Altri, come Lecœur e Casanova, malgrado le loro piaggerie e la denuncia poliziesca degli intellettuali ostili, cadranno in disgrazia nel PCF e moriranno come cani, nella solitudine dei traditori.

Abbandonando il campo della schizofrenia, oggi è forse Edgar Morin ad offrirci la spiegazione più lucida dell'ostilità degli intellettuali contro l'Europa:

«Fui a lungo antieuropeo. Alla fine della guerra, quando nascevano, dall'antifascismo stesso, i movimenti europei federalisti, scrissi un articolo, pubblicato nel 1946 sulle "Lettres Françaises", dal titolo senza appello: *L'Europa non c'è più.* Avevo partecipato alla Resistenza ed allora ero comunista; per me, per noi, l'Europa era una parola bugiarda.

«Avevo combattuto ciò che Hitler aveva chiamato "La nuova Europa". Nella vecchia Europa vedevo il focolaio dell'imperialismo e della dominazione più che quello della democrazia e della libertà».[3]

«Esprit» contro la CED

La situazione ideologica degli anni cinquanta era tale che le due più importanti riviste allora pubblicate a Parigi, «Esprit» e «Les Temps Modernes», erano contrarie a qualsiasi forma di unità europea. La sola pubblicazione favorevole all'Europa era «Preuves»: una rivista laica modesta, collegata a qualche corrente cattolica progressista, animata dal poeta cattolico Pierre Emmanuel.

In quanto al cattolicesimo francese, era anch'esso spaccato in due: da una parte, c'era Jean-Marie Domenach, erede e successore di Emanuel Morin; dall'altra, c'era «Preuves», che difendeva la costruzione dell'Europa quale ultimo bastione della democrazia, senza nostalgia alcuna per le ipoteche del passato e i ben improbabili sogni di restaurazione dell'impero carolingio.

Possiamo vagliare, anche se è difficile accettarle del tutto, le ragioni per cui, secondo Jean-Marie Domenach, numerosi intellettuali, nel dopoguerra, divennero paladini dell'anti-Europa: «Le truppe americane si trovavano in Europa occidentale... L'Europa era stata parzialmente distrutta; non aveva alcuna possibilità di far sentire la sua voce. La sola nazione che fosse allora dotata di un piccolo esercito e di una "grande voce" (quella del generale De Gaulle) era la Francia. Questa situazione faceva apparire la proposta di un'Europa unita come una specie di "cavallo di Troia" degli Stati Uniti, destinato a respingere il più lontano possibile l'Unione Sovietica; noi abbiamo temuto molto che quest'Europa non foss'altro che il trampolino di lancio per la resurrezione del fascismo... ci sembrava che [gli Americani] volessero riprendere la guerra contro i paesi dell'Est che ci avevano fornito un sostegno decisivo contro il nemico hitleriano».[4]

Nell'editoriale del maggio 1954, che apre «Esprit», la rivista si schiera «contro la CED»: «La CED? Una cosa per riarmare la Germania. È più leale di fronte gli altri popoli e a noi stessi di basare il

nostro rifiuto della CED sul rifiuto del militarismo tedesco... La questione non è di scegliere tra NATO e CED [ma] di sapere se le democrazie d'Occidente risveglieranno nella Germania vinta le forze di
odio e di conquista che già si abbatterono su di noi con massacri senza precedenti. Sventura per l'Europa, se essa dovesse costruirsi su
tale rinnegamento...». Inutile dire quanto gli eventi successivi abbiano dimostrato false tali elacubrazioni!... Lo stesso Domenach, che
ascoltavo trent'anni dopo in Sorbona, nel gennaio 1986, in occasione
del discorso di apertura degli Stati Generali dell'Europa (convocati
allora dal Sindaco di Parigi, Chirac), protestava contro ogni rassegnazione: «L'Europa esisterà come tale soltanto se saprà inventare
il suo futuro attingendo alle risorse della sua memoria... Le minacce
e le sfide che l'assalgono la costringono a scegliere tra il declino e il
rinnovamento. Se l'Europa si rassegna, essa diventerà per metà una
porzione dell'impero sovietico, e per l'altra metà un mercato di duecento milioni di consumatori di idee e di immagini prodotte al di
fuori».

Un corpo handicappato.
Modeste riflessioni sulla doppia mutilazione dell'Europa

Riguardando le gazzette di un tempo, la prima sensazione fastidiosa
è quella della sfasatura tra previsioni apocalittiche e semplice realtà
economica del futuro europeo. Col detestato piano Marshall e con
la CECA l'Europa si riprende lentamente ma con sicurezza. Mitterrand nelle *Réflexions sur la politique extérieure*[5] scrive: «Man mano
che l'Europa s'ingrandisce, il suo territorio si estende dalle isole Shet-
land alle rive dell'Asia Minore, dallo Skagerrak a Gibilterra – l'attrazione che su di essa esercita la prospettiva di una zona universale
di libero scambio si precisa. [...] Trecentoventi milioni di consumatori, la libera circolazione delle persone, dei beni, dei capitali e dei servizi: eccola apparire in piena luce come la prima potenza commerciale del mondo. L'operazione del mercato unico dovrà essere portata
a termine per il dicembre 1992».

Alle Cassandre che evocavano il pericolo tedesco con rinnovata
forza, lasciamo Mitterrand contrapporre la seguente verità: «La Germania, che paga il prezzo più duro di due guerre perdute nel XX secolo... desidera un armamento nucleare? Sembra di no. La Repubblica Federale ha deciso di ammararsi all'Europa occidentale e la
storia di questi ultimi quarant'anni lo prova. L'attrazione che su di

essa esercita la politica americana non attenua affatto le verità fondamentali: la Germania è l'Europa, senza Germania non c'è Europa, senza Europa non vi sarà più grandezza tedesca».

Vinciamo ogni disgusto intellettuale e confrontiamo queste valutazioni del Presidente francese con alcuni titoli ed articoli catastrofici degli anni cinquanta.

«L'Humanité»:

«Il piano Schuman è un dispositivo di guerra e di miseria» (24/2/53); «Euratom: una macchina di guerra. (Dopo lo scacco della CED, gli euroatomisti hanno visto in questo il mezzo per rilanciare la Germania *revanchista* contro il blocco sovietico)» (13/7/53); «Nessuna CED atomica. (L'Euratom finirebbe per consegnare la bomba atomica alla nuova Wehrmacht di Bonn)» (20/7/56).

«Combat»:

«Il progetto euroatomico costituisce un grave pericolo per la Francia» (19/1/56).

«Le Monde» (*Libres opinions* di L. Haymann):

«La Francia è imprigionata in una comunità economica cui delega tutto il suo bilancio attivo; è difficile che possa conservare un'ombra d'indipendenza politica, e si pretende di garantircela scartando dal progetto dei Trattati ogni sospetto di sovranazionalità, per meglio farcela accettare».

In questo vortice di delirio politico antieuropeo ci si stupisce ancora che le nostre generazioni abbiano potuto, al contrario, simpatizzare con l'idea di Europa.

Ma quanto quelle catastrofiche previsioni sulla ricerca scientifica comune fossero sbagliate, ce lo spiega oggi, limpidamente, il Premio Nobel Carlo Rubbia:

«La verità è che nella ricerca fisica degli Stati Uniti le cose vanno piuttosto maluccio e quindi, per una sorta di ingenua autodifesa, si cerca di trovare a casa degli altri (in questo caso in Europa) un responsabile di ciò che è di fatto conseguenza dei problemi di casa propria. La creatività europea e la produttività giapponese cominciano a preoccupare. Ma che cosa dunque ha preso questi Europei – così disuniti e obbedienti quando si tratta di difese più o meno strategiche o di sopportare i singhiozzi del dollaro – per mettersi di colpo a fare di testa loro, unirsi in un grande sforzo comunitario, quando si tratta di tecnologie avanzate o di scienza? Che cosa sono questa Ariane, questo Airbus, questo Cern, questa cascata di premi Nobel a giovani, nuovi ed Europei? Il fatto è che nella scienza fondamentale l'Europa sta marciando molto bene, a testa ben alta. Tutti i premi Nobel della fisica negli ultimi tre anni sono in Europa».[6]

Detto questo, sia però ben chiaro che l'Europa è stata mutilata nei due punti più delicati del suo organismo: la cultura e la difesa, con il rigetto della CED.[7] E il suo resta, oggi, un corpo handicappato. La rivincita dell'intellighenzia russa e pro-comunista contro il più timido accenno all'unità culturale europea non demorde; a trentatré anni di distanza, la Fondazione culturale di Parigi è stata messa a morte con intrighi di cui vedremo nell'ultima parte di questo libro il groviglio, uccisa dallo stesso veleno di cui si blaterava l'urgenza liberatoria contro il «Pool della materia grigia».

In quanto alla campagna intimidatrice contro la CED, anch'essa ha portato i suoi frutti avvelenati. L'Europa è inerme. Con la CED si affossò al tempo stesso il trattato di comunità politica che ne era l'indispensabile conseguenza. La campagna contro la CED era stata dominata dal terrorismo ideologico degli intellettuali, non solo comunisti ma di tutta la sinistra europea. Gli intellettuali italiani, a loro volta, invocavano il pretesto del riarmo tedesco, ambigua coscienza di chi li guidava: basta sfogliare i giornali ufficiali del PCI («Rinascita» e «l'Unità»).

In quest'Europa partorita da una montagna di carbone e di acciaio, senza scettro, senza reame, senza moneta, senza capacità di pensarsi «europea», l'impotenza più grave è quella dell'incredulità verso la sua stessa esistenza. Non solo Mendès-France, ma tutta la sinistra e l'intellighenzia europea portano una pesante responsabilità dell'abbandono dal primo progetto di difesa comune, che poteva rendere l'Europa indipendente dai diktat degli USA e dell'URSS. Il giudizio sull'atteggiamento di Mendès-France, nel corso del dibattito sulla CED, che tenne l'Europa col fiato sospeso sull'Assemblea francese nella notte del 31 agosto 1954, è ancora oggi controverso. Secondo alcuni, Mendès-France era non solo contro la CED ma ostile alla stessa unità europea.[8] Altri come Anthony Eden (*Memorie*) affermano che alcuni consiglieri di Mendès-France erano «compagni di strada dei comunisti». Adenauer nelle sue *Memorie* esprime l'opinione che Mendès-France era del tutto ostile all'unità europea e desiderava un'alleanza a quattro con l'Unione Sovietica per neutralizzare la Germania.

Chi scrive ricorda come Mendès-France fu accolto da Togliatti nel viaggio di vacanza che il Presidente francese compì in Italia, nel settembre successivo. Le disposizioni che arrivarono da Roma alla federazione comunista napoletana erano estremamente precise: bisognava salutarlo come un eroe. I comunisti di Napoli ebbero allora l'idea di inviare in quel luogo sereno e dolce che è Positano gruppi di manifestanti, donne, bambini, operai con bandiere rosse, per salutare in Mendès-France il salvatore della pace, per Napoli, per l'Italia, per l'Europa!

Note

[1] «Nouvelle Critique», gennaio 1953, n. 42.

[2] *Ibidem.*

[3] Edgar Morin, *op. cit.*

[4] *L'Europe et les intellectuels*, Gallimard, Paris 1984, p. 67.

[5] Paris, Fayard, 1986.

[6] Carlo Rubbia, *La volpe americana e l'uva europea*, in «la Repubblica», 7/2/87.

[7] Se Mendès-France aveva assunto gravi responsabilità lavandosi le mani come Pilato davanti alla Ced, De Gaulle, era stato, per ragioni di sovranità nazionale, ancora più avverso a quel progetto, quando aveva affermato: «Un esercito di senza-patria.., comandato da un governo di senza-patria, tutto ciò si chiamerà Comunità, ma nella realtà questo esercito cosiddetto europeo, sarà posto a completa disposizione di un comandante in capo americano. È un atto che divide profondamente la Francia, che calpesta le sue tradizioni più intime, che viola le sue istituzioni...».
In Italia, i più forti attacchi contro la Ced vennero dal Partito comunista e in quella occasione Emilio Sereni pubblicò un libretto estremamente polemico per spiegare la ragione dell'opposizione tenace del Pci (Emilio Sereni: «Contro la Ced e contro l'Europa», a cura del Comitato nazionale dei Partigiani della pace). In quel libretto, abbondavano le citazioni assurde, come quella che faceva risalire a Hitler, niente di meno, il progetto di sicurezza comune: «Credo che la ricomparsa di una forza militare tedesca sarà un elemento integrante nella pace perché il semplice fatto che essa esiste farà cessare un vuoto pericoloso in Europa» (Hitler, discorso del 21-5-1933 a Berlino).
A Hitler, Sereni – per altro un intellettuale di grande valore – aggiungeva qualche sinistra frase di Goebbels del tipo: «Trovo straordinariamente soddisfacente il fatto che sia possibile condurre i popoli d'Europa almeno su un programma limitato, a costruire in ordine la loro unità. Questo significa che noi cominciamo poco a poco non solo a interessarci all'Europa, ma ad interessarci alla sua difesa» (discorso del 21-7-1941 a Berlino).
Togliatti, dal canto suo, pronunciò un discorso al Parlamento italiano, estremamente emotivo, per descrivere il pericolo di sterminio che ci minacciava con un tale esercito unificato. Il suo omologo Thorez, dall'altra parte delle Alpi, levava urla nazionalistiche furibonde contro la Comunità, e ancora di più inveiva contro la Ced. A quell'epoca, le due «T.T.» (Thorez e Togliatti) marciavano la mano nella mano. E questa è l'unica vera epoca in cui vi è stato un dinamico *Eurocomunismo*...
La pagina più obiettiva e più drammatica sul rigetto della Ced è stata scritta da Jean Monnet nelle sue memorie (*Mémoires*, Fayard, Paris 1985).
Jean Monnet fu uno dei grandi costruttori dell'Europa, forse quello che ne aveva la visione più alta, espressa in quella frase: «Noi non coalizziamo gli stati, noi uniamo gli uomini». Monnet, piccolo coltivatore delle proprie vigne a Bordeaux, aveva cominciato la sua carriera vendendo Cognac, così che gli inglesi, nella celebre rivista «Fortune», l'avevano battezzato «Mister Jean Monnet of Cognac». Di quest'uomo, che odiava protezionismi e rivalità nazionali, e che ha coperto i più alti incarichi nelle prime istituzioni europee, riproduco qui le riflessioni sul fallimento della Ced nel Parlamento francese:

«Il trattato della Ced firmato nel maggio '52 fu deposto all'Assemblea nazionale francese nel gennaio '53... quando tutti gli avversari della Ced ormai avevano fatto il loro ingresso nella maggioranza e sedevano al governo... L'inquietudine si precisò ancora quando furono nominati relatori sulla Ced Jules Moch, il generale Koenig, due avversari dichiarati della Comunità di difesa. Dal canto suo, De Gaulle aveva fatto sapere: con o senza protocolli, il trattato è del tutto inaccettabile... Molti scrittori si sono chiesti se il trattato della Ced nel '53 poteva avere la possibilità di raggruppare una maggioranza in Parlamento... Non si sa se essi fossero bene o male informati... I francesi, sconvolti dal dramma della guerra d'Indocina, non avevano più, per un certo tempo, la capacità di guardare in modo lucido al loro avvenire. L'uomo che agli occhi della più gran parte dei francesi apparve allora come quello del destino, era Mendès-France. Ma lui non era affatto pronto ad affrontare e a regolare più di un problema alla volta. E nelle priorità che egli scelse, o che gli avvenimenti gli imposero, non figurava la costruzione dell'Europa... La lotta attorno alla Ced è stata dolorosa per la Francia come una lacerazione. Le forze del passato e quelle dell'avvenire si dividevano il paese e le prime vinsero in un dibattito confuso. Il voto negativo del 30 agosto 1954 ci riportava quattro anni indietro, a quella stagione del 1950 dove la ricostituzione dell'esercito tedesco era apparsa inevitabile... La sola protezione contro questo pericolo, che si era cercato invano di evitare, restava solo nella grande saggezza politica di Adenauer... Adenauer, molto colpito dal rigetto francese, ebbe tuttavia una reazione da uomo di stato, e decise che occorreva sormontare la crisi e cercare una soluzione di attesa che conservasse la possibilità di continuare l'unificazione europea. Lo scacco della Ced creava un vuoto, ma non cambiava i problemi... Di fronte ai russi, io mi ero convinto da tempo, che il solo atteggiamento ragionevole era di *organizzarci*, senza interrogarci sulle loro intenzioni nascoste o sulle loro reazioni possibili. Attendere in ordine sparso che essi si prestassero ad una sistemazione globale con le nostre vecchie nazioni, era pura illusione...».

8 H. Alphand, *L'Etonnement d'être: Journal 1939-73*, Paris 1977.

VIII

IL SECONDO «TRADIMENTO DEI CHIERICI»

Tradimento: «cataclisma di nozioni morali di coloro che educano il mondo»

All'epoca del primo «tradimento dei chierici» si era esattamente nel 1926 e per tradimento si intese «il cataclisma di nozioni morali di coloro che educano il mondo», gli intellettuali. Il secondo «tradimento dei chierici», al quale alludo, fu più esteso del primo nella profondità dello spazio e del tempo: esso esplose nel secondo dopoguerra con l'abbandono acritico dell'Europa pensante dall'uno all'altro dei *due vincitori del fascismo*, alla sua dottrina, quindi a nuovi ideali particolaristici, sradicati dalla civiltà europea, estrapolati dallo spazio culturale in cui questa intellighenzia li aveva prodotti. Al posto dell'universale, legato all'Illuminismo, si accettarono nuovi criteri per giudicare il bene, il male, il vero e il falso, secondo i Maestri del credo marxista. Se nel 1926 alla cultura, intesa come universale fonte di Lumi, si sostitutiva la «mia» cultura (il localismo, il provincialismo culturale), negli anni cinquanta il tradimento è insito nella supina accettazione del *noi*, anonima prima persona plurale; non c'è più uomo/umanesimo/ragione, ma quel triste *collettivismo del pensare* che sradica lo spirito dal corpo in cui si svolge l'attività spirituale e creatrice, abbandonando ogni «nozione morale»...

Qualche riflessione sull'assenza di un'intellighenzia europea morale e critica ci riporta agli anni del dopoguerra. Gli intellettuali pagano ancora lo scotto dell'amputazione culturale dei paesi dell'Europa centrale, quando lo spirito *occidentale* fu spaccato in due, tra Est e Ovest; e per spirito occidentale noi intendiamo la libertà di ricerca intellettuale, l'irrequietezza, quell'umorismo tenero e feroce che percorre, per esempio, l'opera di Kafka. «Pensate che Kafka» ricorda Milan Kundera «non riusciva a leggere ai suoi amici il primo capitolo del *Processo* perché rideva fino alle lacrime.» Con la divisione in due, l'Europa diventò, invece, estremamente seria, massimamente ideologizzata e politicizzata. Mentre Kafka e Hašek anticipavano già il futuro totalitario, i nostri intellettuali analizzavano l'uomo e i suoi sistemi, in tutte le cuciture e scuciture, guardando fissi al «sol dell'avvenire». Non solo Praga e la Boemia, ma anche la Polonia e l'Ungheria non erano orientali e appartenevano, invece, alla cultura occidentale. Collocare ad est questi paesi, come fu fatto nel dopoguerra, signficava ribattezzarli come orientali e approvare la loro dislocazione forzata nella sfera di dominio di una cultura, quella russa, che è ad essi profondamente estranea e che cerca di uccidere appunto lo spirito occidentale in una parte dell'Europa: in Polonia, in Cecoslovacchia, in Ungheria. Ma l'intellighenzia europea accettò il «crimine fondatore» dell'Europa così come si è successivamente configurata, assorbendone la scissione culturale come una conseguenza naturale delle spartizioni effettuate nel dopoguerra, e vi si adattò con pigrizia e indifferenza, come dinanzi a una normale e quasi giustificata operazione di ridimensionamento. L'Europa nasce culturalmente dimezzata e questa amputazione della sua cultura viene accettata a sinistra come a destra, da Sartre ad Aron (sia pure con polemico spirito liberale, in quest'ultimo). Rassegnazione, disinteresse, supino accoglimento della *Real-Politik*. La cultura europea si accomoda, in maniera quasi distratta, alla perdita di Kafka, Gombrowicz, Hašek, Béla Bartók; si rassegna ad abbandonare quello spazio mentale che aveva fatto di Praga, capitale magica dell'Occidente, l'iniziatrice della riforma, dello strutturalismo e della linguistica. E per decenni il rapporto dominante sarà con un «Est» dominato dalla potenza moscovita e quindi culturalmente russo. Eppure il nucleo fondamentale dell'Europa attuale nacque proprio come prima opposizione alla divisione in due dell'Europa, già diventata un fatto dopo Yalta e Teheran, ma definitivamente codificata con gli accordi di Helsinki del 1975 (malgrado l'elogio doveroso che se ne fa per i diritti, Helsinki è il primo atto di «legalizzazione» della spartizione).

L'antitotalitarismo fu uno dei segni distintivi di quella piccola Europa dei Sei, dinanzi alla spartizione, alla decapitazione di una parte del territorio europeo. Spartizione non solo geografica e politica ma anche culturale. Fu proprio a causa di questa caratteristica che quell'Europa fu combattuta, furiosamente, non solo dall'Unione Sovietica (com'è ovvio), ma in primo luogo dai partiti comunisti (come abbiamo visto), dai loro intellettuali e da quasi tutte le forze della cultura europea di sinistra. A quei tempi andava di moda un termine sprezzante coniato apposta per certi intellettuali che si pensavano come europei: quello di «intellettuale cosmopolita».

Il cosmopolita era, per lo zar della Cultura Ždanov, soprattutto l'intellettuale «filoamericano» o «filoinglese». Era l'europeo senza patria ideologica socialista, quindi asociale, anticomunista e antiprogressista, che aveva «tagliato le radici» della propria cultura nazionale pura. Bisognava, allora, avere un'unica aspirazione: quella di un'identità nazionale nobile come un *pedigree*. E ciò rientrava nel disegno strategico di costituire una galassia di intellettuali «nazionali» (e non cosmopoliti) che gravitassero intorno al sistema russo. Gli intellettuali e i partiti comunisti furono gli alfieri di quest'odio cosmopolita. Basti ricordare che un intellettuale come Vittorini fu eliminato da Togliatti perché sulla rivista «Il Politecnico» dava troppo spazio ai «decadenti»: scrittori americani quali Faulkner ed Hemingway o europei come Gide («un pederasta», diceva con disprezzo Togliatti). Il nazionalismo prevalse nella cultura contro il cosmopolitismo, considerato una produzione viziosa e diabolica, protesa verso le altre culture europee occidentali. L'intellettuale «cosmopolita» era animato dallo spirito del male ed era già un potenziale traditore della patria. Come poteva, d'altronde, l'«Europa dei monopoli», l'«Europa del capitalismo fautore di guerre» (come ancor oggi la definisce il PCF), contare sul più modesto sviluppo dello spirito europeo, dello spirito occidentale, ad opera degli intellettuali? L'Europa restò, da allora, acefala: privata di metà della propria intellighenzia, mentre l'altra metà non varcava più neppure l'Atlantico per timore di esser tacciata di filoamericana e reazionaria. Nasceva soltanto un Mercato Europeo, prima quello dell'acciaio e poi quello dell'agricoltura, con scambi di prodotti industriali e soprattutto mangerecci: melanzanine, pisellini, aragostine, vacche e galline, spaghetti e patate, regolati dalla libera circolazione delle merci.

Quando su Ginevra soffiò (per poco) lo spirito europeo

Nell'immediato dopoguerra l'idea europea aveva, tuttavia, conquistato una parte dell'intellighenzia più impegnata. Un ruolo d'avanguardia era stato svolto dal primo incontro di intellettuali sullo «spirito europeo», che ebbe luogo a Ginevra undici anni prima del Trattato di Roma. Quello slancio culturale, che era il prolungamento stesso del pensiero politico dei movimenti di resistenza all'Europa tedesca, preparava il terreno ideale alle prime riunioni dei governi. Uomini come Julien Benda, Georges Bernanos, Karl Jaspers, Denis de Rougemont, Stephen Spender, Lukàcs, Guéhenno e Campagnolo, dimostrarono ancora una volta che un mutamento politico è possibile solo allorché gli intellettuali svolgono un ruolo d'avanguardia. Ma l'impegno europeo degli intellettuali ebbe vita breve e lo slancio si spense. Qualche anno dopo compariva un'altra sinistra intellettuale; il suo pensiero era basato su una specie di *eurocentrismo a rovescio.* Fu allora che prese a diffondersi la concezione di un *ugly european,* responsabile della distruzione dei valori e delle vite umane, origine di ogni male sul pianeta. Ogni impegno intellettuale per l'Europa diventò quasi impossibile e trionfò, invece, quell'odio per il continente di cui Proudhon, ancora prima di Marx, aveva denunciato i «trenta secoli di falsa civiltà».

Ma fu anzitutto lo stalinismo, la più potente e cupa regressione intellettuale che abbia conosciuto l'Europa, il responsabile dell'abbandono di ogni aspirazione all'identità culturale europea. L'espansione ideologica, vero e proprio fanatismo, non conobbe frontiere e fu tra le fila dell'intellighenzia altrettanto vasta di quel che era stata la diffusione del suo splendente contrario: la Filosofia dei Lumi. Né bisogna dimenticare, come ha scritto Leszek Kolakowski, che «lo stalinismo non dominò soltanto all'epoca della *guerra fredda,* ma attirò ben prima gli intellettuali: negli anni Trenta, sebbene regnasse pienamente solo negli anni cinquanta». Fu una «regressione intellettuale» che gettò le basi di quel monumento eretto al potere russo: un monumento d'infamia.

Il riscatto degli intellettuali europei dinanzi alla «dissidenza»

Il riscatto degli intellettuali europei si è compiuto in anni recenti e proprio dinanzi all'intellettuale «dissidente» – grande interlocutore della cultura occidentale. Ma anche la definizione di «dissidente» rischiava di ridurre l'arte e la letteratura a tesi politica e spesso l'analisi della letteratura «dissidente» ha peccato d'ingenuità politica, perché è caduta nella trappola di una politicizzazione strumentale delle varie forme di cultura geograficamente stabilite, cosicché i dissidenti diventavano gli esclusi, i fuoriusciti di una cultura «altra». Gli stessi dissidenti russi hanno operato, tuttavia, una nuova occidentalizzazione della loro cultura, anche quando sono stati vittime di tendenze nazionalistiche. La dissidenza, che ha militato sia contro il totalitarismo russo sia contro l'appiattimento del mondo alla sola realtà di schiavo e padrone, non è stata in fondo compresa culturalmente, sebbene molti dotti e brillanti saggi l'abbiano accolta nell'Occidente europeo. La dissidenza (e qui sta l'errore) diventava una categoria geopolitica. E come tale la utilizzavano gli uomini di Stato per sottoscrivere e poi ribadire, con gli Accordi di Helsinki (terzo *volet* sui diritti dell'uomo), l'applauso entusiastico a dimensione universale. Ma com'è noto tali diritti furono presto sbeffeggiati nel loro stesso significato e con impudenza sempre maggiore, a Varsavia come a Kabul. Si delinea adesso, forse, una ripresa dallo spirito di Helsinki in URSS, con Gorbačëv, come testimonierebbe l'atto di rigetto verso la cultura più significativo da lui compiuto: la liberazione di Sacharov dall'esilio di Gorkij, sebbene il futuro resti insondabile.

Intellettuali europei, ancora uno sforzo!

Quel che preoccupa di fronte a questi accenni d'apertura di Gorbačëv, è l'inerzia intervenuta invece tra gli intellettuali occidentali nel riprendere in mano la bandiera, tanto spesso agitata, dei diritti umani. Come se si trattasse di una pura diatriba ideologica e non di un'azione costante. Cosicché, passata l'epoca o la moda della *bagarre* ideologica per rivendicare i diritti dell'uomo nell'Est,[1] oggi è come se questo problema si fosse istituzionalizzato, all'interno del campo diplomatico occidentale, in rapporto con le diplomazie orientali. Gli intellettuali non avrebbero più nulla da dire nel lavorio delle cancellerie? Non lo penso affatto. Il nodo che lega i diritti umani e la «domanda d'Europa» che si leva dai paesi dell'Est sono più che mai stretti e soffocanti. Al «pensarsi europei» di quei popoli dovrebbe corrispondere, da noi, la necessità di concepire l'Europa come unità multipla e complessa, ma dominata da un destino comune. Oggi, tutta l'Europa sottomessa al totalitarismo ha capito la menzogna della *Verità Ufficiale* che le viene imposta, e il suo messaggio dall'Est è passato all'Ovest. Ma come risponderemo a quel messaggio se non comprenderemo che questa «sete d'Europa» – che è domanda di democrazia, di libertà, di diritti umani – presuppone in noi lo slancio di uno *spirito europeo*? Il fitto intreccio tra «diritti dell'uomo» da far rispettare all'Est e consapevolezza del ruolo che noi giochiamo come Europa dell'Ovest è qui, davanti ai nostri occhi. Beffandosi dell'Europa (come ai vecchi tempi dello stalinismo o del terzomondismo), in fondo noi ci beffiamo, più che di noi stessi, del destino di quelli che ci chiamano dall'altra parte di Yalta.

Note

[1] Ricordo la prima assemblea al Teatro Recamier di Parigi, con folle di dissidenti, presenziata da un Sartre e una De Beauvoir imbarazzati; oppure quella «Biennale del dissenso» a Venezia, diretta da Ripa di Meana.

IX

L'EUROPA NELLA CULTURA ITALIANA:
DA MAZZINI A CROCE, DA CHABOD A BOBBIO

Potremmo dividere in due tempi il formularsi dell'idea di Europa nella cultura italiana: potremmo collocare la sua matrice nel Rinascimento e la sua operatività nel Risorgimento, quando le forze si alleano per quell'unità d'Italia che Gramsci definirà giustamente una *rivoluzione passiva*, un'unità nazionale portata dalle armi dell'esercito piemontese alla conquista del Sud. Non dimenticherò l'annotazione beffarda di Marx contro il piccolo professor Cattaneo, quando in una lettera del 1854 ad Engels ne ridicolizza i progetti di unità europea, né ignorerò che a quei Congressi della pace che si svolsero a Ginevra tra il 1867 e il 1868, sulla scia dell'idea di Victor Hugo di creare una federazione di Stati europei per dar pace all'Europa, avevano partecipato anche Garibaldi e Mazzini. Quei primi manifesti evocavano, del resto, un'«Europa di cittadini» del tutto inesistente nella realtà, ma già presente negli spiriti. Giuseppe Mazzini forgiò l'idea della Giovine Italia, alla quale avrebbe fatto seguito la Giovine Europa, stabilendo così un nesso stretto tra indipendenza italiana e spirito europeo. Come scrive Chabod:[1] «Il pensiero di Mazzini è sempre rivolto all'Europa giovane, all'Europa dei popoli che sta per trionfare, succedendo alla vecchia e morente Europa dei prìncipi. Sogno del Mazzini è non solo Italia, ma Italia ed Europa... Mazzini è dunque il più tipico, il più alto rappresentante di una imponente corrente di pensiero europeo che cerca di salvaguardare in pari tempo i diritti delle singole nazioni e i diritti della maggiore comunità che si chiama Europa». Il *Primato* morale e civile dell'Italia affermava, invece, il Gioberti (forse influenzato dal Foscolo del *Misogallo*, che proclamava necessari gli «odi» nazionali e respingeva l'idea «europeista»); egli concepiva l'Europa come una nazione, fondata sul Cristianesimo, che sarebbe risorta grazie al Risorgimento dell'Italia cattolica. Anche Mazzini, d'altra parte, fin dal 1834, aveva contrapposto l'iniziativa

degli italiani ai tedeschi (Novalis e Schiller) e ai francesi, che rivendicavano ciascuno per sé il merito dell'incivilimento del mondo. Spirito
liberale, Terenzio Mamiani vedeva l'Europa come una formazione
spontanea, un'affinità naturale tra i popoli che la costituiscono e rea-
gì contro i progetti di coloro che vagheggiavano un diritto comune
europeo e un tribunale sovranazionale. La sua opera, *D'un nuovo diritto europeo*, uscita nel 1859, suscitò accanite discussioni.

Se nel 1828, nella *Storia generale della civilizzazione europea*, Guizot affermava la superiorità dell'Europa, madre di libertà, sull'Asia,
e illustrava il grande impulso dato dall'Europa alla civiltà, egli rivendicava al tempo stesso il primato assoluto della Francia nel continente. Guizot gettò un ponte tra eredità settecentesca e Romanticismo,
ma non poté impedirsi di affermare con orgoglio: «Credo che si possa dire senza adulazione che la Francia è stata il centro, il focolaio
della civiltà europea». E a lui fece eco Michelet, nel 1831, quando
scrisse nell'*Introduzione alla storia universale*: «Quel che c'è di meno
semplice, di meno naturale, di più artificiale, vale a dire di meno fa-
tale, di più umano e di più libero al mondo, è l'Europa, e di più Europeo, è la mia patria, è la Francia».

Nel 1848 il *Manifesto comunista* di Marx ed Engels si rivolgeva ai
lavoratori europei evocando la presenza in Europa di una lotta irriducibile tra due forze antagoniste: il proletariato e la borghesia. La
storia d'Europa si configurava essenzialmente come storia del pro-
gressivo affermarsi della borghesia europea, sulla base della dialettica della lotta di classe; la fase conclusiva della civiltà europea sarebbe
stata caratterizzata dal grande cambiamento economico e sociale ad
opera del proletariato, che avrebbe interessato non solo l'Europa ma
il mondo intero. Il *Manifesto* si indirizzava all'*Europa europea*, in
quanto Marx, sotto l'influsso di Hegel (quando parla di civiltà occidentale), vi includeva sì l'America settentrionale, ma ne escludeva la
Russia, considerata barbara, autocratica, asiatica. Ma il macchinista
cieco della storia iniziò proprio dalle steppe russe quella rivoluzione
segnata dal pensiero marxista che fu la grande illusione del 1917. La
rivoluzione esplose, con effetti nefasti sul pensiero rivoluzionario europeo, laddove nessuno se l'aspettava; Rosa Luxemburg, che attendeva la rivoluzione in Germania, sarà invisa a Lenin per aver visto
chiaro nell'involuzione che sarebbe seguita al '17. Ma questo mitri-
datismo del proletariato europeo, curato dai medici comunisti, as-
suefece la gente al veleno dell'ipotesi: la civiltà si è spostata dall'Est
all'Ovest, da Parigi al Cremlino. Il socialismo italiano, a sua volta,
non fece che portare acqua all'idea della decadenza dell'Europa,

come scrisse Arturo Labriola, «lo Spengler italiano dal volto umano», secondo la definizione di Morin, il più originale interprete del
marxismo, nel libro *Il crepuscolo della civiltà.*

Il fascismo, che oppose il suo muscoloso futuro mediterraneo e
l'impero romano all'Europa, trovò via libera dal punto di vista intellettuale, con l'eccezione di Gramsci e di Croce. Sul primo non ho da
aggiungere (a tutto quel che ne ho scritto)[2] altro che queste due no-
tazioni: la sua formazione fu di pura matrice illuministica più che rinascimentale (egli si educò sulla lettura dell'*Enciclopedia* e dei filosofi dei Lumi); l'Oriente dell'Europa (la Russia di Stalin) gli appariva
minaccioso e antidemocratico. Il contrasto, lo iato, tra «Oriente e
Occidente», costituisce una delle sue più forti intuizioni.

La corrente di pensiero liberale, che fa capo a Croce, rappresenta
la storia profonda del costituirsi di un pensiero europeo in Italia. Il
giovane filosofo liberale, Giovanni Amendola, che sarà ucciso dai fascisti, traccia nella sua opera le linee del destino italiano all'interno
di quello europeo democratico. Amendola aveva sposato un'intellettuale polacca, Eva Kühn, sfuggita alla morsa russa su Vilno, la città
in cui era nata, e alle conseguenze della rivoluzione del '17. Amendola ci appare, anche nella sua vita personale, come il più europeo degli
italiani, sebbene non esista ancora (ed è curioso) una sua biografia
critica. In Italia, al liberale Giovanni Amendola, la potente macchina
del PCI ha contrapposto per cinquant'anni il figlio Giorgio, comunista esemplare; cancellando il primo, ha fatto del secondo, anche se
gli riconosciamo meriti di eccezione, un mito comunista.

Nella *Storia d'Europa nel secolo XIX*, Croce trova un fondamento
comune tra gli europei nella «romanità che le dié per prima unità e
coscienza».[3] Nelle pagine conclusive egli si mostra ottimista sul futuro dell'Europa:

«Già in ogni parte d'Europa si assiste al germinare di una nuova
coscienza..., a quel modo che, or sono settant'anni, un napoletano
dell'antico Regno o un piemontese del regno subalpino si fecero italiani non rinnegando l'esser loro anteriore ma innalzandolo e risol-
vendolo in quel nuovo essere, così e francesi e tedeschi e italiani e tutti gli altri s'innalzeranno a europei e i loro pensieri si indirizzeranno
all'Europa e i loro cuori batteranno per lei come prima per le patrie
più piccole, non dimenticate già, ma meglio amate. Questo processo
di unione europea, che è direttamente opposto alle competizioni dei
nazionalismi e sta contro di essi... un giorno potrà liberare affatto
l'Europa».[4]

Gobetti, educatosi al pensiero del filosofo napoletano, scrive nel suo *Croce politico* (settembre 1925) una frase sintetica e mirabile sul suo modo di vedere Croce e il suo antifascismo: «Croce è il più perfetto tipo di Europeo espresso dalla nostra cultura».

Grazie all'insegnamento di Croce, le generazioni che si formeranno tra gli anni trenta e gli anni quaranta potranno concepire non solo la storia d'Italia ma anche quella d'Europa come storia di libertà, come teoria, regola d'azione, previsione. Anche la «rivoluzione liberale» di Gobetti diventa momento di verità, di speranza, di sfida storica. Ma il giovane professore torinese sarà presto falciato dai sicari fascisti in un agguato tesogli a Parigi, dov'era emigrato per sfuggire al carcere di Mussolini. Una volta, al Père Lachaise, mi recai sulla sua tomba, che ritrovai a fatica, per mettere un fiore sulla lapide di un europeo, sconosciuto propugnatore di un'immaginaria rivoluzione liberale italiana. In lui Bobbio scorge «il senso tragico di un personaggio alfieriano» tra illuminismo e moralismo.

Va dunque reso omaggio a Croce, a Gobetti, a Omodeo, a Chabod e a quel Guido De Ruggiero che in un convegno federalistico a Roma, nel 1948, affermava che l'Europa non deve aver paura dei grandi blocchi, America o Russia che siano, perché essa costituisce da sempre una «terza via», capace di superare le contraddizioni costituendosi come forza mediatrice: «Prerogativa dello spirito europeo è stata nei momenti della sua vita storica quella di non adagiarsi in uno soltanto dei termini negando l'altro, ma di porsi in questo centro da cui era facile assimilare gli elementi positivi».

In un articolo pubblicato sul mensile europeo «Lettre internationale» (n. 6, ott. 85), Norberto Bobbio ricorda come Croce identificasse l'Europa con l'idea stessa di libertà (*Storia d'Europa nel secolo XIX*) ed esalta Chabod che negli anni '43-'44, in piena guerra, prima di raggiungere i partigiani nella lotta antifascista, cominciò a rielaborare in volume le sue lezioni sulla storia dell'idea di Europa, nelle quali mostrava come tale idea avesse raggiunto il suo massimo splendore e la prima vera realizzazione in quella «Repubblica delle lettere» volterriana che univa già al di là di ogni frontiera gli intellettuali di tutti i paesi europei. Nella filosofia dei Lumi, Bobbio, a sua volta, circoscrive il «dialogo tra uomini di cultura», che mantenne viva l'idea di una solidarietà di fondo tra gli europei, anche quando la prospettiva di un'Europa politica sembrava allontanarsi definitivamente. Tale dialogo, definito da Bobbio «politica della cultura», affonda le radici nella convinzione che «esiste una civiltà europea e che tale civiltà presenta un certo numero di elementi che la distinguono rispetto a tutte le altre civiltà». La civiltà europea, scrive ancora il filosofo torinese, «ha sempre avuto tendenza a considerare l'esperienza umana *sub specie universalis*. E proprio grazie a questa tendenza, essa non si rinchiude in nessuna delle sue creazioni e in nessuna delle sue conquiste...».

Questa tradizione europeista italiana, purtroppo quasi sconosciuta negli altri paesi europei, si è delineata soprattutto durante gli anni del fascismo e del dopoguerra, e non bisogna dimenticare l'erudito professore di Firenze, Carlo Curcio, che dopo essersi a lungo occupato dell'idea di Europa, fece uscire a Roma nel 1957 il primo numero della rivista «Europa» e pubblicò l'anno seguente il voluminoso trattato, *Europa. Storia di un'idea*,[5] che ripercorre con arte da orafo l'evoluzione di quell'idea dalla Grecia antica ad oggi.

Dall'eurocomunismo all'eurosinistra

Questo breve *excursus* dovrebbe permettere di gettare un ponte tra gli anni della seconda guerra mondiale e il momento politico attuale. Bisogna intanto constatare che lo spirito europeo e la coscienza di un'identità comune si sono rafforzati negli intellettuali europei in concomitanza con il riflusso dell'ideologia marxista. Come conferma l'esempio di Edgar Morin (e di tanti altri), ex comunista, ex marxista, che approda oggi al suo *Penser l'Europe*.[6]

Mentre escono i *souvenirs* di un antieuropeo, la donna con la valigia non ha che ricordi proeuropei. Lei vorrebbe adesso condurre brevemente il lettore sui suoi passi, nei viaggi tra Parigi-Bruxelles-Lussemburgo, quando, a partire dal 1961 cominciò a seguire, come corrispondente dell'«Unità», le diatribe europee tra Francia e Inghilterra, con De Gaulle che vedeva nell'Inghilterra «il cavallo di Troia degli USA»; la Francia praticava la politica della «sedia vuota» dopo lo scacco dei negoziati agricoli di Bruxelles, fino a strappare notevoli vantaggi agricoli e a imporre quel compromesso del Lussemburgo che sancisce l'unanimità nelle decisioni comunitarie ed è a tutt'oggi una spada di Damocle sull'Europa. Era una notte di neve del 29 gennaio 1966 e il Lussemburgo era una landa abbandonata con rari alberghi e intorno un deserto bianco, quando dal Palazzo del Granduca uscirono i ministri degli Esteri dei Sei, a testa bassa meno il vittorioso Couve de Murville, con la lobbia nera sulle ventitré e la sciarpa di seta bianca, come se tornasse da un ballo al Castello. Tra il '61 e il '68, la donna con la valigia apprese a riconoscersi cittadina dell'Europa, pur nell'ignoranza che planava allora su quest'argomento, perfino tra i suoi raffinati amici intellettuali. Scrisse così per l'«Unità» le prime corrispondenze, prive di quegli insultanti aggettivi antieuropei che abbiamo passato in rapida rassegna nel capitolo «Coscienza europea e stalinismo» e che erano allora obbligatori sulla stampa comunista. Alle sue spalle, a Roma, a molte leghe di distanza dal PCF, c'era un comunismo all'italiana che cercava di destreggiarsi, saggiando la possibilità di una via d'uscita dal nodo scorsoio sovietico, grazie all'Europa. Molto si deve a Giorgio Amendola. Le ipotesi furono varie: «via nazionale al socialismo», «policentrismo», «democrazia progressista» e soprattutto la positiva ostilità italiana verso il restauro del Komintern (1962-64). Le mie corrispondenze, cautamente proeuropee, non venivano censurate a Roma e il lettore comunista si abituò a sentir parlare di Europa – sia pure nella sua più arida versione: i discorsi di De Gaulle all'Eliseo, le interminabili maratone notturne sulle sovvenzioni al mercato agricolo, il cadere del veto contro l'Inghilterra. La cronologia dell'Europa coincide con le date di quei viaggi faticosi, spesso deludenti: i miei «viaggi europei». Non sono mai stata antieuropea.

L'eurocomunismo

La corrente ideologico-politica chiamata *eurocomunismo* prende il via nell'estate del 1975, a Livorno (patto comune tra PCI e PC spagnolo) e prosegue con un incontro tra comunisti italiani e francesi nel novembre successivo a Parigi, alla Porta di Pantin, dove il piccolo Berlinguer, fianco a fianco con il robusto Marchais, esprime l'idea che «in Europa occidentale i partiti comunisti e in generale le forze operaie e progressiste devono cercare una strada verso il socialismo diversa da quella dell'Europa dell'Est...». Marchais finge di accettare, ma nel settembre 1977, con la rottura dell'Unione delle sinistre, anche l'eurocomunismo riceve un grave colpo. Nel 1979, il PCF priva di ogni credibilità l'eurocomunismo affermando, nella risoluzione del XXIII Congresso, che il bilancio dei paesi socialisti è «globalmente positivo». Carrillo intanto viene emarginato dalla scena politica spagnola, con la vittoria dei socialisti guidati da Felipe Gonzales. Poi è la volta di Marchais, che viene messo in un angolo dalla vittoria di Mitterrand alle elezioni del 1981. All'eurocomunismo vengono meno i protagonisti. L'eurocomunismo muore? Forse non era mai esistito. Gli italiani gli sostituiscono dapprima un «eurosocialismo» e poi l'«eurosinistra», improntati all'indirizzo teorico di Gramsci, indipendente e critico verso il modello russo. Gramsci è del resto ormai noto dovunque in Europa e i *Quaderni dal carcere* sono pubblicati da editori come Gallimard. Il PCI punta le vele verso il territorio esclusivo della socialdemocrazia europea, superando il PSI, allora fermo al traguardo, alla ricerca di una nuova credibilità.

L'*eurosocialismo* significa fondamentalmente ricollegarsi alle correnti teoriche del socialismo della sinistra europea e al nuovo riformismo socialista francese; poi, in secondo luogo, all'esperienza socialdemocratica tedesca. Ma l'eurosocialismo, mentre il dibattito continua, perde quota; c'è lo scacco del laburismo in Inghilterra (anni settanta), in Svezia, in Olanda, in Germania, dove Schmidt è battuto tra l'82 e l'83; infine, in Francia, la sinistra perde le elezioni nella primavera dell'86. Solo Felipe Gonzales sembra resistere, nel tramonto del sole socialista sull'Europa. L'eurosinistra, in questa fase, corrisponderebbe alla ricerca di una *terza via*, tra Russia e America, un rigido mondo bipolare. A questa *terza via* Altiero Spinelli, uomo libero e generoso, dà il suo maggiore contributo. Spinelli, dopo aver abbandonato i socialisti italiani, che rappresentava come commissario a Bruxelles, entra nel '74 nella lista del PCI, da cui era stato espulso durante l'esilio fascista di Ventotene, per aver redatto il primo manifesto europeista. La sua elezione al Parlamento Europeo si fa simbolo dell'evoluzione proeuropea dei comunisti italiani. L'eurosinistra presenta il vantaggio di non indicare né scopo né programmi ma di definire l'alleanza con movimenti politici di diversa provenienza ideologica e culturale, con le forze che non intendono farsi emarginare dalla costruzione europea. Ma il limite che emerge clamorosamente (ne ho preso atto io stessa, nei dibattiti del gruppo socialista, al Parlamento di Strasburgo) è la persistente diffidenza verso l'Europa unita da parte dei partiti socialisti, e in primo luogo del Labour Party. E anche se il PCI sembra avere tutte le carte in regola per un disegno europeista globale, esso finisce con l'accettare le due grandi mutilazioni di cui ho già parlato, quella della cultura e quella della difesa. In un rigurgito operaista, la cultura appare ai socialismi europei un problema di élites culturali, mentre nella difesa intravedono una pericolosa marcia verso il riarmo. Anche l'eurosinistra, a conti fatti, è fallita.

L'euroterrorismo

Al posto dell'eurocomunismo giunse l'euroterrorismo. Quel fenomeno europeo dalle fosche tinte, la sfida mortale che ci troviamo di fronte, ha imperversato su quasi la metà dei nostri quarant'anni di pace: dagli anni sessanta agli anni ottanta in Europa. È stato più reale di ogni eurosocialismo. E continua a manifestarsi lugubre in Italia, in Spagna (dove si intreccia alle rivendicazioni autonomiste dei baschi) e in Germania. All'inizio degli anni ottanta esplode nello stupore generale in un paese che sembrava esserne al riparo come la Francia, dove gli attentati di *Action directe* si moltiplicano in collusione con il terrorismo arabo e Parigi si fa punto di confluenza di tutti i terrorismi disgregati, da quelli europei alle frange musulmane, in un disegno ideologico sempre più preciso, non più dal punto di vista nazionale ma europeo.

François Furet aveva scritto: «Il terrorismo contemporaneo dell'ultrasinistra appare anzitutto nella sua veste intellettuale, come un tentativo di teorizzazione del diritto di resistenza al potere democratico». Ma questa destabilizzazione democratica si trasforma in disegno europeo: i terroristi non mirano più al «cuore dello Stato» ma al cuore dell'Europa. È l'euroterrorismo senza frontiere, di cui i più fini strateghi e governanti non riescono a individuare i mandanti.

Migliaia di volumi sull'euroterrorismo riempiono le biblioteche dell'Europa. Eppure mi pare difficile estrarne uno che ci offra le chiavi di una situazione che diventa sempre più confusa dal punto di vista politico internazionale, sui rapporti esistenti tra un paese e l'altro d'Europa. Posso solo servirmi della ricostruzione di due ricordi recenti, due variazioni sul tema. Il primo che dimostra il raggelamento della solidarietà europea, tra le nazioni europee nella lotta antiterrorista, sia a livello culturale che a livello politico. La risposta alla sfida sembra essenzialmente affidata all'azione della polizia, come unica soluzione risolutiva.

Il secondo ricordo mi riporta all'altro sospetto: che la posizione degli intellettuali europei davanti all'euroterrorismo sia una sorta di posizione di *extraterritorialità*? «Il terrorismo» scrive Baudrillard nella *Sinistra Divina*, «non ci scuote più, e la dissidenza neppure».

Prima variazione: Mi trovavo a Venezia nella Fondazione Cini per il colloquio «Europa-genti» (indetto dalla Regione veneta) con delegazioni di governanti europei e potentati vari, baroni cattedratici, intellettuali in auge, diplomatici. Nello stesso momento, i terroristi islamici facevano esplodere le loro bombe davanti ai Magazzini della Tour Montparnasse e seminavano di cadaveri le strade di quel quartiere parigino. Ne ero appena arrivata. Nella mia retina, restavano impresse le immagini dell'orrore. Chiesi la parola per dire agli ospiti

di quell'illustre simposio, con frasi di enfasi emozionata, che magari
quelli trovavano smodata, all'incirca questo: «Quando si colpisce
con le bombe quella capitale della cultura che è Parigi, è la nostra
stessa civiltà che viene aggredita, ed è come se le bombe esplodessero
a Roma, a Londra, o in questa scintillante Venezia...». Sentii che un
brivido percorreva le schiene. E un gelo attraversava la sala, mentre
proponevo di inviare a Parigi un documento di intensa solidarietà.
Una sorta di solidale manifesto verso i cittadini e la cultura francese.
Ma nessuno raccolse la proposta. Il celebre latinista cedette subito la
presidenza, come se la sedia gli scottasse, ad un alto funzionario della
diplomazia italiana, che chiuse la seduta quasi subito, con qualche
frase in inglese, dicendomi poi, che non aveva affatto capito la mia
proposta.

Ma c'era poco da capire. Tutto era chiaro nell'atteggiamento italiano, oltre che in quello di altre diplomazie europee. In definitiva,
quel sanguinoso attentato era stato trattato in Italia, da parte delle
nostre gazzette e dei nostri commentatori, come un test della cattiva
politica estera condotta dal governo francese verso il Medio Oriente.
La stessa cosa, ricordavo, avevano detto di noi italiani i governanti
francesi, durante il sequestro dell'Achille Lauro. E poi, italiani e
francesi, l'avevano già rinfacciato ai tedeschi, al momento del terrore
sparso dalla RAF in Germania. Né si capiva ancora se verso la Spagna e il suo terrorismo interno, la Francia aveva infine smesso di
guardare con indifferente indulgenza ai terroristi baschi.

In conclusione: ogni Stato europeo ha la propria politica estera, diversa e rivale di quella degli altri; e perfino sull'euroterrorismo non
esiste solidarietà comune. Nella dichiarazione del ministero degli
Esteri italiano a Strasburgo, fatta proprio in quelle ore, Parigi veniva
criticata per la generosità con cui aveva dato asilo ai terroristi italiani, la cui estradizione era stata domandata invano da noi; nell'attentato parigino si finiva col ravvisare una sorta di nemesi. Mi sembrò
che al di là di quei poveri corpi massacrati dalle bombe davanti ai
grandi magazzini della capitale francese, avvenisse una sorta di regolamento di conti tra le politiche estere dei paesi europei. Se si leggeva-
no d'altronde i nostri giornali (si veda «la Repubblica» del 23 settembre 1986), vi si sarebbero trovate frasi come queste: «La Francia sta
pagando una politica estera mediorientale che fatalmente doveva
portare a certi risultati... Essa paga una politica con gli arabi condotta con modi arabi; troppi piedi in troppe scarpe; troppi terroristi
ospitati e liberati in un gioco complice di compiacenze... Troppi giri
di valzer verso il mondo arabo... Troppi servizi segreti... Troppe

guerre e guerriglie sacrosante». Insomma il problema che le grandi
diplomazie in quel momento si ponevano sembrava estremamente
meschino, riducendosi praticamente a questo interrogativo: chi è il
più abile (o furbo) tra noi nella politica internazionale, per tenere testa al terrorismo?

Il dramma dell'euroterrorismo mi appariva lì, in quella riunione,
raggelato da una logica che trovava tutte le soluzioni soltanto nell'u-
so, e nell'unità di intenti, tra polizie europee, l'europolizia, ma niente
affatto nella mobilitazione delle genti e degli spiriti europei. Il che mi
confermava nell'idea, condivisa per certo dai semplici cittadini che,
ancora una volta, per i leaders, *l'Europa era inesistente*.

«50 años después»

Seconda variazione. Cambiamo scena. È il 15 giugno 1987. Gli intellettuali europei a cui si affiancano prestigiosi scrittori sudamericani,
come Octavio Paz e Vargas Llosa, sono affluiti a Valencia per celebrare il cinquantesimo anniversario del Congresso internazionale degli intellettuali antifascisti, che si tenne in piena guerra civile spagnola, in questa civile e bella città.

La polemica ideologica prese subito a scatenarsi nel Convegno su
quell'evento lontano di mezzo secolo. Vi era, da un lato, il gruppo
di intellettuali che volevano leggerlo criticamente (e avevano ragione,
come Jorge Semprun), e dall'altro, il gruppo che intendeva appiattir-
visi sopra miticamente. Mancavano comunque all'appuntamento
due grandi: García Marquez e Rafael Alberti (quest'ultimo, alla
guerra civile aveva partecipato...). La loro assenza mi venne fatta notare da Cohn Bendit – lì ricomparso con quella sua foga che potrebbe
dar fuoco perfino a un mastello di latte – denunciando quei due vuoti, come prova delle rivalità meschine fra gli uomini di cultura.

Nel congresso «*50 años después*», contropartita delle ideologie de-
funte, tutto diventò presto chiacchiera ed esibizionismo. Si scatena-
rono tra loro coriacei stalinisti e antistalinisti speranzosi. Appariva
una società intellettuale congelata in anticipo, tra vecchie diatribe,
davanti a un anfiteatro di giovani e di giovanissimi, piuttosto frastor-
nati, che avrebbero voluto capire passato e presente.

Quel pomeriggio del 19 luglio – che resterà tristemente celebre in
Spagna – il tema del dibattito era «Il nuovo atteggiamento degli intellettuali davanti alla violenza». Mi sembrava arrivato il momento del-
l'attualità, del presente: la violenza terroristica squassa periodica-

mente i paesi europei, mentre l'ETA si accanisce selvaggiamente contro la Spagna, in una rete di complicità con l'euroterrorismo.

Il Presidente mi accordò dieci avari minuti per intervenire su questo tema e delineare le radici di una violenza insita nello stesso pensiero occidentale.

Ma la parola mi fu presto tolta. Subito dopo, il dibattito si spostò, con mia grande sorpresa: cambiò non solo di tema, ma di continente. Ci si risvegliò a Cuba. L'Occidente europeo fu cancellato, e tutto prese a ruotare attorno al poliziesco regime di Castro e sulla necessità di difendere i diritti umani, degli intellettuali chiusi nelle prigioni cubane. I «filocubani», presenti in forza, e già preparati alla colluttazione, contestarono gli «anticubani» leggendo lunghi discorsi già scritti. Volarono pugni, schiaffi, botte, calci. I fotografi immortalarono queste immagini... E poi insulti e accuse reciproche di corruzione. In quel caos, desideravo ardentemente fuggire ma ero libera come un passeggero attaccato al seggiolino dell'aereo, durante il volo.

Per me, era il *déja-vu*. Una storia «anni cinquanta» che un maniaco regista aveva già proiettato un milione di volte sugli schermi della chiacchiera ideologica. Ora un terrorismo verbale di questo tipo – che non potrebbe davvero più manifestarsi né a Parigi, e nemmeno a Roma – aveva scovato, come teatro della rappresentazione, ancora, la generosa terra spagnola, uscita dalla sua transizione pacifica alla democrazia. La tesi degli organizzatori (antistaliniani) era quella che la Spagna doveva porsi il compito di associare il suo ruolo in America Latina con la sua nuova frontiera europea, liberando Cuba da Castro (una parola...). Quella degli altri (gli staliniani) era che la Spagna dovesse invece restare in pacifica coesistenza con il «socialismo di Fidel Castro» (una parola...).

Il Congresso sul *Cinquantesimo* diventava così un gioco di ipocrisie diplomatico-politiche; di stoccate, di attacchi traditori e di difese. Venivano portati a conoscenza della folla documenti agghiaccianti sulla repressione a Cuba; cui si opponevano altri documenti esaltati, sull'eguaglianza socialista di quel regime. Urlavano tutti: spagnoli, francesi, sudamericani, ecc. ecc., spartiti in due squadre rivali, come in un *match* di football per la coppa del Mondo.

Il terrorismo europeo non faceva più parte del dibattito, totalmente dimenticato, anche se iscritto all'ordine del giorno. Mentre me ne andavo, erano ormai le otto di sera, Cohn Bendit mi avvicinò, e mi annunciò con furia, che a Barcellona una bomba ad alto potenziale era esplosa in un magazzino popolare e aveva fatto diciotto morti.

«A che ora?» chiesi. «Alle 16.12», fece lui sarcastico. «Tu avevi appena cominciato a parlare di terrorismo...».

Così, mentre noi, intellettuali emeriti, ci eravamo trasferiti in blocco... all'Avana, a cento chilometri di distanza da noi, l'ETA basca dilaniava a colpi di esplosivo i corpi di povera gente barcellonese. Nessuno ci aveva avvisati nel Congresso, anche se i comunicati e gli annunci delle radio e i flash televisivi si incrociavano sugli schermi del mondo intero. Mentre noi stavamo storditi ad ascoltare il vecchio *carillon* «Cuba sì, Cuba no», l'orrore apocalittico, che si era riversato su quella città, era stato tenuto *fuori dal dibattito*. Ambigua vicenda. Perché un atto di guerra fratricida, di guerra civile, veniva coperto, da misteriosi complici, ancora una volta, mentre noi stavamo parlando e – nemmeno lo sapevamo – delle stesse cose, delle stesse pugnalate alla Spagna, tornando indietro alla storia di cinquant'anni prima? Ci si poteva anche chiedere perché nessuno, invece di farci ascoltare le «notizie dai Caraibi», portasse lì quelle luttuose notizie della gente di Barcellona, dilaniata. Evidentemente gli organizzatori avevano stabilito, programmato, che il loro scontro a Valencia, in quella Spagna giovane e inesperta, non doveva subire rinvio di sorta...

Rientrando all'Hôtel Rey Don Jaime ero, come molti, presa da mestizia. A che servono gli intellettuali? Sono davvero marionette buone per tutte le vicende? Chi ne tira i fili? La televisione mostrava intanto i corpi bruciati, brandelli di membra sparse; erano popolane e ragazzi, gente povera, andata a fare la spesa nei magazzini popolari di Hipercor.

E noi, *élites* europee, non avevamo detto una parola di condanna. Né l'indomani vi fu nessun atto, da parte di quel Congresso. Era un sabato, l'indomani: compiendo l'unico gesto di protesta possibile nella mia impotenza, decisi di andarmene. E mentre saltavo sul taxi verso l'aeroporto, un moderno pullman confortevole attendeva gli ospiti intellettuali per portarli in un ristorante celebre a mangiare la paella valenziana. I più solerti erano già nel lucido *bus* dall'aria condizionata dove riconobbi visi familiari di intellettuali europei e sudamericani.

Le democrazie sembrano realizzare nell'indifferenza, oggi, quel che i regimi totalitari fascisti perseguivano nella «soluzione finale». Il terrorismo ci ha ripresentato a Valencia la sua terribile *differenza*, mentre da noi comincia l'età d'oro dell'*indifferenza*.

Note

[1] Chabod, *op. cit.*, pp. 133 e 135.

[2] Maria A. Macciocchi, *Per Gramsci*, Il Mulino, Bologna 1974.

[3] Croce, *op. cit.*, p. 48.

[4] *Ibidem*, p. 315.

[5] Carlo Curcio, *Europa. Storia di un'idea*, ERI, Torino 1978.

[6] Edgar Morin, *op. cit.*

X

L'ALTRA EUROPA: L'EUROPA DISSIDENTE

La posta culturale in gioco all'Est negli anni sessanta: lo strutturalismo

Quella dello strutturalismo è una matassa difficile da districare. I fili se ne intrecciarono attorno agli anni sessanta, nell'acceso dibattito tra quelli che venivano definiti «strutturalisti»; malgrado le differenze, esisteva tra loro un punto comune. Era possibile una ricerca teorica, razionale, scientifica, che superasse le leggi e il dogmatismo del materialismo dialettico? Ma questo interrogativo teorico, diversamente da quel che si crede, non era sorto a Parigi, bensì tra gli intellettuali dell'Est. Lo strutturalismo dunque non è un fenomeno francese. La sua vera origine si trova in tutta una serie di ricerche sviluppate in URSS e in Europa centrale negli anni venti. Sta in quella poliedrica espansione culturale, nei campi della linguistica, dell'architettura, della pittura, del folklore, che aveva preceduto, e in un certo senso era coincisa, con la Rivoluzione russa del '17, e che sarebbe stata in seguito travolta e quasi soppressa dal rullo compressore staliniano. Successivamente alla destalinizzazione, intellettuali sovietici, cecoslovacchi, ecc, erano ritornati a quella sorta di tradizione occulta degli anni venti che aveva per loro un doppio valore: da una parte si trattava di una delle principali forme di innovazione che l'Est era in grado di proporre alla cultura occidentale (formalismo, strutturalismo); dall'altra, questa cultura era legata a un'ideologia, successiva alla Rivoluzione d'ottobre e in cui si erano riconosciuti i suoi principali esponenti intellettuali. Essa era dunque: rivoluzionaria e orientale. Gli intellettuali dell'Est avevano cercato di recuperare la loro autonomia riannodando i fili con quella tradizione. Ma gli ambienti comunisti francesi (e occidentali) ebbero il presentimento che lo strutturalismo, come lo si praticava in Francia, suonava come la campana a morte del marxismo tradizionale. Da qui tutta una serie di anatemi che colpirono, curiosamente, anche Althusser, che fu a sua volta collocato tra gli strutturalisti. Quello che si sperava, afferma Foucault, in quegli anni, era che sorgesse «una cultura di sinistra, non marxista. Di qui l'origine di certe reazioni che hanno accusato queste ricerche, che non si muovevano affatto nella linea di quelle marxiste, di essere tecnocratiche, idealiste. Più o meno come in URSS. Certi giudizi apparsi su "Les Temps Modernes" erano molto simili a quelli degli ultimi staliniani o a quelle avanzate nel periodo kruscioviano, contro il formalismo e lo strutturalismo».[1]

Nel suo raro libro di dialoghi italiani (mai tradotto in Francia) Foucault denuncia le responsabilità di certi intellettuali occidentali, che, rifiutandosi di comprendere come lo strutturalismo fosse oggetto dell'unica battaglia di rinnovamento culturale possibile all'Est, se ne fecero aspramente critici. Riferendosi a Sartre, che Foucault definisce «uno dei nostri maggiori filosofi occidentali», egli racconta una storia «abbastanza esemplare». «Uno dei nostri maggiori filosofi occidentali, francese, fu invitato tra la fine del '67 e i primi del '68 a Praga per tenere una conferenza. I cechi lo attendevano con grande apprensione... Un periodo di grandi fermenti culturali e sociali si apriva col fiorire della "primavera" cecoslovacca. Ci si attendeva da lui che parlasse più o meno di ciò che nell'Europa occidentale non collimava con la cultura marxista tradizionale. Invece, fin dall'inizio della conferenza, il filosofo francese se l'è presa con quei gruppi di intellettuali, gli "strutturalisti", che sarebbero stati al servizio del grande capitale e che tentavano di contrastare la grande tradizione ideologica marxista... Così dicendo, senza accorgersene, colpiva proprio ciò che gli intellettuali di quel paese stavano facendo. Al tempo stesso, forniva alle autorità cecoslovacche un'arma eccezionale, consentendo loro di sferrare un attacco contro lo strutturalismo, giudicato ideologia reazionaria e borghese perfino da un filosofo non comunista».[2] Fu una grossa delusione... Alla quale seguì un lungo silenzio, che si ruppe solo anni dopo, grazie ai dissidenti emigrati in Occidente.

I «colonizzati» dell'Europa centrale

L'occhio strabico dell'intellettuale europeo non si volge nel dopoguerra che contro la Germania – odio antitedesco diffuso, odio antiromantico – e contro l'America, che appare come la potenza minacciante la sopravvivenza europea, in combutta cogli ex nazisti. La divisione di Yalta passa in sott'ordine, il cosiddetto Est europeo, come sono definiti i paesi di centro inghiottiti dal dominio staliniano, è considerato, a conti fatti, come una zona d'Europa ben più felice di quella occidentale. Con questa filosofia comincia l'equivoco: il rapporto di malinteso con la realtà non solo per gli intellettuali francesi, ma anche per gli italiani (fortemente influenzati dal terzomondismo sartriano). Allorché tra il 1956 e il 1968 si vivono i tempi di Budapest, di Praga, di Varsavia, questa ignara intellighenzia è del tutto impreparata a capire che vi sono «oppressi» non solo nel Terzo Mondo ma anche nei paesi dell'Est, che libertà e socialismo (o rivoluzione) possono essere due nozioni antinomiche. C'è voluto molto tempo perché i «colonizzati» cechi, polacchi, ungheresi, potessero essere considerati apprezzabili in quanto rivendicavano la loro identità europea, vista la condanna senza appello dell'Europa. Si è preferito vederli soltanto come vittime del totalitarismo russo, ma si è sorvolato sulla loro arte, sul loro essere intellettuali e artisti europei. Avevamo loro voltato le spalle, situandoli nell'area geografica del comunismo; a nessuno era balenato il sospetto che la loro lotta si potesse accomunare, come nell'Afghanistan negli anni a venire, con i popoli colonizzati e in rivolta in Asia, in Africa e in America Latina.

L'altra Europa: l'Europa «kidnappée»

Se un dibattito intellettuale intorno all'idea di Europa ha potuto svilupparsi è in gran parte grazie ai dissidenti dell'Est e a Milan Kundera in particolare, che ha posto il problema della sorte dell'Europa dell'Est e ha quindi rimesso in causa il concetto stesso di Europa. Il suo ruolo è stato unico ed esemplare: egli ha ricordato sia pure indirettamente agli europei il loro vile abbandono di una parte dell'Europa nelle mani dell'Unione Sovietica. In questo modo egli ha portato la contraddizione nel seno stesso del pensiero di coloro che si sono fatti difensori entusiasti dei dissidenti, senza tuttavia cogliere al tempo stesso il loro *bisogno d'Europa*. Nel novembre 1983, Kundera pubblicò sul giornale «Le Débat» un articolo intitolato *L'Europe kidnappée*, ovvero la tragedia di un'Europa situata geograficamente al centro, culturalmente a Occidente e politicamente all'Est. L'articolo si apriva con una citazione delle ultime parole dell'ultimo messaggio telegrafico del direttore dell'agenzia stampa ungherese, nel novembre 1956: «Noi muoriamo per l'Ungheria e per l'Europa». Kundera concludeva il suo articolo con una riflessione amara: la vera tragedia dell'Europa centrale «non è... la Russia ma l'Europa. L'Europa, quell'Europa che rappresentava a tal punto un valore per il direttore dell'agenzia stampa ungherese, che egli era pronto a morire per essa, come morì. Dietro la cortina di ferro, egli non sapeva che i tempi sono cambiati e che l'Europa in Europa non è più sentita come un valore. Egli non poteva sapere che la frase inviata via telex al di là delle frontiere del suo piatto paese aveva un'aria desueta e non sarebbe mai stata capita».

L'Altra Europa è quella del Premio Nobel polacco per la letteratura (1980) Czeslaw Milosz, che scrive nel suo bellissimo libro, *Rodzinna Europa*.[3] «Il mio bisogno (che potrei chiamare occhio telescopico, perché percepisce differenti momenti del tempo e differenti punti del globo, come nel cinema) è di ricreare questa marcia dell'Europa dove sono nato, con il suo *mélange* di lingue, di religioni, di tradizioni, situandola in rapporto al resto del continente, o del nostro stesso pianeta, giunto all'era intercontinentale». Nel presentarci il percorso dimenticato di questa Europa, Milosz ci confessa: «Ho dunque deciso di scrivere un libro su un Europeo dell'Est, nato all'epoca in cui le folle di Parigi e di Londra acclamavano i primi aviatori, su un uomo che più di chiunque altro sfugge ai concetti stereotipati come quello di "ordine germanico" e "animo slavo"».

Ancor oggi sono spesso gli intellettuali dei paesi dell'Europa centrale, primi fra tutti i polacchi, ad invocare con maggior fervore il nome d'Europa. Intellettuali grandissimi, cittadini dei paesi dell'Europa separata, credono in maniera appassionata all'Europa, ma confessano che cominciano a dubitarne allorché da Varsavia o da Praga giungono a Parigi, a Roma o a Londra e si sentono subito prigionieri del nostro scetticismo, della nostra indifferenza, del nostro masochismo.

La lettura dell'opera di Solženycin – slavofilo moderato e occidentalista determinato – trova impreparato l'Occidente e l'*Arcipelago Gulag* esplode come una bomba. (La pubblicazione di questo libro avrà in Francia ripercussioni profonde tra gli intellettuali, mentre in Italia il suo impatto sarà limitato dal controllo del PCI). Solženycin coglie di sorpresa un'Europa che non s'aspettava l'insorgere di un personaggio di questo tipo: un russo alla Dostoevskij che però dialoga tra razionalità e fede, cristianesimo e umanesimo, che possiede in parte una visione europea e universale dei diritti umani e invoca l'emancipazione delle nazioni soggette al giogo dell'«impero russo».

Note

[1] M. Foucault, *op. cit.*

[2] *Ibidem*.

[3] Kultura, 1959. Edizione francese: Gallimard, Paris 1964.

XI

«ELECTIONS, PIÈGE À C.»
SARTRE CONTRO LE ELEZIONI EUROPEE

Se fosse stato per Sartre non avremmo nemmeno quello straccio di Parlamento Europeo che esiste adesso. Il risaputo slogan sartriano con il quale si chiedeva ai francesi di praticare l'assenteismo ad ogni elezione politica, viene applicato con la solita razionalità anche alle elezioni del Parlamento Europeo, con un appello, pubblicato da «Le Monde», e seguito da un articolo in cui il filosofo si rivolge ai compagni socialisti francesi per chieder loro di votare *no* nel referendum destinato ad approvare l'elezione a suffragio universale del primo Parlamento Europeo. Alla stessa data, tutti insieme, 320 milioni di europei sarebbero stati chiamati alle urne, il 17 giugno 1979.

Victor Hugo, nel 1849, aveva difeso l'idea della creazione degli *Stati Uniti d'Europa* (idea che, dunque, appartiene a lui e non a Churchill, come invece si affermò all'epoca di Stalin); alla loro base ci sarebbe stata un'assemblea sovrana, un «grande senato». Nel suo *Progetto di Pace Perpetua*, Hugo si rivolge così ai popoli europei:

«Verrà un giorno in cui non vi farete più guerra, verrà un giorno in cui non appronterete più soldati gli uni contro gli altri... Verrà un giorno in cui le bombe e le palle dei cannoni saranno sostituite dal voto, dal suffragio universale dei popoli, grazie all'arbitrato venerabile di un grande senato sovrano, il quale sarà per l'Europa quel che il Parlamento è per l'Inghilterra, quel che la Dieta è per la Germania, quel che l'assemblea legislativa è per la Francia. [...] Verrà un giorno in cui vedremo... gli Stati Uniti d'Europa...» (*Discorso di apertura al Congresso della Pace*, 21 agosto 1849).

Nel 1979, centotrent'anni dopo, i popoli europei hanno eletto il primo Parlamento a suffragio universale. Nessuno ne sottovaluterà l'immenso valore innovativo, che può creare in futuro il primo nucleo di un'Europa politica unita. Ma l'essenza dello spirito europeo che animava la passione di Victor Hugo è ancora lungi dall'emiciclo dei deputati di Strasburgo, che riflette il silenzio e l'afonia degli intellettuali contemporanei, oltre che dei governi.

Per Sartre, quindici anni dopo la guerra d'Algeria, le linee politiche direttrici restano le stesse rispetto all'Europa. *Che barba!*, mi annoio leggendo. E viene quasi il sospetto, man mano che la vita del filosofo declinava e la cecità lo minacciava, che quel suo segretario-ispiratore, il misterioso Lévy – intellettuale marxista di origine egiziana – che aveva per l'appunto il compito di leggergli i giornali del mattino, non lo plagiasse sull'attualità, raccontandogliela con il linguaggio di vent'anni prima... Anche la prosa di Sartre, lo stile ardente della *Prefazione* a Fanon, è irriconoscibile; il testo è tagliato con l'accetta e fa parte di quell'«album di famiglia», utilizzato dai leaders della RAF e delle BR, con i loro proclami scritti nella «lingua di legno» dello stalinismo degli anni cinquanta. Dall'emeroteca di «Le Monde» estraggo quell'articolo del 10 febbraio 1977, che sarebbe utile rileggesse non solo il politologo ma anche qualsiasi curioso di cose europee. Per Sartre, l'Europa si identifica con le multinazionali tedesco-americane che di essa si sono impadronite; il filosofo è sempre ossessionato dalla minaccia dell'egemonia tedesco-americana, di cui si farebbe protagonista in Francia il pallido giscardismo. Se non avessimo altre prove del genio di Sartre e restassero a nostra disposizione solo le affermazioni di questo articolo, penseremmo quasi che nel libero spirito del filosofo ci sia, in sottofondo, un'altra voce: quella del burocrate di partito con il suo *Leitmotiv*: «Quest'Europa non è l'Europa dei lavoratori bensì quella delle multinazionali tedesco-americane». Appare finanche una certa nostalgia per i tempi in cui il Generale De Gaulle (che non è più «la maggior catastrofe che abbia conosciuto la Francia») si opponeva all'America. Sartre ritiene che l'Assemblea Europea «servirà soltanto come strumento istituzionale per il dominio americano», e «l'elezione di un Parlamento Europeo a suffragio universale, preparata in Francia da Giscard e da Chirac, non è altro che un'abdicazione di fatto dinanzi alla strategia e alla pressione americane: abdicazione che porta diritto a un proconsolato tedesco in Europa». Secondo Sartre, l'Europa del Parlamento Europeo è quella di un «ordine nuovo internazionionale» (*Ordre Nouveau*, era stata la parola del fascismo francese), voluto non solo dagli Stati Uniti ma anche dal loro alleato privilegiato: la socialdemocrazia tedesca. Quest'Europa avrebbe aperto la spirale dell'inflazione, delle svalutazioni a catena, della disoccupazione, fino alla catastrofe economica. Sartre situa, infine, i socialdemocratici tedeschi come collaborazionisti insieme agli ex nazisti e alle grandi Banche –

strumenti privilegiati per la caccia alle streghe di sinistra. «Il diavolo è tedesco?», come titolerà Jörg von Uthmann il suo libro, in risposta all'altro: «Dio è francese?».[1]

Concludendo l'articolo, Sartre lancia un appello ai francesi contro «les élections, piège à cons» (elezioni, trappola per imbecilli) e per aderire alla costituzione di un comitato d'azione contro l'Europa tedesco-americana e contro l'elezione di un «Parlamento al suo servizio».[2] Egli giunge a superare l'antipatia storica (dopo Suez e l'Algeria) chiamando «compagni» i socialisti e offrendo loro l'antieuropeismo come nuovo patto strategico vincolante per l'unità delle sinistre.[3]

Malgrado questa mobilitazione di penna e di milizia del più grande intellettuale di Francia, il Partito Socialista non si lasciò incantare e i cittadini francesi votarono a maggioranza il *sì* per l'elezione del Parlamento Europeo a suffragio universale. (Al voto seguì poi la ratifica del Parlamento al Trattato.) Sbaglierò, ma leggendo le più aggiornate biografie di Sartre, mi sembra che ancora oggi gli intellettuali conservino un velo di silenzio pudico sulla furia antieuropeista di Sartre.

Solo Altiero Spinelli, a quell'epoca quasi sconosciuto agli intellettuali europei, aveva controbattuto gli argomenti di Sartre e aveva scritto: «Il grande merito dell'integrazione europea è di aver preservato una possibilità d'indipendenza di fronte all'egemonia americana nei paesi dell'Europa. Senza dare un'alternativa al nazionalismo tradizionale dei paesi europei, come la Comunità ha fatto, questi paesi si sarebbero di nuovo lacerati l'un l'altro e sarebbero stati incapaci di creare una nuova cooperazione, liberamente accettata, coi popoli dell'Africa, del Terzo Mondo e del Medio Oriente... In mancanza di un'integrazione europea, sarebbe stata sì, allora, l'America l'elemento integratore. Il nazionalismo degli europei è alimentato non solo dalla destra ma anche dalla *sinistra*. I peggiori nazionalisti hanno cercato di imprigionare la coscienza nazionalista francese dentro una specie di odio elementare antitedesco, e questi sono stati i comunisti. Tale sentimento si avverte ancora, come una specie di voce di fondo, in tutto l'atteggiamento di Sartre. Quando si iniziò la costruzione comunitaria, la sinistra correva dietro ai fantasmi dello stalinismo...».

Spinelli concludeva elencando le difficoltà dell'Europa, che tuttavia comincia ad uscire dallo stato di vassallaggio: «Invece di battersi per l'Europa che vogliamo, Sartre ci viene a proporre di voltarle le spalle, aspettando un'inverosimile rivoluzione mediterranea. Sbattere con diffidenza la porta contro l'Europa significa sbatterla contro gli altri paesi europei, e in particolare contro la Germania».[4]

Dopo Valéry e Bernanos: il vuoto?

Certo, l'intellighenzia francese è sempre meno illuminista. Nel delinearsi concreto di uno spazio culturale europeo, essa si ritrae, rinchiudendo valore e valori dentro *l'esagono* – come attestano alcune opere degli anni ottanta – o addirittura sceglie la supremazia di Parigi contro gli sconosciuti Europei che bussano alle sue porte di bronzo, chiedendo di mescolare tra loro le diverse eredità culturali in una identità comune.

Così non solo la tradizione dell'*Enciclopedia*, ma quella di due ingegni quali Valéry e Bernanos, che punteggiano con le loro affermazioni la storia degli anni quaranta, non ha più eredi. L'unico grande pensiero contemporaneo, contro il quale congiura a lungo il silenzio ufficiale della sinistra, è quello dello storico Fernand Braudel, che scrive con la magica penna del romanziere. Vive in lui la luce settecentesca, la passione di Victor Hugo e il nuovo umanesimo di Valéry che scriveva:

«Ma chi è dunque l'Europeo? Di tutte queste realizzazioni, le più numerose, le più sorprendenti, le più feconde sono state compiute da una parte assai ristretta dell'umanità e in un territorio piccolissimo rispetto al complesso delle terre abitabili. L'Europa è stata questo luogo privilegiato; l'Europa, lo spirito europeo autore di tali prodigi. Che cos'è dunque questa Europa?... Quest'Europa si costruisce a poco a poco come una città gigantesca... Possiede Venezia, possiede Oxford, possiede Siviglia, possiede Roma, possiede Parigi. Ci sono città per l'Arte ed altre per la Scienza, altre ancora riuniscono insieme i piaceri e gli strumenti. Essa è abbastanza piccola da poter essere percorsa in un lasso di tempo molto breve, che presto diventerà insignificante. Essa è abbastanza grande da comprendere tutti i climi: abbastanza varia da presentare le coltivazioni e i terreni più diversi. Dal punto di vista fisico, è un capolavoro di temperamento e di accostamento delle condizioni che sono favorevoli all'uomo... Un vero Europeo [è] un uomo nel quale lo spirito europeo può abitare nella sua pienezza. Laddove i nomi di Cesare, di Gaius, di Traiano e di Virgilio, laddove i nomi di Mosè e san Paolo, di Aristotele, Platone ed Euclide, hanno avuto al tempo stesso significato di autorevolezza, là c'è l'Europa».

Ma questa grande fiducia nell'Europa si oscura dopo la prima guerra mondiale; se Valéry contrappone all'uomo di Linneo[5] una diversa definizione dell'*homo europaeus*, come desiderio e volontà, e non come razza o lingua (*Variété I*), si chiede anche: «Io, l'intelletto europeo, che diventerò?» (*La crise de l'esprit*, in *Variété I*). La sua preoccupazione è sempre più grave: «L'Europa diventerà ciò che è in realtà, una piccola appendice del continente asiatico? Oppure resterà ciò che pare e cioè la parte preziosa dell'universo, la perla della sfera, il cervello di un vasto corpo?». Nel 1931 (*Regards sur le monde actuel*) la sua riflessione si fa ancora più amara:

«L'Europa aveva in sé di che sottomettere, governare e ordinare a scopi europei il resto del mondo. Aveva mezzi invincibili e gli uomini che li avevano creati. Coloro che di essa disponevano erano molto al di sotto di questi ultimi. Erano nutriti di passato: non hanno saputo far altro che il passato. Anche l'occasione è passata. La sua storia e le sue tradizioni politiche; i suoi contrasti di villaggio, di campanile, di bottega; le gelosie e i rancori del vicino; insomma, l'assenza di lungimiranza, lo spirito meschino ereditato dall'epoca in cui era altrettanto ignorante e non più potente delle altre regioni del globo, hanno fatto perdere all'Europa quell'immensa occasione di cui non ha neppure sospettato in tempo utile l'esistenza».

In questo contesto non sarà difficile al lettore capire Bernanos, spiritualista cattolico, allorché scrive *Lo spirito europeo e il mondo delle macchine* [6] e si mostra così lungimirante nella sua preoccupazione che lo spirito europeo possa essere schiacciato dalle macchine. Il romanziere fa parte di quella schiera di pensatori cattolici d'eccezione, quali Maritain, Mounier e in Italia Dossetti, Lazzati e La Pira. Non si tratta per lui di distruggere le macchine ma di elevare l'uomo europeo e restituirgli la fede nella libertà del suo spirito e la coscienza della sua dignità. Bernanos ha partecipato all'avventura repubblicana antifascista e ha scritto i *Grandi cimiteri sotto la luna*, opera inquietante sulla complicità del massacro in Spagna, a proposito della quale Simone Veil scrisse, in una lettera indirizzata allo scrittore:

«Sin dall'infanzia, le mie simpatie si sono rivolte verso quei gruppi che si presentavano come difensori degli strati più disprezzati della gerarchia sociale, finché ho capito che quei gruppi sono tali da scoraggiare ogni simpatia: nulla di quel che è cristiano mi è mai stato estraneo. Voi siete monarchico, discepolo di Drumont: che m'importa? Voi mi siete più vicino di quei compagni delle milizie di Aragona, quei compagni che amavo. Quel che voi dite del nazionalismo della guerra e della politica estera francese dopo la guerra mi ha commossa».

L'attacco di Bernanos contro ogni campo di concentramento tecnocratico, quale gli appare la società delle macchine, è forse quanto di più adeguato si possa dire sul Parlamento Europeo, nato nel 1979, sulla Commissione di Bruxelles, sul Consiglio dei Ministri. Uno «Stato tecnico divinizzato», moltiplicato per sei, per dieci, per dodici, con indubbi successi per il moltiplicarsi delle macchine e dell'economia di mercato, non produce tuttavia molti frutti per quanto riguarda la speranza di «elevare l'uomo» e ridargli la fede nella libertà e la dignità del suo essere europeo. «Un potere può essere un'organizzazione totalitaria» afferma ancora Bernanos, «anche quando assume la maschera e il nome della libertà, perché [se] il liberalismo asserviva l'uomo all'economia, affinché lo Stato potesse impossessarsene al momento opportuno... il capitalismo dei trusts apre la strada al trust dei trust, al trust supremo, al trust unico: lo Stato tecnico divinizzato, il dio di un universo senza dio».

Bernanos ha più ragione di Sartre ed usa una migliore chiave di lettura dei fatti. Sartre ha un merito che lo innalza ai nostri occhi, il suo disinteresse per il denaro: è il solo intellettuale insignito del Nobel che ha rifiutato quel Premio! Ma si può tacere sul fatto che in politica sbaglia sovente, anche perché resta impigliato nel ruolo che gli si attribuisce, quello di «compagno di strada» dei comunisti? D'altronde questa sordità politica dell'intellettuale, o mancanza di fiuto nelle previsioni politiche, mi appare talora quasi una specialità culturale nazionale, tipo quella dell'editoria francese, come la Pléiade, mettiamo: diagnosi perfette, previsioni sbagliate.

Riassumiamo: dal punto di vista del mercato europeo è accaduto il contrario delle funeste previsioni del '77. La Comunità fa calare come manna l'abbondanza sulle campagne e sulle città europee e alcune economie (e non solo l'italiana) se ne avvantaggiano... La socialdemocrazia tedesca ha perduto le elezioni, vinte e rivinte dai democristiani... Anzi la SPD s'è fatta, sui bordi, *verde*, pacifista, antinucleare, propensa al disarmo, antiamericana a fior di pelle. Malgrado l'*Ost-politik* e l'avvicinamento ai russi per risolvere il problema dell'unità della Germania, il Muro spacca sempre in due Berlino, come una scure... Il marco si è rafforzato contro il dollaro, che perde punti nelle borse mondiali, giorno dopo giorno. Avanza anche lo yen, con l'enorme debito americano verso i giapponesi, che apre prospettive di impensati cataclismi monetari... La curiosità e l'interesse per gli sterminati mercati sovietici (come per quelli cinesi) si sono accresciuti nell'industria e nella finanza europea, fino a far temere non la «dominazione tedesca» ma «la finlandizzazione dell'Europa»: l'«Europa come Hong Kong», scrive Alain Minc.

Note

1 Jörg von Uthmann, diplomatico tedesco che visse a lungo a Parigi, raccolse numerosi documenti sui pregiudizi dei francesi verso i tedeschi. Richiamandosi a un famo-
sissimo libro di Friedrich Sieburg, pubblicato nel 1928 e intitolato *Dieu est-il fran-
çais?*, von Uthmann diede al suo libro il titolo *Le Diable est-il allemand?* Collection
«l'Infini», Denoël, Paris 1984.

2 «Le Monde», 5/6 dicembre 1976. I firmatari dell'appello furono: il Gen. Paris de
la Bollardière, Claude Bourdet, il pastore G. Casalis, M. Kriegel Valrimont, G. Mon-
taron, M. Prenant, J.P. Sartre, J.P. Vigier. Tutti avevano partecipato alla Resistenza;
molti erano stati nel Pcf, ma ne erano usciti.

3 All'opposto di Sartre, si esprimeva Raymond Aron, vivido sostenitore di un'Europa
di cui egli vedeva affrettarsi sempre di più la decadenza, proprio nella sua impossibilità
a riunirsi e a sormontare il proprio dramma. Nel suo celebre libro *Arringa per un'Europa defunta* (1974), con tutta la fredda scienza del politologo e la passione dello storico e dello studioso politico, la sua tesi principale è la seguente: «L'Europa chiamata
decadente, è l'Europa dell'Ovest, più ricca, più feconda, più civile, in una sola parola,
di quell'altra. È alle frontiere di quest'altra Europa che vigilano i cani-poliziotti, e si
accendono a notte i *miradors*, così come una volta attorno ai campi di concentramento. Trent'anni dopo la fine della guerra, malgrado la Dichiarazione universale dei diritti dell'uomo delle Nazioni Unite, a dispetto della dichiarazione finale di Helsinki,
i paesi che chiamano se stessi socialisti si sforzano di impedire agli uomini e alle idee
di attraversare la linea di demarcazione. L'avvenire apparterrà al dispotismo e l'Europa occidentale sarà votata alla decadenza, come pensava Spengler, perché si ostina a
credere nella democrazia e nel liberalismo?». Questo tema del libro, ispirato ad Aron
dalla congiuntura storica degli anni settanta, vede l'Europa, da un lato mistificata dal
marxismo-leninismo (prima parte dell'opera) dall'altro incosciente della sua superiorità (seconda parte del libro), e infine vittima di se stessa (terza parte dell'opera). Secondo Aron, il pericolo viene dal fatto che ciò che fa la grandezza e la fragilità delle nostre
società è l'inclinazione all'autocritica, e la debolezza dei poteri. Dalla crisi economica
del '29 esplosero insieme nazismo e guerra. La crisi di oggi, più morale che economica,
potrà creare l'occasione di cambiamenti irreversibili? Aron, in questo libro di grande
pessimismo e lucidità, chiude le sue pagine affermando che tutto dipende dal nostro
coraggio e dalla nostra chiaroveggenza, perché la libertà vinca.

4 Altiero Spinelli, *La mia battaglia per un'Europa diversa*, Lacaita, Manduria 1979.

5 Curcio, *op. cit.*, p. 241.

6 Georges Bernanos, *Lo spirito europeo e il mondo delle macchine*, Rusconi, Milano
1972.

XII

IL *MAOISMO* DEGLI ANNI SETTANTA
E LA SUA INTERPRETAZIONE IN EUROPA

*Dove si vede l'intellighenzia europea disputarsi
ancor oggi sul maoismo degli anni settanta e il suo significato*

Il concatenamento «dialogico» che Edgar Morin[1] pone tra la ripugnanza degli intellettuali negli anni cinquanta per un'Europa giudicata «fetida» e l'infatuazione maoista di vent'anni dopo è in realtà antidialogico. Mi dispiace di dover trovare un punto di fragilità nel serrato discorrere del filosofo proprio in questo confuso mescolare due tempi della crisi dell'ideologia marxista, in verità del tutto opposti. A prima vista, la lezione (deludente) che ne verrebbe fuori è una sorta di dinamica assoluzione della vecchia generazione, quella degli antieuropei stalinisti, per meglio condannare quei giovani «cretini» che non hanno fatto tesoro della loro esperienza e hanno diabolicamente perseverato nell'errore. Spostando la Mecca da Mosca a Pechino.

Io che non ho «aspettato lo shock petrolifero del 1973 per sentirmi europea», che non rivendico le carte in regola per dare al mio europeismo origini di fatto, anche antistaliniste, quando, fin dall'età giovanile, ho cominciato a scrivere d'Europa comunitaria (1961), sono stata a mia volta, negli anni settanta, pro-maoista. Ho così qualche ragione supplementare da offrire per negare quel sonnambulismo che accomuna due opposte generazioni di intellettuali, facendo di tutt'erba un fascio.

La generazione che simpatizzò con Mao diventò procinese contro l'imperialismo panrusso, contro gli apparati Moloch dei partiti comunisti e contro la dimissione dei vecchi intellettuali che accettavano l'asservimento culturale come atto rivoluzionario. «Aragon, quel vecchio rincitrullito (*gaga*)», scrivevano i «maoisti» di «Tel Quel» sulla loro rivista.

Venne l'epoca della Cina e della sua «rivoluzione culturale»; e venne dopo il '68, schiacciato dalla macina destra-sinistra dell'Europa; venne il tempo di Praga invasa dai panzer russi, e della normalizzazione; dietro di noi c'era il fallimento della rivoluzione del sublime

Che, col suo assassinio che assomiglia più che a quello di Garcia Lorca, o a quello di certi rivoluzionari spagnoli invisi a Stalin. Simbolo della *mise à mort* di ogni ribelle che sfugga alla ragion di stato, compresa quella di Castro. Capisco che possa essere *strategicamente comodo* affermare: «Vent'anni dopo il nostro stalinismo, altri scervellati recidivi fanno ribollire la stessa pappa nella pentola di Mao». Faccio mia la domanda di Foucault sulla ribellione iraniana contro lo scià, chiedendo a mia volta: «Non avrebbero dovuto ribellarsi alla colonizzazione moscovita quei "morti di fame" di cinesi?». Non avrei vergogna nel dire che allora mi sono sbagliata, totalmente. Ma la mia posizione su questo «tempo cinese» è *antistrategica*, se per strategia si intendono le valutazioni di politologi e filosofi che a quell'epoca si orientavano in senso anticinese sull'onda di una bordata ideologica che proveniva dalla Russia e che sapeva di razzismo contro i «gialli». La strategia – in questo caso parlo al mio amico Morin – è quella che razionalizza tutto per «dialogizzare» tra il partigiano di Brežnev e il professor Lienardt (l'universitario che diventò operaio alla Renault), il ministro della Giustizia Alain Peyrefitte e Roland Barthes, Aragon e K.S. Karol, Rossanda e Macciocchi, come se fossimo tutti la stessa cosa nel convergere di posizioni in realtà opposte. Ripeterò, con Foucault, che la mia morale teorica è «antistrategica»...

Un'altra riflessione forse non inutile sta nell'arco della storia europea: l'infatuazione cinese aveva dietro di sé più di due secoli, in Francia, da Montaigne a Montesquieu a Voltaire: ma è soprattutto il XVIII secolo che contrappone la crudeltà e la corruzione dell'Europa al Mandarino cinese, allo studio del cinese e delle massime di Confucio (popolari come quelle di Mao), in un'altalena di passionalità alterne. Per Montaigne, la Cina era «il più vecchio mito esotico degli europei», per Montesquieu «una terra dispotica».

Anche la tradizione della Germania e dell'Inghilterra, grandi potenze coloniali, si è ancorata alla sinologia-«sinofilia» nel corso di almeno tre secoli, come proiezione della propria identità, anche nelle «cineserie». Chi visita il castello di Potsdam, resta stordito dalla passione cinese degli Asburgo: porcellane, lacche, ventagli, paraventi e statue, pitture su seta, interi appartamenti cinesi. In Francia, poi, dalla reggia di Versailles agli Illuministi e fino a Victor Hugo, si stabilisce il percorso di una vera e propria tradizione «cinese», che sarà fatta risorgere dal Malraux della *Condition humaine*. In Italia, invece, dopo Marco Polo, sorta di antesignano dell'«esplosione gialla», occorre saltare vari secoli senza tradizioni culturali cinesi di rilievo, se si eccettuano i missionari gesuiti e i loro dotti scritti. Non bisogna, infatti, dimenticare che fu proprio un italiano, il gesuita marchigiano Matteo Ricci, il primo missionario cristiano che mise i piedi nel Celeste Impero, giungendo a Macao nel 1582.[2] Il maoismo era stato un fenomeno essenzialmente politico e partitico; su di esso infatti si era basato il «Manifesto», per la dissidenza interna al PCI. Fanno eccezione tre artisti: Moravia, Parise e Antonioni, affascinati dalla Rivoluzione culturale. A Moravia «maoista», primo aèdo della Rivoluzione culturale,[3] segue Parise col libro *Cara Cina* e Antonioni col film *Ciun-kuò*.

Lo sbadiglio di Barthes

Il maoismo francese fu più che altro un fenomeno culturale, per la passione riposta nel rinnovato studio del cinese, di quella favolosa civiltà, dei suoi monumenti millenari. Se ne occuparono da vicino Lacan, Sollers, Barthes, Foucault oltre al sinologo inglese Needham, come uomini di cultura ai quali non interessava granché il contenuto politico della RC. E fu un intellettuale, Roland Barthes, che, rientrato dal viaggio in Cina – curioso viaggio compiuto in litigiosa compagnia di Sollers, Pleynet, Wahl e Kristeva – decretò per primo l'ultimo atto dell'avventura intellettuale, con quell'articolo che apparve su «Le Monde» come un grande sbadiglio: *Et alors, la Chine?*

Barthes, che era sbarcato all'aeroporto di Orly con la giacca maoista, come a voler avvolgere il suo pensiero nella ruvida stoffa di cotone blu, lasciò a bocca aperta Parigi, quando descrisse, con mirabile penna, la sua noia, la sua delusione, la ripetitività, la mancanza di «gusto» di quella rivoluzione culturale, insipida (*fade*) quanto il tè cinese. Una catena di sbadigli si allargò su Parigi. Il «cinesismo» declinò presto, come tutte le mode. Non c'era niente di male.

Ma iniziò un'involuzione strana: sconfessioni, abiure, marce indietro, si salvi chi può... Io rifiutai la strategia anticinese per le ragioni morali *antistrategiche* che ho detto. Ma anche se la mia scelta è stata chiara, come è stato *disagevole* applicarla! Il perbenismo intellettuale chiedeva autocritiche, genuflessioni riparatorie, nell'unico rito religioso orientale che sia rimasto attaccato alla pelle del laicismo della *Gauche* occidentale, con quella sempiterna battuta di caccia per scovare il colpevole (metodo poliziesco d'Oriente).

Inutile spiegarsi con quel tipo di gente: perdita di tempo, ore vuote, sordità diffusa. E poiché si cercava un «capro espiatorio» come in tutti gli psicodrammi vissuti dalla collettività intellettuale, mi accorsi che bisognava accontentarli e placarli.

Ma l'ultima cosa che potevo immaginare, recandomi alla trasmissione letteraria di Pivot (*Apostrophes*), per presentare il mio libro *Duemila anni di felicità* (uscito nel 1983, dodici anni dopo il mio volume sulla Cina), era che il tempo fosse ribaltato e si parlasse del mio vecchio libro e non del nuovo. Non mi rendevo conto che il capro espiatorio designato ero io stessa, per quel regolamento di conti sulla Cina, davanti al buon popolo televisivo che univa l'inclita e il colto: donna e italiana, anzi in primo luogo europea, perché allora sedevo nel Parlamento di Strasburgo. E infatti fui presentata da Pivot come «deputato europeo». Ma racconto per ordine, ricostruendo.

Processo a Parigi: contro la Cina e la «dame italienne»

Arrivai nel celebre studio televisivo di Pivot per l'emissione di *Apostrophes*. Vi trovai già convocati per la trasmissione tre personaggi: Simon Leys, il sinologo sbarcato lì niente di meno che dall'Australia per presentare *La foresta in fuoco* (saggi sulla cultura e la politica cinese) e un libretto d'inchiesta firmato da un misterioso Yao-Ming Le sulla *Vera morte di Lin Piao* di cui aveva scritto la prefazione (fra l'altro «Newsweek» del 16 maggio 1983 l'aveva giudicato un falso, fabbricato dal KGB e da Taiwan, e diffuso negli USA, in Europa e in Giappone, con grande chiasso, per fare apparire i dirigenti cinesi tutti come canaglie, assassini, compreso Lin Piao); Jean Jerôme, un misterioso signore tutto bianco, definito l'eminenza grigia moscovita del PCF, che si presentava con un libriccino di memorie dove negava tutto, innocente come una mammola. Era stata invitata, poi, un'universitaria francese, una «esperta di transfughi comunisti» di cui non ricordo più il nome, che presentava un libro di biografie, tutta gente che aveva lasciato la cordata comunista. Infine c'ero io, col mio *Duemila anni di felicità* – biografia del pubblico e del privato di una donna, un librone di 600 pagine – che l'«Humanité» aveva già trattato come libro «ignobile», a causa di alcune pagine da me dedicate alla falsa *follia* attribuita a W. Rochet, dopo la sua condanna dell'invasione di Praga. La trasmissione aveva per tema: «Gli intellettuali davanti alla storia del comunismo». Avevo già detto al mio editore che il rapporto di forza lì sarebbe stato di uno contro tre, che si preparava un gioco al massacro... Ma Bernard Henri–Lévy, che aveva curato il mio libro, rispondeva per tranquillizzarmi: «Gli spettatori si schierano sempre dalla parte di chi è attaccato, vedrai». A Parigi, allora, Pivot decideva del successo o della disgrazia di un libro. Quanto al sinologo, imbrogliando ad arte ulteriormente le acque, aveva fatto arrivare un messaggio conciliante al mio editore, affermando che per lui il problema non era più la Cina, roba vecchia, superata, ma che in quella trasmissione tutto il suo interesse andava «all'uomo di Mosca» che lì si presentava, per smascherarlo nella sua vera identità.

A ripensarci oggi a mente fredda, quello fu l'unico «processo» celebrato in diretta a Parigi contro i «maoisti anni settanta», gli *ipermarxisti maoisti* che avevano punteggiato clamorosamente quell'epoca. Ma il guaio è che tutti erano scomparsi. Restava un solo imputato, donna e straniera. Una *dame italienne*, come mi chiamava Simon Leys. A questa prima fase dell'operazione ne seguiva pertanto, indirettamente, una seconda che tendeva a lavare d'ogni colpa, imbiancare, e far dimenticare la furia maoista degli intellettuali parigini, che peraltro avevano cambiato casacca, con furbizia. Dov'erano – mi chiedevo sconsolata – Serge July, Sartre, Glucksmann, Philippe Sollers e Kristeva, Althusser e Badiou, senza contare Alain Peyrefitte e Roland Barthes, prima versione? E Alberto Moravia, con quel suo libro di viaggio, antesignano dell'innamoramento intellettuale dell'Occidente, tradotto in varie lingue?[3] Scomparso anche lui. A Parigi, in Francia, in Europa, sul pianeta, in quella serata allestita da *Apostrophes*, c'era un solo superstite del maoismo universale: la *dame italienne* responsabile, per usare le parole di Leys, di aver nascosto «che quella cinese era una società totalitaria, asservita da una burocrazia corrotta, famelica di potere, che paralizzava tutto... La Cina è un pianeta morto». Devo riconoscere che Leys aveva scritto una decina d'anni prima un celebre pamphlet, *Gli abiti nuovi del presidente Mao* (Editore Bourgois, 1971), destinato a smascherare i travestimenti successivi di Mao Zedong, più scimmia che tigre. Leys aveva lavorato a Hong Kong, conosceva il mandarino, era un diplomatico (belga, credo) ben informato che, secondo il suo ammiratore Claude Roy, «apriva gli occhi e le orecchie quando andava in Cina». Ma il libro fu accolto da un silenzio di morte dalla sinistra parigina.

Riguardo la scena come su un teatro di cui si alza il sipario. Il sinologo, nel suo ruolo di pubblico accusatore, tutto scosso da un misterioso tremito, originato da una sorta di «collera divina» (immagazzinata per dieci anni) che galvanizzò Pivot, mi chiamò subito in causa, a bruciapelo: «Il suo libro sulla Cina è di una cretineria estrema, ed è una truffa... Lei è complice della morte di molti cinesi... Al mattino sulla soglia della mia casa [non si capiva dove] trovavo i cadaveri degli oppositori di Mao, decapitati. E lei, complice e idiota, scriveva quel libro maoista... Lei è corresponsabile di quei delitti».

Il comunista – eminenza grigia del PCUS – ridacchiava contento. Lui ne aveva già viste di quelle scene e sapeva come finivano. La studiosa mi guardava con antipatia. Pivot, straordinario animale televisivo e buon professionista, appariva estremamente colpito dalla violenza-verità trasmessa dal sinologo. Una sorta di stupore planava sulla trasmissione. Leys dava pieno sfogo al suo sdegno, senza nemmeno attenuare, come si usa per *politesse*, gli aggettivi insultanti. L'altra raffinatezza stava nello scambiare, come nel gioco delle due carte, il mio nuovo libro autobiografico con un sanguinario libro pro-maoista, appena scritto. Riconoscevo lo stile comunista della falsificazione, nei processi staliniani. «Lei è colpevole, le prove della sua criminalità sono inconfutabili, lei disprezza la Cina e il popolo cinese, lei è razzista, eccetera, eccetera.» Jean Jerôme era sicuro del fatto suo, e non attendeva nient'altro che una irreversibile condanna. Anche l'esperta comunista mostrava il pollice verso.

Mi posso chiedere oggi: perché non me ne andavo, sbattendo la porta? Perché accettavo di piombare in quell'angoscia, in uno sbigottimento che si trasformava in paralisi? Era la reazione, ho riflettuto negli anni successivi, che mi proveniva dall'imbattermi in quello scimmiottamento dei processi moscoviti, o dei partiti comunisti, nelle famose riunioni di cellula. (Che fra l'altro avevo subito più di una volta.) Proprio perché *Apostrophes* era, per me, l'ultima spiaggia della libertà intellettuale, proprio da questo ribaltamento venivo disarcionata. Tanto più che tutto correva svelto verso quel fine unico: un'irreversibile condanna. In quanto al mio nuovo libro, nessuno, lì dentro, sembrava averne aperto le pagine. Allora, recuperai il fiato, rivolgendomi a Leys, per dire: «Ma davanti a voi c'è un libro, ci sono seicento pagine di scrittura, perché non ne parlate, non sono stata chiamata qui per questo?».

Il sinologo, come se si fosse preparato già a questa obiezione, affermò, con lo sguardo febbrile, che il titolo di questo mio libro era un nuovo «falso»: Mao non poteva avermi augurato a Pechino *Duemila anni di felicità*, perché in Cina – e lui sapeva tutto della Cina – se ne augurano solo e sempre *Diecimila*... Era chiaro che non aveva letto il libro. Infatti, non solo spiegavo perché Mao aveva detto a me, occidentale, esattamente quella frase, ma in più quel *Duemila* del titolo, si trasformava nel racconto, in simbolo del passaggio dal tempo «orientale» a quello della nostra «civiltà cristiana». Attraverso un viaggio a Gerusalemme, io ritrovavo le orme della storia di Maria, vecchia di duemila anni, sorta di sintesi della storia femminile. Cercai di spiegarmi, ma erano concetti complicati per gli spettatori. Né attaccai Leys per il «falso» Lin Pao, con «News Week» alla mano. I giochi erano fatti. Pivot, tra affascinato e stupito, era colpito soprattutto dalla furia incontenibile del sinologo. E lo lasciava andare a briglia sciolta, obbedendo alla legge onnivora dello scandalo televisivo. Il comunista francese prese a sghignazzare. Il sinologo, a sua volta ateo, mi fulminava per quella allusione cristiana.

L'indomani, Simon Leys fu trattato dalla stampa parigina come un eroe, un infaticabile giustiziere, un genio, contro la *dame italienne*, che aveva mentito. Persino il «Nouvel Observateur» scrisse, sotto la penna di una certa Nita Rousseau, quale gioioso spettacolo fosse vedere Leys «sgranocchiare Macciocchi». Claude Roy, nelle stesse pagine, esaltava «il lavoro profilattico» del sinologo, contro la «maolatria e i fuochi di bengala di Macciocchi».[4] Tutti gli leccavano i piedi, soprattutto gli ex maoisti, presi da irrefrenabile paura nel caso in cui quello volesse spogliarli dei loro «abiti nuovi» o nuovi travestimenti ideologici. Quanto a me, ero stata ghigliottinata in diretta per maolatria.

Soltanto Simone Veil, che mi aveva intervistato per «Libération» – dove aveva affermato: «Quel libro avrei voluto scriverlo io»[5] – c'era rimasta male anche lei, ma cercava di giustificare Pivot, ritenendo che fosse stato colto di sorpresa dall'indignazione apocalittica che emanava da Leys, senza immaginare che dietro ci potesse essere, non solo il caso, ma una piccola macchinazione politica. E continuo a pensarlo tuttora. Quanto a «Le Monde» con la proverbiale onestà, scriveva: «Ci si è strippati fino in fondo, venerdì a *Apostrophes*. Macciocchi ha subito un rude assalto. Gli accusatori, Simon Leys per la parte cinese, Jean Jerôme e Janine Verdes-Leroux, per la parte staliniana, se la sono goduta un mondo» (29 e 30 maggio 1983).

Dura sorte, comunque, per quel vecchio libro sulla Cina: era stato trattato, quindici anni prima, come l'opera di una revisionista, antimarxista, gramsciana, ostile al proletariato, smascherata dai veri maoisti duri e puri, tipo Alain Badiou, che faceva scrivere sui muri dell'Università di Vincennes, dove insegnavo: « M Macciocchi, M Confucio». Quindici anni dopo veniva definita l'opera di una «pasionaria maoista, autrice di tazebao, temibile rivoluzionaria», come scriverà l'«Express» nell'agosto '85.

Quanto alla *dame italienne*, molte disavventure la perseguitarono in seguito, e si accavallarono l'una sull'altra, tanto più che quella cassetta della trasmissione di *Apostrophes* era stata cento volte riprodotta, e inviata da misteriose mani dovunque in Europa, anche ad alto livello. E soprattutto alla vigilia di quella Fondazione di Parigi per la cultura, di cui il governo italiano le aveva affidato l'incarico, e che abortirà come si può leggere (alla fine), lei si imbatteva ora a Ginevra, ora a Bonn, ora a Londra, in gente stupefatta e turbata che le chiedeva imbarazzata: «Ma è lei che ha difeso i crimini compiuti in Cina da Mao, durante la Rivoluzione culturale? Sa, ho visto quella trasmissione di Pivot...». E la *dame italienne* aveva una sola piccola verità: aveva amato la Cina come società di poveri che davano la scalata al cielo, una Cina «evangelica», un'entità metafisica. E quel che è più vergognoso è che, sotto questo aspetto, continuava ad amarla. Né in Cina lei, allo stesso modo di molti altri intellettuali, aveva mai assistito a un solo atto di violenza: come l'americano Edgar Snow, il premio Nobel svedese Karl Gunnar Myrdal, Sollers, Moravia, Antonioni, Barthes, Needham. Per tutti questi «cretini e complici», come per lei, Mao era stato essenzialmente un educatore, un intellettuale rivoluzionario, il leggendario liberatore della Cina dal colonialismo. Di lui continuava a ricordare quel grido, a Pechino (1949): «La Cina è in piedi».

Solo l'«Osservatore Romano»[6] giudicò questa vicenda con il distacco di duemila anni, il che gli consentì di essere equanime nell'attualità. Poi, venne la Spagna – paese nuovo della nostra vecchia Europa, e che la sorte ha tagliato fuori dalle feroci polemiche ideologiche dell'intellighenzia parigina – e gli spagnoli diedero, tre anni dopo, la serena misura del valore, per quanto modesto fosse, di *Duemila anni di felicità* di cui ad *Apostrophes* non si era parlato. A Madrid, se ne sono stampate tre edizioni. E la gente vi ha letto dentro, senza odii, né regolamenti di conti, quel poco o molto che c'era dentro: la storia di una donna europea, sbattuta tra i marosi di un tempo inclemente, compresa la Cina. E anche alla televisione spagnola tutto andò benissimo.

L'errore maoista

L'errore delle posizioni maoiste, a giudicarle oggi, stava nell'enfasi ideologica: era quel discorso ipermarxista, in forma di esaltazione; per attribuire a Marx e a Mao – in funzione anti-PCF e anti-URSS – una supremazia teorica che Marx non possiede e tanto meno Mao, figlio di un paese terribilmente complesso, confrontato a enormi problemi di sopravvivenza. Secondo Foucault, l'*ipermarxizzazione* del discorso teorico era antecedente e al '68 e al maoismo, proveniente da alcune pattuglie di giovani intellettuali neomarxisti: «Per loro, Marx era l'oggetto di una battaglia teorica molto importante, diretta contro l'ideologia borghese ma anche contro i partiti comunisti, ai quali si rimproverava l'inerzia teorica, di non sapere fare altro che trasmettere dogmi».[7]

A quell'epoca risuonava a Parigi una frase che invitava a trovare «la via d'uscita a sinistra». Ma da che cosa? Da tutto! Dallo stalinismo dei vecchi intellettuali, dal marxismo dogmatico, dalla fangosa esperienza socialdemocratica, dal revisionismo e così via. Ma continuando a discettare su come *uscire a sinistra* da tante trappole, quegli intellettuali restavano sempre chiusi nello stesso cerchio della supremazia tolemaica del pensiero marxista. Quindi nella teoria e nella pratica continuavano a prendere lucciole per lanterne.

Poi vennero i «nuovi filosofi», che diedero un buon contributo alla distruzione del mito marxiano, teorico e pratico. Ad essi si attribuisce la tesi secondo cui non ci sarebbe alternativa «e il *padrone* è sempre *il padrone*, e qualsiasi cosa accada siamo in trappola». Insomma, non c'è mai via di salvezza... Ad essi ribatte Foucault dicendo: «Piuttosto che indicare la presenza di un *padrone*, io mi preoccupo di comprendere i meccanismi effettivi del potere. E se non dico mai cosa bisogna fare non è perché credo che non ci sia nulla da fare; al contrario, perché penso che ci siano mille cose da fare, inventare, forgiare da parte di coloro che conoscendo le relazioni di potere sulla propria pelle hanno deciso di resistere o sfuggire ad esse. Da questo punto di vista tutta la mia ricerca poggia su un postulato di ottimismo assoluto» (*Ibidem*).[8]

Tale *ottimismo* vivrà, una decina di anni dopo, in un nuovo movimento, essenzialmente italiano, ma di spirito europeo e cosmopolita, che muta la scena ideologica con l'insorgere di nuovi protagonisti, definiti i «nuovi soggetti». Accade nel '77, in Italia, col nascere a Bologna della prima radio libera, (radio Alice) e poi con i movimenti dell'Autonomia, punteggiati dalle prime forme di lotta ecologica, contro le carceri, i manicomi, le varie forme di repressione, anche sessuale. Quella generazione si staccava non solo dalla politica ma dalla teorizzazione martellante del discorso ipermarxista, e intendeva agire nella società italiana, ed europea, coi temi reali (qualità della vita, lavoro, ambiente, casa, problemi europei). Io scrissi un libro che si intitolava *Dopo Marx, Aprile* (fatto scomparire ben presto, in Italia e in Francia), che conteneva questa tesi: dopo tanta ipermarxizzazione, fioriva una primavera del soggetto. Era inutile, ormai, andare a cercare in Cina, o altrove nel vasto mondo, il «modello» valido per il gran progetto di uguaglianza, di fraternità e di umanesimo, che dovevamo realizzare. Calò il sipario, allora, sul sartrismo e la teorizzazione marxista per cui «l'umanesimo non era che una p., buona per tutti i bordelli». E se non si tratta di una eterna utopia, occorreva cercarlo qui, e se ne siamo capaci, costruirne in Europa le premesse.

L'esperienza di allora era, in verità, per nulla asiatica, ma *europea*. E proprio in quanto intellettuale europea, per tornare al discorso che fa da filo conduttore a questo libro, la mia riflessione è oggi la seguente: il nostro europeismo diventò proprio in quegli «anni cinesi» tecnicamente operante, al centro com'era della strategia internazionale di Pechino che invocava l'*Europa unita* (contro l'antieuropa dei sovietici) come «terzo polo» tra i due blocchi planetari, la Russia e l'America.

Un'altra particolarità, niente affatto secondaria: quella gioventù maoista era innocente e pura, e non credeva che al terrorismo della parola. Quello che le farà seguito in Europa sarà il suo contrario, la generazione del terrorismo sanguinario, dell'«album di famiglia», che lancerà la sfida a morte contro la nostra democrazia: l'euroterrorismo. Dal che si deduce come la storia sia davvero complessa e quanto sia sbagliato creare nuovi *transfert* per vecchie colpe.

Occidentalizzare la Cina?

Nei miti tempi che si dice siano succeduti a Mao con Ten Tsiao Ping e gli altri, il sogno dell'industria occidentale diventa quello di trasformare la Cina in uno sterminato mercato, con più di un miliardo di potenziali acquirenti. Le nostre televisioni hanno mostrato recentemente le indossatrici cinesi vestite da Saint-Laurent, i capelli tagliati da Carita e Dessange; sulla grande muraglia abbiamo visto sfilare magnifiche ragazze cinesi, finalmente senza tuta blu, avvolte in «visoni scandinavi». Siamo stati informati che il mercato dei visoni, che i contadini cinesi, grazie a noi, apprendono ad allevare, interessa il Giappone e l'America. Al posto dell'arcaica bicicletta i fabbricanti europei calcolano a milioni l'esportazione di utilitarie. Si conteggia che quando si arrivasse magari solo a sostituire la ciotola del riso con il piatto di coccio e le bacchette con le forchette, le fabbriche, lì già impiantate, diventerebbero presto potenze industriali. Per ora, le industrie europee più raffinate di abbigliamento, commissionano alle donne cinesi tovaglie, sottovesti, biancheria intima, ricamate a mano. Come le sartine, le ricamatrici dei romanzi dell'Ottocento, quelle si accecano sui merlettini e gli orli a giorno degli indumenti intimi che noi donne alla moda indosseremo in Occidente.

«Fiera del libro straniero», ottobre '86, a Pechino. Se ne sono contesi lo spazio editori francesi, inglesi, americani e italiani, presenti alcuni nostri insigni scrittori. E pure se in Cina continuano a scrivere con gli ideogrammi, si spera – com'è giusto – nell'occidentalizzazione dell'alfabeto, per far prosperare il mercato del libro. L'epoca che viviamo è quella del safari in Cina (dove la moglie di un commissario europeo si è recata in visita ufficiale vestita... da pantera) e delle catene di Hôtel Hilton e Sheraton che gli americani costruiscono per il nostro *comfort*. E la millenaria identità cinese? Anche se la frase di Napoleone «quando la Cina si sveglierà, il mondo tremerà» dà ancora un brivido, in questa cronaca sulle evoluzioni successive dell'identità europea rileviamo che, sebbene questa sia ancora così male accettata da noi, nelle nazioni europee, ne esiste tuttavia un modello esportabile per i cinesi, un popolo semplice, ignaro, come pensano politici, industriali e alcuni intellettuali occidentali.

Moravia era a Pechino, per la Fiera del libro. E, come scrive Michele Serra,[9] «sul "Corriere" è apparso un suo reportage cinese, dopo anni di vita stanziale. Moravia racconta, come sempre magistralmente, che in Cina ci sono numerosissimi cinesi, e che vanno molto in bicicletta».

Note

[1] Edgar Morin, *op. cit.*

[2] Jonathan D. Spence, *Il palazzo della memoria di Matteo Ricci*, Il Saggiatore, Milano 1987. V., dello stesso autore, *Imperatore della Cina*, Adelphi, Milano 1986.

[3] A. Moravia, *La rivoluzione culturale in Cina, ovvero Il convitato di pietra*, Bompiani, Milano 1967.
    Chi lo riprenda in mano vi può leggere: «In Cina c'è una lotta politica di specie religiosa. Perché Mao non fa arrestare i propri oppositori, non li fa processare e fucilare, come avrebbe fatto Stalin? Ma Mao non vuole il potere attraverso la violenza, come Stalin. Mao l'Educatore, Mao il Dialettico vuole il potere ideologico attraverso la persuasione e l'educazione... Il grande nemico di Mao non sono gli USA, bensì il fondamentale conservatorismo cinese, che vuole imbalsamare il suo pensiero e divinizzare la sua figura». Moravia intervista scrittori dediti al lavoro manuale, artisti sereni protettori di musei. E prima di andarsene conclude: «Mao è simile a un padre benevolo e protettivo... Ma può diventare la statua del Commendatore, perché tutti gli europei sono dei dongiovanni. "Pentiti, cangia vita." Mao si presenta al mondo occidentale cinico e banchettante e lo ammonisce con la bomba. Abbiamo commesso un grosso peccato e adesso ci pesa sulle nostre coscienze di borghesi capitalisti».

4 Cfr. «Nouvel Observateur», 27 maggio 1983: *Per farla finita con la maolatria.*

5 Cfr. «Libération», 19 maggio 1983: *Un libro come una vita... Il genere di libro che desidererei scrivere.*

6 Cfr. «L'Osservatore Romano», 4 marzo 1984: *Autobiografia di una liberazione.*

7 Duccio Trombadori, *Dialoghi con Foucault,* ed 17/18, 1984.

8 *Ibidem.*

9 Michele Serra, *Visti da lontano*, Mondadori, Milano 1987.

XIII

FOUCAULT INEDITO
(o censurato...)

Foucault cerca in Iran la «spiritualità politica»
che ritrova poi (sotto altra forma) in Polonia...

«Ci sono più idee sulla Terra», scrive Michel Foucault sul «Corriere della Sera»,[1] inaugurando una serie di «reportages di idee», «di quante gli intellettuali spesso non immaginano. E queste idee sono più attive, più forti, più resistenti e appassionate di quanto pensino i "politici". Bisogna assistere alla nascita di idee e all'esplosione delle loro forze; e non nei libri che le formulano, ma negli avvenimenti in cui esse manifestano la loro forza, nelle lotte condotte per le idee, contro o per esse. Non sono le idee che conducono il mondo. Ma proprio perché il mondo ha delle idee (e perché ne produce molte in continuazione) esso non è condotto passivamente secondo coloro che lo dirigono o coloro che vorrebbero insegnargli a pensare una volta per tutte».

La rivolta in Iran, negli anni ottanta, impone agli intellettuali europei un'occasione di riflessione: il ribaltamento della monarchia assoluta di Reza Pahlavi è avvenuto senza barricate né colpi di cannone, né ideologie. Un ayatollah maledicente, ospitato dal governo francese, nel villaggio di Neufles-le-Château, seduto sotto il melo del giardino, incideva messaggi incendiari al magnetofono, per chiedere al suo popolo di abbattere la monarchia dello scià. Egli spediva la cassetta per via aerea, oppure solerti viaggiatori la portavano fino a Teheran, e di qui altri fedeli la recavano negli scalcinati e putrescenti villaggi dell'interno. Gli iraniani ascoltavano le parole di fuoco sotto le tende, nelle zone desertiche, nel mercato del villaggio, nelle *bidonvilles* attorno ai pozzi di petrolio di Abadan. Di nascosto, come da noi si ascoltava radio Londra durante la guerra. Del resto, scriveva Foucault: «Sembra che De Gaulle abbia potuto resistere al *putsch* di Algeri grazie ai transistor. Se lo scià dovesse cadere, sarà in parte grazie alle minicassette: è lo strumento per eccellenza della controinformazione».[2] La scomunica spirituale contro lo scià elettrizzava pian piano un popolo che cominciò a preparare una impensata insurrezione non violenta. Michel Foucault se ne era reso conto e l'aveva scritto, cogliendo in questa rivoluzione un'ultima sfida beffarda al pensiero europeo che si voleva ateo, nel primato dell'ideologia rivoluzionaria («Senza teoria rivoluzionaria, nessun movimento rivoluzionario», aveva proclamato Lenin). Con sorpresa di molti, Foucault si appassionò a quell'evento: una strada nuova, percorsa da non violenti, la prima che si fosse aperta, facendo da contraltare al '17 e a tutte le rivoluzioni dei nostri tempi, fallite o impostesi con la *dura lex* dei nuovi despoti. A proposito di quelle rivoluzioni, scriveva Foucault:

«Venne l'età della "rivoluzione". Da due secoli essa ha dominato la storia, organizzato la nostra percezione del tempo, polarizzato le speranze. Ha rappresentato uno sforzo gigantesco per acclimatare la rivolta all'interno di una storia razionale e controllata: gli ha fornito una legittimità... Si è giunti finanche a definire la professione di rivoluzionario. Rimpatriando così la rivolta, si è preteso di farla apparire nella sua verità e di condurla fino al suo termine ultimo. Meravigliosa e temibile promessa. Alcuni diranno che la rivolta è stata colonizzata nella *Real-Politik*».[3]

In Iran si manifestava, invece, l'ipotesi di una rivoluzione di popolo non sopraffatta dalla politica e dalla strategia delle armi, anzi in sciopero nei confronti della politica. Si trattava di qualcosa che noialtri in Occidente abbiamo da tempo buttato alle ortiche: la possibilità di una «spiritualità politica». «Quale senso ha», scrive Foucault,[4] «per gli uomini che abitano questo piccolo angolo di terra, cercare, a prezzo della loro stessa vita, quella cosa che noialtri abbiamo dimenticato nel modo più assoluto, dal Rinascimento e dalle grandi crisi del cristianesimo in poi: una *spiritualità politica*? Sento già degli europei ridere; ma io che so ben poco dell'Iran, so che hanno torto».

Foucault affrontò l'analisi della rivoluzione iraniana come *atto rischioso*. Ma egli era consapevole della novità che essa rappresentava; così si lasciò Parigi alle spalle e partì per Teheran, dove giunse ancor prima del ritorno trionfale di Khomeini. Egli capì che la religione era l'arma invocata dai manifestanti e dai loro sacerdoti; la religione come «strategia aperta»:

«Quel che succede in Iran lascia turbati gli osservatori d'oggi. Non vi possono ritrovare né la Cina, né Cuba, né il Vietnam, ma un maremoto senza apparato militare, senza avanguardia, senza partito. Non vi ritrovano nemmeno i movimenti del '68 poiché questi uomini e

queste donne che manifestano con banderuole e fiori hanno uno scopo politico immediato: attaccano lo scià e il suo regime, e sono in
questi giorni sul punto di rovesciarli. [...] L'Iran è oggi in una situazione di "sciopero politico" generalizzato. Voglio dire in sciopero nei
confronti della politica. [...] La sua [del popolo iraniano] volontà politica è di non dar spazio alla politica. [...] Il problema è di sapere
quando e come la volontà di tutti cederà il posto alla politica, se lo
vuole e se deve farlo».[5]

Gli sciocchi o gli invidiosi possono sempre rinfacciare a Foucault,
come fecero allora, l'errata valutazione, la confusione fra religione
e fanatismo religioso – collocando così la rivolta iraniana sotto la cifra di uno spiritualismo a noi ormai ignoto e del vecchio manichei-
smo giacobino. «Lasciato l'Iran, la domanda postami senza tregua
è stata naturalmente questa: "È la rivoluzione?" (A questo prezzo in
Francia ogni tipo di opinione consente di interessarsi a quello che
non è di "casa nostra"). Non ho risposto. Ma avevo voglia di dire:
non è una rivoluzione nel senso letterale del termine: è un modo di
mettersi in piedi e raddrizzarsi. È l'insurrezione di uomini dalle mani
nude che vogliono sollevare il peso formidabile che grava su ciascuno
di noi, ma, più particolarmente, su di loro, lavoratori del petrolio,
contadini alle frontiere degli imperi: il peso dell'ordine del mondo intero. È forse la prima grande insurrezione contro i sistemi planetari,
la forma più folle e più moderna di rivolta. [...] Un movimento che
non si lascia disperdere in scelte politiche, un movimento attraversato dal soffio d'una religione che parla meno dell'al di là che della tra-
sfigurazione di questo mondo».[6]

Foucault soffrì degli attacchi sferrati contro di lui, ma rifiutò l'autocritica che gli sollecitavano dinanzi a quelle notizie sanguinose provenienti da Teheran e che portavano a 247 le esecuzioni degli oppositori, personalità del regime sconfitto (pochi giorni dopo il maggio
'79). «Era inutile rivoltarsi?» chiedeva polemico Foucault, in un articolo pubblicato da «Le Monde».[7] E rispose dando un giudizio indimenticabile: «L'uomo che si rivolta è in fin dei conti senza spiegazione; è necessario uno strappo che interrompe il filo della storia e le sue
lunghe catene di ragioni, perché un uomo possa "realmente" preferi-
re il rischio della morte alla certezza di dover obbedire. [...] Se le società resistono e vivono, se cioè i poteri non sono "assolutamente assoluti" è perché dietro tutte le accettazioni e le coercizioni, al di là
delle minacce, delle violenze e delle persuasioni, c'è la possibilità di
quel momento in cui la vita non si scambia più, in cui i poteri non
possono più niente, in cui davanti... alle mitragliatrici gli uomini si

rivoltano [...]. Si capisce perché le rivolte hanno potuto trovare così facilmente la loro espressione e la loro drammaturgia nelle forme religiose». Molti spiriti critici presero a rinfacciargli allora, ovunque lo incontrassero, lo stravolgimento nella violenza dell'ultimo atto in Iran della sua «spiritualità politica»-antipolitica, lasciandolo bianco e immoto, con un volto di pietra.

Ho due ricordi precisi al riguardo. Una volta incontrai Foucault nell'anfiteatro dell'Università di Vincennes e un'altra in una saletta della casa editrice Seuil, dove l'editore presentava un libro di esaltata ammirazione per la rivoluzione iraniana, preceduto da una prefazione di Foucault, che era lì appunto per illustrarlo al fitto pubblico. Tornavo allora dall'Iran, abbastanza sconvolta nella mia manichea semplicità, da quel che avevo visto. Ero lì con un gruppo di femministe europee solidali con le donne iraniane (una minoranza infima, in verità) che rifiutavano di velarsi di nuovo. All'Università di Vincennes, ero stata invitata a prender posto tra i relatori in un colloquio dedicato alle «Minoranze del pensiero» e presieduto da Foucault. Per me, le minoranze erano anche quelle disgraziate iraniane di cui difendevo il diritto antichador. Ma nulla mi era estraneo della passione di Foucault: avevo assistito alla rivolta di Mossadeq, domata dallo scià in un mare di sangue, e avevo scritto il mio primo libro[8] su di essa, sull'ampiezza del dramma storico di un popolo che aveva buttato sul piatto della bilancia la propria esistenza contro quella del sovrano. Ma allora lo scià aveva trionfato. Tutti gli amici che avevo in Iran erano stati massacrati. Ero d'accordo con Foucault: o l'uno o l'altro. La folla iraniana aveva adesso adottato una strategia vittoriosa ed esclusivamente spirituale, rifiutando ogni difesa dinanzi alla violenza bruta. Le folle erano andate contro l'esercito dello scià a mani nude. Le donne, coperte dal lenzuolo bianco in segno di lutto, erano state la loro cavalleria d'assalto. Morivano come mosche nella loro carica non violenta. Il despota era caduto non già sotto i colpi di bazooka, ma sotto i drappi bianchi funerei che avevano steso a terra, nelle strade e nelle piazze, le donne. Ora, in quell'anfiteatro polveroso dell'università nata dal '68, i giovani (palesemente influenzati dal classicismo comunista di ogni rivoluzione) fischiavano Foucault. «Ma chi ti credi di essere, Foucault!», «Sei un mandarino!», urlavano. Sulla testa possente, dal lucido cranio calvo che sembrava l'Abacuc di Donatello, il filosofo passava senza posa la mano. Come a scacciare il dubbio, il fastidio dinanzi all'insulto che ci lasciava tutti sconcertati e scaturiva dalla «banale» constatazione che anche quella rivoluzione si era autodivorata nella becera violenza del suo farsi politico, potere politico musulmano. Io stessa dovevo aver infastidito un po' il filosofo, raccontando quella mia questua fino in Iran, con il viaggio a Qom, città immersa nel fanatismo religioso, dove un Khomeini minacciante, dopo ore di attesa umiliante, mi aveva infine ricevuto insieme con altre due donne europee; mi aveva fulminata con occhi di fiamma e mi aveva quasi scacciata come un'impudica infedele, dopo aver ascoltato il mio messaggio di protesta, a proposito di quella storia del tchador.[9] Ma come facevo a mentire, anche se capivo che la dimensione in cui era situato Foucault dinanzi a quella rivoluzione si collocava nelle pieghe profonde di una filosofia per noi inesplorata? Quando ripresero a fischiarlo e ad urlargli contro, il filosofo tolse la seduta con rabbia. Era diverso dal solito. Tutti lo conoscevano come un uomo dolce e accomodante. «Non metterò più piede», disse con ira, «in questo luogo di ignoranti». Poi andammo insieme, io abbastanza imbarazzata, a bere qualcosa nell'ufficio del preside dell'università, ma se ne erano già andati tutti e al ricevimento restavamo in due o tre. Lui bevve un'aranciata col volto scuro e ribadì il suo disprezzo per quella gioventù universitaria venuta fuori dal '68. Poi scomparve. La seconda volta, lo incontrai, dunque, nel sotterraneo che fungeva da salone per la presentazione dei libri, alla casa editrice Seuil, nella rue Jacob; stava dietro il tavolo della presidenza, ma all'angolo estremo, mentre l'editore Chodekewitz presentava il libro, gorgogliando qualche frase in arabo: all'editore cattolico, Paul Flamand, era infatti succeduto un colto professore, gran specialista dell'Islam. (E Sollers, da un lato, in una stanzetta laterale, ridacchiava: «Ma mi sbaglio o non siamo più a Parigi? C'è il muezzin?». E imitava, con grida da gallinaccio, il discorso del neopresidente, con il suo humour irresistibile.)

Foucault, diversamente che a Vincennes, non parlò, quasi immerso in una sorta di stupore, in plumbei interrogativi interiori. I suoi occhi neri mi guardavano. Credetti di raccoglierne il messaggio. Star zitta. Lì c'era, infatti, un regolamento di conti contro di lui, che aveva osato riflettere sulla spiritualità politica. Altre femministe francesi, levandosi urlanti, inveirono contro il filosofo, più che contro Khomeini, per dimostrare come la ricerca di Foucault fosse misogina e condannasse le donne al regresso.

Foucault, come ho detto, rifiutò l'autocritica dinanzi all'evoluzione sanguinaria della rivoluzione islamica: «La spiritualità alla quale facevano riferimento coloro che andavano a morire è senza comune misura con il governo sanguinario di un clero integralista. [...] Naturalmente non c'è nessuna vergogna a cambiare opinione, ma non c'è ragione alcuna di dire che la si è cambiata perché oggi si è contro le mani mozzate dopo esser stati ieri contro le torture della Savak».[10] Foucault affermava che i disincanti della storia non serviranno e, anche se nessuno è obbligato a essere solidale o ad ascoltare le voci confuse che si levano nelle rivolte, resta il fatto che tali voci esistono, ed è perché esistono che «il tempo degli uomini non ha la forma dell'evoluzione, ma appunto quella della "storia". [...] La mia morale teorica... è "antistrategica": essere rispettoso quando la "particolarità" si solleva, intransigente non appena il potere infrange l'universale. Scelta semplice, opera difficoltosa: perché bisogna al tempo stesso spiare un po' al di sotto della storia quel che la rompe e l'agita e vigilare un po' all'indietro rispetto alla politica su ciò che deve incondizionatamente limitarla. Dopotutto è il mio lavoro; non sono né il primo né il solo a farlo. Ma l'ho scelto».[11]

Qualche giorno dopo leggemmo sui giornali che Foucault era stato aggredito sotto il portone di casa sua. Ma si parlò di una volgare vicenda di ladruncoli e malfattori. Tuttavia, questa violenza mi fece ancora riflettere. In fondo Foucault, dopo l'indigestione materialista, aveva cercato nel suo sistema filosofico di ripercorrere la storia delle rivoluzioni e si era imbattuto in un punto morto, una macchia senza luce: quella della spiritualità politica. Spiritualità che occuperà (soprattutto con l'insorgere di Solidarnošč in Polonia) tanti spalti della riflessione nell'intellighenzia europea e in quella stessa gioventù che avrebbe ben presto cercato, oltre il naufragio ideologico delle rivoluzioni insegnate nelle scuole, il tempo spirituale nuovo sotto altre forme (come nel movimento non violento di Walesa, contro la dittatura del generale dalle lenti affumicate).

E proprio a Varsavia si dirige Foucault, nel settembre 1982, alla vigilia della dissoluzione del sindacato Solidarnošč da parte della Dieta polacca, dopo dieci mesi di esistenza legale e sedici mesi di esistenza illegale. Per Foucault il problema della Polonia poneva quello del blocco sovietico, della divisione dell'Europa. Egli ne trasse l'impressione che i polacchi vivessero in un equilibrio fragile, tra la possibilità di spezzare una dittatura onnipresente e il peso che essa esercitava. «Quel che chiamano socialismo, è questo impalpabile equilibrio».[12] Nell'analisi di Foucault emergeva l'eco di quella spiritualità che guidava la rivolta islamica e quelle famose manifestazioni che «potevano al tempo stesso rispondere realmente alla minaccia dell'esercito (fino a paralizzarlo) e svolgersi secondo il ritmo delle cerimonie religiose e rinviare infine a una drammaturgia intemporale in cui il potere è sempre maledetto. Sovrapposizione stupefacente... vicina ai vecchi sogni che l'Occidente ha conosciuto un tempo, quando si volevano inscrivere le figure della spiritualità sul terreno della politica.»[13]

Il filosofo trascorrerà gli ultimi due anni della sua vita insegnando soprattutto nelle università americane. «Era stanco di Parigi», mi ha detto Deleuze recentemente. Foucault morirà nel 1984 in un grande ospedale parigino di una misteriosa malattia (l'AIDS?) sulla quale gli amici faranno un silenzio assoluto.[14] Al di là dell'immensa truffa di Khomeini, che sarà poi la stessa truffa di Gheddafi, resta preziosa la sintesi operata da Foucault tra la «spiritualità politica» e un'intelligenzia che non aveva più fatto i conti con essa.

La sua riflessione mi aiuta, forse, oggi, a interrogarmi sulla dimensione spirituale dell'Europa: l'Europa delle religioni resta, infatti, un capitolo tutto da scrivere, ignorato dai *dépliant* scintillanti, in carta satinata, stampati dalla Comunità.

Note

[1] «Corriere della Sera», 12/11/78.

[2] *Id.*, 19/11/78.

[3] «Le Monde», 1/1/79.

[4] «Corriere della Sera», 22/10/78.

[5] *Id.*, 5/11/78.

[6] *Id.*, 26/11/78.

[7] «Le Monde», 11/5/79.

[8] *Persia in lotta*, Editori Riuniti, Roma 1952.

[9] In *Duemila anni di felicità*, Mondadori, Milano 1983, cap. 44.

[10] «Le Monde», 11/5/79.

[11] *Ibidem.*

[12] «Nouvel Observateur», 9/10/1982.

[13] «Le Monde», 11/5/1979.

[14] Come ho scritto, Foucault è morto di AIDS. La notizia è diventata di dominio pubblico, a Parigi, dopo che lo scrittore e drammaturgo Jean-Paul Aron («Nouvel Observateur» del 1° settembre 1987) ha confessato di esserne a propria volta colpito, con gran clamore dei media.
«Parlo perché Foucault non ha osato parlare» sembra dire l'intellettuale francese. Sorta di ultima sfida contro il grande filosofo.

XIV

SPIRITUALITÀ E FANATISMO RELIGIOSO

Sulla scorta dell'avventura intellettuale di Foucault, si giunge meglio a discernere come si viva oggi tra due opposti contraddittori: il momento liberatorio della spiritualità politica e il fanatismo religioso. L'ecumenismo e il sanfedismo teologico. La nostra storia è punteggiata dalle guerre di religione: le guerre ideologiche, nel Libano; la «guerra santa» tra due paesi islamici: l'Iran e l'Irak; l'assassinio di Sadat che si era recato a Gerusalemme, recando il ramo di olivo; il martirio del prete di Solidarnošč ucciso dai poliziotti del regime comunista; l'uccisione di Indira Gandhi da parte di una setta di Sikh. E tutto non cominciò forse con un turco che esplose le sue pallottole avvelenate contro Giovanni Paolo II benedicente la folla di piazza San Pietro? Ma la nostra testa è troppo frastornata dalle immagini della TV o dai silenzi prudenti per interpretare eventi di cui forse si scriverà serenamente solo nell'anno 2100. Ma bisognerà arrivare al 2100 perché lo storico registri infine, che dopo la seconda guerra mondiale, ben 140 guerre hanno storpiato il pianeta? Che vi sono stati 800.000 uomini ammazzati tra Abadan e Mussul, iraniani e iracheni, mandati all'assalto l'uno dell'altro, con una chiave di plastica attaccata al collo, destinata ad aprir loro, appena morti, la porta del Paradiso islamico? Come drogati dalla spiritualità distorta. E che cosa attendevano se non l'ingresso in Paradiso quei guerriglieri fanatici, che dopo aver sparato su una folla di ebrei in preghiera in una sinagoga di Istanbul (agosto '86), si sono sparati al cuore con gli stessi fucili mitragliatori per affrettare la loro apoteosi ultraterrena? Altri milioni di fratelli nemici sono stati sterminati in carnai simili, tra Cambogia, Vietnam e Cina. Quest'apocalisse, questi massacri, appariranno come il simulacro di uno scontro strategico che li supera. Soldati di piombo manipolati in cause grandiosamente planetarie e altrettanto inutili. Morti per niente: per nient'altro che per la fanatica mitologia collettiva.

*Sadat e l'efficienza simbolica dell'assassinio.
Dove Sadat chiede aiuto al Parlamento Europeo
che glielo rifiuta*

Nel ricordo della viaggiatrice si ricostruisce, come estratto dalle pieghe della memoria, l'arrivo di Sadat a Lussemburgo, nell'emiciclo del Parlamento Europeo. Sadat venne a chiedere all'Europa una solidarietà quasi simbolica, ma quell'assemblea, spaventata nel dover scegliere tra due campi, Israeliani e Palestinesi, gliela negò. Sadat giunse fino a noi e ci parlò, profeta disarmato, dalla tribuna del Parlamento di Lussemburgo. Indossava il suo modesto vestito scuro, lo stesso con cui l'avevamo visto in Eurovisione recarsi nel Parlamento di Gerusalemme per portare il suo ramo d'olivo. La sua *sfida di pace* nel vicino Oriente stava nel riconoscimento del diritto all'esistenza di tutti i popoli di quella regione e soprattutto di Israeliani e Palestinesi. Già votato alla morte da buona parte degli integralisti islamici. Vittima sacrificale designata. A Lussemburgo, fu approntato un servizio d'ordine come un muro d'acciaio per proteggerlo dagli attentati. Chi chiede pace, attira la morte... La paura serpeggiava e perfino nelle tribune, molti «invitati» avevano l'inconfondibile aspetto dei gorilla, le giacche rigonfie e, sotto, le pistole. L'Occidente civilizzato aveva dispiegato tutta la sua potenza antiterrorista, per dimostrare di sapere difendere Sadat dal paventato attacco? Per scaricarsi la coscienza da responsabilità imprecisate? Sapevo come chiunque che non era lì che l'avrebbero ammazzato. Non in quell'emiciclo abbagliante di luci avrebbero abbattuto la fragile *silhouette* di quell'uomo dolce, simbolo del dialogo tra nemici, che andava riempiendo di nobili parole quell'aula, invitando il Parlamento a svolgere a sua volta il ruolo della riconciliazione.

Seduto alla mia destra c'era allora il deputato Mario Capanna, amico di Arafat e accanito sostenitore dei Palestinesi, che da uomo di spettacolo in politica o telepolitico qual è, sollevò una bandiera palestinese, sotto il crepitio delle macchine da presa. Levatosi in piedi dal banco, teneva il suo drappo palestinese disteso largo tra le braccia alzate, in silenzio. Ognuno poteva leggere nel centro della bandiera, scritto in grandi caratteri arabi e latini, lo slogan rivolto a Sadat: «Riconosca lo Stato palestinese!». Anche per Capanna il toro era Sadat, quell'uomo fragile, dal viso scarno da intellettuale, da idealista? Sadat interruppe il discorso, alzò gli occhi verso il drappo e rivolto allo sconosciuto deputato, senza ira e quasi con tenerezza lo interpellò: «Se lei viene nella mia casa al Cairo, troverà quella bandiera appesa nel mio studio di fianco a quella di Israele». Capanna racconterà poi, con un filo di dubbio gusto, di aver portato allora il suo straccio-bandiera fino agli accampamenti di Arafat; sembra che i guerriglieri avessero baciato la stoffa come se fosse sacra, dicendo: «Questa è la bandiera della sfida che il nostro fratello Capanna ha levato in Parlamento contro Sadat». Dove si vede che il fanatismo e le sue conseguenze non conoscono confini tra deputati europei, lembi del Mediterraneo e vicino Oriente.

Sadat fu massacrato al Cairo a colpi di mitraglia, due mesi dopo quel suo viaggio europeo, allorché era venuto a domandarci il sostegno dell'Europa per pacificare il Medio Oriente.

La Mappa impensata

L'Islam è in crescita. In Occidente la marea islamica fa paura. La frenesia degli ayatollah, l'irrompere degli integralisti musulmani, finiscono per ossessionare i nuovi «viennesi» che siamo noi. L'esercito nemico sta accampato sotto le nostre mura e porta lo scontro dentro le cittadelle più elette della nostra civiltà. Bombe che esplodono nel quartiere Latino, in un grande magazzino a Montparnasse, in un pub degli Champs Elysées, per reclamare la liberazione di un terrorista islamico. Cambiano le alleanze. Le mani si stringono in un patto di sangue non tra musulmani e musulmani, ma fra terroristi «cristiani» e terroristi islamici. Come una tenaglia. Né noi sembriamo conservare la calma necessaria per sfidare il pericolo e men che mai quell'ironia che permise trecento anni fa, sulle rive del Danubio, ai cattolici assediati dai turchi di inventare il *croissant* del fornaio (il dolce a forma di mezzaluna islamica...).

L'Europa multireligiosa

Dovremmo mostrare in TV, ogni tanto, la Mappa impensata: quella delle religioni in Europa. Conversando una volta con Eco, egli mi incoraggiò a cercare i dati della stratificazione religiosa in Europa: «Sai, il cittadino europeo crede che qui siamo tutti cristiani, e magari tutti cattolici. Li sorprenderai molto raccontandogli che in realtà l'Europa è multireligiosa e si avvia a diventare multirazziale». La mappa dei credenti disseminati in ogni angolo d'Europa forma una carta geografica complessa, che rivela un'interpretazione senza confini di nazioni, di razza e di cultura, un soggiacente fondo comune di credenze, su cui si levano le sovrastrutture dei diversi Stati.

Prendiamo la Francia. Si resta di stucco, vagliando i dati. I musulmani rappresentano in Francia la seconda religione. Subito dopo i cattolici battezzati (45.504.000), viene una sciarpa colorata di credenti munsulmani (2.000.000), mentre gli ebrei, la cui vitalità intellettuale è così intensa in Francia, occupano il quarto posto delle fedi religiose (750.000) e il terzo posto spetta ai protestanti (785.000).

Riferendoci, poi, all'Europa intera, qualche verità proveniente dalle cifre sorprenderà molta gente. Vi sono più musulmani in Unione Sovietica che in Egitto e si prevede che questi diventeranno nell'anno 2000 un quarto della popolazione credente dell'URSS, in quanto la loro crescita è del 22%, mentre quella degli ortodossi è del 6,5%. Questa lunga sciarpa che temiamo ci soffochi – e per numerose ragioni, l'abbiamo visto! – rappresenta un curioso arcobaleno di fedi dai molti riflessi che forse un giorno riusciranno ad intendersi, senza confondersi, contro gli antichi fanatismi, per un'intesa di pace, che Wojtyla, non a caso, ha invocato nell'incontro interreligioso di Assisi.

La tabella che segue dà un'idea della distribuzione delle religioni in Europa occidentale.

RELIGIONI NELL'EUROPA DELLA CEE (dati del 1984, in parte estratti da *Quid*, Hachette, Paris 1987). Percentuali di credenti in paesi dell'Europa della Comunità

CRISTIANI:	337.679.000	*Irlanda*	*95%*
Cattolici romani	178.033.000	*Spagna*	*87%*
	(23,3%)	*Italia*	*84%*
Ortodossi	47.069.000	*Belgio*	*77%*
Protestanti	112.577.000	*Gran Bretagna*	*76%*
		Germania Federale	*72%*
MUSULMANI	20.969.600	*Paesi Bassi*	*65%*
EBREI	4.470.800	*Francia*	*62%*
		Danimarca	*58%*
CONFUCIANI	507.000		
INDUISTI	392.500		
BUDDISTI	238.300		

XV

IL «SINGHIOZZO DELL'UOMO BIANCO»
I SAMARITANI EUROPEI
E L'IDEOLOGIA DEGLI AIUTI

Giunsi al Parlamento Europeo nel 1979. E subito fui trascinata dalla monomania di Pannella, dai suoi digiuni (veri o falsi), nell'attivismo per affrancare il Terzo Mondo dalla fame. Passammo molti mesi a discutere dei piani di aiuti degli Europei per i derelitti, tanto più che delle carestie eravamo responsabili noi, nuovi Erodi, che ripercorrevamo la strada del già ignominioso colonialismo. Si parlava di «genocidio», di «Olocausto». Simone Veil confutava tali definizioni, che hanno un significato storico ben preciso. Ma Pannella evitava ogni analisi seria del neo-colonialismo, anche per non approfondire una realtà deludente: i nostri stessi aiuti servono a far girare la ruota dell'economia mondiale. Comunque, traumatizzata, mi diedi all'opera: escogitai l'iniziativa di creare a Parigi, con un piccolo gruppo di intellettuali, un'associazione: «Azione Internazionale contro la Fame» (AICF). Era il 1980. Ci riunivamo allora, ogni domenica pomeriggio, nella casa di Attali o di Lévy o di Giroud o di Marek Halter, dove, come francescani, consumavamo un pasto frugale approntato lì per lì, per lavorare poi fino a notte alta a preparare lo statuto (che Lévy scrisse con parole ardenti) della futura Associazione. Tutti eravamo animati da un unico sentimento: anche se avessimo salvato un solo bambino dalla morte, il nostro impegno sarebbe stato giustificato.

Oggi l'AICF, sovvenzionata dai fondi della Comunità, è una possente «organizzazione non governativa» molto diversa da quei tempi di questua, con una sede luminosa e moderna, molti funzionari che preparano piani di intervento per combattere la fame in Africa, Asia, America Latina. Poi, man mano che l'Associazione s'ingrandiva, l'emarginazione di noi «fondatori» diventò esplicita, giustificata dalle nostre diserzioni alle riunioni e soprattutto dal sentimento della nostra inutilità pratica davanti ai «professionisti dell'aiuto»: medici anzitutto, infermieri, maestri, giornalisti, politologi. «Medici senza frontiere», «AICF», Band Aid, Oxfam, diventarono un punto di riferimento come i personaggi alla moda, invitati nei salotti delle Dame di Buon Cuore e sugli schermi TV; venivano organizzati concerti, balli di beneficenza e tante manifestazioni caritatevoli con il Tout Paris, il Tout Londra o il Tout New York. Nello sfinire delle ideologie erano loro i nuovi benefattori, risplendenti, non contaminati dalla politica: gli iniziatori di un nuovo *look*, quello della carità eurocentrica, magari con qualche rimorso di coscienza. *L'uomo bianco singhiozzava*, riecheggiando il titolo di un libro coraggioso uscito a quei tempi.[1]

Il metodo della protezione caritatevole è radicato nella tradizione europea. L'esistenza degli altri, con progetti e culture diverse, è diventata per noi «civilizzati delle terre europee» un conforto psicologico, quel che ci ha consentito di sognare il «Paradiso Perduto». In forza dell'«internazionalismo» della sinistra europea, abbiamo spostato sempre più lontano (dalla Russia all'Asia centrale alla Cina e infine al Terzo Mondo) la speranza rivoluzionaria andata da noi in frantumi. E davanti al prezzo che siamo stati costretti a pagare per costruire il progresso industriale, abbiamo invocato la tragedia degli altri. Candido *patchwork* di un'umanità più o meno colorata dove abbiamo sempre trovato equivoco rifugio per le nostre illusioni perdute. Quel che ci è stato negato dalla nostra esistenza industrializzata, promesse, desideri, utopie, tutti questi beni li abbiamo attribuiti agli altri: indios, negri, beduini, pastori afghani, esquimesi, malesiani, abitanti di selvaggi luoghi leggendari.

I nostri Salvatori si muovono ora sempre più rapidi, nella nostra epoca di jet supersonici, e viaggiano a spirale attorno al globo depresso. Basta una notizia d'agenzia o di radio che i Benefattori sono già lì, con le valigie pronte. L'aiuto ufficiale per lo sviluppo, ormai non è più un mistero per nessuno, obbedisce a precisi fini economici e politici. Se non aiutiamo il Terzo Mondo, diviso nelle due sfere d'influenza, questo non sarà in grado di diventare nostro acquirente nello smercio delle materie prime, di armi sofisticate, ecc. In conclusione: *occorre aiutarlo* per l'equilibrio della bilancia mondiale.

La politica di sviluppo, soprattutto in Occidente, è la continuazione della politica coloniale con altri mezzi, più moderni e scaltri; c'è un Terzo Mondo indebitato fino al collo con le nostre banche «planetarie», mentre noi continuiamo a identificarci nel ruolo di buoni Samaritani.

Ho ritrovato, nell'autunno del 1986, sul mercato delle svendite ideologiche, il dibattito sulla fame nel Terzo Mondo, che era cominciato negli anni settanta. L'occasione è offerta da André Glucksmann, con un libro dal titolo fracassante: *Silenzio, si uccide.*[2] Si tratta della situazione in Etiopia, e più in generale delle dittature comuniste che inscenano infami teatri di carestia, per spillare soldi a quelle anime candide che siamo noi occidentali. L'altro ex «nuovo filosofo», Lévy, appena lette le bozze del libro, piange di collera e senza farselo dire due volte, si precipita a sua volta in Etiopia. Stesso Hôtel Hilton ad Addis Abeba dove già era sceso Glucksmann, e durata del viaggio non cinque ma dieci giorni, con qualche puntata all'interno del territorio etiopico per denunciare la «villagizzazione» (*resettlement*), che è in effetti uno scandalo.

I due scrittori tornano a Parigi e, ancor prima che il libro vada sul mercato, riempiono giornali e televisioni dello scandalo etiopico. La stella del rock, Bob Geldorf, è il comune capro espiatorio. Lo avevano addirittura proposto per il Nobel, quando con le canzoni e i concerti rock via satellite, aveva raccolto tanti miliardi da salvare le popolazioni etiopiche dall'ondata di siccità. Bob Geldorf e «Band Aid», per i francesi, si sarebbero resi colpevoli di connivenza col «boia» di Addis Abeba, aiutandolo a sconfiggere una morte dubbiosa.

Veniamo tutti confrontati dai nostri dottori terzomondisti a un groviglio di problemi, tra propositi seri e ipotesi deliranti, ma non al problema di fondo. Bisogna condizionare gli aiuti all'accettazione delle nostre regole democratiche? Bisogna politicizzare l'atto umanitario? Anzi, addirittura ideologizzarlo? Si può esser d'accordo su aiuti assortiti dal rispetto dei diritti umani. È ovvio che è meglio: ma porli sotto cauzione ideologica sembra l'aberrazione di un fanatismo eurocentrico. La tesi ideologica che emerge è difficilmente digeribile, solo orientata a colpire all'*est* e non anche all'*ovest*. Si vuole introdurre una distinzione tra *paesi buoni* (i cui regimi politici sono vicini alle nostre democrazie occidentali) e *paesi cattivi* (soggetti ai sovietici) che inscenano la morte per fame. Sembra che nel Ciad, nel Mozambico, nel Sudan, in Uganda, nello Zimbabwe e nel Mali, paesi dove i regimi sono dittature di destra e dove arrivano altrettante tonnellate di derrate alimentari e di soldi, i morti siano meno falsi che nei paesi sotto dittature comuniste. D'altra parte, l'espulsione della Croce rossa dall'Africa del Sud testimonia che la politicizzazione accanita e l'ideologizzazione delle organizzazioni non umanitarie conduce a conseguenze gravi in quanto le prime vittime sono quei poveretti i cui diritti umani affermiamo di dover difendere. La CRI era l'unica organizzazione che poteva ancora testimoniare e denunciare i crimini nel Sud Africa. Ora il silenzio è davvero calato, e si potrebbe dire a ragione: «Silenzio, si uccide».

In Etiopia e nei paesi a regime unico non vi sarebbero veri morti per carestia, anzi i paesi in questione sono prosperi, le terre rigogliose, ma i regimi comunisti terzomondisti «utilizzano la fame per ottenere gratis i viveri». «Si armano all'est e si nutrono all'ovest». «Il modello è sovietico, l'aiuto occidentale», secondo gli slogan che rimbalzano. In Etiopia, si sarebbe giunti ad avvelenare i pozzi, a sequestrare i raccolti e quando c'è stata una bella montagna di cadaveri, quel governo ha fatto il colpo pubblicitario e chiamato le televisioni occidentali a filmare. La BBC, autorizzata dal governo etiopico al momento giusto, cade nella trappola, va a Koren e a Makallé per riprendere quell'agonia di bambini e adulti che sotto il titolo *Morire in diretta*, va in onda il 23 ottobre '86 e sconvolge l'Occidente.

Meglio arrivare, ed è ancora più difficile, a superare le frontiere di una delle «prigioni» russe con qualche sacco in spalla – come abbiamo fatto per la Polonia – che dirci che il cibo serve ad aiutare un regime poliziesco. L'affermazione che i regimi dittatoriali dell'Est invocano, in ogni situazione, l'aiuto dell'Occidente è ,mentita, d'altra parte, da qualche fatto storico non secondario. L'URSS del dopoguerra rifiutò il piano Marshall, che si indirizzava a tutta l'Europa, con l'argomento che gli aiuti erano solo una forma di controllo e di nuovo colonialismo camuffato. (La Cecoslovacchia, che l'aveva accettato, fu costretta a rinunciarvi). Il piano Marshall salvò l'Europa occidentale dal disastro del dopoguerra, mentre la carestia nera mieteva vittime nel territorio sovietico. Fu allora che calò la «cortina di ferro», anche sui gulag. Nella Cina maoista, all'epoca del «balzo in avanti», che pare abbia fatto centinaia di migliaia di morti, venne sprezzantemente rifiutato l'intervento dell'Occidente. E a tutt'oggi la Cina non ha mai voluto accettare i doni della nostra generosità.

Nel 1981, mi recai con una delegazione del PE in Cambogia. Di quel viaggio mi resta il sapore amaro di come noi, benefattori occidentali, siamo ricattati o rifiutati. I vietnamiti, da un lato, avevano messo fine al terrore di Pol Pot e dall'altro avevano fatto un boccone di quel paese. Il nostro compito era di valutare la quantità degli aiuti e la loro corretta destinazione. Fummo ricevuti dal ministro degli Affari Esteri e io osai parlare anche di quella nostra Risoluzione votata a Strasburgo, dove si esprimeva l'augurio che la Cambogia recuperasse la propria indipendenza. Il giovane ministro cambogiano chiese di poter leggere la Risoluzione. Il segretario della delegazione la tirò fuori dalla sua rigonfia borsa di documenti, e gliela consegnò. Due ore dopo, fummo raggiunti in albergo da alcuni dignitari del regime che intimarono al nostro gruppo di lasciare l'indomani stesso il paese, oppure di ritirare la Risoluzione come se essa non fosse mai esistita. I miei colleghi (che giudicavano il mio atto «un po' irresponsabile») decisero di «rinnegare» la Risoluzione.

Prima ancora, noi umanitari avevamo compiuto un altro viaggio alle frontiere della Cambogia, ad Ariana Prateh: giunti su un ponticello – che i soldati vietnamiti ci impedirono di attraversare col nostro carico di medicinali – intellettuali e medici presero a gridare da un megafono la preghiera rivolta ai viet di accettare le nostre medicine. Dall'altra parte, c'era solo il silenzio della foresta, forata dalle torrette dei carri armati. Ce ne andammo mestamente. Kundera narra di questa nostra nobile missione, alla quale partecipava anche lui, con feroce humour nel suo romanzo *L'insostenibile leggerezza dell'essere*[3] descrivendo la civetteria delle pop-star, attrici americane e intellettuali europei, impietosamente.

Oggi, dinanzi a noi si levano nuovi interlocutori: sono i «professionisti dell'aiuto», l'altra sciarpa di umanità che ha fatto degli aiuti la sua «professione». Li ho visti al lavoro in tanta parte del mondo, e si tratta spesso di gente generosa. Soccorrendo i poveri del Terzo Mondo, trovano rifugio alle illusioni perdute nel nostro Occidente industrializzato.

L'utopia terzomondista di Pasolini

«E se quel che si maschera sotto le vesti della simpatia», scrive Enzensberger in un libro uscito di recente in Germania[4] «non fosse nient'altro che puro razzismo? È forse troppo chiedere che un nordamericano in Angola, uno svedese in Cina o un tedesco a Cuba, dicano a se stessi almeno una volta al giorno a mo' di saggio: "Questa gente è esattamente come noi. E questo significa che non chiedono esclusivamente scuole e ospedali, mense e dormitori... Vogliono scegliere la loro professione, proprio come noi. Chiedono di amarsi. Chiedono di aver diritto d'opzione. Chiedono di muoversi liberamente. Chiedono di poter pensare con la propria testa e prendere da soli le proprie decisioni. E chiedono anche macchine industriali invece di trebbiatrici, automobili invece di carrette, frigoriferi, vacanze, telefoni e appartamenti di tre stanze. Tale e quale a noi.

«Il povero Pasolini volle misconoscere questa semplice verità fino all'autodistruzione. Nella sua utopia del "Terzo Mondo", portò quest'idea alle sue ultime conseguenze, senza retrocedere dinanzi a nessuna di esse. Non solo accettava la povertà come il male minore, ma la innalzava alla categoria di virtù. [...] Egli incontrò questo "Terzo Mondo" nel suo stesso paese, nelle regioni arretrate d'Italia... Ma i suoi compatrioti, coloro che fuggivano dal sottosviluppo cronico del Sud... andavano alla ricerca di una vita migliore. E questa per loro significava: la ricerca di un mondo che prometteva loro automobili, televisione e appartamenti di tre stanze, di un mondo che agli occhi di Pasolini, assassinato nella sua automobile sportiva, era corrotto e posseduto dal demonio».

Forse ai professionisti dal cuore d'oro, che rifiutano l'idea della dedizione per un ospedale popolare di Napoli, ma partono numerosi nel Terzo mondo, realizzando la loro fuga dall'Europa, bisogna ricordare, come fa Enzensberger, che «la forza vitale dell'Occidente si basa, in ultima istanza, sulla negatività del pensiero europeo, sulla sua eterna insoddisfazione, sulla sua inquietudine inesorabile, sui suoi *difetti*. Il dubbio, l'autocritica fino all'odio di se stessi, costituiscono la sua forza produttiva maggiore».

D'ora in poi dipendiamo da noi stessi. Sono assolutamente d'accordo con Enzensberger. Non ci si prospetta nessuna Tahiti, nessuna Sierra Maestra, nessun Sioux e nessuna Lunga Marcia. Il pensiero che ci può salvare, supposto che esista qualcosa del genere, deve sprigionarsi da noi stessi. Riprendiamo la strada di casa, quella dell'Europa.

Note

1 Pascal Bruckner, *Il singhiozzo dell'uomo bianco*, Longanesi, Milano 1984.
2 André Glucksmann, *Silenzio, si uccide*, Longanesi, Milano 1987.
3 M. Kundera, *L'insostenibile leggerezza dell'essere*, Adelphi, Milano 1986.
4 H.M. Enzensberger, *Politische Brosamen*, Suhrkamp Verlag, Frankfurt 1983.

XVI

IL FRANCESE CHE REINVENTÒ LA STORIA
ULTIMA CONVERSAZIONE
CON FERNAND BRAUDEL

Nel giugno 1985, Braudel fu eletto membro dell'Accademia di Francia ed entrò sotto la celeberrima «Coupole». In questa occasione la Sorbona aprì le porte del salone d'onore per festeggiarlo. Ho assistito così a una delle più belle feste intellettuali di Parigi: un ricevimento dall'eleganza antica e severa, senza capricci né frivolezze. Molti anziani signori, appena usciti dall'Accademia, indossavano ancora il costume verde tradizionale: ricamato di foglie di acanto tessute in fili d'argento. Fascino di un'eleganza desueta. Braudel era ringiovanito di vent'anni. Diritto come un'asticella, i folti capelli bianchi tagliati corti, un ciuffo ribelle sulla testa, come un nimbo leggero.

Braudel mi abbracciò, chiamandomi *monstre pensant*, con quell'ironia maliziosa che non l'abbandonava mai. Gli piaceva in me quel tanto di disordine che riuscivo a portare nel perbenismo delle grandi organizzazioni culturali europee. «Il mio spadino d'Accademico mi è stato regalato dalla città di Prato», mi raccontò, «per via del fatto che ho diretto la *Storia* della città in quattro volumi...». Ammirai lo spadino e l'arte degli orafi toscani nelle pietre preziose incastonate e nella cesellatura fine dell'impugnatura in argento.

Non mi stancavo di passeggiare tra la folla eletta degli studiosi, dove si respirava il clima della conoscenza, della civiltà e della tensione intellettuale. Mi tornò in mente quella frase antica dell'abate Filippo di Harvengt in una lettera al discepolo: «Spinto dall'amor della scienza, eccoti dunque a Parigi, e tu hai trovato quella Gerusalemme che tanti desiderano. Fortunata città dove i libri sono letti con tanto zelo... (dove) si affollano una tale quantità di chierici che questa è sul punto di sorpassare i laici, dove vi sono tanti professori eminenti e una tale scienza teologica che si potrebbe chiamare la Città delle Belle lettere!». Le rughe sui volti delle donne si disegnavano in una ragnatela leggiadra, solchi sottili del pensiero scavatisi sui libri. Le prediligevo a tutte le *starlettes* di tutti i bagni schiuma pubblicitari, al *playgirlismo* universale che si consuma velocissimo sui nostri mercati erotici. Anziane professoresse con i capelli racchiusi a crocchia sulla nuca, con abiti semplici come quelli delle debuttanti, la spilla appuntata in alto, vicino alla scollatura, e una collanina fine intorno al collo. Se ne stavano in fila, come in processione, gli occhi accesi di un misticismo curioso, per stringere la mano al nuovo Accademico. La Francia che conta era lì, in quel salone, tra scienziati severi e spose attente, ricercatori, studiosi di archivi, professori già celebri o giovani che tali sarebbero diventati. Capivo infine la mia passione antica per la Francia. Quel che da trent'anni non avevo smesso di amare a Parigi, era proprio questa devozione per la cultura, per il sapere. Il fatto che un libro sia considerato quasi un oggetto sacro. Lo studio, una missione assoluta. L'unico popolo al mondo che abbia questa religione della cultura, fino alla nevrosi – alla sublimazione. Stringevo le mani di molti amici ritrovati. Ancora una volta dimenticavo le meschinerie, i colpi bassi, e finanche certo nazionalismo francese. Contro la storia effimera, c'è la storia della Francia di «lunga durata», quella che mi salutava con la voce di Braudel: «Allora, come sta? Venga a casa mia, parleremo...».

Quest'uomo, che ha condotto una vita discreta e ritirata, si continuerà a leggere ancora tra cent'anni, come si leggono Tocqueville, Michelet o Gibbon. Grazie al piacere del testo storico, alla sua scrittura elegante, non passeggerò più come prima nelle strade di Venezia, di Siviglia o di Firenze. Con l'audacia del *metodo* di Braudel, ho capito che la Toledo di El Greco appartiene allo stesso universo delle maschere in oro delle tombe di Micene e che la voluttà di Tiziano non si comprende fino in fondo senza conoscere i mosaici di Santa Sofia. Di Venezia mi diceva rapito: «Un'aristocrazia di quaranta famiglie al potere per quattro secoli. [...] Noi invecchiamo, mentre niente di essa ha osato muoversi». Poi cambiava discorso ed esclamava, da buongustaio qual era: «Conosce l'Amarone? È il miglior vino italiano! Viene dalla Sicilia...». E un'altra volta mi confessò: «Vorrei tanto tornare a visitare la Galleria Pitti, ma senza la folla. Crede che mi accorderebbero il permesso?».

«Per me c'è un'interscienza unica», mi disse Braudel quando andai a trovarlo, la mattina di un giorno di festa, nel suo studio che si levava in alto alla Tour Maubourg. «Se dovessi creare una rivista, la chiamerei proprio così: "Interscienza". La storia non può avanzare senza celebrare le sue "nozze illegittime" con tutte le altre scienze e discipline. Tra interscienza e interdisciplinarità c'è una differenza: in

quest'ultima, si cerca di sposare tra loro storia e geografia, storia ed
economia, geografia e matematica. Occorre, invece, favorire il sorgere di problematiche totalizzanti che siano operative: vale a dire che
funzionino. La gente che pratica l'interdisciplinarità, sposando una
sola scienza con un'altra, è ancora troppo prudente. Sono i cattivi
costumi che bisogna prevedere e adottare; il mescolarsi di tutte le
scienze tradizionali: filosofia, filologia, che non sono poi così morte
come si dice.

«E poi c'è lo spazio geopolitico, per cui l'Europa è anche l'America europea. Questo va da sé. Ma c'è anche un'Europa che sta sotto
il dominio russo, e poi, in fin dei conti, c'è il mondo sovietico stesso
– quella certa Europa che va da Brest a Vladivostock. Certo è un po'
fastidioso, contrariante. Tuttavia quel che si va costruendo, qui da
noi, è una piccola Europa, che oltre tutto, non si costruirà neppure
tanto facilmente».

«E gli Stati Uniti d'Europa, la sua invocazione costante, la sua
convizione?» gli chiesi. «Ero deputata al Parlamento Europeo e portavo spesso con me quella sua intervista a "Le Monde", in cui lei pro-
spettava l'unione politica assoluta, mentre si discuteva scetticamente
sul progetto di un nuovo Trattato europeo. Quell'intervista mi inco-
raggiava».

«Quando Maurice Druon mi ha ricevuto all'Accademia di Francia», lui mi disse, «si è riferito a sua volta a questa idea degli Stati
Uniti d'Europa, ammonendomi: "Per quel che lei prospetta ci vorranno un centinaio d'anni...". Se è così, è veramente seccante. Non
si può fare l'Europa prestissimo, certo, ma non rischiamo di farla
quando sarà ormai troppo tardi? Ma forse è già troppo tardi. Confesso che, pur avendo simpatia per De Gaulle, che ammiro ed ho am-
mirato, non gli perdono di non aver fatto l'Europa. Affermare che
"l'Europa è l'Europa delle patrie" è un colpo di pugnale nella schiena. L'Europa non è l'Europa delle patrie ma quella dei popoli».

«Io non sono così amara», affermai convinta. «Certo, convengo
che in questi anni recenti c'è stata una degradazione del processo di
unità politica, malgrado i discorsi unitari. Quando entrai nel primo
Parlamento Europeo, nel '79, la nostra passione immaginifica europea era fortissima. Per conto mio, avevo rinunciato al Parlamento
italiano per poter essere deputata europea. L'incontro con Simone
Veil, già deportata dai nazisti e Presidente di quella prima Assemblea, mi sembrava riassumere un arco di storia drammatico ma ormai concluso, con la fine anche del nostro senso di colpa, *la vergogna
di essere europei*. È evidente che, oggi, ci sono fattori centrifughi nel-

le forze stesse che compongono l'Europa. La Francia di Mitterrand ha fatto una politica europea di buone iniziative, soprattutto in campo ideale, culturale. Quando Mitterrand, a Strasburgo, nel giugno 1984, davanti al Parlamento Europeo, si definì: "Io, europeo di Francia...", sembrò che un terremoto squassasse i vari patriottismi. E concordo anche sulla politica di difesa della Francia. Ma la Francia è incalzata dai problemi economici, e il passo da questi al nazionalismo è breve. La Germania guarda ancora spesso verso l'Est, per la sua riunificazione. L'Italia, fortemente europea, è però anche attratta dalla calamita americana per quanto riguarda il suo sviluppo. L'Inghilterra appare sempre di più "un'isola". I paesi nordici voltano le spalle all'idea stessa di identità culturale, come la Danimarca che si è dissociata dal rapporto Dooge,[1] dove si parla d'azione culturale comune. Per non parlare dell'Olanda, che vuole sabotare lo stesso trattato per una Fondazione culturale europea».

«Il problema è che c'è una sovrastruttura dell'Europa che schiaccia tutto il resto», replicò Braudel. «Di volta in volta ci viene presentata l'Europa delle patrie, quella dei governi, quella del Consiglio, quella dei *trusts*. Invece c'è una sola Europa, anzi, in verità, c'è una sola Europa che mi interessi: l'Europa dei popoli. Che cos'è l'Europa dei popoli? Il giorno in cui il francese penserà di essere uguale a un italiano, il giorno in cui l'inglese penserà di non essere superiore agli altri, il tedesco di non essere il più coraggioso e lo spagnolo di non essere il più fiero, e così via, ebbene allora le cose cambieranno. Adesso ci si urta contro questa cattiva erba. L'inglese è prigioniero della sua storia tradizionale, si crede ancora padrone del mondo, non si accorge che siamo nel 1985 e continua il suo vecchio gioco di divisione dell'Europa. I tre maggiori responsabili – Inghilterra, Germania, Francia – sono loro quelli che non vedono chiaro. Occorrerebbe, forse, una mescolanza tra gli europei, e questo *mélange* può venire magari dagli spostamenti, dai passaggi massicci verso la Spagna, verso l'Italia».

«Ma lei guarda spesso al di là dell'Europa», rilevai, «al pianeta che si estende attorno a questa nostra fantastica culla di civiltà sovrapposte, lei dice che la storia d'Europa è quella del mondo...».

«Certo. Nel mondo c'è il Giappone, ma è una cosa fragile; poi c'è l'America, ed è una cosa solida» rispose.

«Ma come, secondo lei il Giappone non è un *colosso*?», chiesi stupita.

«No», mi rispose. «Le dico che è fragile; non hanno materie prime. E c'è un *forcing* sociale durissimo. Se si facesse la stessa cosa in

Europa? Piegando in due i lavoratori, si ristabilirebbero molti primati, certo, ma chi accetterebbe?» Attorno all'Europa c'è un Giappone fragile e un'America forte», continuò Braudel, «e un mondo sovietico drammatico. La forza dell'URSS dipende dal suo equilibrio, dalla sua saggezza. Essa può, d'un sol colpo, occupare l'Europa fino a Gibilterra, ma il risultato sarebbe che l'Europa si svuoterebbe di tutta la sua sostanza. L'Europa è qualcosa di importante, un po' come il Giappone, per la sua apertura sul mondo esterno. Il giorno in cui la Russia invadesse l'Europa, avrebbe in mano un vaso vuoto. Non si può vivere sull'Europa. Dunque, non credo che i russi saranno così irragionevoli, anche perché l'Europa è per la Russia la cinghia di trasmissione della tecnica americana. Né l'America può vivere senza gli intellettuali europei. La sua tecnica viene dalle genti nate ad Odessa, che hanno fatto gli studi a Vienna, dai polacchi che sono emigrati, dagli ungheresi, dagli italiani. Capisce la disgrazia? Noi perdiamo i cervelli, così, nell'avanzata verso il progresso. Ed è ancora oggi dall'Europa che arrivano in America gli uomini più intelligenti. L'Italia ha perduto molti dei suoi migliori ingegni».

«L'America dà loro i laboratori per le ricerche, le biblioteche, i computers, e il benessere economico», aggiunsi. «C'è stata un'emigrazione politica dei cervelli durante il nazismo e il fascismo; adesso c'è un'emigrazione che non si giustifica affatto dal punto di vista delle ideologie».

«Ma qui lei sbaglia. La potenza dominante fa appello a tutte le tecniche, al di là di ogni ideologia. Ora la fisica è una scienza, ma è anche una tecnica. Quel che l'America non riesce a creare è una cultura poliforme che consenta una vita gradevole: "l'arte di vivere". L'arte di vivere è in Europa. È preferibile vivere in Italia piuttosto che nella stessa California. In America non riescono a creare una civiltà morbida, *soft*. Anche perché questa è la regola. C'è sempre una divisione, nella storia del mondo. C'è chi ha la potenza, c'è chi ha la tecnica e c'è chi ha l'arte. Venezia ha avuto la potenza, l'Arsenale, ma non è Firenze nella sua storia culturale. L'Inghilterra è stata padrona di gran parte del mondo, ma, nei secoli recenti, è pur sempre Parigi che brilla. Oggi, il guaio è che non vedo un grande centro irradiante che illumini l'Europa».

«Forse, l'Italia», azzardai. «La sua arte di vivere, secolare, in questo momento è una cornucopia di invenzioni. Sì, ma in fondo, le do ragione, non c'è in Italia una città a dimensione europea».

«In quanto al futuro dell'Europa», si scaldò lo storico, «se lei allude alla centralità del mondo, credo che, ahimè, per un certo tempo, l'Europa sarà condannata. Primo, perché il *centro*, il vigore, se ne vanno verso paesi che non sono logorati da un potere secolare. L'Inghilterra è logorata, la Francia anche, sebbene in modo diverso. Secondo, perché l'Europa è martirizzata dall'economia sovietica e dall'economia americana, al tempo stesso. La sua più grande *chance*, per sopravvivere, sarebbe di unire tutte le sue forze e raccogliere il proprio spazio in un solo insieme».

«Per farlo», obiettai «occorrerebbe eliminare, almeno in parte, il masochismo che pesa sulle vecchie generazioni, una sorta di sfiducia perpetua, mentre l'Europa è aggredita senza interruzione, ad est e ad ovest, da una sottile offensiva psicologica, per il passato, e soprattutto per la storia recente tra nazismo, fascismo, franchismo, da cui malgrado tutto ci siamo liberati, anche con le nostre proprie forze. Che pensa lei di tutto questo?».

«Ma la storia dell'Europa è complessità, confusione e splendore», esclamò allora Braudel. «Immagini che cantano, e testimonianze di un passato che non è senza ombre, lo sappiamo. Quel che l'uomo crea di bello, di magnifico, di paradisiaco non è disgiunto dalla discesa agli Inferi. L'Europa è inferno e paradiso. Mescolanza di secoli d'oro e di secoli bui. L'Europa propriamente detta occupa una così piccola superficie, che è visibile appena su una carta geografica a grande scala. Tutt'al più è un'estremità, un capo del vecchio mondo, una "punta". E come le punte di cui parla la fisica elementare, essa diffonde, proietta, la sua elettricità in tutte le direzioni. Poiché è davvero senza rive, il mare è per essa l'apertura sulle strade infinite del mondo. Anche dalla parte delle terre verso l'est, alcuni la limitano alle variabili frontiere attorno alla Polonia, altri la prolungano fino agli Urali. Certo non è possibile separare l'Europa dalla Russia, e al di là di questa dall'immensa Asia russa che la continua. L'Europa ha creato e inventato l'America. Nel corso della storia ha soggiogato e sfruttato il mondo, crimini e *performances* geniali. E il mondo si è abbandonato ad essa, mentre ne veniva conquistato...».

«Ma c'è questo suo stesso spirito europeo», chiesi a Braudel, «negli intellettuali di un'Europa che adesso ci raggruppa a dodici?».

«Sì, c'è, esiste», affermò lui. «Non c'è dubbio alcuno che esista fra gli intellettuali. Vede, essere un intellettuale francese vuol dire sentirsi, è il mio caso personale, al tempo stesso italiano, spagnolo, tedesco, magari un po' meno inglese, ma tutto insieme. Sono a mio agio ovunque in Europa. Nelle nostre regioni, così come in Polonia.

«Tuttavia in Europa non comandano gli intellettuali. Non sono loro i detentori del potere. Il potere è una locomotiva, e allorché, per puro caso, qualche intellettuale ne è diventato il conduttore, ha compiuto deragliamenti impressionanti nel corso della storia. Vede, non solo gli intellettuali ma anche la massa profonda dei popoli dovrebbe *pensare l'Europa*. Non l'Italia, ma gli italiani, non la Germania, ma i tedeschi, non la Francia, ma i francesi dovrebbero mettersi a lavorare alla sua costruzione».

«Ma i giovani? Mi permetta di dubitarne, visto il modo in cui li educhiamo nelle nostre Università».

«Esatto. Per quanto riguarda i giovani mi piacerebbe affrontare il tema dell'Università europea di Firenze. Se ne discute molto, ma a mio avviso non è tanto su di essa che bisogna contare, quanto sulla città di Firenze. Quel che importa non è avere professori di una certa qualifica, che parlino varie lingue. Un professore potrebbe anche bastare a tutti. "Buon giorno, professore!" Ma se avessi quindici anni, dovrei poter trovare a Firenze di che alloggiare, di che vivere, di che conoscere la città. Le Università di Firenze sono ottime e dovrebbero consentire a me o agli altri – a parte i corsi nell'Università europea – di seguire le lezioni in italiano. Così come, se andassi in Germania, vorrei poter seguire un corso universitario in tedesco. Quel che è importante è la circolazione degli studenti e non dei professori che circolano già come vogliono, lei lo sa, no?».

«Mi accadde di farne l'esperienza», risposi. «Durante l'organizzazione del Congresso degli intellettuali, a Madrid, mi accorsi che i grandi intellettuali che cercavo stavano sempre facendo il giro del mondo: uno in Giappone, uno a Dallas, un altro in Australia, un altro era partito da Milano per svernare nelle Università della California...».

«Se la cavano bene, loro», disse ironicamente Braudel, «e se non ci riescono una volta, questo aguzza il loro ingegno per sbrogliarsela meglio la volta successiva. Il problema non è quello della creazione dell'Europa da parte di un gruppetto di intellettuali. Come non è con le conferenze all'università – ce ne sono sempre, magari vi partecipano solo cinque o sei persone – che si farà l'Europa. L'Europa si farà con la massa degli uomini, dei popoli. Ecco, ripeto, l'*Europa dei popoli*».

«Bisogna unire i popoli», concordai con passione, «farne emergere l'identità comune. Divisi tra noi dalle lingue, dalle logiche, dalle fedi e dai fantasmi, siamo tuttavia condannati ad essere fedeli ad una civiltà unica e variopinta. Qualunque cosa accada, l'Europa resterà fedele alla Grecia, a Roma, alla Chiesa Cristiana, al Rinascimento, al secolo dei Lumi, e così via».

«Credo, fondamentalmente, al progresso degli uomini», riprese pacatamente Braudel, «della intelligenza, della morale, ma la storia avanza come le processioni spagnole, ogni volta che si fanno due passi avanti se ne fa uno, e magari due, indietro. Ogni progresso conquistato pone nuovi problemi. La storia è una struttura dinamica fatta di sensi e di non sensi. Non c'è solo Dio, c'è anche il diavolo».

«Come concepisce, da storico qual è, l'identità culturale tra paesi europei?»

«Faccio un esempio. Espongo la storia d'Italia nella sua lunga durata, dunque senza molti eventi, senza i personaggi, sfrondando molto, e ne estraggo una *storia profonda*. Ora questa storia profonda arriva fino ad oggi. L'identità dell'Italia o l'identità della Francia sono questa storia profonda, punteggiata dal dialogo tra gente che vive nei problemi del proprio tempo, quelli del momento, problemi subitanei, rapidi, come la corrente che li trasporta. Potete discutere quanto volete, ma non sono i governi, i poteri, a fare la storia. Non è il governo attuale che dirige la storia di Francia. Questa se ne va tranquillamente per conto suo e ci trascina via con sé. Pertanto l'identità della Francia è la presa di coscienza di questa realtà profonda e costrittiva. Non si va contro questa storia. Non si può».

Braudel sembrò immergersi nei suoi pensieri; l'ora tardava. La moglie entrò per salutarmi. Dopo un breve scambio di parole amichevoli, ripresi il filo della conversazione chiedendo:

«Ma chi fa la storia?»

«Gli uomini non fanno la loro storia», mi rispose Braudel, rivelandomi il senso più profondo del suo discorso interiore. «Marx si sbaglia quando dice che gli uomini fanno la storia: è piuttosto certo che è la storia a fare gli uomini. Questi la subiscono. Il presente non si spiega che attraverso il passato, un passato relativamente lontano. Per la storia di Francia, non ho seguito una linea retta, ho vissuto la storia del mio tempo, galleggio su di essa, sapendo bene che non vi cambierò nulla. È una storia di lunga durata, lo studio di cambiamenti recentissimi che hanno richiesto secoli per comporsi. Gli inglesi dicono che la mia lunga durata è "una storia interminabile". Perché no? Vuol dire che posso prendere certe realtà dell'epoca di Luigi XIV per parlare dell'epoca attuale senza rendermi colpevole di grandi incoerenze. Tento, in questa storia di Francia, di procedere a nuove esperienze, far giocare la decomposizione del tempo, che nella storia non è una colata lavica. È come a foglie e va sfogliata. Ogni civiltà è legata al suolo, come un vegetale alle sue radici... Nella lunga durata della storia di Francia, vedo bene allora che cosa sia l'*identità*. È uno scambio, un rapporto tra una storia che sarebbe scientificamente stabilita – ma Dio sa quanto sia difficile...! – e un uomo intelligente, supponiamo Tocqueville, vivente oggi, che cerca di intuire le condizioni che gravano adesso sulla Francia. Appare chiaro che quel che oggi pesa sulla Francia è la necessità della sua apertura al resto del mondo. Non c'è Francia vivente che non sia una Francia in esplosione, *éclatée*».

«Vale anche per gli individui», esclamai. «L'ho visto coi miei occhi al Parlamento Europeo: la trasformazione di un francese "esagonale" in un francese aperto al resto d'Europa. Alcuni colleghi francesi mi dicevano: "Non credevo che fosse così, che gli altri fossero come noi e si ponessero quei problemi che sono a noi stessi familiari!..."».

«Non dovrei dirlo davanti a lei, ma non si scelgono i deputati europei secondo la loro intelligenza. Gli intellettuali europei non sono rappresentati a Strasburgo; non è che i partiti non vogliano, ma vi mandano quelli che non li infastidiscono. E magari che non fanno niente, se non trovare il mezzo di una nuova pubblicità per i loro libri... Gli intellettuali non formano né un partito né una categoria coerente, cosicché riferirsi agli intellettuali riferendosi ad uno solo di essi, che fa il deputato europeo, vuol dire appoggiarsi a un talento, magari brillante, tutto quel che volete, ma non a qualcosa di solido. Non è questo tipo di intellettuale che farà l'Europa.

«Penso che occorrerebbe parlare delle Istituzioni: occorrerebbe avere delle Istituzioni, che obblighino allo sviluppo culturale, come la Fondazione europea, che nascerà a Parigi, speriamo. Occorrerebbe spingere avanti, con l'impegno delle istituzioni, quel che prediligo: le università europee, ma a condizione che vi siano migliaia di studenti. Non mi piacciono le Istituzioni che sono create perché il signor tal dei tali abbia una poltrona e procuri altre poltroncine ad altri signori tal dei tali. Che le 40 persone – magari 60 – componenti il Consiglio di una Fondazione, si riuniscano per nominare un borsista è un assurdo; penso che sarebbe meglio che un borsista avesse a disposizione 60 borse piuttosto che 60 signori che ne discutono, litigandosele».

«È una bella battuta contro la burocrazia europea. Nella mia idea, dovrebbe delinearsi una istituzione non-istituzione, nel senso che si dovrebbe muovere in rapporto con la fantasia della gente, dei giovani, per far avanzare sul proscenio dell'Europa queste masse di ragazzi che attraversando le Alpi, col sacco a pelo e quattro soldi in tasca, vanno a visitare i musei, imparano le lingue senza sovvenzioni statali, e spesso accettano di lavare i piatti nei ristoranti inglesi o tedeschi per poter conoscere l'Europa, apprendere la storia degli altri, la lingua dei vicini di casa».

«Senta, io penso alle università, è quel che mi appassiona di più. Amo molto lavorare per l'Università europea di Firenze. Ma non ne basta una sola. Ce ne vogliono 50. Occorre che tutta l'università diventi europea, adotti un sistema di grandi aperture. Mettiamo che voi ad esempio, gli italiani, inviate 10.000 studenti per le scienze o la medicina a Parigi. E che voi stessi ne accettiate 10.000. Oppure che questo scambio si faccia tra Germania e Francia. Io non credo che sia l'America soltanto ad affascinare i giovani... Ma non mi piace che gli Stati scelgano i borsisti. Non mi piaceva nemmeno che lo facessero i francesi, quando dirigevo l'*Ecole des Hautes Etudes*. Avevamo allacciato allora rapporti con la Polonia ed era l'Accademia delle Scienze a segnalarci i borsisti. Non ci ha mai inviato gente mediocre. Mentre, se l'Ambasciata a Varsavia li avesse obbligati a sostenere un esame di lingua francese, molta gente intelligente non sarebbe nemmeno arrivata a Parigi. In fondo, i borsisti possono benissimo non parlare francese. Imparano in sei mesi. Il problema più importante è di attrarre il maggior numero di giovani, quelli che lo desiderano. Si possono avere tante idee. Senta, c'è un ordine religioso a Milano che possiede delle terre sulle isole Tremiti, nell'Adriatico. Due o tre isole che erano una volta luogo di deportazione e che sono magnifiche. C'è anche un servizio aereo da Milano per le Tremiti. Io ho detto: benissimo, facciamo lì un'Università europea, mettiamo gli studenti nell'isola più alta e i professori... in quella più bassa. I religiosi hanno accettato. La questione più seria, ora, è che lo studente che va a Firenze non venga ritardato nei suoi studi. Occorrono pertanto accordi fra tutte le università per stabilire che un trimestre passato a Firenze equivale a un trimestre passato a Wiesbaden, a Cambridge, a Treviri o ad Amsterdam. Coloro che possono creare quest' intellettuale non sono i governi dei grandi paesi ma piuttosto i giovani, che avranno una mentalità totalmente diversa. Saranno educati a capire che gli italiani non devono lavorare solo per l'Italia ma anche per l'Olanda e gli olandesi devono lavorare per il Portogallo o per la Spagna. Dirò, inoltre, che questo movimento di studenti è forse più facile da costruire, ma non è sufficiente. Occorrono accordi precisi fra gli Stati e una grande apertura culturale e politica».

«Ma le frontiere sono ancora muri», dissi con un po' d'amarezza. «A parte i passaporti, il controllo si verifica su tutto, anche sul più modesto degli oggetti personali... Non solo sulle valigie. Io possiedo a Roma un quadro che amo, lo voglio portare a Parigi, ma so che la burocrazia doganale me lo impedirà, così finisco col lasciarlo a Roma. Quando guardo a quest'aspetto dell'Europa più chiuso che in epoca medievale, mi accorgo che lo stesso Parlamento Europeo è completamente paralizzato davanti ai normali problemi di vita degli uomini europei. Ma voltiamo pagina. E torniamo all'Europa, civiltà coerente, e centro poliforme di civiltà soggiacenti, come lei le ha chiamate, diversamente colorate e destinate a vivere insieme. Ci sono state varie interpretazioni della sua architettura a tre piani della nostra storia; qual è la più corrispondente al suo pensiero?»

«C'è la grande storia che *sembra* immobile», disse Braudel con una voce che sembrava accordata ai ritmi lenti di un tempo dilatato. «Qualcuno mi ha male interpretato, mi ha attribuito la definizione di storia immobile. Ma la storia non è mai immobile, in quanto in essa c'è anche la storia che si ripete. La storia dell'uomo che sembra immobile è quella dei suoi rapporti con l'ambiente, ma fatta spesso di ritorni insistenti e di cicli che ricominciano senza posa. La ripetizione e i cicli sono necessari: non ci può essere mantenimento d'ordine, equilibrio sul pianeta se non a condizione di una ripetizione di questa dialettica, i cui termini vengano senza posa rovesciati. Poi c'è la storia che si muove, con le sue ondate incessanti sulle quali ci troviamo noi, con la nostra vita troppo rapida, sballottati dalle sue oscillazioni intense, brevi, nervose. Ci si brucia in un lampo. La vita di un uomo è come un fiammifero: si strofina ed è finita. La gente si rende conto che la storia di superficie, quella che viviamo, quella in cui ci bruciamo, è, per noi, la storia degli eventi. La storia più appassionante.»

Note

1 Il Rapporto Dooge fu presentato nell'ambito del dibattito sulla revisione dei Trattati e prevedeva un ricco *volet* culturale (1984).

Parte Terza

LA DONNA CON LA VALIGIA

I

VISIONE EUROPEA DI UN'IMBECILLE

Il racconto che vado scrivendo è l'ibrida prole di una coppia eterogenea: l'amore e la delusione per l'Europa. L'amore si sa cos'è. Mentre i tratti della delusione sono vaghi e disordinati: in me, la delusione si trasforma in ironia, in grottesco. Il che è una fortuna, in quanto mi consente di mantenere la relatività e di non fare dell'Europa un Assoluto, un oggetto di nuova fede «totalitaria». Ed è il più gran bene: sfuggire al rischio che ha mutilato il pensiero del XIX e XX secolo a caccia di miti, generosi e mostruosi.

Il relativo, l'ambiguo, il chiaroscurato, sono il senso stesso della scrittura politica oltre che del romanzo e della filosofia. Ciò che, con una parola chiave, Heidegger chiama «superamento» (*Verwindung*, in tedesco), una parola che contiene molte sfumature. Poi, c'è il rovescio della medaglia. Attraversando almeno tre antiche epoche europee – dal Medioevo al Rinascimento, all'Illuminismo – dopo aver per tre anni sfogliato vecchi tomi discorrendo, a tu per tu, con gli spiriti sublimi della filosofia e della storia che sono andati alla ricerca dello spirito dell'Europa; e interrogato la mia stessa esperienza multiforme di viaggiatrice europea (più di vent'anni), quel che provavo alla fine è, malgrado tutto, una passione smodatamente positiva per l'Europa. Come quella di Don Chisciotte per i mulini a vento, che sono l'Avventura. L'Avventura è europea, fatta di un mucchio di verità che si contraddicono, nella foresta delle incertezze, nella successione delle grandi scoperte, dove la forza della saggezza è l'incertezza del saggio. Nell'avventura europea continuiamo a leggere che il dubbio e la certezza vanno insieme; che la fede non è un'armatura ferrea; che la storia non è una compatta colata lavica ma che si scompone in tante sfoglie; che non c'è razionalità costante ma costante contraddizione, eccetera, eccetera. Come intellettuali, non abbiamo altra strada che l'avventura dello spirito, se non vogliamo finire, emarginati – e molti cominciano ad averne paura – davanti alle nuove «Atene», che ambiscono a monopolizzare la cultura planetaria, l'America e il Giappone.

Sono queste così, al massimo grado, *pagine europee*, visto che mescolano in esse l'ortodossia e l'eresia, i due corni della civiltà europea, la sola che ammetta la propria negazione. Le ho scritte tra la fede e il dubbio, la speranza e il pessimismo, l'amore per la soggettività del singolo e l'amore per gli altri; sono andata dalla dissacrazione al consenso, dalla tragedia, al melodramma, al «riso dell'universo» dantesco, che risuona nelle nostre contrade europee. Dalla costruzione faraonica risibile della comunità bruxelese alla constatazione che «l'Europa è in piedi», magari solo gravida di latte e burro, di business, di neotecnologia e d'audiovisivo. Materialmente muscolosa, possente. Come le più rozze Core che reggono gli architravi dei templi greci. Che si possa infonderle dentro lo spirito, come Dio lo soffiò nell'uomo? Ma dov'è la fede in Dio, in Europa? Ho bussato anche al Portone di bronzo del Vaticano per trovare una risposta. Sotto le mie nocche impazienti, si è dischiuso. Ho trovato lì più speranza e volontà d'Europa unita che in altre Istituzioni o governi o summit. Il dialogo tra ragione e fede, i cui termini non si possono più astrattamente contrapporre e che non è mai cessato, riprende. Mi sono accorta che c'è più razionalità nella critica religiosa ai limiti della ragione che nella critica della ragione ai limiti della fede. La religione diventa più razionale a partire da Pascal e da Kierkegaard, e mentre la fede si fa critica, il razionalismo diventa mitologico. Altre domande incalzano: dove andiamo? Chi siamo noi europei? «Domande maledette», come le chiamava Gogol.

Quel che emerge dal pelago è una modesta sicurezza, come una zattera a cui aggrapparsi: fondata sulla relatività e l'ambiguità delle cose umane, l'Europa è incompatibile con il totalitarismo e anzi nasce proprio da una scelta antitotalitaria. E anche quando ne è stata avvelenata, ha trovato gli antidoti per disintossicarsene. È morta e risorta cento volte. Se morisse ancora, rinascerebbe ancora, dall'opera degli stessi vandalici eredi della sua distruzione.

Ma detto tutto questo, come non mettere in luce che la popolarità della costruzione europea sta sottozero, a livello di glaciazione, nelle menti degli europei? Un *machin*, come diceva De Gaulle, che si erige da qualche parte, e forse da nessuna parte, tra tre capitali-bidone.

I giovani voltano infastiditi la testa allorché se ne parla. Analizzando tutti i dati disponibili, durante il mio corso di Scienze Politiche in Sorbona sull'evoluzione delle strutture europee, anche se cercavo di essere più problematica possibile, venivo interrogata dagli studenti che chiedevano: «A che serve, senza potere politico?». Io mi arrabattavo a spiegare tutte le connessioni democratiche tra Consiglio, Commissione, Parlamento, Corte di Giustizia del Lussemburgo, Comitato economico e sociale, le fonti dei finanziamenti di bilancio eccetera. Insomma, tentavo di sprigionare la spirale democratica delle strutture europee. Disegnavo sulla lavagna un tondino per ogni organismo e lo collegavo ad un altro, come in quei disegni che spiegano le reazioni dell'atomo. Uno studente interloquì: «Professoressa, questa mi sembra l'amministrazione napoleonica: Corte dei Conti, Codice Civile, Banca di Francia, nuovo sistema monetario, Commissari, Università, e anche Legion d'Onore. Tutto calcolato, tutto funzionante sulla carta – come il disegno che lei ha fatto sulla lavagna – ma l'unica cosa imprevista è che il resto dell'Europa si coalizzasse contro quei "fini superiori" e che il sistema si avvitasse su se stesso, con il crollo che ne seguì...».

In quanto agli adulti, questi pensano allo sperpero europeo, a quanto costa loro un eurodeputato o un commissario CEE (certo, non poco... e lo si vedrà!). L'Europa non ha alcuna dimensione diretta o concreta nella vita della gente. «L'Europa? Che barba!...». Così i giornali rifiutano di parlarne per non annoiare i lettori. La sala stampa del Parlamento Europeo a Strasburgo è vuota come un locale terremotato, e si riempie solo quando arrivano Reagan, la regina d'Inghilterra o il re di Spagna Juan Carlos.

L'Europa è restata fuori dallo spirito della gente, per essi c'è il lavoro, la disoccupazione, gli studi e tutto questo la gente non lo vede in rapporto con l'Europa. È inoltre una società che non fa più bambini. La crisi demografica dell'Europa è la più grave che vi sia nel mondo; è una società condannata?

Nel suo studio a Madrid, il direttore del «Pais», il mio «complice europeo», l'amico Juan Luis Cebrian – abbiamo organizzato insieme il Congresso di Madrid sullo *Spazio Culturale Europeo* – mi mostra, premendo i telecomandi della sua televisione, con l'antenna parabolica che svetta in alto sull'edificio, immagini d'Inghilterra, Francia, America, Italia, Svizzera, dove appaiono e scompaiono spettacoli, commenti politici, film, avvenimenti; lui mi esorta a non credere alle difficoltà che incontrerebbe una televisione europea. Basterebbe un'antenna parabolica, come sul «Pais»! Ma i governi non ci pensano di sicuro a collegare culturalmente i popoli.

Ed ecco l'amico di sempre André Fontaine, direttore di «Le Monde», con cui mi incontro ogni tanto a colazione. Parliamo con sincerità totale, cosa ultrarara a Parigi e altrove; lui conosce tutto su questo mio progetto europeo. «L'Europa è una "balena arenata"», è esploso ironico l'ultima volta. «L'euroterrorismo è la sola realtà europea, quella che spaventa, preoccupa e fa vibrare la gente. Oppure è la comune paura dinanzi a Chernobyl. Oppure, da noi, chi sarà il candidato alle prossime elezioni presidenziali. Ma se tu hai il tempo di scrivere un libro, lascia perdere l'Europa e fai un romanzo...».

Mi vedeva perplessa tra l'accettare le sue ragioni e continuare a difendere il mio scritto europeo. «Senti», aggiunse allora per il mio bene, «una volta sono stato in visita in Jugoslavia, ho visto tante città tra cui Zagabria, Belgrado e, dovunque, ero stato ricevuto in magnifiche sedi ufficiali. Nell'ultimo incontro, i miei ospiti mi chiesero a sorpresa: "Quali impressioni ha, alla fine del viaggio?". Mi trovai a rispondere: "Che la moquette è troppo spessa...". Ero io stesso sorpreso di quella *boutade*, ma così era. E tu, in tutti i tuoi viaggi europei, che hai da notare?».

«La stessa cosa», mi sono trovata a rispondergli, «la moquette è troppo spessa nella Comunità... A sera, nel Parlamento Europeo, avevo male ai polpacci perché i piedi vi affondano troppo... E poi l'aria condizionata è troppo violenta – fredda e calda – irregolabile, con gli edifici chiusi come casseforti e dove per aggiustare un radiatore o per correggerlo, bisogna fermarli tutti, migliaia di radiatori...».

«Allora, scrivi un romanzo»?

«Forse...».

Un giorno, andai a bussare alla porta di Simone Veil, che per me è una sorta di simbolo dell'Europa: andavo a chiederle coraggio, soprattutto per la dimensione culturale dell'Europa, mentre avanzavo tra gli ostacoli di questo periplo europeo. Ma, al contrario, abbiamo cominciato a discutere sulla Fondazione di Parigi (quella Fondazione con scopi culturali che proprio mentre escono queste pagine è stata eliminata come la CED nel 1954, ma senza grandi dibattiti) e ci trovammo in disaccordo – lei realista, io utopista – sulla necessità di vincere la battaglia contro il veto olandese, il pollice verso di Amsterdam contro la Fondazione a Parigi. «Se l'Olanda non vuole saperne, non vi sarà mai Fondazione europea. Lo sappia bene».

«Mi pare impossibile» rispondevo ostinata «che un solo paese possa mettere in pericolo quello che altri dodici hanno deciso di compiere... per la cultura. È una nuova forma di ipernazionalismo. E che lei possa accettare questa *Realpolitik* come una regola di convivenza democratica, mi sorprende. Dietro il sabotaggio olandese si nascondono altre forze ostili... E questo, anche paragonato a tutti quei discorsi per suscitare spirito europeo e identità culturale comune, mi lascia sbalordita...».

«Maria Antonietta», disse lei freddamente, con la sua feroce onestà, gettandomi una secchiata d'acqua gelida sulla testa, forse di proposito, «se Andreotti e Craxi volessero la Fondazione, questa ci sarebbe già. Ma si renda conto che siamo restati in due o tre imbecilli ad occuparci ancora, in Europa, di unità culturale.»

Chi scrive è uno di quei tre.

II

PELLEGRINAGGIO AL TEMPIO DI STRASBURGO

Accade come per il ritorno a un monumento, una piazza, una casa, conosciuti o frequentati nella giovinezza: nel ricordo restano grandi e ora si ridimensionano per le loro modeste proporzioni. Cerco di prendere la distanza giusta, come per una foto messa bene a fuoco. Per raccontare a chi legge, sono tornata in quei luoghi, dove ho passato cinque anni, tra speranze e incertezze, per non rischiare di essere imprecisa. È un controllo, tutto sommato. Nelle ultime elezioni, alla seconda assemblea europea che adesso visito, non sono stata rieletta. Non vorrei che queste riflessioni sembrassero una rivincita, un colpo basso. Anzi, è proprio il contrario; durante quella legislatura mi resi conto della necessità di una Riforma. Come dice Machiavelli: «Non è cosa più difficile a trattare né più dubbia a riuscire né più pericolosa a maneggiare, che farsi carico per introdurre nuovi ordini, perché quelli degli ordini vecchi qualunque volta hanno occasione di assaltare i nuovi lo fanno partigianamente, mentre i difensori dei nuovi sono spesso tiepidi».

Riconosco la difficoltà di creare questo castello complicato di istituzioni che è l'Europa, e non vorrei essere tra i più tiepidi che lo difendono.

Col distacco, forse, vorrei capire meglio: cosa avviene in questo Parlamento? Chi è il deputato europeo? È un frustrato? È un cinico? Che cos'è questa professione di eurodeputato, il funzionario meglio pagato del mondo? Nel 1979, allorché Sciascia diede le dimissioni, io gli subentrai: «Sei la mia *sostituta*», disse con la sua vocina parca di parole e un filo ironica. Adorabile Sciascia. Si dimetteva perché il Parlamento gli rubava troppo tempo e non avrebbe potuto assicurare la sua presenza alle sedute. Allora si pensava che fosse necessario!... Ero sopraffatta dalla gioia. Sognavo l'Europa, come gli *States* europei sorgenti, una causa concreta e nobile, valida per tutti, e non per minoranze ribelli dove si ostinano a collocarmi. Il mio «esistenzialismo» mi aveva gettato ripetutamente nelle fauci dell'Argo politico; questo mi aveva più volte sgranocchiato e aveva disseminato le mie ossa in diversi continenti, buttandomi in tutte le avventure ideologiche e dell'azione del nostro tempo. Ora mi ritrovavo, intera, un solo corpo, deputato al Parlamento Europeo.

Un inverno dal Reno ghiacciato

Il Reno è ghiacciato, quando arrivo.

Lustra superficie, da pattinarvi; una monotona lastra, interrotta da crepacci e da mucchi di neve fresca. Trovo a malapena una camera (Strasburgo è stracolma, nei giorni della sessione parlamentare) in un alberghetto-cottage, molto estivo, davanti al pontile in ferro della chiusa. Una locanda gelata, sul bordo del Reno, fiume anonimo, non fosse che per la memoria storica che ci rinnova le cento volte in cui è stata attraversata questa frontiera d'acqua, rimettendo in causa gli equilibri europei.

Quando arrivai, nel settembre del 1979, un dolce autunno nordico accendeva di foglie gialle e rosse il bosco che circonda il Tempio. La signora Simone Veil ne era la Presidente. Occhi verdi, capelli neri lucidi con riflessi violetti, compatti come un casco da Minerva. Immagine seducente dell'Europa: ebrea, campo di concentramento, donna. Mi dico oggi che aveva tutto quel che occorre per non essere rieletta Presidente. La sua fotografia, ritoccata dai fotografi ufficiali della nostra Istituzione, era stampata sui depliant a colori che si distribuivano a piene mani ai visitatori. Il suo primo piano somigliava a uno di quei volti che si vedono nei programmi dell'opera, un soprano, una diva del bel canto, una Callas, pronta a dispiegare l'acuto nel melodramma Europa. Dopo di lei, battuta dal voto delle sinistre e di alcuni infidi alla sua destra, arrivò Peter Dankert, socialista olandese, immagine sportiva come un tennista, un giocatore di football, sempre in sudori per vincere il match. Era l'Europa socialista, «giovane», tecnologica, promessa al futuro. Poi, con la nuova legislatura sul seggio di Strasburgo si insedia il rassicurante Pflimlin, anche lui francese come la Veil, un onesto cattolico e sindaco di Strasburgo, capitale di frontiera. E in seguito un conservatore inglese, Henry Plumb, che fu applaudito dall'aula intera quando esclamò: «Sono nato inglese, morirò europeo!».

Nel corridoio a serpentina, dove si aprono le porte delle sale di riunioni, ci guardano, nient'affatto allegri, i busti di marmo pregiato di De Gasperi, Schuman, Adenauer, Monnet, Churchill... L'Europa sta lì «statuificata» nei mezzi busti dei Fondatori, che, com'è ovvio, hanno le labbra cucite nel marmo, per non rivelare se e come loro pensassero diversa questa assemblea. Che loro stessi, quando all'origine erano un piccolo gruppo di sei paesi, avevano inventato. Si vedono fotografie che sembrano antichissime (nulla invecchia più presto delle foto), alcuni di questi uomini (meno Churchill), riunitisi un certo giorno del 1951, si accordarono nella Sala dell'Orologio del Quai d'Orsay per creare la CECA (Comunità europea del carbone e dell'acciaio). L'Europa è stata partorita da una montagna di acciaio e non dalle idee, non lo si dimentichi. E poi furono loro a decidere di un'assemblea europea, che sedesse tra il Lussemburgo e Strasburgo, con 78 parlamentari nazionali, delegati a rappresentare i sei Paesi per nomina del proprio parlamento. Con la nascita di tre comunità (CECA, CEE, Euratom) e innanzitutto con la stipula del Trattato di Roma nel 1957, l'Assemblea si allargò a 142 membri, un parlamentino. Nel 1973 approdò alla Comunità il grande Nord con la Danimarca, l'Irlanda e infine l'Inghilterra. Quella Gran Bretagna, avversata da De Gaulle, con flemma inglese arrivava al traguardo e prendeva tempestivamente posto tra i nervosi europei, per farsi attribuire, soprattutto, una congrua fetta di quegli invitanti montanti agricoli compensatori, che sono uno dei mastici più robusti dell'Europa d'oggi. Il Parlamento con due nuovi trattati, nel '70 e '75, conquistò il potere dell'approvazione del bilancio comunitario: accettarlo o respingerlo, questo è ancora il suo unico potere. Fragile potere, in verità, come constatai io stessa nel 1980 quando, dopo la «storica vittoria» del voto ostile al Bilancio presentato dalla Commissione, sei mesi dopo, mogi mogi, ridotti negli stipendi e negli emolumenti, i deputati accettarono quello stesso bilancio, in seconda lettura. E il Parlamento fu trasmesso in eurovisione...

Tutto cominciò nel giugno 1979, quando nove partners, dopo essersi accapigliati per anni, si accordarono infine per attribuire il diritto di voto agli Europei per l'elezione a suffragio diretto del Parlamento. Con una certa solennità, nacque così la prima Assemblea in quel 17 luglio 1979, tanto comunemente quanto solennemente definita «Nascita del Parlamento voluto dai popoli». L'avvenimento fu trasmesso in diretta dalle televisioni in tutta Europa, – tempi d'oro, allora, nei mass media! – e con immagini talmente esaltanti che si poteva credere che, da lì, l'Europa vagiva, e ci si avviasse verso un'unità del Continente europeo. Come aveva fatto l'America, dopo la guerra di Secessione? Figurarsi! Ci avviavamo per un sentiero scosceso che portava da tutt'altra parte. Con l'ingresso della Grecia prima, e poi della Spagna e del Portogallo, dopo le elezioni dell'84, l'Assemblea ingigantiva fino a contare quei 518 deputati d'oggi, rappresentanti, come si dice con sottile ironia, o ipocrisia, la volontà di 320 milioni di cittadini europei nei dodici Paesi. Certo, la legittimità l'avrebbe, questo Parlamento. «Il voto è sovrano», mi dice lo spagnolo Marin, vice-presidente della Commissione, «l'autorità del Parlamento è totale da un punto di vista democratico». Ma il problema è: a che serve senza poteri politici? Bisognerebbe inventare qualcosa per svegliarlo dal sonno. Cosa? La storia dice che l'Europa si è unita soltanto per ragioni negative, davanti ai pericoli. Anche oggi l'intesa più grande si è manifestata nel dopo Chernobyl. E si è ritrovata relativamente insieme dinanzi agli attacchi del terrorismo.

Victor Hugo sognava un'Assemblea europea, e la vedeva proiettarsi nel futuro europeo come «Senato sovrano». Questo Senato egli invocava il 21 agosto 1849 nel discorso d'apertura del Congresso della pace. Pensando alle perorazioni accese di Hugo, un secolo e mezzo dopo, l'occhio mi cade su Otto, principe d'Asburgo, eurodeputato della Germania, d'origine austriaca, molto influente esponente del gruppo PPE (Partito Popolare Europeo = democristiani). Il principe dal viso antico, color giallino avorio, è vestito come sempre di severo nero, un elegante lutto che porta da oltre mezzo secolo. Gli sono attorno alcuni noti personaggi di sinistra e di estrema sinistra. Mi viene in mente quel che diceva Longanesi: «Non c'è comunista che, sedendo accanto a un Duca, non senta un brivido di piacere».

Per i deputati di frontiera (nell'Alto Adige i bottegai italiani tengono affissa nel loro negozio la foto di Francesco Giuseppe in omaggio a quell'onesta amministrazione) – italiani del Nord, tedeschi e magari cecoslovacchi come Pelikan – mi chiedo se il principe Otto non sia ancora un mezzo imperatore, nella nostalgia di un impero del centro. Una sera cenammo tutti assieme al «Renard Prêcheur» (*La volpe che prega*), nel ristorante tenuto da un emigrato cecoslovacco, e tutti erano come lieti sudditi felici attorno a quel resto d'Asburgo, alla ricerca del mosaico perduto, quello del vecchio impero austro-ungarico: una nostalgia acuta come in Kundera, che diventa talora lo «spazio mentale» e comprende l'Europa centrale, situata ad ovest e non ad est, dove l'hanno racchiusa, dopo la sua colonializzazione da parte russa, seguita agli accordi di Yalta.

Il salotto del principe Otto

Il principe Otto rappresenta, in Parlamento, un salotto *aperto*, mentre Lady Elles e Lord Douro, figlio del duca di Gloucester, rappresentano salotti *chiusi*. I salotti, come si sa, durano più degli imperi. Scrive Gombrowicz:[1] «Non si potrà mai distruggere un salotto, perché il salotto espelle immediatamente tutti i non salottieri... Chiesi al principe se mi trovasse sufficientemente distinto: "Croyez-vous que je suis assez distingué?". Ci fu un istante di panico, perché il salotto, com'è appunto suo compito supremo, finge di non saperne niente, e presume che la distinzione sia qualcosa di innato per tutti i suoi frequentatori». Crede che sia abbastanza distinto?, mi sembra che i frequentatori lo chiedano al principe Otto, che con garbo risponde: «Ma come può dubitarne, caro amico?». S'inchina, presenta un miracoloso nipotino biondo, l'erede degli Asburgo, è ovvio... «Vedrete, vedrete, non è detto che l'impero del centro sia morto per sempre». Il principe accorda al Parlamento intero e non solo al singolo provinciale, qualcosa di *distingué*, anzi addirittura gli dà quel briciolo di legittimizzazione che viene dalle monarchie e non dalle repubbliche. Otto predilige, come è giusto per uno che ha dietro le spalle Sarajevo, gente di sinistra amichevole o meglio di opposti estremismi. A me mandava, quando ero deputato, ogni 23 luglio, gli auguri di compleanno. Anche se la prima impressione era che il principe si ricordasse con benevolenza di me, la seconda, altrettanto riconoscente, riguardava il cerimoniale di Otto principe di Asburgo e deputato europeo, che come alla corte dei suoi antenati, usava ancora uno scadenzario con le date di nascita dei suoi dignitari, per inviare messaggi augurali.

Gli aristocratici inglesi più in vista li ho già citati: la massiccia baronessa Elles, scarpe basse, tailleur grigio ferro, ottima conoscenza dell'italiano, che ama più del francese, o per snobismo, o per via della sua proprietà in Toscana. Questa nobile signora veniva puntualmente chiamata da Mariano Rumor, presidente della Commissione politica, signora Lady Elles. Dopo di lei viene il biondo Lord Douro, figlio del duca di Gloucester, che somiglia a quel sonnacchioso pallido eroe di *Via col vento*, impersonato da Leslie Howard. I due aristocratici inglesi non tengono un salotto (democratico) anche perché, a differenza di Otto, hanno una vera regina su un vero trono e con un vero reame alle spalle.

Intesi Lord Douro rispondere a un tizio che gli chiedeva notizie sulla salute del padre: «Signore, la sua salute è ottima. Se così non fosse sarei qui il Duca di Gloucester». Sciascia scriveva, forse non a torto, che «mai come a Strasburgo ho avuto davanti a me la destra politica materializzata nella sua compattezza, nella sua durezza, nel suo nerume [*noirceur*]». Pur tuttavia sono questi rappresentanti di antiche casate che legittimano più delle sinistre, spesso in crisi, il Parlamento: «Plus il y a progrès, plus il y a "regression"», scrive Régis Debray.[2] «Più c'è livellamento, più vi sono chiusure... La modernità sarà arcaica o non sarà». Avanti con la musica! «La proliferazione delle sovranità statali» (espressione di Hubert Vedrine) è la seguente: 52 Stati nel 1950, 161 nel 1986.[3]

Considerazioni in margine alle qualità di un eletto europeo

La prima qualità di un deputato europeo è, mi si scusi il bisticcio, quella di non prendere l'Europa sul serio. E magari di andarci come al fronte va un soldato per la patria. D'altra parte, come scrive Baget Bozzo, in «Testimonianze»:[4] «Andare o non andare a Strasburgo è la stessa cosa». L'unica autorità cui rendere conto è il proprio Cesare, che invia il proconsole prescelto nella provincia europea, tra i bretoni, i galli, i germani... Al nostro tempo (come d'altronde ha spiegato Gramsci), il Principe è il partito. Ogni partito. E di quel Principe si è soggetti. La sovranità del Parlamento deriva anche dal voto diretto dei famosi 320 milioni che è un concetto confuso, ma saporito come una maionese da spalmare sui discorsi più insipidi. In quanto al popolo europeo, l'eurodeputato non lo conosce meglio di quel che avvenisse negli anni cinquanta. E continua a parcheggiarlo all'interno di recinti nazionali, se vuole essere un buon deputato. In quanto poi alla propria gente, questa finisce col restringersi sempre più dalla zona di circoscrizione elettorale alla regione e infine alla propria città o al proprio paesino, e di lì alla federazione o sezione del partito, che gli ha dato tanti voti per sedere nell'azzurro Parlamento di Strasburgo. La massima stabilità dell'eurodeputato sta nel puntello che gli viene offerto dai luoghi deputati non dall'Europa, ma dal proprio campanile, cui dedica tutto il tempo che strappa al suo noioso mandato. È quella vigna là che egli deve coltivare, attento e operoso, se vuole un buon raccolto. Ed essere rieletto, non solo a Strasburgo, ma dovunque si elegga qualcosa o qualcuno. Ho notato nel mio viaggio, dopo un faticoso computo di statistiche, ancora forse un po' approssimativo, che nel Parlamento Europeo il gruppo socialista ha rinnovato quasi il 53 per cento dei propri eletti. Ci si può chiedere se fossero infingardi, assenteisti, «lavativi», ma si arriva a conclusioni opposte. Soprattutto avendoli conosciuti. Era gente che stava troppo lontano dal paese natio, e troppo spesso nei siti europei. «Troppo europei», in definitiva. Magari un po' infatuati del loro ruolo europeo sovranazionale, tanto da trascurare un tantino l'elettorato locale, e il proprio partito. Ne ho individuati almeno tre o quattro, tra gli italiani, che erano stati rispediti indietro.

Li ho cercati, ma si erano volatilizzati. Così, quelli che arrivano, i neo-eletti, fanno subito tesoro di questa lezione: «Non esagerare con l'Europa». I socialisti francesi hanno rinnovato la loro rappresentanza all'ottanta per cento... Meno hanno cambiato i tedeschi: SPD, su 32 deputati socialisti del primo Parlamento, ne ha rieletti 26, su 10 gli olandesi ne hanno cambiati 4. Passando a destra, i conservatori inglesi sono più o meno tutti lì; solo un terzo è nuovo. La Democrazia cristiana italiana, su 30 deputati ne ha rieletti soltanto una decina. Tra i nuovi figura il signor De Mita – oh, che sorpresa! – forse perché Agnelli l'aveva definito un intellettuale della Magna Grecia. «Il maccherone di pasta Barilla», come lo chiamano a Strasburgo, ha messo piede lì una sola volta, per poi ritirarsi a Roma, caparbiamente. Lui, con De Gasperi, almeno a prima vista, non ha davvero molto da spartire. Quando non è a Roma, vive nel suo paesino, Nusco, noto centro internazionale, conficcato in una conca della meridionale Avellino. Anche l'ex presidente del gruppo democristiano a Strasburgo, l'attivo europeista Barbi, era scomparso a sua volta in quattro e quatt'otto. Era arrivato, invece, Roberto Formigoni, un robusto giovanotto cattolico con la barba; di lui si diceva che aveva avuto centomila preferenze nel suo collegio, che politicamente era un integralista e infine, ridacchiando, che aveva fatto voto di castità. È lui, Formigoni, che riesumerà più tardi *Parsifal* nel suo festival di Rimini, senza sapere che Marinetti l'aveva definito una «fabbrica cooperativa di tristezza e di disperazione». Formigoni venne subito insediato, al posto del patetico Rumor, che era andato lì a morire come in un cimitero degli elefanti. Ne ereditò la carica a presidente della Commissione politica, la più delicata del Parlamento, tra la disperazione dei funzionari che cercavano di preparare il nuovo arrivato con corsi accelerati perché non facesse cattiva figura a quel posto chiave. Ma è stato presto sostituito, in cambio di un posto di vicepresidente del Parlamento, da uno sconosciuto deputato DC a nome Ercini. Infine, l'operoso Formigoni, nelle ultime elezioni italiane, 1987, è stato eletto *anche* deputato al Parlamento italiano, con le solite implacabili centomila preferenze. A me, quel suo disegno integralista a suon di rock pare fragile, contraddittorio. Venne a spiegarlo davanti agli intellettuali al Congresso di Madrid: era l'unico cattolico a parteciparvi, atto intelligente e generoso. Al tempo stesso, non capimmo gran che dell'intervento, tranne Simone Veil che lo contestò.

Nel Parlamento spesso le cariche più importanti non sono attribuite per valore o qualità, o specializzazione, ma esclusivamente su base percentuale: i posti sono spartiti in forza del computo dei suffragi raccolti da quel tale partito, da quel tale gruppo, durante le elezioni nazionali.

Tutto è poi suddiviso con la calcolatrice, con operazioni aritmetiche «inoppugnabili». I robot, parola di origine ceka, hanno già preso in mano le leve del comando. È una delle dieci o mille ragioni per cui questo Parlamento zoppica, inciampa: la causa sta nel suo metodo d'Hondt, dal nome del suo inventore che scoprì la regola della ripartizione «rigorosa», che garantisce i «posti» migliori ai gruppi più grossi, lasciando le briciole agli altri.

Così nell'istituzione parlamentare regna la regola d'oro dei computers: tutto è calcolato al millesimo percentuale e il risultato è inoppugnabile; la conclusione è che l'unica cosa, la più imbarazzante, la più ingombrante, quella che resta sistematicamente esclusa dal computo delle macchine è la *virtus*. Spesso le evoluzioni interne, gli spostamenti, l'eliminazione dei più capaci, vengono definite per non scoraggiare nessuno, «rinnovamento del Parlamento». Formula di *politesse*, nel linguaggio rispettoso dei grandi funzionari, detti anche «gli eletti passano, noi restiamo». Nessuno parla di decadenza culturale o politica del Parlamento Europeo, ma sempre del suo ringiovanimento. Anche il signor Le Pen che capeggia adesso il «Gruppo delle destre europee» con sedici deputati fascisti puri e duri, dodici del Front National e quattro del MSI – è la prima volta che si vedono questi ceffi riaffacciarsi sull'Europa – celebra questa melanconica e un po' sinistra unità franco-italiana come una «primavera» della nuova Europa.

«Ci vogliono, occhio e croce, due anni, per formare un discreto deputato europeo. Ora i primi due anni sono praticamente perduti», mi spiega un un onorevole conservatore inglese, presidente del gruppo dei conservatori (RDE). I deputati di questo secondo Parlamento sono, inoltre, molto meno motivati dei primi, un po' sordi d'orecchio quando si parla di unità europea. «Se noi siamo diventati, e a fatica, "europei"», conclude il conservatore, «i nuovi arrivati non lo sono affatto. L'Europa è una faccenda da continentali, per loro. Poi quando si convincono del disegno più generale, e vi provano un certo interesse, a quel punto vengono mandati via, o se ne vanno».

Mi imbatto, per un caso, proprio nell'ex presidente Dankert, invecchiato, coi capelli grigi che sopraffanno quelli biondi di un tempo; corre meno svelto, e riesce a soffiarmi il suo giudizio sul Parlamento: «Il Parlamento va verso la disintegrazione», dice triste, «ma forse no, sbaglio, tra il mio pessimismo e le riflessioni ottimiste attorno a me. Cosa si farebbe d'altronde senza un Parlamento eletto, e una Commissione senza controllo? Certo, gli ordini del giorno prima erano stracolmi di grandi temi, ora sono smilzi. Ci vorranno due anni, prima che i nuovi eletti imparino il meccanismo parlamentare e c'è il cinquanta per cento di gente nuova...». E scompare volando, da bravo olandese.

Un democristiano italiano, che ho incontrato sull'aereo Roma-Strasburgo, mi confida: «Per la DC, non ha alcun interesse essere europeisti, l'avrà capito con l'arrivo di De Mita... Ci eleggono solo perché possiamo portare un pacchetto di voti della nostra circoscrizione, perché siamo alla testa di un elettorato più o meno grande. È tutto quello che il partito chiede». Si dica, a suo onore, che nella sua voce si coglie una nota di onestà, di amarezza.

Se nei primi due anni gli eletti fanno i conti con la macchina del Parlamento, estremamente complessa, e si rompono la testa per conoscerne il funzionamento, in quello stesso periodo, invece, sono i tedeschi e gli inglesi, i gruppi che hanno meno rinnovato, che servendosi dell'esperienza già accumulata, appaiono sbalorditivamente capaci di vincere tutte le votazioni che interessano loro. Colpi di mano rapidi, col regolamento in pugno (soprattutto al venerdì, quando la seduta si chiude), che lasciano a bocca aperta gli altri, i *parvenus*. Pochi italiani conoscono il regolamento sul serio, lo maneggiano come la bussola di navigazione europea. Gli italiani sono giudicati pessimi parlamentari: o assenteisti cronici, o attori estroversi, come Pannella, le cui uscite (sempre in francese) sono applaudite dal *parterre* deputatizio. In quanto ai socialisti italiani, essi sono così pochi, dodici in tutto, che spesso le cariche si accumulano su una sola persona. Mi accorgo che soltanto gli impavidi spagnoli sono giunti correttamente preparati a questa Assemblea, per quell'ardore che caratterizza i popoli restati a lungo sotto le dittature. Perché, a conti fatti, sono i più motivati e si avverte, alle loro spalle, come, usciti dall'isolamento, la loro immensa storia si confonda con quella di tante nazioni europee, dal Sud al Nord. Si sono messi al lavoro con tale efficacia, che oggi battono sia i tedeschi che gli inglesi nell'utilizzare la macchina parlamentare, da quel che constato nella mia piccola inchiesta.

Quando Pertini disse: «Il Parlamento è una camera vuota»

Il terzo Parlamento sarà eletto nel 1989 (il primo lo è stato nel '79 e il secondo nell'84); esattamente cento anni dopo la Rivoluzione francese... Questo Parlamento non avrà tuttavia per certo il ruolo del Terzo stato, privo com'è di poteri. «Una camera vuota»!

Che sia una «camera vuota» è comunque proibito affermarlo. Assistetti allo scandalo, quando Pertini lo dichiarò alla stampa, giustificando il perché i mass media non se ne occupassero mai. Gli eurodeputati italiani, al di là di ogni appartenenza politica, si riunirono per deplorarlo, come se fosse vero il contrario. Ci fu, nell'estate dell'82, un fitto scambio di lettere tra la nostra corporazione deputatizia e il Segretario alla Presidenza, Antonio Maccanico, che cercava di calmare le acque assicurando che «le parole del Presidente erano state male interpretate. Pertini, in verità, voleva promuovere la ripresa del Parlamento eletto a suffragio universale, dargli maggior ruolo, ecc.». Il Presidente fu comunque costretto a fare ammenda, ricevendoci nel settembre 1982 al Quirinale tutti quanti eravamo, e senza più accennare alla «camera vuota», prese benevolmente a interrogarci sul nostro lavoro.

Tuttavia il vecchio Presidente aveva dimenticato, diciamo così, di chiamare la televisione alla cerimonia, e quello fu dunque un non-evento, che non esistette mai per la gente, nella cui testa il Parlamento restò quello che in effetti è: una Camera vuota, un Parlamento senza poteri, tra sette monarchie e cinque repubbliche europee.

L'Europa ha solo trent'anni ma ne dimostra di più

Il Parlamento ha trent'anni. Il compleanno cade in questi giorni ed elogiosi depliant ufficiali stampati in lucida carta patinata, senza risparmio di soldi, danno il gioioso annuncio dell'anniversario (aprile 1987). Rovescerei la scritta e direi: il Parlamento, arrivato a trent'anni, ci fa riflettere sul suo arresto di crescita, una forma di preoccupante rachitismo. Il vero anniversario sarebbe questo: trent'anni or sono, a Strasburgo, arrivarono delle piccole pattuglie di deputati piuttosto entusiasti, rappresentanti nazionali presso le tre Comunità della CECA, della CEE, dell'Euratom. Come trent'anni fa, ci si accorge, con un'attenta riflessione, che non vi siedono deputati, ma *delegati*, più o meno motivati, ed essi difendono più ancora che gli interessi di un paese, quelli della linea politica di un partito. Se questo Parlamento non è ancora morto, esso è imbalsamato. Alla sua terza elezione, nel fatidico 1989, bisognerebbe tentare di risvegliarlo, se è ancora possibile. Ma l'ipocrisia che regna nelle campagne elettorali dovrebbe essere smascherata, almeno dai giovani. Quando si dice, votiamo Tizio o Caio perché «porterà avanti a Strasburgo l'unità dei popoli europei», bisognerebbe sapere, già da ora, che si tratta di uno slogan che allude a tutt'altro. Le elezioni europee, fino ad ora, non sono servite ad altro che a contare gli elettori, tra i partiti, all'interno del lembo di terra nazionale, in funzione di tattiche politiche interne e di spostamenti elettorali, come il celebre sorpasso comunista nelle elezioni europee del 1984.

Anch'io ho la mia piccola esperienza: dopo essere stata eletta al Parlamento italiano nel '68, fui designata da Luigi Longo, allora segretario del PCI, tra i rappresentanti comunisti italiani a Strasburgo. La ragione era tanto onesta quanto modesta. Possedevo qualche esperienza di problemi europei avendo seguito per sei anni, da Parigi, e da Bruxelles, tutte le vicende della costruzione europea, come inviata e corrispondente dell'«Unità». Insomma, avevo accumulato alcune utili conoscenze europee. Ma proprio per questo (e malgrado Longo) venni sostituita da Giorgio Amendola, all'ultimo momento, con la mia collega Nilde Iotti, allora soltanto deputata emiliana, per niente affatto oscure ragioni di partito. A Nilde bisognava offrire, secondo Amendola, un seggio nell'Assemblea dei rappresentanti europei in funzione della sua carriera: il lavoro europeo come piattaforma verso più alti incarichi, il Parlamento come università, nella migliore delle ipotesi.

Da allora, le cose non sono granché cambiate. Anzi, potrebbero essere peggiorate. L'eurodeputato sacerdote socialista, Baget Bozzo, eletto nell'84 nella lista socialista, in una grande zona del Mezzogiorno, lo conferma scrivendo: «Ho notato che abitualmente i partiti mandano al Parlamento Europeo figure politiche in deposito o in transito. In deposito perché hanno finito il *cursus honorum* nazionale, e ricevono quindi questo *award*, questo riconoscimento alla fine della loro carriera. Oppure in transito, cioè in un luogo in cui si preparano perché preme loro qualche altra cosa, oppure per onore e gloria di qualche consigliere regionale o sindaco. Cioè ho l'impressione che un po' tutti i gruppi parlamentari non mandino mai al Parlamento Europeo i loro migliori leader, che si senta un po' la decadenza del personale di questo parlamento».[5]

Il Parlamento Europeo – inteso come Legion d'Onore, ordine commendatizio, appannaggio pensionistico o università straniera per sprovincializzarsi – consente, grazie a un atto comunitario del settembre 1976, anche il doppio mandato, che viene spesso utilizzato male dagli uomini più prestigiosi della nostra vita nazionale.

Finti deputati europei

Il cumulo dei due mandati, nazionale ed europeo, è stato respinto da Spagna e Portogallo all'atto di varare la loro legge elettorale. Negli altri paesi, si lascia ora alla sensibilità dei partiti (si veda Belgio, Gran Bretagna e Francia) e alla loro responsabilità di eleggere per Strasburgo gente che non sia già gravata da incarichi parlamentari nazionali. Per la Germania, dopo che Willy Brandt diede le dimissioni, non figurano più grandi personalità nazionali. Per la Francia, l'«europeo» più noto e quel Georges Marchais che ha teorizzato che non c'è nessun bisogno di frequentare Strasburgo. L'Italia invia al Parlamento molti dei suoi più noti personaggi, tutti membri delle Camere, da Natta a Pajetta, da De Mita a Martelli, da Almirante a Michelini, da Fanti a Pannella, e molti altri. Questi eurodeputati, con qualche eccezione, sono presenze puramente simboliche, per la semplice ragione che non mettono quasi mai piede in quell'emiciclo.

Mi sembra pertanto difficile giustificare il loro mandato europeo con la tesi che Andreotti sostenne in un discorso del 1975, in sede europea; la presenza dei leaders già deputati nazionali) accresce l'autorità del Parlamento davanti agli europei, e al proprio popolo. A Strasburgo, a fianco del deputato-simbolo c'è il deputato in transito. Come negli aeroporti, l'indicazione Transit, più o meno uguale in tutte le lingue, vuol dire: luogo di momentanea sosta, dopo l'atterraggio, per proseguire il viaggio verso altre destinazioni. Le due ragioni di transito, per cui un eurodeputato scompare altrove, sono semplici: una è quella che lo porta verso quel nobile e fosco transito, detto anche trapasso in linguaggio religioso, che è l'aldilà; l'altro è invece il transito verso un più elevato terragno potere – un ministero, un incarico da presidente del Consiglio – che obbliga per legge il deputato europeo a dimettersi. Allorché Bettino Craxi fu eletto presidente del Consiglio, vedemmo infilarsi svelto, verso Strasburgo, grazie al transito, Giorgio Strehler. Il regista, oltre ad avere un fascinoso portamento, che aumentava la mediocre media dell'attrazione fisica dei deputati, essendo com'è noto un grande attore, si diede all'orazione «d'arte» (genere Cicerone o Racine). Ricordo quei discorsi un po' teatrali che, non potendo essere fatti in aula, venivano rivolti al gruppo socialista, nel corso delle sue riunioni. Come il Coriolano della tragedia di Shakespeare, Strehler indirizzava le sue violente invettive contro la demagogia dei deputati socialisti del Nord che avevano rifiutato, pavidi, di votare il progetto di Nuovo Trattato. Quelli non apprezzavano per nulla; «Che barba, ma perché parla tanto?» e io sola applaudivo Strehler per quel pezzo di bravura senza copione. Strehler non è stato poi rieletto nel 1984; sembra ne sia stato umiliato e sia passato al contrattacco. Scoperta in sé la vocazione della recita parlamentare, rifiutò il *transito-out* (sbarco definitivo) e passò al PCI nelle elezioni politiche dell'87, alla conquista di un seggio di senatore – operazione che, essendo riuscita a pieno, può essere definita di *transito-in*.

Dopo il maggio 1981, e la vittoria di Mitterrand, aveva transitato verso i più alti seggi ministeriali un bel pacchetto di eurodeputati: Jacques Delors, Gilles Martinet, Yvette Roudy, Edith Cresson, Edgar Pisani. La loro qualità, l'essere usciti dalla provincia esagonale e aver acquistato una dimensione europea, aveva influito positivamente agli occhi del presidente francese, François Mitterrand. Ma, tranne Delors, quei deputati non si sono mai più rivisti a Strasburgo. Come a liberarsi di un incubo, un fantasma. Soltanto Chirac, un anno dopo essere stato eletto nel primo Parlamento, presentò le sue dimissioni, spontaneamente. Sia perché pensava che il Parlamento non contasse nulla, sia perché rifiutava questo tipo di cumulo elettivo che gli faceva perdere troppo tempo. Nulla ve lo obbligava. Nemmeno qulla sua regola sul *tourniquet*, che riduceva il mandato a mezza legislatura.

Assenteismo e punizioni per i grandi assenti

Dal computo dei nostri cervelli elettronici parlamentari, è sui deputati più illustri, più rappresentativi, che si accumula il maggior numero di assenze. Quando vi lavoravo io, il preoccupato gruppo socialista decretò sanzioni contro l'assenteismo dei propri eurodeputati. Si decise di punire chi spariva dalla circolazione per un mese o due, col *silenzio parlamentare*: l'assenteista non avrebbe potuto prendere la parola nel dibattito generale per un periodo da tre a sei mesi. Ma poiché quelli che si dileguano sono gli stessi che non hanno alcuna intenzione di prendervi la parola, la misura non portò frutti. Si applicarono, allora, multe sugli emolumenti. Ma si seppe che bastava un certificato medico giustificativo dell'assenza per non essere più tassati. Nel secondo Parlamento eletto, come provano i dati non pubblicati da nessun «Eurobarometro» ma esistenti nei cassetti, l'assenteismo è praticato con più cinismo che nel primo. Allora si sono aggiunti nuovi «castighi». Nel caso in cui l'assenza del deputato superi i giorni di seduta plenaria, che avvengono tra il lunedì e il venerdì di ogni mese, si è decretato di ridurre di metà la congrua indennità di segreteria che ammonta a lire 3.200.000 mensili (senza giustificativi di spesa). Il solerte Paolo Falcone, segretario generale del gruppo socialista, mi rivelò che venti deputati erano già stati puniti nel gruppo. «Chi sono?» chiesi. Bisbigliò nomi grandi, grandissimi, i più illustri, a farla breve. Chi poi non va per due volte alle sedute della delegazione interparlamentare di cui è membro, mi raccontò ancora Paolo, con gioiosa disposizione di castigatore, per la preparazione di una missione deputatizia all'estero, sarà eliminato dal viaggio (principale scopo di quelle riunioni). Risposi: «Beh, vedo che le cose sono fatte sempre più sul serio, che le pene si aggravano...». Evidentemente non pensavo nemmeno una parola di quel che affermavo. Era solo per non avvilire il bravo Paolo. Un mio amico, l'assenteissimo deputato Erasmo da Rotterdam (nomignolo appiccicatogli dalla moglie innamorata del suo ingegno), un bell'uomo pigro, elegante e godereccio, celebre per far coincidere un safari in Kenia con una seduta chiave del Parlamento Europeo, finita la legislatura è stato ripresentato come capolista della sua circoscrizione, ma, non rieletto, è stato promosso dal suo partito a un posto di *ministro* della Commissione bruxellese.

I meccanismi dei partiti, sia chiaro al lettore ignaro, muovono verso tutt'altro scopo che quello dell'efficienza del Parlamento Europeo, che è talora l'ultima delle loro preoccupazioni, volti come sono ad altri imperscrutabili obiettivi. Magari provvidenziali.

Luci rosse

Il braccio alberghiero del Panettone, a sinistra del corpo centrale, contiene in verticale i gruppi politici, che nell'anfiteatro stanno schierati all'orizzontale, da destra a sinistra. Moquette verdina spessa e lanosa, luci giuste, tanti uffici personali quanti sono i soci, con dentro un divano-letto, tre poltrone, una scrivania, una doccia con toilette.

Le porte degli uffici si aprono sui corridoi a serpentina e potrebbero essere quelle di un convento medievale, come piacerebbe a Eco. O come sarebbe piaciuto al Borges del Labirinto. A fianco dell'ingresso c'è una targhetta nitida col nome del «socio», luce rossa accesa quando è in casa. Sembrano, nella loro intermittenza, lucine cimiteriali, lungo i vialetti silenti del corridoio chilometrico. Nomi prestigiosi, nomi anonimi. Più gli abitanti sono celebri, più le luci rosse sono spente.

Su una targhetta, al primo piano, a fianco ai Natta (nessuno sa, a Strasburgo, chi sia questo ignoto signore che ha sostituito il celebre e delicato Berlinguer, alla testa del PCI!), ai Pajetta, ai Cerquetti, eccetera leggo «Alberto Moravia»: niente luce rossa, quella che segnala la presenza del deputato. Porta chiusa a chiave. Mucchi di posta che si affastellano davanti alla porta. Rolando a Roncisvalle per la pace si è dissolto. La campagna per salvare l'umanità dall'apocalisse atomica, prima delle elezioni, era stata lenta, tenace, fatta di interviste e di autointerviste, di dialoghi e di articoli sui grandi giornali, compreso «Le Monde», stampa quasi riconoscente, nel poter infine incontrare una grande passione europea in un intellettuale. Ma questo spirito libero, il romanziere famoso, lo ritroviamo attraverso i suoi reportages, in Africa, in Cina, e in mille altri luoghi del pianeta, distanti migliaia di chilometri da Strasburgo. Che d'altronde Moravia non potesse provare attrattiva per il Parlamento Europeo, stava già inscritto nella sua opera. Il Parlamento Europeo è uno dei luoghi più asessuati del mondo. «L'opera di Moravia è composta» scrisse Parise («Corriere della Sera», 31 luglio '82) «fondamentalmente da un pensiero rivolto al sesso: al mistero, all'inspiegabilità di questo fenomeno così naturale e così bizzarro che è il sesso, con tutto il suo carico di magia». A Strasburgo l'aspetto più erotico è il denaro, come vedremo. Da questo punto di vista, Moravia ha trattato Strasburgo come un oggetto sessuale.

In attesa mesta della fine, del nulla, o semplicemente di andarmene via di qui, me ne sto seduta sul divanetto grigio perla del Transatlantico, allorché mi viene incontro l'agile silhouette del filosofo spagnolo, Xavier Hubert De Ventos. Ancora un match per tre a zero, a favore degli intellettuali spagnoli contro gli italiani e francesi. Un filosofo come Xavier frequenta assiduo il Parlamento. Anche se viene chiamato neofita, o arrogante.

Quanto costa il Parlamento Europeo?

Molti computi sono stati fatti in passato e i primi a cimentarsi in questa bisogna furono i radicali. Il loro leader girava nei corridoi minaccioso, seguito da un funzionario, Segretario del gruppo radicale europeo (già impiegato dell'ufficio indennità dei deputati) che teneva in mano un piccolo calcolatore, i bilanci e i regolamenti finanziari delle istituzioni comunitarie. Pannella marciava avanti, il segretario lo seguiva saltellante, come Charlie Chaplin con quei baffetti neri. Erano una coppia stupenda. Sancio e Don Chisciotte? Comunque terrorizzavano tutti soltanto con la loro presenza. Si parlava di ricatto, volavano parole grosse. Non facevano che sottolineare le assurdità delle spese. Ma ora Pannella tace, e chiede una poltrona da ministro nel governo italiano!...

Trovo tra le mie carte un'interrogazione dei deputati radicali italiani; la prima firma prestigiosa è quella di Leonardo Sciascia, che nel 1982 interrogava il governo italiano sullo sperpero di soldi che faceva l'Assemblea Europea. Quell'interrogazione non ebbe seguito. Con l'aiuto di «Chaplin», che ho ritrovato al Lussemburgo, ho aggiornato le cifre di quello sperpero al 1987.

La democrazia costa cara

«Signora, ricordi che la democrazia costa cara», mi ammonisce un alto funzionario che indossa la distinzione e l'autorità del Parlamento come un frac tagliato su misura. «Nei regimi dittatoriali non si spende certo per far funzionare i parlamenti». Giusto, giustissimo argomento. Come quell'altro ammonimento esemplare, tirato fuori ogni volta che i parlamentari accordano a se stessi (come recentemente in quello italiano) un aumento di stipendio, oppure un segretario portaborse a propria disposizione: «I senatori americani hanno uffici grandi così, stipendi enormi così, e segretarie con seni grandi così... Noi stiamo sempre molto al di sotto di un senatore americano così...». E allargano le braccia come il cerusico che presenta la réclame dell'aspirina Bayer... Il perfetto funzionario spiegherà al dubbioso e al ficcanaso che il costo del Parlamento Europeo è solo lo 0,97 di qualcosa che il non esperto al primo colpo non riesce a capire. Certo questo qualcosa deve essere enorme. Domanda su domanda, il qualcosa è poi il bilancio generale annuo della Comunità. La Commissione ne assorbe un 4% circa che comporta 1 miliardo e 200 milioni di Ecu (1 Ecu equivale a 1500 lire) per le spese di funzionamento interno e dell'ufficio delle pubblicazioni, che conta 11.000 impiegati. Il Parlamento grava, dunque, per un microscopico 0,97% su un bilancio totale che ammonta a circa 36 miliardi di Ecu. Come si vede, un bruscolino per rendere una democrazia *agissante* (come dicono i francesi). Ma quanto costa quel bruscolino? Calcolo su calcolo si scopre che il costo è di 350 milioni di Ecu, pari a 525 miliardi di lire ogni anno.

La mercede del deputato

Che cosa può attirare tanto a Strasburgo i deputati, se fuggono via appena messo uno svolazzo di firma sul registro delle presenze? Che cosa può attirarli a Bruxelles se, alla riunione di gruppo o della Commissione, entrano per un'altra firmetta, e corrono di nuovo verso l'aeroporto? «Lo stipendio, signora Macciocchi». Mi risponde così un lord conservatore che fra l'altro mi fa notare come il Parlamento inglese è quello che paga meno di tutti gli altri. «*Auri sacra fames*, come la chiamava Marx», ridacchia l'inglese: «L'argent, Madame, l'argent!». E mi cita Shakespeare, nella *Bisbetica domata*: «Nothing comes amiss, so money comes withal» («Nulla può andare male, se viene insieme ai soldi»).

Dentro quel bruscolino dello 0,97% c'è un infinitesimo di bruscolino che è il costo del deputato europeo, corrispondente in media a più di 18 milioni al mese per ogni deputato (comprese l'indennità forfettaria di segreteria di L. 3.200.000 e l'indennità di assistente di L. 4.803.000), senza però contare lo stipendio pagato dallo Stato d'origine e che è uguale a quello del deputato del Parlamento nazionale (in Italia, circa 8 milioni di lire). Il deputato europeo risponde al fisco esclusivamente per lo stipendio che gli versa il Ministero del Tesoro, mentre la somma delle indennità europee è esente da tasse. Ho sostenuto allora, e sostengo, che occorrerebbe diminuire i privilegi pecuniari e accordare maggiori prerogative al deputato europeo, che nel suo Stato d'origine non ne possiede quasi nessuna. Ma c'è una sordità diffusa. Così torno alla lista di cifre che «Chaplin» mi ha dato. Basta un'occhiata distratta per capire che significa dilapidare il denaro lo spendere 75 milioni di Ecu per missioni, riunioni, pubblicazioni, mobili, ecc.

I potenti gruppi che sgranocchiano per il loro funzionamento quindici miliardi di lire ogni anno come caramelle, di quale utilità sono per il cittadino? A che servono, inoltre, la bellezza di oltre otto miliardi, riassunti nel bilancio sotto la pudica voce matematica di «moltiplicatori d'opinione»? Il «moltiplicatore», per chiarirci, è un cittadino, uomo o donna, che arriva e riparte dai luoghi parlamentari, tutto spesato, e dopo averli visitati si presume diventi acceso propagatore, *propagandista moltiplicato*, delle meraviglie parlamentari europee. E se fosse invece il contrario? Non basta il deputato, a moltiplicare una buona opinione sul Parlamento? Ci si può chiedere, in conclusione, se il moltiplicatore di opinione non serva proprio a colmare il vuoto di opinione positiva attorno a un deputato europeo.

E chi potrà mai convincerci che non si debba immediatamente giungere a unificare in un solo luogo tre sedi diverse, che costano solo di affitto annuo 33.547.000 Ecu, pari a 50 miliardi e 300 milioni di lire? Tanto più che tra gli undici palazzi a Lussemburgo, i quattro a Strasburgo e i cinque a Bruxelles, in questa selva di uffici a disposizione, il deputato evade sempre più spesso, magari per riunirsi con i propri gruppi, in missioni particolari, altrove, in Europa. Mi sembrerebbe poi di buon gusto ridurre le fughe turistiche dei deputati tra delegazioni e Commissione per il Terzo mondo, detta ACP (dalle iniziali di Africa, Caraibi, Pacifico) nei punti più favolosi del globo, il che mi fa pensare alla réclame del materasso francese Dorma: «Ti addormenti qui e ti svegli a Hong Kong». Solo questi viaggetti costano 700 milioni l'anno.

Mi siedo a fianco di un elegante sindaco che sta per viaggiare verso Las Palmas, nelle Canarie. «Come mai?» gli chiedo. «Andiamo lì a studiare lo spagnolo, tra Natale e Capodanno». D'estate, si studia il tedesco a St. Moritz (dove tra l'altro, Lord Douro ha un castello di cui si guarda bene di far conoscere l'indirizzo ai colleghi.) Uno sfarfallio di terrestri luoghi ambiti dal top del jet-set, sta scritto nelle agende dei deputati e delle quindici Commissioni del Parlamento. A questo occorre aggiungere le scelte dei gruppi politici che a loro volta convocano le loro riunioni, senza risparmiare le fantasie da Club Méditerranée, in siti fiabeschi.

L'interrogazione di Sciascia

L'interrogazione a firma Sciascia e deputati radicali mi sembra ancora pienamente attuale al suo punto nove. «I principali gruppi politici hanno l'abitudine di organizzare delle riunioni ufficiali secondo una logica tutta turistica. Queste riunioni sono a carico del Parlamento, così il gruppo liberale ben presto partirà al gran completo per la Martinica, il gruppo democristiano ha tenuto durante due settimane una riunione di studi fra Colonia, Palermo e Taormina». Le delegazioni parlamentari, nel quadro degli accordi CEE-ACP (Africa, Caraibi, Pacifico...), si muovono com'è ovvio attraverso i continenti. «Il Parlamento Europeo», stava scritto nell'interrogazione di Sciascia, «spende somme enormi per le riunioni della delegazione parlamentare nel quadro degli accordi ACP-CEE. In effetti se questa riunione ha luogo in Africa, tutti i deputati europei partecipano con le loro famiglie, i loro accompagnatori di ogni tipo, mentre per le riunioni che hanno luogo nelle sedi europee non vi sono più di dieci o quindici deputati che ci vanno. Per assicurare questa forma particolare di turismo parlamentare, se si pensa che il tema di queste riunioni è il sottosviluppo e la fame del mondo, in violazione del regolamento ACP-CEE possono partecipare dei "supplenti", nel caso in cui i deputati titolari non possano garantire la loro presenza».

Resta celebre il viaggio in Concorde fatto dalla delegazione per i rapporti con l'America, di cui si scriveva al punto sei di quella stessa interrogazione: «Il Parlamento Europeo ha speso più di 500 milioni di lire (19 milioni di franchi belgi) per il viaggio della sua delegazione in America Latina. Questo è tanto più scandaloso se si considera che il bilancio del Parlamento, nell'esercizio '81, per tutte le attività di una decina di delegazioni prevedeva in tutto 420 milioni di lire (14 milioni e 700 mila franchi belgi), il che rende perfettamente lecito il sospetto che degli artifici di bilancio illeciti siano la pratica corrente nel Parlamento».

E non finisce qui. Aggiunge Sciascia: «Certi presidenti di gruppi politici riescono a percorrere centomila chilometri l'anno (più di 270 chilometri al giorno per 365 giorni) con macchine e autisti messi a intera disposizione dal Parlamento. E ciò costa: 60 milioni di lire (2 milioni e 200 mila franchi belgi), ogni dodici mesi».

Consigli utili

Mi fermo qui. I consigli utili da dare ai neo-eletti a Strasburgo (e d'altronde gli *habitués* mettono subito al corrente il nuovo arrivato) è di ottenere un posto nella *Commissione del sottosviluppo*, che per la larghezza stessa di questa piaga nel mondo consente più volte la traversata del pianeta. Oppure nella delegazione di cui abbiamo già detto, presso i paesi che stanno tra l'Africa e i Caraibi e il Pacifico.

A meno che non vogliano occuparsi a fondo degli accordi di Lomé che raggruppano tutti i Paesi africani. Il deputato male informato rischia di finire nell'associazione bilaterale «Europa-Malta», faccio per dire, invece che nelle ambitissime «Europa-Giappone», «Europa-USA», «Europa-America Latina». Ricordo che Pannella e Castellina litigavano sempre tra loro nel nostro microscopico gruppo, perché Pannella chiedeva alla Castellina di dimettersi dopo un certo periodo dalla Commissione sviluppo e di cedergli il posto. Luciana, a quell'epoca, stava sempre in viaggio, e arrivò fino alla notorietà, il giorno in cui il «Corriere della Sera» titolò in prima pagina: «Eurodeputata morsa da una scimmia in Sudafrica». Dove si vede che non è tutt'oro quel che riluce, ovvero che anche nel nostro club di viaggiatori europei si possono correre gravi rischi.

Cerco di ricordare dove fossi io nella precedente legislatura. In nessuno certo di questi luoghi prestigiosi. Tutti i posti erano già accaparrati dagli esperti. Cerco di ricordar meglio. Feci tre viaggi, a quell'epoca, in quella legislatura, ma non erano viaggi allegri: furono la conseguenza di campagne all'interno del Parlamento per ottenere il suo appoggio ad alcune cause di liberazione, o per la lotta contro la fame. Una spedizione avvenne in Cambogia, ancora allucinante a ripensarci, con Suni Agnelli e un triste deputato olandese. Poi andai in Argentina, dopo aver lavorato per due anni con le madri dei *desaparecidos*, per raccogliere le firme dei deputati onde ottenere che una delegazione del Parlamento partisse per Buenos Aires, al fine di mettere con le spalle al muro quella crudele Giunta di militari. Approfittai di quell'occasione per una puntata clandestina in Cile, e fino a Valparaiso per visitare il cimitero dove si dice giaccia Salvador Allende. Niente di allegro, a conti fatti. Ma mi correggo subito. Col gruppo socialista che si era riunito ad Atene avevo approfittato di un meraviglioso soggiorno in un grande hôtel sul mare. Era settembre, limpida Grecia azzurrina. Visita al tempio di Sunion, dove ritrovai, scalfita nella pietra, la firma di Byron. Chi è senza peccato scagli la prima pietra.

Nel primo Parlamento discutevamo spesso sulle riforme da apportare ed eravamo allora d'accordo in molti che la prima misura necessaria fosse quella di ridurre al 50% le mercedi dei deputati europei, le spese di segreteria e di assistente, il gettone di presenza; bisognava, inoltre, rimborsare i viaggi aerei non più in prima classe (che nessuno usa) ma in classe turistica. E diminuire del 50% tutte le spese per il funzionamento del Parlamento. Pensavamo anche che i deputati dovessero essere inviati a Strasburgo e a Bruxelles per competenza più che per pagarne i servigi con un mucchio di soldi messi in quelle buste gravide di bigliettoni, che si vanno a ritirare a un bancone al primo piano, presso impiegati servizievoli e rispettosi. Come pepite d'oro. Eravamo convinti che un deputato dovesse guadagnare quanto un professore universitario a Parigi, a Londra, a Bruxelles, oltre le spese di viaggio. Ma questa rischierebbe di essere la riforma più impopolare d'Europa.

Si paga al più alto prezzo l'assenza di prerogative del Parlamento: infatti la sola riforma che giustificherebbe l'esistenza stessa di questa Assemblea sta nell'attribuirle un potere politico europeo. Il che, com'è chiaro, presuppone la volontà dell'unità in quelli che governano le nostre cinque repubbliche e sette monarchie, che formano l'Europa dei Dodici.

Poi un dubbio mi viene. Ma perché vado architettando tutte queste ipotesi? E se il Parlamento fosse già morto, senza necrologio ufficiale, così come morta sarebbe già la stessa idea d'Europa? Leggo, mentre sto lì, un articolo di Arturo Guatelli, sul «Corriere della Sera», che m'informa, senza peli sulla lingua, del decorso mortale che va vivendo l'Europa: «Cinque o sei generazioni di italiani, di tedeschi, di francesi, sono cresciute nell'illusione che un giorno, alla fine magari di un percorso ad ostacoli, potesse realizzarsi l'integrazione economica, e con essa l'unità politica dell'Europa. C'è ancora chi ci crede. Ma i più, quando parlano d'Europa, mentono. Sono complici di una truffa politica». Se l'Europa non c'è più, allora come per un prodotto avariato, i governi, gli stati, sono costretti a spendere sempre di più per l'ibernazione, per fingere che l'Europa è vivente. Deputati, Commissari, mogli frivole e mogli severe, figli cretini e figli geniali, doviziose e sterminate compagnie deputatizie, presentandosi qua e là per il mondo, in gruppi o in carovane, dimostrano tutto sommato che l'Europa esiste, che il Parlamento è lì, assembleare conquista, e che la Commissione è là. Tutti vivi, insomma. E tutti tesi verso il Progresso dell'Europa.

Un esercito di interpreti e traduttori per gli emendamenti del nulla

Il lettore che ha la benevolenza di seguirmi, al terzo giorno del mio peregrinare nel Parlamento, vorrà ascoltare la conversazione tra me e il vicepresidente della Commissione, Manuel Marin, che avevo già incontrato al mio arrivo al Tempio. Uno spagnolo di 38 anni, andatura da torero in trasferta, barba nera folta come un gentiluomo di Filippo II; uno che non ha ancora capito, a occhio e croce, come l'importante sia mentire garbatamente su queste Istituzioni, più che spiattellare verità come fa d'abitudine. Lo vedo andare avanti e indietro nel Transatlantico, senza codazzi di segretari e portaborse, come si conviene nell'ultrapiramidale Commissione europea.

Si sta discutendo in Parlamento il problema della disoccupazione, ovvero dell'impiego, come si dice con positività, per non parlare di disoccupati. Marin è chiamato a rispondere al Parlamento come commissario per i problemi sociali. Ma che rispondere davanti a sei rapporti e settecento emendamenti? Me lo chiede angosciato. Spesso sono parole intessute dei fili del nulla. Tradotte, stampate, diffuse, resta sempre il nulla, all'origine.

Che nasce spesso dalla frustrazione del deputato. Il Parlamento parla sempre meno. I cinque giorni di seduta plenaria vanno ormai spartiti tra 518 eletti. Il deputato si sfoga con paroline scritte. Un tornado cartaceo si catapulta sull'aula. Ai sei rapporti sulla disoccupazione (per cui a ogni relatore sono stati accordati cinque minuti...) vanno aggiunti i 700 emendamenti che moltiplicati per nove lingue fanno 6300 fogli di carta stampata. Le cose peggiorano rispetto ai miei tempi. Più deputati, meno tempo di parola, il che è ovvio. Ma il fatto curioso è che le carte messe a punto dai traduttori e stampate dagli stampatori, finiscono col rimpiazzare il deputato. I computer potrebbero fare molto meglio. Ogni «circonlocuzione» (come io definirei l'emendamento) accettata o respinta viene votata, con la perdita di un minuto, un minuto e mezzo di tempo ancora. Il presidente annuncia la «circonlocuzione», i deputati alzano e abbassano la mano, e la «circonlocuzione» è già morta, dissolta oppure inghiottita dentro il testo risolutivo finale. Ognuno allora cerca subito di sbarazzarsene buttandola per terra sotto il suo banco di deputato. Alla fine del dibattito quel che resta è una montagna circonlocutoria di carte sporche.

Per l'intera sessione cui assisto, vi sono stati 1600 emendamenti (una parte riguarda il bilancio), in nove lingue, e hanno comportato 14.400 fogli di carta stampata. Mi butto ad almanaccare come, con lo stesso numero di pagine, si stamperebbero cento libri di 140 pagine e in nove favelle. Brani di storia, dalle Crociate all'università del Medioevo, dagli amori di Abelardo ed Eloisa alla Rivoluzione francese, fino all'ultima guerra, allo sterminio hitleriano eccetera. Cosette semplici, insomma, ma se ne potrebbero fare anche di più complesse, fino ad introdurre qualche nozione scientifica, o far risultare l'ango-

scia degli universitari europei che restano senza lavoro (come dimostrano le manifestazioni in Francia dei ragazzi dell'86). Ho mille idee
nella testa. Sono pericolosa, mi dico. In dodici mesi sto per proporre
di sostituire alle circonlocuzioni la stampa di 1.540 libri. E tutti gra-
tuiti. Capisco di non essere un soggetto affidabile da come i miei ex
colleghi mi guardano, anche rispondendo alle mie domande che ri-
volgo loro per la corretta informazione del lettore.

A questi sono ora in grado di svelare che dietro la montagna degli
emendamenti marcia un esercito di 600-700 traduttori. Hanno lavorato, durante tutto il week-end che precede la seduta, per tradurre ve-
loci quelle carte di cui ho detto. Tempi record. Poi, dietro di loro,
c'è l'esercito degli stampatori, il sistema di casematte tipografiche
che circondano e difendono l'esistenza dell'Europa cartacea. Questa
è al lavoro come una Zecca, che invece di stampare biglietti di banca
di uno Stato immaginario, stampa emendamenti del nulla. Lo sciupio di cellulosa rischia di divorare le foreste europee, di lasciare pela-
te le nostre montagne. Ma nessuno se ne accorge. Magari in quello
stesso giorno il Parlamento discute di un rapporto della Commissione ambiente sulla difesa del verde, la protezione degli alberi, la lotta
contro gli sprechi cartacei ecc. ecc.

Gli interpreti ufficiali, quelli che lavorano nei loro gabbiotti nel-
l'alto del Parlamento o nelle Commissioni, sono oltre trecento per le
sole traduzioni simultanee. Mestiere d'oro, si dice, alti appannaggi.
Per arrivarvi vi sono complicati concorsi, ma occorrono anche, a
quel che mi raccontano dei giovani concorrenti, molti appoggi dal-
l'alto. «Centinaia di interpreti e traduttori hanno preparato questa
importante sessione», dice con orgoglio il bravo Capo-funzionario.
E vi hanno passato al lavoro tutto il fine settimana, come ad ogni vigilia di sessione. Non gli racconto del «principio di Peter» sulle burocrazie, che amo tanto per la precisione (e di cui il lettore troverà più
avanti la descrizione): non gli descrivo quella parabola del singolo di-
pendente all'interno di una gerarchia e il suo itinerario, che sulla base
di successive promozioni è destinato ad elevarlo fino al livello massimo... di incompetenza![6]

Il funzionario abita a Lussemburgo così come tanti altri. Più di
ventimila sono i dipendenti della Comunità Europea. Attraverso lui
mi sembra anzi di capire perché nella città di Lussemburgo, dove ri-
siedono una gran parte degli impiegati della CEE, molti di essi si de-
dichino a coltivare l'insalata, i mirtilli, le fragole, e a preparare le
marmellate. Perché, pur con gli ottimi salari che ricevono, abbiano
sempre l'aria triste, e magari si ammalino di esaurimento nervoso.

Solo i bambini mi sono sembrati sempre allegri. Hanno una loro socievolezza, anche tra ricchi e poveri, che sono lì a Lussemburgo altra cosa che non da noi. Invece di dire, ad esempio, «Che mestiere fa tuo padre?», loro chiedono al compagno di banco: «Di che grado è tuo padre?». Anche se il padre è di grado Z-1, faccio per dire, ma il ragazzo è simpatico, esso viene accolto nella casa di A-1, diciamo il massimo grado gerarchico, per fare merenda.

Un miraggio? Strasburgo si svuota di colpo

L'unico potere del Parlamento si dice sia l'approvazione del bilancio. Non so se si tratta di un potere o in realtà di un non potere, che maschera l'assenza di un vero potere legislativo e politico. Risento parlare fitto, in queste ore, della volontà del Parlamento di non approvare il bilancio presentato dalla Commissione. «No di Strasburgo al bilancio CEE», titolano già i giornali europei. La prima volta che il bilancio fu bocciato ci fu un «Hurrà», nell'Assemblea. Quale emozione non provai insieme agli altri? Avevamo un vero potere. Poi per alcuni mesi, le buste degli stipendi in tutte le voci riguardanti il funzionamento del Parlamento furono decurtate, in attesa di una seconda lettura per l'approvazione. Questa alla fine ci fu, con qualche modifica. Se si respinge il bilancio, ormai gruppi e deputati si accorgono ben presto che occorre tirare la cinghia, e che i rimborsi di quel che è stato decurtato si potranno avere solo dopo l'accettazione finale.

Bellicosamente respinto, alla fine il bilancio è prudentemente approvato ogni anno. Lo spettro della crisi finanziaria grava ogni volta sulla Comunità. Il deficit denunciato nel corso di questa mia visita è già di 4500 miliardi di lire che mancherebbero per finanziare il solo settore agricolo che inghiotte l'80 per cento delle spese. Molti si allarmano, i discorsi si fanno incandescenti. Ma so già che il dramma si scioglierà nel «lieto fine», come ogni anno.

In realtà questa Istituzione, parlamentare, «figura per sua natura unitaria, in quanto un Parlamento suppone una struttura omologa ai fini generali, è un messaggio irreale, intrinsecamente ambiguo, e al limite non vero». Così scrive Baget Bozzo: «È solo un'assemblea consultiva, nella migliore delle ipotesi. Al limite, il Parlamento Europeo è un fatto culturale».

Una deputata di Milano che vola come una trapezista con in bilico sulle braccia pile di atti e di dossier, m'interroga: «Lei ha nostalgia?». Mi rivedo, come lei, col fiato mozzo. Mi sorprendo a dire:

«No, non credo. Sempre in moto perpetuo. Zingari d'assalto. E poi quel disfacimento del linguaggio in parole tecniche, asessuate, amorfe, rintronanti nella testa come il trapano del dentista. E quei pochi minuti di parola, strappati al gruppo per dire tutto e nulla». Lei sorride un po' acida. Ma non dissente. In verità è una vita da cani, quella di un parlamentare europeo che prenda sul serio questa Assemblea. In fondo, un lavoro così, non è mai abbastanza pagato, non credete? E che ne resta? Un mucchio di carta straccia.

Il nostro favoloso zoo europeo.
Mentre Strasburgo si dissolve come un miraggio

Scendo in visita al ristorante del Parlamento: cibo francese, sul buffet fastoso nel centro del salone, dove le leccornie sono disposte come un festino trionfale. Prosciutti interi sui treppiedi, salmone, fegato d'oca, cento cremosi formaggi francesi, pasticci dalle morbide croste d'oro, frutta esotiche, sformati di pesce e di carne, e infine solenni torte incoronate di crema e tanti gelati dai colori dell'arcobaleno. Ai tavoli, i deputati siedono più o meno secondo le nazionalità, più che secondo i gruppi di appartenenza. Italiani, francesi, tedeschi, come da noi vanno insieme napoletani, lombardi o siciliani. Ma ci sono eccezioni di amicizie internazionali, che nascono da affinità, consuetudine e studi comuni, o da esperienze politiche particolari. Assisto a una scenetta sorprendente: Pannella si alza dal suo tavolo, e muove incontro con slancio a Le Pen. Si abbracciano e baciano con trasporto. Mentre brontolo, Didò (PSI) cerca di giustificarli (piombandomi tuttavia in dubbi ulteriori): «Sai, sono amici da quando erano giovani...».

Chiacchierano nelle favelle d'origine, destre e sinistre insieme. È il nostro favoloso zoo umano di europei. Tutti insieme, giraffe e leoni, orsi bianchi e bebè foca, tigri e scimpanzè, conigli e lupi stanno tranquilli a divorare il pasto approntato con generosità e a buon prezzo, senza azzannarsi.

Ma tutto quel che ho raccontato dura cinque giorni soltanto, una volta al mese (per undici mesi). Al quinto giorno della seduta, il venerdì, come il castello magico, o un miraggio, il Palazzo parlamentare si dissolve. Ristoranti, telefoni, riscaldamenti, uffici, servizi d'interpreti, Mercedes silenziose con autisti: tutto scompare per trasferirsi altrove. Il luogo parlamentare stesso è un luogo di *transito*, da cui la carovana riparte. Sul Palazzo scende il silenzio, i boschi circostanti lo inghiottono nella loro verde quiete. E ci si domanda se è mai esistito. Unica prova, le montagne di cartacce che segnano la fine di un pic-nic gigante. Una volta che persi l'aereo, cercai di tornare nel mio ufficio, ma un custode armato mi impedì l'accesso al Palazzo: «Qui non si può entrare», mi intimò. «Non so chi sia lei e che cosa voglia. Qui non c'è nessun Parlamento».

Note

1 Witold Gombrowicz, *Diario 1953-1956*, Feltrinelli, Milano 1970.

2 Régis Debray, *L'Europe entre deux empires*, Gallimard, Paris 1985.

3 In Europa c'è una maggioranza assoluta di monarchie: tra i dodici Stati che conta la Comunità vi sono cinque repubbliche e sette monarchie costituzionali: le monarchie sono in maggioranza. Anche considerando gli scempi di cui si sono rese responsabili certe repubbliche, in questo quadro alcuni re, come quello di Spagna, assurgono al ruolo di sovrani saggi ed equilibrati e quello che una volta era *arcaico*, parola dispregiativa, attribuita alle caste regnanti, va oggi rovesciato nel suo contrario. L'arcaico è il moderno; «l'arcaico re Don Juan è l'illuminato re Don Juan» come negli anni ottanta si scrive in saggi dedicati al nuovo senso semiotico da dare all'aggettivo arcaico. Juan Carlos è d'altronde il monarca cortese e moderno, che ha rinnovato il volto della Spagna dopo il «fascismo repubblicano» di Franco e che ha salvato la Spagna dal colpo di stato contro cui la sinistra è apparsa in quel momento impotente. E la regina Elisabetta, la molto arcaica regina d'Inghilterra, non è meno decisa nel decretare le sanzioni contro il Sud Africa razzista che non il suo Primo ministro signora Thatcher? E meno crudele nel reprimere la secessione irlandese? Monarchi come Don Juan di Spagna *recandosi* a Strasburgo vi hanno pronunciato il discorso più europeista davanti all'assise dei rappresentanti di 320 milioni di europei. Aggiornamento dunque della parola *arcaico*?

4 Intervista a «Testimonianze», 31 dicembre 1984.

5 *Ibidem*.

6 Per una pagina di traduzione comunitaria, in nove lingue ufficiali, la Corte dei conti europea del Lussemburgo aveva calcolato nel 1982, un costo di 97 mila lire (a pagina) per i documenti della Corte di giustizia e di 156 mila lire (a pagina) per i testi della Commissione. Ma secondo calcoli più recenti, i costi sono ora triplicati. Si può calcolare che una pagina (su nove lingue) costa 600 mila lire! Un interprete-traduttore, detto anche «Funzionario linguistico» della Comunità, riceve uno stipendio mensile di 150 mila franchi belgi, ovvero cinque milioni di lire al mese esenti da tasse. L'esercito di interpreti che lavorano sulle «parole d'oro» continua a ingrossare. Le cifre più aggiornate dicono che: su 16.701 funzionari impiegati nelle principali istituzioni europee, 2770, ovvero il 16,2 per cento assolvono al ruolo di interpreti-traduttori della Comunità. Nella Commissione, su 11.234 funzionari, 1544 sono gli interpreti e i traduttori; presso il Consiglio dei ministri, sono 454 su 2065 funzionari; nel Parlamento Europeo su 2931 dipendenti, sono 661; nel Comitato economico e sociale sono 111 su 471. Insomma, un funzionario su sei lavora perché gli altri capiscano... Cinquanta milioni di fogli stampati all'anno, messi uno dietro l'altro, formerebbero una striscia di 15 mila chilometri, che chiamerei la nostra autostrada per arrivare diritti alla Torre di Babele. Questo «tempio costoso della chiacchiera» (come l'ha definito Alain Minc nel suo libro *Europa, addio*, Marsilio, Venezia 1986) formato dagli areopaghi europei, divora

buona parte del bilancio: un quinto delle spese amministrative CEE, pari a 2 miliardi di dollari, sono utilizzate per tradurre i balbettanti pensieri, i discorsi approssimativi e rozzi, i documenti della «neolingua», in altre nove. Lo scandalo appare tanto più grande, quanto si aggiunga che gli stessi autori dei testi denunciano molto spesso la cattiva traduzione e i non-sensi che si trovano nei documenti. Ma anche se il traduttore dall'inglese fosse Joyce (poniamo), o dal francese Céline (poniamo), o dall'italiano Manzoni, cosa si può ricavare da una pagina vergata nella lingua di ferro degli eurodeputati e funzionari comunitari? Direi che l'assurda battaglia dei governi che difendono la loro lingua come patrimonio linguistico nazionale attraverso l'utilizzazione pressoché barbarica delle nove lingue, non porta ad altro che a una fase di decadenza linguistica, come quella che galoppa in Europa. Dovrebbero decidersi, come è largamente spiegato in questo libro, a utilizzare bene, e grammaticalmente e sintatticamente in modo corretto una o due sole lingue (l'inglese e il francese), poniamo. Le varie sovranità nazionali guadagnerebbero prestigio culturale, mettendo fine allo scandalo del *peso d'oro* di una pagina, che nessun editore sarebbe mai disposto nel mondo a pagare, anche per la più raffinata prosa o poesia del più illustre e geniale artista planetario.

III

COME SI VINCONO E COME NON SI VINCONO
LE ELEZIONI EUROPEE

L'armadio di Bruxelles

Nel mio ufficio di Bruxelles, come tutti gli altri deputati, possedevo uno studio, sito nella Rue Belliard che è tutta un grattacielo. A Strasburgo avevo a disposizione un ufficio, nel Panettone, col divano e una doccia personale (è la dotazione immobiliare di ogni deputato, più gradevole, ma utilizzabile solo cinque giorni al mese). Nell'ufficio di Bruxelles avevo un armadio in ferro grigio, colmo di carte del mio lavoro deputatizio. Quando non fui rieletta, venni chiamata di gran carriera da Roma per sgomberare quell'armadio. Il nuovo inquilino, un laburista inglese, doveva occuparlo al mio posto di non eletta. Arrivai con ritardo, e l'inglese aveva già buttato fuori tutto, in mezzo al corridoio, estremamente indignato verso questa meridionale d'Europa che non aveva rispettato i tempi per la solita mancanza di puntualità degli italiani. Con la florida Daria, che sembra Cerere ma in bruno, e che mi aveva fatto da segretaria per quegli anni, ci mettemmo penosamente a riordinare le carte. Mi sfilarono sotto gli occhi i rapporti sull'abolizione della pena di morte, sul voto agli emigranti, sull'obiezione di coscienza, sul sottosviluppo, sulla fame nel mondo, sulla Cambogia, l'Argentina, l'Afghanistan, la Polonia, i diritti umani e così via. Mi accorsi di aver fatto di quell'Assemblea una piccola cassa di risonanza dei dolori, delle angherie umane, dei diritti; un piccolo lavoro a carattere europeo, più che nazionale. Adesso non restavano che le note, gli appunti e fogli a non finire, tutta carta da macero. Il contenuto di quelle carte io avevo cercato di riassumerlo, nella campagna elettorale dell'84, secondo l'uso elettorale. Quella sterminata superficie di fogli l'avevo trasferita in una sorta di biografia di attività, di resoconto di cose fatte da presentare ai cittadini. È dall'armadio di Bruxelles che l'inglese aveva occupato sfrattandone l'abusivo, che presi le mosse per scrivere il racconto di quella campagna elettorale in Italia, che restò storica per l'improvvisa morte di Berlinguer sul palco di comizio e quel che ne seguì.

Penosa morte di Berlinguer a Padova
e suo seppellimento a Roma, durante le elezioni europee

Il 10 giugno 1984, Berlinguer fu colpito da emorragia cerebrale, a Padova, città del Santo dal giglio nel pugno. Barcollò sul palco dove arringava la folla, ma ebbe il tempo di afferrare il microfono, come per sorreggersi, e di pronunciare quell'ultima frase, quasi un eroico sussurro: «Votate PCI!». Tutto sommato, una morte esemplare, visto che non si muore più sulle barricate. Si era alla vigilia delle elezioni europee, fissate per il 17 giugno 1984.

L'obiettivo implacabile della RAI-TV filmò, crudo ed emozionante, ogni scena del trapasso: il malore, la discesa del corpo ripiegato come un fantoccino tra le braccia dei soccorritori, il decorso fulminante della malattia descritto dagli intimi, i corridoi d'ospedale, la famigliola dignitosa e spaurita, nella quale spiccava una moglie fino allora sconosciuta e molto somigliante a Catherine Deneuve. E fu l'agonia, tra i grandi esponenti della classe politica italiana, che facevano compunta anticamera sulla soglia della stanza d'ospedale. Il nostro ex Presidente, Sandro Pertini, gridò: «È un giusto!» e per primo si precipitò a Padova, senza più abbandonare il capezzale per tutto il tempo convulso dell'agonia.

In quel giugno 1984, esattamente vent'anni dopo i funerali di Togliatti, nella medesima piazza S. Giovanni – oh, corsi e ricorsi della storia! – vidi Roma fiammeggiare, più ancora che per il sole dell'estate, per il calore dei fiati umani, nella ressa tremenda che invadeva la città, trasformata in infocata isola pedonale.

Funerali apocalittici, pressoché di Stato, in quella piazza S. Giovanni in cui già Paolo VI aveva celebrato la cerimonia per Moro, benché senza il cadavere, perché la famiglia si era rifiutata di consegnarlo alle Istituzioni. Per il piccolo Enrico, invece, l'Istituzione televisiva si prodigava fino a portare la storia edificante del ragazzo sardo nell'intimo dei focolari, nel cuore stesso delle Mamme. Dal 9 al 13 giugno, le tre reti di Stato trasmisero in diretta, per giornate intere e a più riprese, tutti i funerali e le orazioni funebri. Trenta ore almeno di televisione! «Quando in Italia muore un uomo onesto, la gente è pronta a santificarlo», commenta prudentemente uno scrittore. Che si possa esaltare «uno che non ruba», rinvigorisce lo Stato.

«Così va la nostra storia!», sembra assentire un gruppo di giovanotti in blue-jeans. Quarantasei registi italiani, tra i quali Scola, Bertolucci, Lizzani, librati nel cielo sugli altissimi carrelli, filmano ogni dettaglio delle esequie. Un film a puntate. Altro che *Dallas*! C'è qui la vera *story* dell'Italia, la vicenda politica dell'*Italietta* di Pasolini. Il film *È morto un giusto* viene proiettato, due mesi dopo, al Festival dell'«Unità» di Roma...

Il feretro è collocato dinanzi al sagrato della Basilica, sovrastata dagli apostoli come testimoni pietrificati di questo «traffico di cadaveri»: Togliatti, Moro, Berlinguer. E, perché no?, Pasolini. La piazza straripa di nero e di rosso. Il rosso e il nero. La bara dinanzi al sagrato si erge come un mausoleo provvisorio, a conferma della strana attrazione che provano sempre i comunisti, da Mosca a Pechino, per il gusto egizio di elevare a dignità i faraoni del marxismo. Bisogna, comunque, convenire che i marxisti hanno più successo con le esequie che con le rivoluzioni. Per non parlare del «socialismo reale»! Il lutto si addice al Magnifico Ideale del Futuro. Un grande Morto consente, per un assurdo pienamente... razionale, di celebrare l'ardente speranza dei vivi. Di qui all'eternità.

La folla correva, piangeva, agitava bandiere dinanzi alla bara del piccolo Berlinguer: «Enrico! Enrico!», lo invocavano, e quelle voci laceranti esternavano anche le sconfitte, i sacrifici, i drammi di tanti anni. Berlinguer lasciava il PCI in mezzo al guado, né di qua né di là, tra Russia ed Europa occidentale. Ricordavo, tuttavia, due grandi atti di coraggio di Berlinguer: due dichiarazioni audaci che restano a suo onore. Anzitutto, l'affermazione che è meglio restare nel sistema atlantico (NATO) per la libertà dell'Italia; poi, la riflessione che la Rivoluzione d'ottobre ha esaurito la sua carica propulsiva. Avvertii una piccola fitta: il ricordo del Congresso Socialista di Verona, pochi mesi prima, quando i delegati del PSI l'avevano furiosamente fischiato, un vento di rabbia che l'aveva quasi piegato in due sul suo banco di invitato illustre, nel suo orgoglio di leader del PCI. Malgrado le lotte senza esclusione di colpi, provai il senso di una complicità giovanile, quando ci tenevamo per mano nel girotondo della speranza.

«È ora di cambiare! Il PCI deve governare!»: nella piazza S. Giovanni lo slogan antico risuonava nell'aria come una nenia nostalgica e troppe volte ripetuta. *Défoulement* collettivo, tra gioia e furore, per quarant'anni di storia, accidentata, scoscesa, tribolata. Su e giù, tra le intemperie del movimento comunista: qualche vittoria e innumerevoli batoste. Lo stato d'animo della gente è, tuttavia, improntato piuttosto alla fierezza e all'orgoglio di partito: «Quanta gente ci ama!». Un vecchietto grigio mi soffia nell'orecchio: «Già! I comunisti sono buoni solo da morti!». Lui non ci crede a questo consenso. Almeno uno. «Un milione di persone», titola «l'Unità». «Un milione e mezzo», esulta nell'edizione straordinaria. «Tutti», conclude l'indomani il quotidiano.

Certo questo è stato il più grande funerale comunista dell'ultimo mezzo secolo, in Europa. Per Berlinguer, inventore dell'eurocomunismo, poi trasformato in eurosocialismo, la folla è stata molto più fitta che ai funerali di Togliatti. E a differenza di allora, c'era in mostra sul palco l'intero arco politico italiano. Perfino Almirante, capo del Movimento Sociale Italiano, aveva voluto inchinarsi dinanzi alla sua bara. Quanto al nostro ex Presidente della Repubblica, l'ottuagenario Sandro, lui era come un sonnambulo e non faceva altro che baciare la bara, nella piazza gremita, tra gli applausi vorticosi della gente, che lo ringraziava urlando il suo nome: «Sandro! Sandro!». Regnava, infatti, la più grande confusione istituzionale, e l'Italia sembrava la punta occidentale di un paese dell'Est. Enrico sintetizzava, in quel momento, l'unico vero potere politico dell'Italia. Re Enrico, come lo chiamava Giampaolo Pansa. I leader dei grandi partiti giungevano tutti in bell'ordine: De Mita, Fanfani, Forlani, Spadolini, Craxi, dimostrando così che l'Italia del «compromesso storico», voluto da Berlinguer, non aveva più né destra né sinistra. Ma un cuore soltanto. E come sempre in prima fila c'era il russo di turno: il robusto e gioviale Gorbačëv di cui nessuno prevedeva la clamorosa ascesa (a quel tempo ancora numero due dell'establishment sovietico). Anche Arafat se ne stava lì, nella sua divisa militare. Per la prima volta, invece, prese posto nella tribuna il premier cinese Chao Chiang – grande novità rispetto al passato togliattiano, quando si scomunicava la Cina. Georges Marchais, che per le esequie di Togliatti non si era spostato, se ne stava lì tutto compunto, con la cravatta rossa. Al suo fianco c'era lo spagnolo Carrillo, in severo abito nero. Tutti stretti attorno a Berlinguer – il primo della Triade che se ne andava, chiuso nella sua bara lucente – simboleggiavano entrambi, senza rendersene conto, il lutto stesso dell'*Eurocomunismo*, ufficialmente sepolto insieme al suo fondatore.

Della confusione tra urna funeraria e urna elettorale

«Berlinguer, ti voglio bene!», ritmava la gente, ispirata da Benigni. C'era quasi un'aria di festa, di serenità tranquilla, di sicurezza.

«Questa è una festività luttuosa. Ricordalo, donna di poca fede!», mi interpellò un intellettuale che mi aveva riconosciuta tra la folla. Giusto. Più che un funerale sembrava un incontro sterminato tra amici di vecchia data che accompagnano al buio l'amico più caro. La folla in lutto non era incupita, non si abbandonava alla tragedia; anzi, era un addio dato quasi con gioia, per esser così tanti a salutare Enrico I, capo dei comunisti italiani, finalmente onorato come un Re, un capo di Stato e circondato dalle più alte istituzioni della Repubblica.

Ancora una volta, come un tempo, attraversavo Roma: bloccata, vuota, siderale. Ma allora, nell'agosto 1964, era tempo di vacanze ed io andavo alla ricerca di Sartre per ottenere il suo necrologio di Togliatti. Quel giugno 1984 era, invece, l'epoca della tensione attorno a una febbrile consultazione elettorale in corso, quella per eleggere a Strasburgo i rappresentanti dell'Italia. Ma la campagna elettorale si era magicamente interrotta. Per un tacito accordo tra i partiti? Il PCI, con la morte del suo leader, ne era diventato il protagonista unico. Gli eredi di Berlinguer, meno delicati ed eleganti di lui, non si fecero scrupoli nello strumentalizzare il dolore e le luttuose pene. «Trasformate il vostro pianto in un voto comunista!», esortavano i dirigenti comunisti. Mentre i socialisti e gli altri partiti si fermavano e chiudevano bottega, i comunisti lavoravano più alacremente di prima: «Non rinunciate a un solo comizio!». Invece, il mio comizio in una borgata romana, a Torre Angela, era stato annullato dai miei elettori socialisti. Il segretario della sezione mi aveva telefonato con il singhiozzo, la voce rotta: «Non possiamo tenere il tuo comizio! Né la festa con la tombola e Sandra Milo. Questo è un quartiere molto popolare e i socialisti sono molto scossi».

Tutto sommato, quella sincerità mi conquistò, non mi dispiacque. Ma capii che avremmo perso le elezioni. E che anche a me sarebbe andata male. Come puntualmente avvenne. Il Partito Socialista restava impigliato nel suo vecchio senso di inferiorità storica dinanzi al grande fratello comunista, che invece non perdeva mai una battuta. E nessuno osava parlare né criticare. Né al governo né sui giornali. Tutti avevano paura di dire che la situazione elettorale che si era creata attorno al Grande Scomparso era costituzionalmente anormale, in un paese di democrazia e alla vigilia del voto europeo. I giornalisti tenevano ben stretta la coda tra le gambe. Gli intellettuali, poi, che sanno fin dall'epoca di Pasolini che in Italia bisogna arrangiarsi con arte, silenzio e poesia, sotto l'egemonia attenta del PCI, si guardavano bene dal compromettersi. Alcuni dei più celebri tra loro erano andati a montare la guardia intorno al feretro. «Votate Berlinguer». Moravia, poi, che rientra nel gruppo degli intellettuali di Pasolini con in tasca «l'invisibile tessera di un invisibile partito», saliva dal terzo al secondo posto della lista del PCI e sembrava assolutamente deciso a farsi eleggere deputato a Strasburgo. Già all'indomani dei funerali, «l'Unità» faceva circolare la sua edizione straordinaria con un titolo che suonava all'incirca così: «Date ad Enrico il vostro voto di preferenza». Sorpresa. Il PCI invitava, insomma, a metter nell'urna funeraria, come a equipararla all'urna elettorale, un voto per Enrico, capolista defunto.

Mi tornano in mente le considerazioni che fece Philippe Sollers a proposito delle esequie di Pasolini, e che mi sembrano ancora pertinenti per spiegare questi riti speciali intorno ai grandi morti: «I vivi corrono zelanti a recuperare il loro cadavere, perché un cadavere deve votare e votare ancora, eternamente, dopo la morte. È necessario farlo votare, eleggere, con urgenza, in tutti i sensi, è urgente, e fotografarlo da ogni posizione per provare definitivamente che è morto».

Come dissentire? Uno degli intimi di Re Enrico, un senatore, assicuratosi che il Capo fosse ben morto, iniziò allora il suo libro anti-berlingueriano, dando corso alla de-berlinguerizzazione, che qualcuno di noi aveva iniziato, come sempre, anzitempo: quando Berlinguer era vivo e potente.

Nell'imbroglio giuridico creatosi allora – può esser valida l'elezione di un morto? – tutti i leaders, i commentatori, i politologi restavano muti. Nella sua solita sventatezza, colei che scrive osò porre il quesito alla candidata del PCI, nel corso di un dibattito televisivo: «Ma come è possibile eleggere al Parlamento di Strasburgo qualcuno che abbiamo sepolto l'altro ieri?». La candidata, furiosa e scandalizzata, la rimbeccò in diretta: «Il voto per Berlinguer non è solo un voto! O meglio, è più che un voto: è un fiore depositato sulla sua tomba!». Il PCI chiedeva, dunque, per Berlinguer, un voto come un fiore portato al Cimitero. Un voto religioso-comunista. E il voto religioso c'è stato, per una religione comunista che ama consolidarsi intorno ai mausolei. E il PCI diventò il maggior partito d'Italia.

Accadeva infine quel che mille volte Enrico aveva auspicato: il *Sorpasso*! Che poi vuol dire: il superamento della Democrazia Cristiana, magari solo di un'incollatura sul traguardo elettorale. Ed è una vera perfidia della storia che il povero Berlinguer non abbia potuto assistere alla vittoria da lui tanto invocata. Il 18 giugno, l'Italia si svegliò in pieno «sorpasso»: il PCI aveva superato la vecchia allea-

ta-rivale del «compromesso storico». Comunisti e *post mortem*.
Il giorno più lungo del PCI si concluse a notte alta, quel 17 giugno 1984, giorno d'elezione del Parlamento di Strasburgo in tutta Europa. Ed era già l'epoca del successore di Berlinguer: un uomo grigio su grigio, capelli grigi e nome altrettanto grigio: Natta. I due non si somigliano affatto. Tanto Berlinguer era, in fondo, elegante, timido e introverso, tanto questo è disinvolto ed estroverso; tanto l'uno era tormentato e scavato, tanto l'altro appare con il volto liscio, come appena uscito dall'insaponata del barbiere; tanto quello aveva le spalle incurvate dal peso della passione «religiosa» nel comunismo, tanto questo ha l'aria leggera e il sorriso ironico del professorino genovese (Genova, città levantina dei commerci!) che ha letto le satire di Orazio, i versi di Catullo e naturalmente Cicerone!

Natta Alessandro. Mi ricordai improvvisamente del mio primo libro, *Lettere dall'interno del PCI*, dove era stato pubblicato, in calce, anche il suo articolo di condanna. Tornata a Parigi, feci un salto alla libreria Maspero, sulla piazzetta Painlevé, e trovai una copia del libro in francese (in Italia è scomparso dal mercato). Rilessi nell'*Appendice*: «Guardate la prosopopea di questa donna, le sue civetterie *gauchisantes*» scriveva Natta su «Rinascita». «Racconta perfino come era vestita quando si incontrò con Togliatti... Mi domando a quale dirigente del partito verrebbe in mente di descriversi nel proprio abbigliamento... A chi di noi passerebbe per la testa di citare Stendhal, Dumas, Goethe... La chiave del libro è un'estrema presunzione che si urta con la tradizione di modestia del nostro partito per l'individualismo dell'autore, il suo narcisismo, per l'interesse che accorda alla propria persona...».

«Già, già», mi dissi. «È sempre la solita doppiezza: modestia dei capi e narcisismo dei ribelli». Mi risuonava ancora nell'orecchio il grido stridulo del culto: «Enrico! Enrico!».

Tagliai rapida la piazza Painlevé ed infilai la porta di bronzo della Sorbona. Avrei ottenuto ancora una volta un insegnamento all'Università di Parigi? Con il «sorpasso», i voti socialisti si erano contratti. A me non bastavano per tornare a Strasburgo.

IV

BUSSANDO AL PORTONE DI BRONZO

Dove si parla di Europa e di Santi «primi europeisti»
da uno studio che guarda sulle terrazze del Vaticano

L'«europea» che va annotando le sue riflessioni, che avverte come nel nostro secolo l'idea di Europa non possa andar disgiunta dalla dimensione religiosa, in un torrido pomeriggio di luglio è ricevuta per una conversazione in un saloncino della Segreteria di Stato, in Vaticano, dal Monsignore esperto di questioni politiche della Chiesa.

Accedo alla Segreteria di Stato dal Portone di bronzo; salgo due solenni marmoree rampe dello scalone di Pio IX che ogni visitatore ascende a piedi, quasi un'introduzione alla grandiosità dei luoghi. Poi, con un rapido ascensore raggiungo, al terzo piano, la Terza loggia, affrescata dai planisferi coi meridiani e le stagioni, e dalle carte geografiche, dipinte in colori mirabili, secondo le informazioni raccolte dai missionari e navigatori del Cinquecento, che così descrivevano il mondo esplorato, in Africa, in Arabia, in Asia. Qui si apre il dedalo di uffici che sono quelli del governo della Curia, entità fino ad allora per me misteriosa e imperscrutabile.

Il prelato che mi accoglie è alto, quasi settecentesco per l'eleganza della tonaca di seta nera, con tanti fitti bottoncini come punti esclamativi, e mi guarda da lontani lidi con meravigliata curiosità. «Forse i Santi sono i primi europeisti», esclama ad un certo punto il Monsignore. «Ha letto Bernanos?»[1] mi esamina. «Quella sua conferenza sui Santi?» «Credo di sì, quella dove Bernanos immagina i Santi come una compagnia di trasporti in Paradiso?» «Senza i Santi che organizzano il traffico», sorride lieve il mio interlocutore, che ama Bernanos, «che cosa diventeremmo? La Cristianità sarebbe un gigantesco ammasso di locomotive capovolte, di carrozze incendiate, di rotaie contorte. Anche se da duemila anni abbiamo avuto non poche catastrofi, questi grandi destini sfuggono più di ogni altro a qualsiasi determinismo, e si irradiano, risplendono in una luminosa libertà. Anche per quel che riguarda l'Europa, da san Benedetto e san Francesco a san Tommaso a san Bernardo...». Mi chiede se sono ancora professore in Sorbona e continua: «La Sorbona sembra rinviare ancora adesso, là dov'è ora e malgrado i secoli, l'eco dei dibattiti di Tommaso su Aristotele. Ha mai pensato che c'è un che di straordinario in questo filosofo che se ne va ad insegnare in Sorbona viaggiando a dorso di mulo da Napoli, e durante il cammino detta agli scrivani che lo seguono le sue opere?». «Mi è accaduto», risposi «di recarmi all'abbazia di Fossanova e lì, come lei dice, mi sono ancora più stupita della povertà di quel viandante che vi fu trasportato per soccorso, dai discepoli, esausto per la fatica. Un puro filosofo, senza prebende, senza onori cardinalizi. Impressiona che sia morto a quarantanove anni, quasi sul ciglio della strada, in un borgo sperduto, accolto da un'abbazia di frati cistercensi. Quarantanove anni sono nulla. E fa in tempo a lasciare in eredità la *Summa theologica*. Per lui, ho pensato ogni tanto a quel che dice Boezio di Tracia per la Parigi di allora: "L'intellettuale è più di un principe, è più di un re"». Rifletto. Aggiungo: «Forse lei ha ragione chiamandoli Santi europeisti, tra Oxford, Parigi, Lione, Bologna. Non sorge forse allora quel che chiamate l'ecumenismo, inteso come dialogo con l'avversario, contro tutte le guerre di religione?».

«In effetti, l'universo storico è seminato di mostri, di feroci stermini a causa delle lotte di religione. La guerra dei Trent'anni, è durata più delle ultime due guerre mondiali messe assieme. Ma oggi la convivenza, la molteplicità delle fedi, s'intrecciano in Europa, con una relativa armonia».

Poi gli parlo di Voltaire nel *Trattato della tolleranza* dove si lamenta «il furore che ispirano lo spirito dogmatico e gli abusi della religione cristiana male intesa [che] ha fatto spargere tanto sangue, ha portato tanti disastri in Germania, in Inghilterra, e persino in Olanda, quanti ne ha prodotti in Francia».[2] Diderot e il secolo dei Lumi sull'Europa ci sembravano un'altra fase che ricongiunge l'Ovest all'Est, nella forza dello spirito creativo. E infine, evoco Chateaubriand,[3] che cinque anni dopo il *Saggio sulle rivoluzioni* scrive *Il genio del Cristianesimo*; nella frustrazione per la rivoluzione fallita e nella passione avvilita per l'epopea perduta, lui cerca «le luci diffuse dalle religioni». L'amor-passione di Didone, comparato alla Eloisa di Racine, che deve scegliere tra Dio e un amante fedele, di cui lei ha causato la disgrazia; il *Veni Creator* cantato dalla duchessa di Langeais; l'estrema unzione di madame Bovary, sono tempeste tanto più indomite in quanto si sgomitolano dall'animo femminile.

Il Monsignore sorride, sembra sapere molte più cose di me, anche seguendomi attento. Per lui, lasciando ora da parte i santi medievali, è Erasmo l'ultimo grande spirito che abbia compiuta coscienza dell'unità europea prima della Riforma. Erasmo rifiutava di accettare le divisioni nazionaliste, la perdita di identità comune tra europei e rifiutava di sottoscrivere agli egoismi nazionali. Lui non appose la firma in calce a quella *Carta* che gli porgevano i suoi pari. Lui li richiamava al senso dell'unità cristiana e li accusava di «lacerare il manto senza cuciture che portava Gesù».

«Dopo Erasmo e Tommaso Moro penso che vi siano state due fratture», riflette il Monsignore ad alta voce, «quella della Riforma e quella del nazionalismo. Se la frattura religiosa, come le ho detto, è diventata via via meno aspra, la frattura nazionalista ai nostri tempi raggiunse il punto più basso quando avvenne la cattura dei cattolici all'interno di una patria contrapposta ad altre patrie. Divisioni tra nazioni e nazioni, guerre fratricide, animate dal furore nazionalista: la Chiesa non si è affatto avvantaggiata della sua "nazionalizzazione"», sottolinea col tono *understated*. «Dall'epoca della prima guerra mondiale in poi fallì lo spirito internazionale in quei movimenti cattolici che militavano a loro volta sotto i gagliardetti della nazione. Non si parla quasi mai dello sterminio dei sacerdoti cattolici, eliminati da Hitler solo perché tiepidi patrioti. Quando ero ragazzo e andavo nella scuola pubblica, venivamo sbeffeggiati dai fascisti come tipi non devoti alla patria. Era il '35, vigilia delle spedizioni in Africa e si respirava dovunque l'infatuazione patriottarda. Penso come Salvatorelli nella sua *Storia del Novecento* che durante le guerre di questo secolo c'è stato non solo il fallimento di ogni internazionalismo socialista ma anche di quello cattolico. Tuttavia oggi c'è un *ritorno dell'Europa a se stessa* e l'odio ideologico per il vicino si è estinto».

«Ma io sento che alla base del nazionalismo che perdura c'è una dilagante malformazione culturale, che inizia dalle scuole elementari, per generazioni di europei...».

«Certo, il nazionalismo ha sradicato nelle scuole la conoscenza degli altri popoli, della loro cultura. I giovani italiani conoscono Dante ma non Cervantes, non Goethe, non Shakespeare e viceversa. Nei licei classici, ho pensato più volte che bisognerebbe magari rinunciare a Parini e introdurre il *Siglo de oro* e la lettura di *Don Chisciotte*».

Tutto è così sereno in questo salone rettangolare, ammobiliato con l'eleganza del Rinascimento. Una volta, era la camera dell'erudito Cardinal Bibbiena, collaboratore di Giulio II e poi legato pontificio di Leone X, in Francia. Sulla sinistra, si apre la porticina d'una saletta da bagno affrescata da Raffaello giovanetto che il Cardinale mise lì alla prova, prima di affidargli la grandi opere. Un gioiello. Ben poco conosciuto. Dà idea delle ricchezze che si nascondono all'interno di ogni anfratto della immensità spaziale vaticana.

Le pareti degli uffici della Curia non sono più rivestite del famoso damasco rosso cupo, ma coperte di velluto beige, dall'epoca di Paolo VI. Tinte morbide come le lunghe tende di velluto color tortora del salone. Tutto è silenzioso. Le tempeste del mondo sono lontane. La mia vita mi ha insegnato soprattutto il male di ogni intolleranza, anche quando questa può assumere le ardenti parole della fede politica. Cerco di scoprire qui la cristianità che sta all'origine dell'Europa.

«Ha visitato la tomba di Cirillo, nella Basilica di San Clemente?»

Rispondo: «Sì, quel viso ascetico, allucinato, che emerge da un mosaico non bello, e tuttavia impressionante, non si dimentica facilmente».

Quel mosaico fu regalato a San Clemente da Teodor Živkov, il capo di Stato della Bulgaria nel 1975, e venne inaugurato insieme a un'esposizione di icone bulgare. Egli si era intrattenuto in udienza con Paolo VI, che teneva enormemente alla politica verso i paesi dell'Est, e avevano trattato, oltre all'argomento della pace, anche questioni di interesse bilaterale, riguardanti la Chiesa cattolica in Bulgaria. Živkov era accompagnato dalla figlia Ludmilla, ministro della Cultura... (Cerco di chiedergli notizie di questa Ludmilla, ma non ne ho risposta: d'altronde Ludmilla, di cui più volte avevo sentito parlare a Parigi come di una donna di valore, era misteriosamente morta non molto tempo dopo quel viaggio a Roma...).

«Cirillo e Metodio sono due slavi e al tempo stesso restano due intellettuali di cultura ellenica e di formazione bizantina, eredi di tutta la tradizione dell'Oriente, tanto quella profana che cristiana. Punti d'incontro tra il Cristianesimo occidentale e orientale. Simbolo della terza "acculturazione": dopo la cultura greca e latina, col cirillico, la liturgia prende la strada slava».

«Ma dove finisce l'Europa di cui oggi parliamo? Dove sono, per voi, i suoi confini, parlando d'Europa dall'Atlantico agli Urali?».

«Dal punto di vista spirituale non vi sono confini, l'unione tra oriente e occidente dell'Europa», mi fa notare il Monsignore, «è fra l'altro oggi simbolizzata da Giovanni Paolo II. Il Papa attuale è il primo papa slavo; egli ha fatto del tema dell'unità spirituale dell'Europa il punto saliente del suo apostolato; ha ritrovato nella storia di Cirillo e Metodio, i due fratelli di Tessalonica dell'alto Medioevo, che tradussero il Vangelo in cirillico, il doppio simbolo religioso e culturale insieme dell'unità europea».

Ora mi porge una pubblicazione grigio perla, con lo stemma pontificio stampato in color seppia sulla copertina, sotto cui sta scritto in eleganti caratteri: «"Epistola enciclica Slavorum Apostoli", del Sommo Pontefice Giovanni Paolo II ai vescovi e sacerdoti, famiglie religiose e a tutti i fedeli cristiani nel ricordo dell'opera evangelizzatrice di Cirillo e Metodio, dopo undici secoli».

«Attendendola, onorevole», il Monsignore mi chiama col titolo deputatizio che qui suona così frivolo, «per lei abbiamo preparato la collezione di discorsi sull'Europa di Giovanni Paolo II, che forse potranno interessarla. Pronunciati in luoghi e circostanze molto diverse: vi è il discorso a Bonn, quello a San Giacomo di Compostella, quello rivolto agli intellettuali all'Unesco e quello pronunciato nelle sedi della Comunità Europea, a Bruxelles e a Strasburgo».

Mi imbatto alla fine in un indice, impressionante per la precisione, direi universitaria, il che mi spinge a dire:

«Com'è accurato il vostro lavoro!»

Ci congediamo con curiosità reciproca, o mi sbaglio?

Fuori dello studio mi attende uno dei Gesuiti che lavorano in Segreteria di Stato, e che mi ha introdotto per il mio viaggio europeo fin nel cuore della Curia, con la presentazione di «Civiltà Cattolica». («Curioso», aveva commentato il Monsignore sorridendo un po' ironico, poco prima. «I Gesuiti erano così severi, dottrinari, sdegnosi, e ora s'immergono nella fiducia, si spingono verso l'apertura?» «Come veri intellettuali europei», rispondevo di rimando, avendo capito che alludeva alla loro premura verso questa donna dubbiosa ancora, e forse un po' dubbia).

L'archivista mi guidava, dalla terza loggia, sul gran terrazzo di San Pietro, dal lato dove si accede agli appartamenti papali. Tutta Roma stava lì attorno, come ammarrata alla boa del colonnato di Bernini. Sconvolgente. Il colonnato aveva le due braccia tese verso la città, come se tutti i punti cardinali confluissero in quella piazza. L'aria si levava a folate fresche dai colli di Roma e spazzava via quei 40° di calura pesanti come un sudario sulla città.

Varcai ancora due volte il Portone di bronzo, dove fanno la guardia gli Svizzeri (perché loro? Perché si fecero massacrare a centinaia durante il Sacco di Roma, l'altro ieri insomma). Nel frattempo avevo visitato la Fabbrica di San Pietro e gli archivi del Quattrocento e del Cinquecento della Biblioteca; avevo compiuto il mio viaggio vaticano, dalla necropoli alla Cupola, con un erudito, Monsignore della «Venerabile Fabbrica di San Pietro». I francesi ora celebrano Ugo Capeto, primo re di Francia, anno 1000, nascita della più vecchia nazione d'Europa. E loro? Ero salita per uno dei grandi pilastri della Basilica su cui si apriva una porticina poco visibile: all'interno, verso l'alto, il pilastro si faceva torre ottagonale, con strette scale circolari che lo contornano sopra il vuoto, dove si inerpicavano un tempo i muli carichi dei materiali per gli architetti e i pittori della Basilica. Passavano di lì, mi rivelano, Michelangelo, Raffaello, Bernini, per salire verso i loro *ateliers* che mi mostrano: grandi spazi aperti che slargano su un lato dell'ottagono, spalancandosi poi in terrazzi, che rinviano tutta la luce di Roma all'interno. Ogni volta, ritrovavo il mio Virgilio, il vecchio amico Gesuita, che mi conduceva a passo rapido attraverso corridoi e scale e passaggi interni, una volta fin dentro la Sistina in restauro, finalmente vuota di visitatori. Vedevo le tinte «offuscate dal santo affronto del fumo dei ceri» (Goethe) tornare a gridare in toni svelti e gagliardi, quasi «canaglieschi» (come li definisce Argan). Poi, un altro giorno nella Cappella Paolina, sconvolgente impatto con i due ultimi affreschi di Michelangelo, che abbandona invece i colori e affonda nell'ombra marrone della terra.

Ritrovai il Monsignore ancora due volte nello studio della Segreteria di Stato, dove il telefono squillava e il prelato rispondeva rapido. Ascoltandolo, mi rendevo conto di come lì, dalla Curia, si sprigionava una politica estera che aveva, ben più di quella europea, dimensioni mondiali, da noi dimenticate. Lui mi dava idea di un diplomatico alla Talleyrand per l'ingegno sottile e la prudenza, ma al tempo stesso di un uomo di grande fede. E di Talleyrand avemmo occasione di parlare per quell'ultima lettera a Gregorio XVI, la celebre ritrattazione, divenuta introvabile nei loro archivi; negoziata sul letto di morte, «sorta di ultima trattativa... con Dio», la definì con l'abituale ironia il Monsignore. Mi prestò il libro di Duff Cooper su Talleyrand (Oscar Mondadori), e in cambio gi inviai quello di Roberto Calasso, *La rovina di Kasch* (Adelphi, 1983).

Non pensavo più a Talleyrand. Allorché, terminando il libro, il Monsignore mi annunciò: «A proposito, abbiamo ritrovato la lettera di ritrattazione di Talleyrand; gliela daremo». E lo affermò come se avessero ritrovato le mie chiavi di casa dimenticate lì. Velava la generosità del gesto sotto l'abituale *politesse*. La fiducia che mi si faceva affidandomi quel testo di rivelazione storica era sfumata dal modo elegante di compiere un dono eccezionale come se si trattasse di appagare soltanto una curiosità intellettuale, o colmare una lacuna storica.[4] Circolava lì un'aria di libertà culturale che tanto più mi sorprendeva quanto più su quella Curia continua a gravare una fama di oscuro dogmatismo. O il Monsignore era un personaggio atipico, o i tempi erano mutati in Vaticano.

Ma il nostro dialogo si spezzava, si riannodava, per interrompersi di nuovo. «È difficile rispettare i tempi, qui» si rammaricava, come se il tempo avesse per loro una misura illimitata. «Saremmo più tranquilli nella mia abitazione, dietro la porta di S. Anna. Mi telefoni al suo ritorno dalla Spagna; forse una domenica, che spesso è il giorno più calmo, soprattutto quando il Papa è in viaggio (quando è qui, inizia la giornata alle cinque del mattino). Avrò più tempo per riceverla». Citofonai, una domenica pomeriggio, al secondo piano di quella casa: «C'è l'onorevole», annunciò una suora anziana, magra ed esterrefatta. E il Monsignore si materializzò, facendomi entrare nel soggiorno ed iniziando la conversazione in modo imprevisto: «Come era in Spagna?». «Era inquieta, scioperi, agitazioni come febbri contro Gonzales, crescita di nuovi precari equilibri, smottamento dei vecchi. La gente voleva "Tutto e subito". E mi chiedevo se il fascismo potesse riaffacciarsi dietro la manovra violenta delle destre». «Non credo, il fascismo è finito in Spagna e il governo di Gonzales opera contro le diseguaglianze sociali», tagliò corto, con calma, il Monsignore. Dopo quel trambusto spagnolo, ritrovavo la quiete come un manto leggero che avvolgeva quel saloncino giallo, il tempo dolce della clessidra. La corsa è un concetto laico...

La stessa suora portò il tè, con biscottini sottili come lame. Ricordavano l'infanzia, le visite con mia madre all'Arciprete di Arpino. «Sono fatti qui da loro, in casa, i biscotti?» «No, si comprano in scatole industriali». Sorrise impercettibile. Lui aveva sempre quel tono *understated* che si attribuisce agli inglesi ma calza bene anche alla Curia. Quando pronunciava frasi cui sembrava non attribuire importanza, sotto il piglio disattento o l'ironia avvertivo un senso profondo, quello della memoria storica che vive lì dentro. Gli esternai la mia meraviglia per gli Archivi segreti della Biblioteca, dove, grazie a lui, avevo potuto gettare un'occhiata: «atti di nascita» di paesi come l'Angola che è venuta a ritrovare qui, nei rapporti dei missionari africani, le prove della propria esistenza fin dal Quattrocento. Mi ero imbattuta in altri documenti mirabili. C'erano preziosi attestati provenienti dalla Cina, che informavano sui primi contatti di quel lontanissimo paese con l'Europa. E che dire di quel rarissimo esemplare d'arte libraria (l'unico che conservi ancora la legatura originale in assicelle), dipinto a colori su pelle di cervo, contenente un testo rituale dell'antico popolo Nahua? Com'è giunto fin qui, a Roma, questo manoscritto messicano del XIV secolo, dell'America precolombiana? Mi aveva poi affascinato quella lettera autografa di Enrico VIII ad Anna Bolena (che fa parte del più straordinario gruppo di documenti inglesi attorno al Cinquecento), che ancora oggi, per vecchia consuetudine, i reali d'Inghilterra, in ogni loro viaggio a Roma, vanno a visitare. Senza parlare della introvabile ritrattazione di Talleyrand, la lettera a Gregorio XVI, inviata dal suo letto di morte, su cui getterò, per prima, emozionata, lo sguardo nella copia che porta il sigillo di Gregorio XVI, e trascritta da «Hyacinthe Louis Archevêque de Paris».

Lettera drammatica, divisa in due parti: la prima contenente la dichiarazione dei suoi sentimenti; la seconda contenente una sintesi della propria condotta. La ritrattazione assume ora una sua peculiare attualità nella massa di riflessioni che si preparano sul duecentesimo anniversario della Rivoluzione francese. Il principe di Talleyrand inquadra i suoi errori proprio in quelli di un'epoca: «Toccato sempre più da vicino da gravi considerazioni, condotto a giudicare a sangue freddo le conseguenze d'una rivoluzione che ha tutto trascinato via e che dura da cinquanta anni, sono arrivato alla fine di una età molto avanzata, e dopo una lunga esperienza, a biasimare gli eccessi del secolo a cui ho appartenuto e a condannare francamente i gravi errori che in questa lunga sequela di anni hanno turbato e hanno afflitto la Chiesa Cattolica Apostolica Romana e a cui ho avuto la disgrazia di partecipare».

Il lettore troverà parziale questa mia citazione, anche se la sua importanza è determinante. Ma a tutti questi documenti dedicherò nuovo spazio, e una adeguata analisi.

«Ho trovato una straordinaria sintesi della memoria storica universale!», esclamai. Egli acconsentì, ma venne subito all'oggi. E così commentò quel mio viaggio vaticano: «Che sarebbe d'altronde Roma stessa senza il Vaticano? Una città di monumenti antichi. E, come città moderna, somiglierebbe a Copenaghen... Roma, sorta dalla prima chiesa eretta sul sepolcro di Pietro, s'è mondializzata e tutte le strade, come suol dirsi, convergono qui, punto di raccolta per 700 milioni di cattolici». Pensavo, dentro di me, che il periodo detto dei «tempi moderni», segnato dalla sostituzione della religione con la cultura, si va chiudendo. Ovvero che il ritorno alla religione, forse, è il gran ritorno alla cultura.[5]

Riprendemmo il dialogo sull'Europa, nel nostro XX secolo: «L'insieme della cultura contemporanea aveva ritrovato un suo equilibrio da qualche parte, tra Vienna e Parigi, passando per Berlino, Cracovia, Praga, Monaco, Varsavia. Ma l'equilibrio è stato schiacciato due volte. I vincitori del '18 si erano fabbricati una certa Europa, e quelli del '45 se la sono divisa. L'idea europea è stata ricalcata nella situazione geopolitica di guerra fredda: l'Europa dell'ovest e dell'est, e tra le due la *Cortina di ferro* che perdura a Berlino con quell'intollerabile Muro». Lui mi descrisse questo dramma di violenza e di separazione come perdita di memoria storica nelle nazioni europee, affermando che le Chiese sono diventate, in questa fase, esse, in primo luogo, la cauzione dell'eredità culturale e storica, oltre che religiosa, dell'Europa centrale, i testimoni, gli strumenti della trasmissione della memoria nelle nuove generazioni. Mi citava il «Discorso di addio» del Papa alla Germania, quando chiese di pensare l'Europa secondo l'appello per «una civiltà mondiale dell'amore». Lo interrogai sul mistero di queste grandi folle che il Papa riesce a riunire anche quando arriva a penetrare nell'Est: «Il Papa nega che l'uomo sia diverso, ma dovunque è uguale, con la stessa dignità, gli stessi diritti umani. Per il Papa, l'unità dell'Europa esisterà in rapporto a un nuovo dialogo con la fede». Gli obietto, pur accettando il loro «umanesimo integrale» (Maritain), le difficoltà di questa costruzione, che tiene troppo poco conto, forse, dei rapporti di forza politici. Riprese un tema che gli era stato caro nella prima conversazione, quello delle barriere che emarginano l'Est: «Ma ci sono altre barriere all'ovest, quando si ritiene che quei popoli siano perduti per sempre», commentò pensoso. «Noi pensiamo, invece, che i popoli situati geograficamente all'est e al centro d'Europa sono destinati a rientrare in una sola comunità con gli altri popoli europei».

Mi congedai su quest'evocazione della strategia vaticana che rifiuta Yalta. L'ora era tarda, ma un po' di luce violetta penetrava ancora nel salotto. Monsignore scese con me al portone della palazzina, mi mostrò a sinistra la grande sagoma della Sistina. Dall'altra parte, la Cupola, uno dei miracoli del pianeta, sorta di meteorite caduto lì dal cielo, continuava a riverberare la rosea luce romana. La strada era silenziosa, qualche gatto giallo e bianco stava accovacciato sotto il muretto secentesco davanti alla dimora. Una stradina metafisica, oltre l'albero di magnolia, verso i giardini...

Note

[1] Attorno all'opera di Bernanos c'è un rinnovato interesse. Non soltanto come autore de *Lo spirito europeo e il mondo delle macchine* (che ho citato), che lancia contro il consumismo quella magnifica formula: «L'affreux néant du comfort». Ora, il film

tratto dal suo romanzo *Sotto il sole di Satana* ha vinto la Palma d'oro al Festival di Cannes (1987). Lunghe code davanti ai cinema parigini che lo proiettano. Il suo *Dialogo delle Carmelitane* (scritto nel 1949) è rappresentato in questo autunno ('87) in un teatro parigino. Dal *Diario di un prete di campagna*, che si recita al Teatro della Potinière, sgorga di nuovo la voce profonda di Bernanos che ci parla della grazia, del coraggio, del peccato e della paura.

2 Voltaire, *Trattato sulla tolleranza*, trad. it., Editori Riuniti, Roma 1982.

3 Chateaubriand, *Il Genio del Cristianesimo*, trad. it., EMP, Padova 1982.

4 Lascio la parola – per il testo di ritrattazione scritto da Talleyrand a Gregorio XVI – a Roberto Calasso, nel suo libro *La rovina di Kasch*: «Il suo gesto estremo sarebbe stato, ancora una volta, una sigla. Gesto minimo, ma l'unico che rappresenti il tutto. E accanto, il più possibile vicino alla sua sigla (Charles-Maurice, Prince de Talleyrand, la stessa che si era letta in calce ai grandi trattati dell'epoca), doveva esserci il sigillo di un'autorità intatta: il sigillo della morte. E così fu: nove ore dopo aver firmato, Talleyrand moriva. La vicinanza massima della sigla alla morte la garantì da ogni attacco. Quando il documento giunse a Roma, la Santa Sede non lo giudicò sufficiente. Se Talleyrand fosse sopravvissuto ancora per quanche giorno, avrebbe dovuto subire l'umiliazione di firmare di nuovo... Ormai il principe aveva ricevuto i sacramenti, era morto – come aveva voluto precisare nelle prime parole del suo testamento – "in seno alla Chiesa cattolica apostolica romana". Quanto alla Chiesa stessa, non rese mai pubblico che il Papa aveva considerato insufficiente la ritrattazione di Talleyrand. Quei fogli rimasero a lungo sulla scrivania di Gregorio XVI, fra i suoi documenti più preziosi. Poi scomparvero. I materni archivi vaticani non ne serbano traccia». (R. Calasso, *La rovina di Kasch*, Adelphi, Milano 1983, p. 437.)

5 «Il periodo detto dei "tempi moderni" può essere descritto come quello della sostituzione della religione con la cultura. È possibile che questo periodo si chiuda oggi.

   «Ma è possibile anche che la sua fine passi inosservata perché se la cultura sta per essere rimpiazzata, è attraverso qualcosa di interamente diverso... ma che porta lo stesso nome». Alain Finkielkraut, «Lettre Internationale» n. 8, 1986.

V

L'EUROCRAZIA

*Il doganiere Rousseau
e la coreografia del potere europeo*

C'è un quadro nel Museo Picasso all'Hôtel Salé, che mi affascina ogni volta che penso alla Comunità Europea e al rapporto dell'intellettuale col potere politico. Il quadro fu dipinto dal Doganiere Rousseau nel 1904 e Picasso lo custodiva nella sua collezione personale ultraselezionata. È, in verità, il solo quadro «politico» della collezione Picasso. Quando sono stanca per la fatica di questo libro, il dipinto di Rousseau-Picasso mi dà nuovo slancio; e corro da casa mia, che sta nella via del Parc Royal, all'angolo di strada dove si apre il Museo Salé per riprendere fiato e ridarmi coraggio.

Il dipinto riproduce, come spiega la legenda del Museo posta sotto il quadro: «I rappresentanti delle potenze straniere che vengono a salutare la Repubblica in segno di pace – 1905». A sinistra, una robusta donna avvolta nel peplo azzurro e col berretto frigio, ai cui piedi si accovaccia un leone casalingo, mostra con una mano uno scudo ovale su cui sta inciso: «Union des peuples», e con l'altra tende un ramo d'ulivo. In armoniosa risposta a quel gesto, un ramoscello di ulivo fiorisce nella mano di ogni personalità allineata sul palco. Personalità di Paesi europei? Sembrerebbe così dall'esplicito sventolio delle bandiere inglesi, tedesche, italiane, spagnole, austriache, sull'alto del podio dove si svolge la manifestazione.[1] È il governo d'Europa? I dignitari stanno immoti davanti all'obiettivo del fotografo-pittore, riuniti come in un gruppo di famiglia. Una famiglia dai molti rami strani e stranieri, ma pur sempre unita nello sposalizio dell'unione dei popoli europei.[2] L'immobilità della scena sembra precedere un avvenimento imminente, l'attesa per qualcosa che deve prodursi e che è astorico, anche se il fotografo è già qui e la storia tiene in pugno il suo specchio intero.

Alti e tutti identici, i palazzi-grattacieli fanno da fondale alla fila dei gentiluomini sull'attenti, e da ogni finestra spunta una bandierina. Sono le banche del Lussemburgo? È la sede del Berlemont o del Palazzo Charlemagne, i due edifici della Commissione e del Consiglio dei Ministri a Bruxelles? Sono i grattacieli comunitari che formano pareti alte mille metri, forate come groviere dai buchi di mille finestre, anche di notte illuminate, come occhietti ammiccanti?

Una schiera di bambini, scolari con paglietta e treccine, fa il girotondo: una giostra infantile e gioiosa da «nuove generazioni europee», come suol dirsi, attorno al monumento ai Caduti, dove in alto svetta con le braccia conserte un uomo di pietra che volge la testa pensosa verso la cerimonia severa.

È lui l'intellettuale? Lo si direbbe, sì, perché sta lassù, isolato, sia dai potenti che dai bimbi (la vita, la demografia...) e che si interroga, roso dal dubbio. Come noi, davanti al dipinto. È la nascita dell'Europa, unita nelle sue membra sparse? Il potere, certo, non è più nazionale, ma sovranazionale. Lo dimostrano le fogge diverse degli abiti da cerimonia, marsine nere e uniformi militari rosse e blu, gli ordini scintillanti dei collari e delle diverse alte decorazioni. Sono i leader dell'Assemblea costituente degli *States*? I signori con tanto di favoriti, barba e baffi – neri, brizzolati o bianchi, a seconda dell'età – solenni e un po' ridicoli, stanno aspettando qualcosa di misterioso che avvinghia la nostra attenzione. Tra di loro si scorgono volti nobili di idealisti europei; ma appena si guardi un po' meglio emergono anche i tratti del poliziotto, dell'ambizioso, del corrotto, dell'aguzzino. Sotto le fasce azzurre e rosse che attraversano le loro pancette e pancioni, sui gilé damascati e ornati da leggendarie insegne, si sente la farsa – quella di Musil dell'Azione parallela (A.P.) nella Cacania, destinata a sostenere con la carità delle nobili dame l'impero degli Asburgo in piena rotta.

Nel quadro del potere non manca nulla: a sinistra del gruppo, un po' defilati, in secondo piano, ma accuratamente presenti, spuntano i leaders del Terzo Mondo, i nostri indispensabili partners, dialoganti con l'Europa. C'è il negro con il gonnellino e la faretra (dove invece delle frecce ha messo a sua volta l'ulivo), il generale nordamericano, il colonizzato del Sud degli Stati Uniti col cappello delle piantagioni, lo sceicco del petrolio, l'arabo dall'alto turbante, l'ebreo, e infine, dietro dietro, perfino un cinesino col codino...

Tornando all'oggi, non è così dissimile la piramide del potere europeo composta da delegati di monarchie e di repubbliche, rappresentanti le nazioni in tutti gli epicentri d'Europa, a Bruxelles, a Lussemburgo, a Strasburgo. La stella decisionale del governo comunitario ha varie punte: il Consiglio, la Commissione, la Corte di Giustizia, il Comitato economico-sociale e infine il Parlamento. Tutta questa rappresentanza va nutrita, alloggiata e deve possedere sedi degne. All'origine della trasformazione architettonica delle tre città del potere europeo, divenute metropoli dai grattacieli svettanti, c'è la necessità di ospitare le nostre Istituzioni comuni. Le cose sono state fatte con sfarzo. Senza lesinare. Si è voluto che la Commissione a Bruxelles, nel suo celebre grattacielo Berlemont, fosse come un Partenone sull'Acropoli dell'inesistente Atene che è l'Europa. E le piramidi di Ramsete, destinate a racchiudere i corpi dei faraoni, racchiudono ora sterminate ricchezze in latte, carni, burro. Il solo stoccaggio di burro, nel luglio 1986, era di 1 milione e 300.000 tonnellate!

Quanto costano i 17 Commissari europei!

Commissari, ministri, alti funzionari, sono a loro volta tutti pagati a peso d'oro. I Commissari hanno tutto il rispetto di chi scrive. Sono uomini d'eccezione, in numero di 17, super-ministri per 12 paesi, di cui raggruppano, nelle loro abili mani, ora l'agricoltura, ora la cultura, ora gli affari sociali, in un solo luogo iperministeriale bruxellese. Proprio valutando il superlavoro, la superqualifica, essi sono remunerati più di qualsiasi ministro nazionale. Solo il loro stipendio netto si aggira intorno a una cifra di 18 milioni di lire al mese. Complessivamente l'Europa spende ogni anno per il proprio governo dei Dodici, 145 mila e 50 Ecu, che in lire equivalgono a 217.575.000 per ogni Commissario. Una bella sommetta, alla quale bisogna aggiungere l'indennità di rappresentanza, gli assegni familiari, la copertura dei rischi d'incidenti e malattie e le astronomiche spese di missione. Il tutto, naturalmente, esente da tasse! E forse, non bisogna dimenticare le due auto personali, i due autisti che fanno il turno giorno e notte e l'elicottero per i viaggi improvvisi (e magari il ritorno a casa il venerdì sera). Il Commissario europeo lavora cinque giorni a settimana, ma a conti fatti lavora molto di più, in quanto passa spesso il week-end in altri paesi o magari in altri continenti nelle *performances* più varie, compreso il ballo con Jacqueline Kennedy e il suo *entourage*, se è un po' mondano.

Ogni volta che ci si rivolge alla Commissione di Bruxelles per ottenere la più modesta sovvenzione culturale, per finanziare la più umile iniziativa, la risposta ritmata, nervosa, implacabile, è sempre la stessa: «Non abbiamo un soldo disponibile!». Forse intendono dire: *per gli altri.* Perché *per sé* i Commissari hanno statuito (o inventato) il più favoloso regime di stipendi...

La mela di Peter

Quel che si paga è soprattutto il costo di una burocrazia europea – per l'operazione detta «l'Europa è in piedi» (che prevede il «moltiplicatore d'opinione») – del tipo di quella descritta nel 1969 dall'americano Peter Laurence Jr. in un capolavoro satirico: *Il principio di Peter.* La principale occupazione del burocrate può consistere nell'ottemperare alle regole, apporre timbri inutili, mescolare carte, intraprendere azioni evasive o diversive. Il «principio di Peter» descrive la parabola del singolo all'interno della gerarchia, il suo itinerario che sulla base di successive promozioni, lo eleva al massimo di incompetenza. La piramide ha il suo vertice in giù, simbolo del peso che un'azienda, istituzione, ministero, accorda alla stessa inerzia funzionale dell'uomo burocrate. Nell'allegoria della mela – si immagini una società volta alla produzione e al commercio della mela – questa sta sotto, come una palla in basso alla piramide, che la sovrasta inesorabilmente. Eppure la piramide era stata costruita per glorificare e diffondere la mela. L'idea europea che sta alla base della piramide del Parlamento è come la mela di Peter.

Come funzionari del Nulla sono descritti i burocrati d'alto rango da Charles Dickens, nella *Piccola Dorritt.* Dickens immagina l'universo sorvolato da un numero sconfinato di esseri striscianti, i molluschi, che sarebbero gli addetti al «ministero delle Circonlocuzioni». L'insetto strisciante, in cui si trasforma nella *Metamorfosi* di Kafka il povero burocrate bancario, fa parte anch'esso della famiglia degli invertebrati. È un funzionario delle circonlocuzioni. A Strasburgo, i funzionari della circonlocuzione sono migliaia. Uno di essi, il più autorevole, il deputato, riempie di una sola righina o di due righine un foglio di carta con la sua circonlocuzione. Questa si chiama Emendamento. Dietro di lui, migliaia di altri funzionari del Nulla traducono la righina della circonlocuzione in nove lingue; quindi un nuovo esercito si impadronisce della circonlocuzione, la stampa e infine la diffonde in migliaia di caselle postali, e di Istituzioni europee.

Il capolavoro della mela di Peter non sta in America ormai, ma in Europa occidentale, dove si eleva il monumento più grandioso a gloria della burocrazia statale. La piramide di dodici Stati, inventata per glorificare l'uomo europeo, è stata rovesciata, e il piccolo europeo sta a testa in giù, un puntolino come la mela.

Considerazioni generali sulla burocrazia nelle comunità europee

Le comunità sono state concepite come fattore di complicazione di un nodo inestricabile che si oppone alla categoria del semplice. E anche i computer, il cui uso viene rivendicato tra Commissione e Parlamento, non rischiano di trasformarsi in burocrati supplementari al servizio del burocrate uomo, e di aumentare il peso della piramide?

Scrivendo di cose tanto angosciose, vorrei essere un pallone, qualcosa che si libra nell'aria del racconto, ma sto sempre ancorata a terra, e mi sento incapace di tradurre in linguaggio da racconto il linguaggio tecnocratico.

La burocrazia inventa falsi traguardi, false mete per potersi espandere. Come la piovra, getta i suoi tentacoli per avvinghiare sempre nuovi soggetti. Nuovi interpreti, traduttori, stampatori, autisti, dattilografi, camerieri, servitori, cuochi, ristoratori, non importa. Quel che conta è che la Burocrazia inventi l'atto prima della funzione, e la funzione sta nel suo stesso espandersi, nel suo moltiplicarsi. È l'automotivazione. Faccio qualche esempio. Per assumere cento esperti, poniamo, la Commissione di Bruxelles inventa la funzione di cento rapporti di esperti, sugli argomenti più strampalati: magari esagero, ma mi vengono in mente temi dibattuti, come l'importanza dell'aragostina inglese rispetto a quella francese, il commercio dell'olio di tartaruga, la difesa dei bebé foca, il protezionismo dello champagne, la direttiva sulla circolazione delle biciclette (è restata tra gli atti più celebri!) e così via. Le varie commissioni di Bruxelles si dividono i cento rapporti di esperti tra di loro, un po' per ciascuno. Quei rapporti non saranno mai letti, né utilizzati, e questo stesso *non essere* del rapporto è la prima lezione che il burocrate esperto deve rispettare. Infatti, si teme molto quel tipo d'esperto che «crede» sul serio che vi sia bisogno di un suo rapporto!

Un ♡ di clown contro l'euroburocrazia.
Moltiplicando un raggio di luna per quindici milioni
di fogli di carta si ottiene un buon clown

L'intrusione del clown Carolì nella storia dell'Europa si giustifica con
il fatto che il clown è una sorta di coscienza filosofica dell'effimero
europeo. Sono al teatro di Esch, alla frontiera con la Germania, nel
Lussemburgo. Questo è uno Stato europeo che sta gomito a gomito,
a una mezz'ora di autostrada, con Francia, Germania, Belgio, e non
si possono superare i 50 km che ci si ritrova già in un'altra «patria».
Teatro stracolmo, a Esch, con bambini a iosa e madri e padri. Carolì
è atteso da tempo, come Dimitri, l'altro clown. Dimitri non parla ma
suona soltanto passando dall'organetto a bocca a violini piccoli come
una mano, a contrabbassi massicci. Il suo mutismo è interrotto da un
solo commento, del tutto saggio: «Idiot, idiot, idiot...».

Carolì si esibisce sulla moto, da motociclette alte un metro e cinquanta, fino a veicoli in miniatura alti venti centimetri, in equilibri
precari. Ha la zazzera color carota, la faccia di gesso, le labbra rosse, le occhiaie nere. La maschera bianca, rossa e nera mi fa pensare
a Charlie (il comico spagnolo, la cui statua si leva a Barcellona).
Il teatro si scatena ad applaudirlo, i bambini invocano: «Carolì!
Carolì!».

Capita poi che il direttore del teatro mi inviti a cena con Carolì
e con Dimitri, nel miglior ristorante di Esch, «Le Quattro stagioni», che è italiano (come sempre). Carolì arriva, scortato da moglie
e suocera, due donne dai petti nordici possenti e sederi senza complessi. Malgrado la stanchezza, un'intuizione mi spinge a interro-
garlo:

«Carolì, scusi, ma quelle motociclette, dove le trova?»

«Le fabbrico io stesso, con gli operai di Esch; una bici di 20 cm
mi costa otto milioni di franchi belgi».

«E le occorre molto tempo per esercitarsi?» continuo.

«Sì, tutto il tempo libero. Mi impongo un esercizio quotidiano,
una disciplina assoluta. Mi esercito prima di andare in ufficio e dopo
l'ufficio», risponde lui.

«Lei ha detto che lavora in un ufficio: quale?» gli chiedo sorpresa.

«Mi chiamo Fritz Bauer», mi risponde, «e sono di nazionalità lussemburghese; dirigo il reparto acquisti carta della Comunità Europea».

«Signor Fritz, lei è l'uomo della mia vita europea», urlo quasi abbandonando la pasta «Quattro stagioni». «L'impiegato antikafka,

quello della *Metamorfosi*, si trasformava in uno scarafaggio disgustoso, lei in un clown leggero come un raggio di luna che trascina al riso tintinnante intere platee di bambini di Esch».

«Non solo di Esch», interviene la moglie sotto la nuvola di capelli biondi, «ma di Bonn, di Berlino, di Monaco: ora lo chiamano a Praga, ma per via dell'ufficio, sa, troppo tempo lontano...».

«Scusi, Carolì, ma lo sanno nel suo ufficio del Lussemburgo? La riconoscono?» gli chiedo sorpresa.

«No, per carità! Nessuno sa che Carolì e l'impiegato Fritz sono la stessa persona, e che Carolì fa il clown, quando Fritz non lavora in ufficio!» risponde lui.

«Lo fa per guadagnare? Per arrotondare lo stipendio?» azzardo.

«Non è il guadagno, è l'arte. Il mio stipendio è buono, come responsabile degli acquisti di carta...», risponde.

«Montagne di carta, carta inutile, vero? La *Cartite* europea mi pare una malattia inguaribile. Quanta carta si consuma?»

Carolì mi risponde: «Dai cinque ai venti milioni di fogli, secondo l'annata, per i documenti della Commissione».

«E per il Parlamento?»

«Molti di più, certo, ma io mi occupo solo della Commissione... Abito a Esch perché, facendo il clown, è più semplice costruire le moto ed esercitarmi; ho cominciato ad esercitarmi dieci anni fa».

«È stata l'arte, la guarigione dalla *cartite*, mi pare chiaro...».

Carolì, che si è lavato la faccia dal trucco, è dolce, garbato, rispettoso; il volto tipico del bravo *commis de l'Europe*. Non una sola parola di critica verso la carta sciupata, la valanga di fogli inutili, né per i suoi capi. È devoto, solo che è passato dall'Istituzione all'Azione.

«Così, lei lo sa o no che è l'uomo più popolare della Comunità Europea?»

«Non ci ho mai pensato. Mi piace molto fare il clown: per me è un'arte. È uno svago...».

Mi batto la mano sulla fronte, come Dimitri, ed esclamo:

«Idiot, idiot, idiot...».

Carolì mi dedica il programma del teatro, che riproduce la sua faccia di gesso bianco-rosso-nera, e vi scrive con il pennarello: «Per Maria Antonietta con ♡ di clown».

Note

[1] Nel dipinto del Doganiere Rousseau, allineati sotto un baldacchino dominato dalle bandiere di Gran Bretagna, Francia, Italia, Stati Uniti, Germania, Spagna, rigidi come manichini, ecco i capi di Stato, i monarchi raffigurati: si può riconoscere, da sinistra a destra, Edoardo VII vicino a uno Scozzese in gonnellino, il presidente francese Fallières sotto il braccio di Marianna, Teodoro Roosevelt, Nicola II, Francesco Giuseppe, Guglielmo II, Vittorio Emanuele III, Leopoldo II, Abdul Hamid, il giovane Alfonso XIII, Menelik II eccetera.

[2] Il senso della storia, se questa può avere un senso, è che tra un vertiginoso pensiero e l'altro, tra San Tommaso e Voltaire, tra secoli «bui» e secoli «luminosi», il dominio d'Europa è stato sempre suddiviso tra i potenti, papi, re, principi feudatari, guerrieri, capitani di ventura più o meno imparentati tra loro e comunque sempre in rapporto di complicità, perché mai del tutto divisi, e proclivi a ristabilire nuovi equilibri, precari o no, dopo le reciproche distruzioni.

VI

LA DISTANZA

Qual è il destino dell'intellettuale in politica?
(Modeste riflessioni su artisti e dittature)

Quel quadro del Doganiere Rousseau della collezione Picasso sembra raffigurare con solenne ironia e sgomento insieme oltre alle Istituzioni, anche quel che sta loro dietro, in una coreografia dove si avverte la burla. Un dipinto anarchico, come lo era Picasso. Sorta di replica a quel mito che voleva Picasso politicamente impegnato. Spiegazione anche per guidarci verso quella teca del Museo (all'uscita) che contiene tante tessere del PCF col nome di Pablo Picasso e qualche ingiallito manifesto del Congresso degli intellettuali a Wroclaw, con le famose colombe della pace («la colomba è un uccello molto aggressivo», ha lasciato detto Pablo); e le foto con Maurice Thorez, «figlio del popolo», insieme a tanti intellettuali celebri per la loro milizia comunista, negli anni cinquanta. Pablo «buon comunista francese d'origine spagnola»? In verità, Picasso se ne infischiava della politica, come altri grandi che nei secoli hanno sollecitato la protezione della Chiesa, dei papi, del mecenate, del principe, del monarca, del potere dominante insomma, non soltanto per sopravvivere, ma per essere lasciati in pace.

Nel nostro secolo, i principi-protettori o le Chiese avverse sono state essenzialmente due: fascismo-nazismo; comunismo-stalinismo, con tutte le loro opposte diramazioni nel mondo. Resta esclusa, curiosamente, dai protettori dell'artista, la socialdemocrazia europea, che pure costituisce un potere reale nel XX secolo, considerata dagli artisti come presenza insignificante o mercantile. Insomma, per nulla eccitante, come ideale: anfibia per natura, né carne né pesce, e più legata al business che al Mito. La socialdemocrazia appare loro come un vaso fesso, che non rinvia suoni armoniosi e cattivanti per l'ispirazione. Céline e Ezra Pound si collocano dalla parte del fascismo-nazismo, com'è noto, per citare i due più strepitosi ingegni. Picasso e Sartre, sull'opposto versante, assumono il ruolo di «compagni di strada» del comunismo-stalinismo, insieme ad Eluard, a Sartre, a Joliot-Curie, Simone de Beauvoir, Roger Vailland, Marguerite Duras e tanti altri.

A differenza di Aragon, militante di ferro che, traumatizzato, distrusse per ragioni moralistiche, allorché aderì al PCF, un romanzo erotico (*Le con d'Irène*, che verrà riesumato nell'86 da Gallimard e recensito con folle ammirazione da Sollers), Picasso non proverà mai i rimorsi di Sartre, né «la vergogna di essere europeo», né si tufferà nelle acque purificatrici del Terzo Mondo. Picasso è, d'altra parte, l'artista in cui l'identità europea è più assoluta, che si fa erede della civiltà pittorica del passato e ricapitola in una sorta di *summa* tutto quello che l'Occidente ha prodotto di grandioso in arte. Nel Museo Salé, in quella teca che il visitatore non può non vedere, piazzata com'è all'uscita del Museo, c'è anche un ritratto in bianco e nero di Stalin, dove si vede soltanto una coppa sollevata da una mano con la scritta «A Stalin». È molto meno noto del famoso ritratto che Picasso dipinse per il settantesimo anniversario del despota georgiano, raffigurato come un giovane lupo. Una sorta di omaggio tenero, affettuoso, verso il dittatore (che aveva liberato l'Europa dal fascismo, coll'Esercito Rosso), eppure accusato di irriverenza dal mondo ufficiale del realismo socialista... Picasso brinda a Stalin e tuttavia lo fa mentre scompone distrugge e ricompone le forme, uccidendo quello stesso realismo socialista che egli ignora come un non-evento.

Per capire quel che accadde fra i grandi artisti del nostro tempo, occorre ritornare indietro (a dopo la prima guerra mondiale) quando questi cercano alleanze ai due estremi degli schieramenti, escludendo liberali, socialdemocratici e cattolici. La società tradizionale non offriva ai creatori nulla di nuovo, non poteva né comprenderli, né asservirli. L'epoca dell'evoluzione, come ho detto, avrebbe potuto essere quella della socialdemocrazia, ma gli artisti se ne tengono lontani e un romanziere francese commenta: «Ça depasse Léon Blum». Il comunismo in Europa ha giocato il ruolo della Chiesa cattolica che perdeva piede, e prestigio – vi immaginate Picasso a fianco di Pio XII? – e anche il fascismo si fa polo di attrazione. Tra Céline e Picasso abbiamo due destini profondamente contrapposti. Céline termina tragicamente la sua vita nella miseria, nel disprezzo e nella più abietta delle solitudini. Picasso nei suoi castelli, mentre gli acquirenti americani aspettano ore e ore dietro la sua porta. Picasso, o del buon uso per l'Arte delle forze politiche, si potrebbe dire. Pablo assume il partito, non come mentore, ma come agente di pubblicità. O come guardaspalle, rispetto ai fascismi europei. Michelangelo, Bernini, furono salvati dai papi, Picasso dai comunisti. Picasso è l'altra faccia dell'impegno intellettuale. Lui non va in Spagna per «la guerra dei poeti», non si arruola nelle Brigate repubblicane. Ma dipinge *Guernica*, il più colossale Giudizio universale di maledizione del franchismo. E quel gatto crudele (sta anch'esso nel Museo Salé) che divora l'uccello, con tutta la ferocia della «gattità», è destinato a colpire il fascismo di Franco più di un'arma.

Durante la guerra nazifascista, Picasso continua a lavorare nel suo studio al Quai des Saints Augustins, mentre le SS arrestano e deportano gli antifascisti. È il più famoso degli artisti antifascisti, e si potrebbe pensare che i nazisti gli perquisiscano e distruggano lo studio, o che l'arrestino al Café de Flore, dove passa le sue ore di libertà e di svago. Invece è come se una rete impalpabile (la protezione comunista?), anche in quell'epoca di ferocia che non risparmia nessuno, giochi per lui un ruolo di riparo protettore.

È Renato Guttuso (in un testo comparso su «Vie Nuove» nel 1952) che racconta: «Durante l'occupazione tedesca della Francia, Picasso rimase a Parigi, rifiutandosi di rifugiarsi in America e sfidando l'invasore. Il tedesco non osò toccarlo perché ebbe paura della sua fama e del suo enorme prestigio culturale e mondiale. Quando la Gestapo, che lo controllava, lo interrogò, al nazista che mostrandogli una riproduzione di *Guernica* gli chiedeva: "Questo lo avete fatto voi?" egli rispose: "No, l'avete fatto voi"». Qui finisce il racconto di Guttuso che elogia l'adesione di Pablo al Partito Comunista francese e il suo ingresso nel Consiglio mondiale della pace nel '47, col Premio Nobel della pace attribuitogli nel 1949. Non ci dice però, Guttuso, come si spiega che davanti alla fiera risposta di Picasso, il «pietoso» SS facesse marcia indietro, quasi a vergognarsi della propria audacia.

Ci si può chiedere ancora e sempre che cos'è il destino dell'intellettuale in politica. Domanda «maledetta» restata senza risposta, malgrado i tomi pubblicati per cercare di districare la questione del rapporto tra intellettuali e potere. E non ultime le lucide analisi di Antonio Gramsci.

Dopo la sconfitta fascista, Céline si trascina esule, terrorizzato dal fantasma della persecuzione politica. Allucinato dalla sua sorte di reietto politico, Drieu La Rochelle si suicida dopo la Liberazione. Brasillach è fucilato nel Forte di Montrouge, per intelligenza col nemico. Ezra Pound viene imprigionato e condannato per apologia del fascismo. Céline, dalle sue sciagure, continua a trarre, sornione, una prosa inaudita, suggello dell'orrore moderno. «Isolato, meno colpevole di altri», scrive Sollers in *Teoria delle eccezioni*,[1] «oggi corona-

ti o sistemati in alti luoghi (si sa sempre con chi prendersela per scia-
bolare il vero talento), Céline non ha cessato di gridare una verità di
cui moriremo tutti. Lui è il preciso cronista del *cauchemar* storico del
XX secolo». Come Pound. L'uno e l'altro, testardamente, in una
colpevolezza che per loro passa in secondo piano rispetto allo stile,
smussano lo spirito critico verso il fascismo e il nazismo, per proiettare tutta l'attenzione sulla loro sintassi, prosa e versi.

Il silenzio intellettuale attorno alla condanna di Pound è rotto in
Europa da Hemingway, che non aveva pseudomorali. Alle spalle, lui
ha la guerra di Spagna e due guerre: due volte sul fronte europeo con
le truppe alleate. È furibondo contro la prigione inflitta a Ezra
Pound e con un gesto provocatorio gli regala la sua medaglia di Nobel con una lettera che dice: «Caro Ezra, visto che domani è il mio
cinquantesimo compleanno, spero che accetterai la medaglia del Premio Nobel. Te la mando perché sei il nostro più grande poeta vivente. Non posso sopportare che tu sia tenuto in prigione. Mentre altri
che hanno lavorato contro il proprio paese sono stati liberati in Inghilterra. Quel che tu hai fatto non era un errore, visto che ci credevi.
Anche se per me è stato un grave errore... Via, lasciamo andare tutto
ciò e lasciamo perdere la politica e, se vuoi, accetta questa medaglia
e questo chèque di mille dollari, tutto quel che mi resta del denaro
del Nobel, che avevo promesso di utilizzare nel modo più intelligente
possibile» (la lettera è datata da La Finca Vigia, 19 luglio 1956).[2]

Il denaro arrivò, non così la medaglia del Nobel, che Hemingway
avrebbe, secondo un'altra versione, lasciata al Santuario della Vergine del Cobre, a Cuba. Il 26 giugno 1958, egli invia altro denaro a
Pound, scrivendogli: «Muy querido maestro, ex alienato, mi porto
garante per le tue spese di viaggio e soggiorno in Italia. Ho talmente
vergogna quando penso al modo in cui sei stato tenuto in prigione che
ti dico: sarei salito persino al patibolo per essere impiccato con te».

In Argentina, Borges, il più possente scrittore latino-americano,
sceglie la dittatura dei generali dopo il crollo di Perón, che l'aveva
perseguitato per ostilità al suo regime, fino ad imprigionarne la madre. Borges, di cui si diceva nel mondo che stava all'estrema destra,
andai a trovarlo nel 1983, nella sua casa di Buenos Aires, mentre cercava di riannodare il filo con la gioventù argentina e con le *Madres*
de la Plaza de Mayo, portando il prestigio della sua firma in calce
alle petizioni contro quella dittatura di generali che andava ormai de-
clinando. «Sono un europeo in esilio», è stata la frase che ci disse a
Venezia, come un epitaffio. Da quell'«esilio», egli volle staccarsi definitivamente, quando avvertì che i giorni della sua vita erano conta-

ti, e si recò, ammalato, sfinito, in Svizzera, deciso a morirvi. Al suo capezzale, secondo il racconto che me ne fece la sua giovane vedova, egli chiamò un sacerdote cattolico. La politica per lui, tra peronismo, dittatura dei generali e infine ritorno esplicito alla democrazia, gli aveva avvelenato la vita. «La politica gli ha rovinato la vita», ribadisce Adolfo Bioy Casares, a Roma: «Anche per me il peronismo era stato un incubo... Quando i militari lo rovesciarono provai un gran sollievo. Poi, un giorno, una mia amica scomparve dalla sera alla mattina e ritornò l'incubo... Prenda quel che è successo agli scrittori argentini: una parte va in esilio, un'altra resta. Qui e là ci sono buoni e mediocri scrittori. Ai mediocri, l'esilio conferisce nobiltà. Ai buoni rimasti l'esser rimasti provoca una sorta di riduzione di immagine, una caduta di attrazione... E poi? Poi torna la democrazia, tornano in patria gli esuli, e adesso stanno tutti lì, seduti ai tavoli di marmo del Caffè Corrientes, che scrivono romanzi. Gli uni raccontano gli amori e le donne che hanno avuto all'estero; gli altri, le donne e gli amori che gli sono capitati a Buenos Aires».

L'altro argentino, lo scrittore Ernesto Sábato, lo incontrai a sua volta a Buenos Aires; esaltato, traboccante di felicità, alla vigilia del crollo della dittatura, mentre andava redigendo quella sua meravigliosa requisitoria contro i despoti del regime, e argomentava giuridicamente i termini del rifiuto dell'amnistia ai torturatori.

Scrittori uruguaiani, peruviani, cileni, hanno tutti altalenato tra scosse politiche, terremoti brevi e lunghe catastrofi. E così continuano, come in Cile. Come in Sud Africa.

Per tornare all'Europa, l'arco di tempo occupato dalle dittature di destra e di sinistra è estremamente lungo: dall'Italia alla Germania, alla Spagna, alla Grecia, esso divora, macina oltre quarant'anni. Soltanto adesso, all'atto dell'ingresso della Spagna e del Portogallo nella Comunità Europea, il volto culturale dell'Europa si è ricomposto come un volto democratico. Un volto armonioso. I tempi *più lunghi* sono stati per noi quelli della dittatura ideologica e spirituale dello stalinismo, dell'ideologia marxista ortodossa, sul pianeta Europa; durati ininterrottamente dagli anni venti fino agli anni ottanta, quando la presa del PCF si allenta nel declino clamoroso dei comunisti francesi (quasi spazzati via dalla carta elettorale nelle elezioni politiche del 1986) e Gorbačëv stesso libera dall'esilio di Gorkij lo scienziato Andreij Sakharov.

Mentre scrivo ho sottomano l'ultimo saggio di Kundera, *L'arte del romanzo*, e anch'esso ripropone il rapporto tra intellettuale e potere europeo. Kundera, che si è rifiutato di fare «il re dei dissidenti» a Parigi, avverte che la sua proiezione va non verso la Francia (di cui è diventato cittadino), ma piuttosto verso Israele, cui rivolge nell'ultimo testo del suo libro l'appellativo di «Capitale d'Europa». «Le personalità europee, allontanate dalla loro terra originaria..., hanno sempre mostrato una sensibilità sovranazionale, l'Europa concepita non come territorio ma come cultura... Israele e la loro piccola patria infine ritrovata, sorge ai miei occhi come il vero cuore dell'Europa. Strano cuore posto al di là del corpo».[3]

Istituzioni europee e intellettuali

Qui riaffiora uno dei grossi problemi dei nostri giorni: il rapporto tra cultura e istituzioni europee (Comunità e Parlamento). Sotto l'esasperante linguaggio burocratico delle risoluzioni di Strasburgo o del Consiglio d'Europa, ribolle il vecchio romanticismo, che io considero un disastro. All'identità culturale europea – quella dello spirito oltre che della storia – le Istituzioni oppongono *le* diverse identità culturali, e oggi se ne possono contare almeno dodici, quanti sono i partners della Comunità. Commissione, Parlamento, Consiglio si sbracciano per assicurare la protezione e la salvaguardia di ognuna di queste identità, in un ambiguo e confuso pluralismo di difesa ovvero di retroguardia. In un solo anno si è tenuto un colloquio sull'identità francese, uno sull'identità germanica (a Bergamo), uno sulla latinità (a Roma, con Duby), uno sull'identità spagnola (a Palma di Maiorca). La Commissione invia i suoi rappresentanti, il Parlamento i suoi; ognuno vuole, per dignità nazionale, per la difesa della propria lingua, e sbarcano così eserciti di interpreti.[4]

In una sorta di populismo culturale, emergono sempre nuove identità culturali e sempre più piccole: l'identità culturale delle minoranze, le culture regionali, le minoranze linguistiche, etniche, talora all'interno delle stesse regioni. Il ruolo dell'Europa comunitaria sembra esser quello di celebrare la piramide delle diverse identità, per rinforzare ognuna di esse, si dice, ma in verità per annullarle tutte in un comune trasferimento-cattura dell'individuo (dall'identità debole) da parte di una civiltà forte. Attivismo frenetico di convegni, accademie e Istituti di cultura mobilitati, addetti culturali, minoranze difese, culture regionali benedette nel supermercato dell'ideologia contemporanea. Questo bazar reintroduce non il discorso culturale europeo, ma il discorso politico elettorale o elettoralistico dietro la risoluzione stentorea e approssimativa dell'olandese, del fiammingo, del vallone, del corso o del barcellonese, per *difendere e sempre difendere...* non si sa più se un lembo culturale o un seggio di deputato!

Nella Risoluzione di Madrid, nelle righe finali, gli intellettuali, delusi dal rapporto con Bruxelles, rivendicavano una microscopica autonomia per il futuro: «Il Congresso è deciso a fare in modo che questa azione non anneghi nelle considerazioni burocratiche o politiche, ma che gli intellettuali stessi ne assumano la responsabilità». Tutti applaudirono. Era quello il 2° Colloquio libero, autonomo, senza cani-poliziotto «statalisti», degli intellettuali. Jacques Delors era venuto a Madrid con il commissario alla cultura. Gli intellettuali dallo «spirito europeo» potevano contare su di loro. Con grande sorpresa, vedemmo poi a Bruxelles lo stesso commissario alla cultura indicarci, con un indice perentorio, le poche righe finali della Risoluzione ed esclamare: «Bene, bene! Visto che rivendicate l'autonomia, fate da soli...». Poi, con i primi documenti ufficiali, ci accorgemmo che l'Istituzione aveva deciso di gestire *in proprio* la cultura e di servirsene come mezzo per la solita, sterile propaganda delle Istituzioni.

La propaganda all'Istituzione

Il rapporto tra intellettuali e Istituzioni europee è una storia di reciproche diffidenze. Nella mia rivisitazione al tempio europeo di Strasburgo, avevo trovato un rapporto nuovo di zecca sull'esigenza di una «Politica d'informazione della Comunità Europea».[5] Questo testo, pregevole ma superficiale nelle sue rivendicazioni propagandistiche, non è estraneo alle riflessioni di queste pagine. A proposito di diffidenza, individui e gruppi cercano altrove la loro aspirazione o il senso della loro azione culturale che non nelle Istituzioni europee. Bisogna ben riconoscerlo. E delle Istituzioni diffidano anche gli Stati che poi, a loro volta, diffidano l'uno dell'altro. Chiunque giunga in visita a un'Istituzione europea, udrà un'unica e costante lamentela: «Il silenzio ci circonda. I giornali, la TV, la radio non parlano mai di noi e di quel che facciamo».

Il primo motivo per spiegare questa indifferenza e tedio per l'Istituzione è il seguente: che senso può avere discorrere di istituzioni che non hanno potere, come il Parlamento Europeo? Un governo è qualcosa di corposo: la disoccupazione, le tasse, le scuole, i problemi della droga, la lotta al terrorismo, eccetera. Ha un'incidenza diretta sulla vita della gente, di una famiglia, di un gruppo. Il secondo motivo è che è ben difficile che si elogi un governo in sé e per sé; anzi, quel che vale tra la gente è sempre il vecchio adagio: «Governo ladro». La sola propaganda alle Istituzioni – ovvero «la sola politica dell'informazione» elogiosa sull'Istituzione – è quella inventata dal bolscevismo dopo il '17 e dalla indefessa propaganda russa e comunista per cui: si esalta il governo bolscevico, il Comitato centrale del partito, il Soviet supremo, il segretario di federazione eccetera. Ma nulla è meno eccitante di questi elogi fabbricati nella *neolingua*. Come i canti del regime che si udivano da ragazzi, in epoca fascista, insieme con le canzoni patrie, esaltanti le costruzioni del regime, le bonifiche e le imprese in Africa, con quel ritornello allegrotto: «Faccetta nera, sarai italiana». Quanto alle epoche del socialismo reale, allorché nei treni – ricordo un angoscioso viaggio da Mosca a Novosibirsk per decine d'ore in Transiberiana – gli altoparlanti ci trasmettevano solfeggi ed inni esaltanti il socialismo, il primo moto era quello di staccare i fili degli altoparlanti. Come in Cina durante il maoismo, quando le radio rinviavano da ogni anfratto i gorgheggi e le nenie di quelle sette opere di Stato che Chang-Ching aveva trasformato in «teatro rivoluzionario» ad esaltazione del vero popolo. «Che barba», dicevamo, e nemmeno a bassa voce. «Quando staccano?».

Il senso dell'Europa

Esso non si riassume nelle sue Istituzioni comunitarie e anche immaginando che si giungesse a un governo europeo sovranazionale, questo potrebbe risultare alla fin fine impopolare o addirittura odioso. (Anzi, è proprio a questo punto che somiglierebbe, per estremizzare le cose, ad un vero governo, e come tale sarebbe preso sul serio.) Le idee, non le Istituzioni, accendono la fantasia. E le idee nascono spesso proprio contro le Istituzioni o contro lo Stato. Adolfo Bioy Casares (di passaggio a Roma, dove aveva ricevuto il premio letterario dell'Istituto Latino Americano), mi raccontò che scriveva con Borges libri a quattro mani, e che non parlavano «mai di cose serie». Mi spiega: «Tutti oggi sono oppressi, soffocati dalla politica e dallo Stato. Io lo Stato non lo amo, lo detesto». Perché si dovrebbe addirittura amare uno Stato moltiplicato per dodici, come sarebbe lo Stato della Comunità Europea?

Lo stadio dello specchio (Lacan)
e lo specchio rotto (Musil)

L'europeo è come il bambino di 6 mesi, nel testo di Lacan sullo stadio dello specchio. Posto di fronte ad esso, comincia, sia pure confusamente e attraverso varie tappe, a costruire la sua immagine per intero: lo specchio in cui ci si comincia a sbirciare dovrebbe essere l'Europa, ritrovando quell'elementare stadio «specchiale», individuato dallo psicanalista francese per definire le fonti della nostra identità. C'è poi lo «specchio rotto» di Musil, che traduce, invece, l'impossibilità di ricostruirsi attraverso di esso. «Con te non ci si può mai vedere da capo a piedi. Mi sembra di guardare nelle schegge di uno specchio», dice ad Ulrich la sorella Agathe, nell'*Uomo senza qualità*. In verità, il senso-non senso del romanzo sta in definitiva in un insieme di qualità senza l'uomo. Come per l'Europa. Giustizia, lavoro, istituzione, progresso, pace – le qualità che dovrebbero riflettersi nello specchio Europa – sono sempre immagini in schegge. Dodici più uno. L'uno, come Ulrich, che pur quando entrava in azione avvertiva che i valori erano labili, mutevoli, come parte di un intero che gli sfuggiva, o di innumerevoli interi appartenenti ad un «Superintero» che però gli era ignoto. L'Europa è questo «Superintero», dove è quasi impossibile ricostruire completamente la propria immagine di uomo europeo.

«Superintero» e sovrastruttura culturale

Braudel, affermando sovente che una civiltà arriva alla fine a trionfare sempre sui nemici, contro la sua distruzione, a cosa allude in definitiva se non alla cultura? Una cultura da invocare prima della politica, dell'economia, dell'ideologia, delle Istituzioni e degli Stati come il solo «specchio» (e di specchi abbiamo appena parlato) in cui si rifletta l'unità culturale dell'Europa. La cultura «lingua comune dell'Europa», la chiama Braudel.

Anche la cultura sollecita, secondo Braudel, così come la storia, una lettura a tre livelli: uno quasi «sotterraneo», la cultura popolare primitiva; il secondo «visibile, scintillante», ed è il Cristianesimo; il terzo si identifica con la nascita di piccoli gruppi di individui, *hors-série*, che costituiscono le vere *élites*. La cultura appartiene essenzialmente al campo delle sovrastrutture, per lo storico francese. E come tale è oggetto di costanti contese e lotte di vertice, nel corso secolare della storia: Medio Evo, Umanesimo, Rinascimento, Riforma, Controriforma, Illuminismo, sono il culmine di grandi tensioni-tenzoni culturali e di supremazia culturale. L'unità culturale dell'Europa sopravvive al «dramma della Riforma», allorché essa è salvata dal Barocco, esploso a Roma e nella Spagna cattolica. Il Barocco «colonizza» l'Europa protestante, che aveva «protestato» contro la Roma papista e tentato di distruggerla. La cultura (sempre a giudizio di Braudel) crea sempre una gerarchia, un'organizzazione dello spazio, il cui centro geopolitico non coincide mai col centro economico: Roma sì, ma la Roma cristiana e non la Roma imperiale; nell'Italia del Rinascimento, è Firenze il centro e non Genova, e nemmeno Venezia; non è Londra con la City e la conquista dei mari, ma Parigi. La sola unità dell'Europa nasce dalla sua cultura. Il che la rende più precaria, più delicata, ma anche più affascinante, nello scavare ininterrotto dell'alveo di una tradizione, fondamento della civiltà. E se le civiltà fondatrici hanno finito per trionfare sui barbari e sugli egoismi umani, sui particolarismi e l'avidità dei mercanti, perché non si deve credere al trionfo di una civiltà europea comune, fosse pure in un'epoca di decadenza come spesso appare la nostra? Ma il problema che sono andata evocando in queste righe, affrontato a livello teorico e sulla falsariga di Braudel, ha un futuro enigmatico: l'Europa attuale vuole far coincidere a differenza del passato, dove i centri culturali non corrispondono mai ai centri economici, l'epicentro economico – Bruxelles o le sedi comunitarie – con l'epicentro culturale. Appare qui l'*impasse* storica, e come tale difficilmente sormontabile. Il Tempio e i Mercanti.

Le *élites* di cui discorre Braudel sono cosa ben diversa dagli arroganti e costosi burocrati dell'epicentro comunitario.

L'angoscia paritaria delle Istituzioni europee

La preoccupazione costante delle Istituzioni è quella della loro rappresentanza paritaria, in qualunque manifestazione intellettuale e politica europea. Un esempio fresco nella memoria è quello del Congresso di Madrid sullo spazio culturale europeo. Esso aveva difettato, agli occhi delle Istituzioni, nei valori proporzionali delle rappresentanze nazionali di «teste d'uovo». Era molto più presente il Sud, ad esempio, che non il Nord! Alla vigilia del Congresso, il superfunzionario Perrocosich chiamava la sede della Comunità di Madrid, per controllare le percentuali dei nordici presenti.

«Quanti danesi? Nessuno? Non è possibile! Ma li avete invitati? Invitati, eccome, ma non vengono...». «Ecco, però, signor Perrocosich, c'è uno svedese importante in arrivo, il direttore del quotidiano "Tageblatt"». «Ma gli svedesi non fanno parte della Comunità, questo signore non ha importanza. Fatemi una lista esatta con la data di spedizione degli inviti agli intellettuali nordici...».

Il discorso continuava un'altra volta sugli olandesi. L'unico che c'era, il premio Nobel di Fisica olandese che lavora in coppia con Rubbia, si era ammalato prima del Congresso. «Che guaio, signora», ammoniva il buon funzionario Missile. «Ma viene Rubbia!...». «Sì, ma lui è italiano», obiettava testardo. Avevamo bisogno, per salvare le cose, di un mezzo danese, di un quarto di fiammingo, di due inglesi. Missile cercò di aiutarci, e noi gli procurammo tutto quello che era possibile. Ma i rappresentanti dell'Olanda, della Danimarca, del Belgio, protestavano affermando che quel convegno era tutto affondato nel Mediterraneo, e che il Nord ne era stato escluso.

«Böll è morto, lei lo sa, signor Missile», sussurrai per telefono con dolore. «Ma il problema non è Böll, in quanto la rappresentanza tedesca è sufficiente a Madrid», replicò freddamente Missile, «...anche se Berlino è un po' troppo presente».

Chiedemmo se la Commissione alla Cultura avesse qualcosa da suggerirci sui contenuti del Congresso sullo spazio culturale, informazioni, dati, consigli... «No, il problema che ci viene posto dai partners è soltanto quello delle percentuali degli intellettuali europei, perché le culture siano rappresentate in modo proporzionale. E le cose, purtroppo, non vanno...».

C'erano lì percentuali-cerebrali e gerarchie istituzionali, ancora tutte da rispettare. «Poi sappia che ci viene segnalato qualcosa di grave, che si aggiunge al resto. In tutti i vostri stampati viene prima il Parlamento e poi la Commissione. Ora l'avvertiamo rispettosamente... che lei deve far ristampare i manifesti e i programmi, invertendo l'ordine, prima la Commissione e poi il Parlamento, in quanto è la Commissione ad aver dato una sovvenzione in denaro. Anche se lei obietta, ed ha ragione, che i bilanci sono approvati dal Parlamento».

A Madrid, i bravi spagnoli, pur di evitare grane con Bruxelles, invertirono l'ordine delle ipotetiche Istituzioni europee, sui nostri inviti e sui nostri programmi. Restò intatto solo il triste e bel manifesto, disegnato da un geniale artista, Antonio Tapies, e che era già stato stampato a Barcellona. Vi si vedeva un corpo come un lombricone annodarsi e snodarsi fra tante croci, ammassi di simboli contorti, macerie; il tutto, color seppia. Il men che si possa dire: non era ottimista...

Eguaglianza anche per le Cattedrali barocche

> Un litigio, foss'anche infimo, si gonfiava al punto che dopo la ripetizione monotona degli argomenti cento volte detti e il rituale rinvio al Vertice successivo, che rinviava il caso al Consiglio dei Ministri, che rinviava il caso al Vertice successivo, che rinviava, ecc.
>
> *François Mitterrand*[6]

Ora, i congressi intellettuali, nell'epoca del nostro progresso liberatorio, non sono più come quei caotici assembramenti culturali – tra polizieschi e drammatici – con Malraux e Gide, e Aragon, dove la Russia staliniana si disputava il loro consenso; a Parigi, nel '35; in Spagna, tra Valencia e Madrid, nel 1937, quando Mosca spingeva avanti la propria strategia europea di conquista politica, attraverso la cultura. Ora siamo liberi da queste angosce, che muovono talora in coppia tra stalinismo e fascismo, e si respira. Ma il rapporto con le Istituzioni rischia spesso oggi di apparire come il reticolato che si leva davanti alle finestre d'Europa. Le percentuali istituzionali, le rappresentanze ostinate, le proporzionali dure e pure, sono nuove minacce. La cultura rischia di essere trattata come un piano quinquennale. Quando lo si denuncia, tutti sono d'accordo per condannare questo andazzo. Eppure, sulle carte europee, la cultura sta allineata così: tanti cervelli danesi, altrettanti spagnoli, tante meningi inglesi e tante francesi, eccetera eccetera. Non si è ancora detto che tutti gli intellettuali debbono avere la stessa altezza, oltre che lo stesso numero. Ma si rischia di finire come con i montanti agricoli compensatori, le sovvenzioni al latte e al burro, tutte calcolate in base agli ettari di terra coltivabile di un paese, alle popolazioni contadine, anche finte, o gonfiate ad arte. Ma provate ad applicare la «regola agricola» a un qualsiasi settore dell'attività umana, o artigianale, e vi accorgerete che la più modesta produzione può diventare paranoica. Si può dire, ad esempio, che l'Italia deve produrre cento milioni di paia di scarpe, per il fatto che ogni italiano, da quelli che sono i calcoli percentuali, ha diritto a due paia di scarpe. E se non le usa? Ebbene, il resto lo darà sottocosto agli jugoslavi, ai russi, oppure sarà avviato verso i poveri del Terzo Mondo (che, come è noto, non portano scarpe). Anche con le migliori intenzioni nel rispettare i piani di sviluppo europeo, lo stesso folle ingorgo si può creare con gli ombrelli, con la salsa di pomodoro, o con le utilitarie.

La febbre della proporzionale crea un iperstatalismo pericoloso, in quanto ognuno dei Dodici può ostacolare o favorire l'iniziativa degli altri undici (ecco svelato il mistero per cui la «visione dell'ideale europeo» non sorge mai). Invece che l'armonia a dodici, si forgia un potere di intervento di uno Stato sull'altro, con le diverse alleanze che ognuno sarà in grado di allacciare.

Al Consiglio d'Europa, nel mio ultimo viaggio a Strasburgo (dicembre '86), il mio sguardo si è imbattuto nel manifesto di quell'ammirabile esposizione sull'arte del XVI secolo in Firenze, sui Medici. «Florence-Tuscany and the Medicis in 16th Century Europe». Era il 15 marzo 1980 e d'improvviso ricordai come fossimo rimasti tutti chiusi in un salone, nell'attesa dell'arrivo dell'ambasciatore belga presso il Consiglio d'Europa. L'esposizione non poteva aprirsi se non con la rappresentanza completa dei dieci ambasciatori. Pertini, inoltre, aveva invitato l'ambasciatore belga in Italia, aggravando così le cose, perché l'ambasciatore predestinato a tagliare il cordone non doveva essere l'ambasciatore belga in Italia, ma quello belga a Strasburgo, presso il Consiglio. Questo era bastato per rinchiuderci dentro un salone, disperando persino che l'esposizione si aprisse; finché Pertini si impose per dare il via all'inaugurazione, trascorsi 120 minuti nella vana attesa dell'ambasciatore belga. Questi fece poi vari rapporti di protesta, e ottenne altrettante soddisfazioni. Così quando la Comissione *sposa* o *sponsorizza* un'iniziativa, corre voce che quello rischia di essere «il bacio della morte»: l'iniziativa culturale rischia di venire soffocata dall'abbraccio delle cento rappresentanze diplomatiche, dei mille pianificatori politici del «destino culturale» d'Europa.

Le Cattedrali gotiche del XIV secolo, per il bravo funzionario, non sono importanti per la loro «essenza di cattedrali», ovvero di fatto d'arte, ma come cattedrali che assicurano l'apoteosi all'iniziativa proveniente dalla Commissione attorno alle medesime cattedrali spartite fra i Dodici. Il prestigio della Commissione appare sempre più importante da assicurare, che non la conoscenza d'arte. Un prestigio da distribuire equamente tra i Dodici Stati membri. Ci sono in Europa, mettiamo, duecento Cattedrali barocche. E così la Comissione propone un giorno di suddividerle, e di «repertoriare» le strade nazionali al Barocco. La «route du Baroque» si frastaglia in tante corsie nazionali. C'è la corsia francese, la strada belga, quella fiamminga eccetera, un reticolo di autostrade, compresi gli svincoli. Si può immaginare, con qualche cattiveria, che alla fine vengano attribuite lo stesso numero di cattedrali da visitare sulla strada belga, su quella francese, olandese, e... lussemburghese. E anche se i Commissari alla cultura non demoliranno, come i barbari, le cattedrali, però ne possono cancellare qualcuna dalla strada del Barocco europeo, al fine di rispettare certe proporzioni tra popolo e popolo e creare un'armonia tra cattedrali di quella nazione troppo ben fornita con un'altra nazione meno ricca. Mi si voglia perdonare l'esagerazione, come direbbe Hašek nel *Buon soldato Svejk*, ma questo rispetto per gli uomini e le cose d'arte mi ha commosso fino alle lacrime, ogni volta che ho udito queste osservazioni sull'eguaglianza in campo artistico.

Lo stesso vale per i musicisti, gli architetti, i poeti, i filosofi, gli storici? La iattura dell'identità culturale europea malintesa è costituita dallo spirito di bottega di ogni nazione. Esso tende a farsi valere rispetto alle altre, nel proprio patrimonio culturale, come in quello della zootecnia. E se ci sono troppi musicisti italiani, nell'orchestra europea? Ebbene, vanno aumentati quelli belgi. E se inaugurando un'esposizione sui quadri dell'Ottocento, un ambasciatore danese farà notare che pochi sono i quadri del proprio paese, un brivido non correrà nella schiena dell'organizzatore comunitario?, oppure, inaugurando una mostra di scultura l'ambasciatore del Belgio non farà osservare con tono di rimprovero, che le opere dei valloni sono più numerose di quelle dei fiamminghi? Tutto è politico, ma la cultura e l'arte lo sono più di tutto. Tanto quanto gli armamenti, o quella difesa europea che si continua a osteggiare. Così ogni manifestazione artistica, culturale, va accompagnata e benedetta da tutte le rappresentanze diplomatiche del paese europeo dove essa sorge. E quindi dagli addetti culturali, e dai capi degli istituti di cultura, dai commissari europei in trasferta con le mogli, in ogni luogo dove si distribuisce un premio o una distinzione culturale, per pronunciavi il discorsetto ferroso sulla «sponsorizzazione» (l'ultimo, l'ho incrociato a Capri, per il Premio Malaparte, ripreso dalla TV contro i Faraglioni e l'azzurro marino).

Il protezionismo comunitario e le capitali d'Europa

È una situazione più preoccupante del vecchio nazionalismo. In quanto, comunitari percentualizzati come siamo, qualunque nazione può bloccare quel che interessa alle altre undici. La tesi della proporzionale da rispettare investe spesso grossi contratti con la Commissione, da parte di miriadi di fondazioni, che agiscono ognuna per proprio conto, scollegate da una strategia culturale comune che, com'è noto, non può essere ridotta a percentuali statistiche...

Allorché tutti gli Stati sono d'accordo, la cornucopia delle sovvenzioni si riversa come una manna, e ognuno cerca di profittarne. Nasce così la stravagante direttiva per cui un progetto architettonico finanziato dalla Commissione debba anche prevedere un uno per cento
consacrato ad un'opera d'arte. Come se l'architettura non fosse essa
stessa la vetta, la sommità dell'arte. Ma le cose sono invece viste in
due fasi: la prima di costruzione, l'altra di decorazione, col quadro
e con la statua o col mosaico. Questi debbono corrispondere all'un
per cento del valore globale, né più né meno di quel che si è stabilito.

Per la scelta dell'opera d'arte, chi decide è sempre l'autorità responsabile della gestione. Molto curiosa è anche quella direttiva che
concerne lo *standing* degli edifici. Lo *standing* si ritiene rispettato allorché una fascia di marmo circonda il palazzo comunitario. Una
sorta di cintura di lastroni marmorei, che fanno somigliare gli edifici
a una tomba, dice malignamente qualcuno. L'attività di sovvenzioni
è annuale e quindi la immaginiamo come una sorta di vendemmia
della cultura. L'«anno della poesia», l'«anno dei giovani», l'«anno
della musica». L'«anno della televisione e del cinema» ha avuto
un'apertura solenne in Campidoglio, (primavera dell'87) con il discorso inaugurale del presidente prescelto, alla presenza dei capi di
governo e di diplomazie, oltre alla folla di uomini d'affari, dirigenti
di società televisive o cinematografiche alla ricerca di fondi comunitari, in primo luogo.

Poniamo che il 1989 si intitoli al «Secondo rinascimento europeo»,
a prescindere da quel che si produrrà nell'arco di quei dodici mesi,
perché è stato così stabilito tre anni prima a Strasburgo e Bruxelles.
Ma poniamo che il 1989 sia invece un anno di grigiore, di *désarroi*:
esso si trasformerà ugualmente, per una direttiva comunitaria, in
anno di rinascita artistica? Non basta un Piano, un milione di circolari e la somma di danaro stanziata per raggiungere tanta meta! Talora ci si chiede se non sarebbe meglio, con tanti soldi, creare una piccola scuola, fondata insieme agli intellettuali locali, collegata ad un
istituto di belle arti, a degli studi di cinema e televisione, per formare
giovani creatori.

Più che spostare i ragazzi verso i grandi centri dell'arte d'Europa
– da dove poi sono talora scacciati come i ragazzi dal «sacco a pelo»,
a Venezia – non occorrerebbe fare il contrario, vale a dire recarsi nel
fondo delle province europee per creare lì dei nuovi centri di attrazio-
ne/educazione artistica? D'altronde né Firenze, né Atene, né Amsterdam, in verità, hanno bisogno di essere elette capitali della cultura, anche per l'afflusso incontenibile di turisti, l'impossibilità di cir-

colarvi, di mangiarvi, di dormirvi, e anche soltanto di poter entrare negli Uffizi per visitarli. Ma eleggere una città europea a Capitale della cultura è diventato una gara di rivalità, così come scegliere la capitale dei Giochi Olimpici. Forse farà eccezione la drammatica Berlino prescelta (non sembra ancora vero) per il 1988!

In quanto ai fondi per sovvenzionare la creazione, il problema resta il medesimo. Chi sceglierà gli artisti e le opere prodotte? Il fondo per il sostegno delle traduzioni dei libri, creato dal ministro Lang in Francia, non ha rischiato di diventare una forma di protezionismo dedicato soltanto alla traduzione di autori francesi all'estero? Ora, poniamo che si sovvenzioni – e sarebbe ben importante e pregevole – ogni traduzione possibile tra paese e paese d'Europa. Ma chi sarà chiamato a scegliere il libro? Un ambasciatore o un critico o un editore? E poi i problemi sono diversi tra paese e paese. In Inghilterra ci sono molti lettori e un gran pubblico che acquista. Gli olandesi, con dieci milioni di abitanti hanno, in proporzione, la più grande circolazione di libri. In Italia e in Spagna, è il contrario.

L'impossibile trasporto di una scrivania tra Roma e Parigi

La Comunità dovrebbe intanto apparire agli europei, nella pratica della loro vita, l'opposto di uno Stato. A dare il via, almeno nella loro valutazione, a quella fase di deperimento dello Stato, di allentamento della sorveglianza e di libertà dilatata nell'andare e venire tra luogo e luogo. Ospedale, casa, università, commercio, teatro, cinema, caffè, *dancing*, eccetera eccetera. Ma provate, invece, come è accaduto a me, a spostare una scrivania da Roma a Parigi, da casa vostra a Roma, al vostro studio affittato a Parigi. Con tanto di documenti universitari e ufficiali, insomma con tutte le carte in regola sulla correttezza dell'operazione nell'*Interstato*. Ma ecco la sorveglianza addirittura raddoppiata! Come duplici frontiere più trucide di prima. Si deve dar conto a varie autorità, enti, di non essere trafficanti abusivi della stessa scrivania. In primo luogo al trasportatore, quindi alla dogana italiana, poi alla dogana francese, con tanti nuovi attestati, carte da bollo, percentuali Iva o Tva da pagare sul valore accertato dell'oggetto. E magari, perfino il documento con la solenne nomina all'Università da parte del Presidente della Repubblica francese, che nobilmente giustifica il vostro soggiorno in Francia, lascia dubbiosi.

D'altronde si cerca di evitare il trasportatore, che ingrassa grazie alle frontiere doganali perché la scrivania raddoppia di prezzo col trasporto doganale autorizzato, tra Iva e Tva, che va pagato in una delle due parti del territorio europeo, anche se è usata. Ma chi garantisce che è una suppellettile usata e non un pezzo d'antiquariato? È preferibile, allora, trovare un negoziante amico che la valuta come se la vendesse lì per lì e sul quel prezzo pagare Tva o Iva. Alla fine lascerete a Roma, come ho fatto io, la scrivania, e finirete con l'andarvi a comprare uno scrittoio a Parigi, con buona pace del governo italiano e di quello francese.

Più felice è la sorte dei contrabbandieri che vanno moltiplicando i loro smerci fraudolenti attraverso le frontiere europee, aprendovi nuovi varchi insondabili, non dico per lampade e scrivanie, ma per traffici di valuta, d'armi e di cocaina. Mentre il cittadino europeo qualunque, appena si mette in moto è frugato, trattato da evasore fiscale se ha qualche biglietto di moneta straniera in tasca; il viaggiatore si accorge di poter essere messo sotto torchio dai controlli statali di ben dodici Stati, a seconda delle sue tappe, magari multiple. Sono le cosiddette comuni regole di controllo valutario di polizia, che si moltiplicano diffidando del cittadino, della sua onestà, del suo buon diritto. Prima c'era solo il vecchio Stato, ora ve ne sono undici altri. Mi chiedo perché l'Europeo dovrebbe avere più fiducia nell'Europa, e non dovrebbe mandare al diavolo questo supercontrollo statalista, accorgendosi che le sbarre alla finestra del futuro (comprese quelle dei controlli dell'informatica che lo scheda nella sua vita personale per conto di tutte le polizie europee) finiscono con il raddoppiarsi. E moltiplicarsi. Diciamo magari per dodici: dodici più uno. Dodici gli Stati, e uno il soggetto, il suddito, l'Io europeo.

Anthony Burgess, passeggiando con me sulla riva degli Schiavoni a Venezia, dove si erano riuniti gli intellettuali, alla Fondazione Cini, mi parlò con ironia dell'ipocrisia di fondo dell'Europa. «Mentre chiede unità, impedisce che si viaggi liberamente, che vi sia un vero passaporto europeo, una moneta comune, che si aboliscano le dogane, e persino un francobollo comune rappresenta un problema cui si è incapaci di trovare soluzione. Dicono sempre», sghignazzava Burgess «"Europa unita". Invece l'Europa è disunita».

Nessun diritto di voto per gli emigranti

Il lavoratore emigrato da uno all'altro dei Paesi europei è tuttora privo dei più elementari diritti, come all'inizio del secolo. In un mio rapporto al Parlamento sul voto degli emigranti nei dieci Stati – il cui iter durò niente di meno che due anni e mezzo tra Commissione giuridica, poi Commissione politica e quindi opposizione dei Commissari europei che impedirono a quel rapporto di giungere in Parlamento – sollecitavo che il voto fosse accordato al cittadino europeo almeno a livello municipale. Motivavo così il voto: l'esprimersi sulla scuola, sull'igiene, sui servizi della città nel luogo dove il cittadino emigrato paga le tasse comunali, fa parte della giustizia più elementare. Questo rapporto giace ancora nel ventre sempre gravido del Parlamento, e mi dicono che ogni tanto fa capolino: «Sono qui». I tedeschi allora erano i più ostili: «Già, così facciamo sindaco di Amburgo un italiano», mi urlò il collega tedesco nella Giuridica. «Tra italiani e turchi non c'è più spazio per i cittadini tedeschi». Gli inglesi, la prendevano sul tono dell'ironia: «Va bene, ma allora David Cooper diventerà sindaco di Firenze». «Perché no?» replicavo.

L'ostilità più aggressiva contro il voto, sia pure al modestissimo livello comunale europeo, venne dalla sinistra, comunisti francesi e socialdemocratici. Il deputato del PCF mi controbatté con questi argomenti: «Dobbiamo riportare nelle loro patrie d'origine gli emigranti, e aiutarli a scegliere un governo che dia loro lavoro, e non li faccia più emigrare nelle nostre terre. L'emigrante, si sa, è un uomo fragile di nervi, bisognoso di protezione, e se vota, voterà per la destra, per i padroni, contro noi comunisti...». Attraversando il transatlantico del Parlamento Europeo, fine anno 1986, mi sono imbattuta nel bravo Baviera, segretario della Commissione giuridica, che con gioia mi ha annunciato: «Sa, quel suo rapporto sul voto degli emigranti in Europa sta per tornare nella Commissione giuridica... Io le dissi, allora, che ci sarebbero voluti cinque anni per riparlarne, ma, come vede, ero pessimista».

Statistiche consolatorie. L'Europa che dice sempre sì...

L'«Eurobarometro»[7] è una delle pubblicazioni più ottimiste d'Europa. L'ago delle previsioni del tempo, attraverso gli anni, dal 1973 al 1986, è fermo al *bello-fisso*. Dai sondaggi svolti in tutti i cantucci europei si rilevano impressionanti maggioranze per il *tout va très bien*, che vanno dal 55% all'85%. I cittadini sono d'accordo: sull'unione politica, che va affrettata, sul ruolo soddisfacente che svolge il Parlamento, eletto nell'84, anche se lo si auspica più intenso, sullo spazio giuridico comune. Titola il n. 23 dell'«Eurobarometro»: «Il morale degli europei: soddisfazione per la vita, soddisfazione per il funzionamento della democrazia...». Ammettiamo che le cose così stiano e che tutti abbiano gli occhiali del dottor Pangloss, c'è tuttavia anche una maggioranza impressionante che chiede la soppressione dei controlli alle frontiere e la creazione di una moneta europea (che avrebbe corso a fianco di quella nazionale): una maggioranza che va dal 59% al 74%. Queste due misure, essenziali perché il cittadino «creda» nell'esistenza dell'Europa, sembra però che non dicano nulla ai capi di Stato...

Primo sondaggio consolatorio:
gli italiani sono colti, coltissimi

Nella CEE, le statistiche rassicuranti che compaiono sull'«Eurobarometro» sono le meglio accettate, come quella dello studio comparato sui consumi culturali, che ci dimostra come gli italiani siano i più grandi «consumatori di cultura». Nel 1984 avremmo speso in beni e servizi legati alla cultura il 5,2 per cento del prodotto nazionale lordo, fatto che pone l'Italia al di sopra dei francesi, degli inglesi e dei tedeschi (gennaio 1987). Vi si comprendono i dischi, il cinema, la tivù, di cui l'Italia è gran consumatrice, e si arriva alla conclusione che l'incremento culturale dà lavoro a 850 mila persone contro 1.100.000 dei quattro maggiori Paesi europei.

Ma gli italiani occupati nel *design*, nell'informazione, nella pubblicità, sono una minoranza; la maggioranza è costituita da addetti al patrimonio culturale, soprattutto turistico (guide dei musei, guardiani, agenzie turistiche ecc.), impiegati presso varie agenzie di viaggi, come quelle degli albergatori, dei trasportatori, delle ditte che organizzano i *tours* in torpedone per i visitatori stranieri ecc. A guardar bene, dunque, in questo ottimismo, il primato culturale italiano lascia ancora qualche perplessità. Se la Francia dedica l'1 per cento del bilancio complessivo dello Stato alla cultura, nel rapporto sull'Italia non si fa nessuna menzione alla cifra esatta di stanziamento a livello pubblico. La vitalità dell'industria culturale (collegata a buoni operatori alberghieri turistici) reintroduce l'antica immagine di un Paese di ottimi albergatori ed eccellenti ristoratori. Quel che sorprende nella statistica è come la nostra industria turistica si trasformi, grazie ai sondaggi e ai computi dei calcolatori europei, in dato culturale, per salire fino in cima alla scala e definirci come il Paese che consuma più cultura in Europa. Si lasciano da parte, è ovvio, le sacche di analfabetismo, l'accresciuta ma sempre scarsa circolazione di libri (soprattutto nel Sud), la disoccupazione intellettuale. Mentre l'intervento pubblico per la cultura sembra non raggiunga lo 0,5 per cento, chi fa la parte del leone dell'industria culturale sono i consumi privati. Essi rappresentano in Italia il 4,4 per cento della cifra globale, mentre in Francia, Germania e Inghilterra non raggiungono il 3 per cento. Ma la conclusione del rapporto scientifico è incoraggiante: italiani gente colta, coltissima. Insomma una statistica seria.

Secondo sondaggio consolatorio: gli italiani sono i più grandi seduttori

Un sondaggio scientifico, fatto a livello europeo, dopo aver interrogato seimila europei e mille americani, porta questo responso: «Gli italiani, a detta delle donne, sono i campioni mondiali della seduzione, seguiti dai francesi, dagli spagnoli, dai tedeschi, dagli inglesi. In fondo alla classifica stanno i poveri belgi...». Addio finalmente ai Rambo. Incombe sull'Europa l'ombra robusta di Giacomo Casanova, di Rodolfo Valentino, i languori di un ballo, lo sguardo assassino, paradisiaci anfratti tra sabbia e ulivi dove condurre le straniere e così via. Metto in rapporto la prima statistica consolatoria con la seconda, e forse arrivo ad un sondaggio vero. Anche se poi non tanto consolatorio.

Note

[1] Philippe Sollers, *Théorie des Exceptions*, Gallimard, Paris 1986, p. 112.

[2] Hemingway, *Correspondance*, Gallimard, Paris 1986.

[3] Discorso di Kundera a Gerusalemme al momento di ricevere il premio più alto con cui Israele corona ogni anno uno scrittore. Ottobre 1985.

[4] In proposito, è interessante rifarsi agli atti del dibattito tenutosi nell'incontro culturale franco-tedesco a Versailles (giugno 1986).

[5] Il testo è del deputato socialista Baget Bozzo.

[6] F. Mitterrand, *Reflexions sur la politique étrangère*, Fayard, Paris 1986.

[7] Documentation européenne, *Les Européens vus par eux-mêmes: dix années d'Euro-Baromètres*, 1973-1983, Office des publications officielles des Communautés européennes, 1983.

VII

CONVERSANDO CON UMBERTO ECO

Dieci anni è l'altro ieri...

Resta un segno tra noi. L'avevo preso di mira, il mio amico Umberto, professore di semiotica all'Università di Bologna, nel '77 – il '68 italiano in formato ridotto. Gli avevo quasi svuotato di ascoltatori illustri la sala dell'Istituto culturale italiano – quell'hôtel di Gallifet, dove Talleyrand incontrò per la prima volta Mme de Staël (lapide all'ingresso) e Umberto, meno fortunato, incontrava invece me, messaggera ironica degli studenti bolognesi, di Radio Alice in rivolta. Portavo a nome loro un messaggio al vetriolo: «Mentre tu disegni, professor Eco, i tuoi segni semiotici sulla lavagna, noi disegniamo sui muri del carcere!». Lacan fu il primo a svignarsela, in punta di piedi. Poi Barthes e altri papaveri dell'Università parigina, sentendo puzza di bruciato politico. A Umberto non fece piacere quel mio intervento parigino, che gettava il dubbio su di lui, in quel salone da conferenziere; ai dirigenti dell'Istituto piacque ancor meno, tanto che ancora adesso diffidano, le rare volte che vi metto piede, poco ci manca che i vecchi uscieri (comunisti) mi frughino nella borsa... Ma a Umberto, poi, dispiacque soprattutto un libretto dissacrante dove fra l'altro descrivevo questa scena, che si titolava *Dopo Marx, Aprile*, e che avevo scritto per le edizioni di «Tel Quel». Anzi, si era imbestialito come un bufalo, secondo quel che raccontò Sollers.

L'avevo ritrovato a New York, un anno dopo, a casa di Tom Bishop, direttore del Dipartimento di francese della New York University, che dava un ricevimento per salutare l'arrivo di Sollers in veste di professore... Cercarono di rappacificarci. «Fate pace!», esortava Sollers. Ci misero l'uno con l'altra in coppia a ballare, lui svelto a sgambettare, io come un pupazzo di gesso, anche perché sentivo che il mio cavaliere mi avrebbe volentieri tirato il collo. Come «paciere» c'era anche Ugo Stille, futuro direttore del «Corriere della Sera», che galoppava sul piancito, abbracciato a una ragazza brutta e velocissima, instancabile. Se non fosse stato per tutte quelle esortazioni, Umberto non avrebbe ceduto. Alla fine mi abbracciò e stampò i due rituali baci sulle guance, nella soddisfazione di tutti. Ma sapevo che ci credeva poco e che la nostra pace era, per lui, come seppellire per un po' l'ascia di guerra.

Ci ritrovammo ancora a Ottawa e a Montreal. Anche se cucinammo insieme la pastasciutta in casa del console italiano, il ghiaccio resisteva. Avevo ascoltato a Ottawa, in inglese, la sua conferenza su *Zadig* di Voltaire, e poi di nuovo a Montreal, in francese, dove io tenevo un corso di specializzazione per laureandi in Scienze Politiche.

Tutti e due in America, come si vedrà, grazie alla Francia... Umberto, dalla sua cattedra, guardava ogni tanto dalla mia parte. Per quanto volessi farmi riaccettare, ascoltandolo compunta, sentivo che diffidava ancora, come se da un momento all'altro potesse scoppiare il «riso del '77». Lo ritrovai infine, placato, alla cena che ci offrì Jack Lang nei saloni dell'antica Reggia del Louvre. Era la fine del 1981 e per Umberto era già la gloria con *Il nome della Rosa*. Il viso barbuto rasserenato, come Giove Pluvio passata la tempesta, e non più «ingrugnato» come una volta.

Da Lang scherzò raccontandoci come cercava ogni tanto di dimagrire in un luogo chiamato Uscio, in Liguria. Descrisse la tristezza della stazione termale, dove purgano gli ospiti a tutto spiano, dopo averli fatti mangiare. «Eravamo lì sempre a correre, e alla fine tanto mi sentivo svuotato e indifferente a tutto, che non avevo più voglia di fare la corte alla ragazza che mi piaceva, e per cui volevo dimagrire.»

Eppure lui era bello così, come un personaggio che sta tra Hemingway e un frate medievale in jeans. Forse la sua debolezza stava nel desiderio inconfessato di voler possedere, oltre l'ingegno, magari anche l'avvenenza di Bernard-Henri Lévy, lo scrittore parigino delicato come un paggio di Caterina de' Medici.

Ritrovandolo a Milano, lui mi accoglie semplice, in una casa semplice – complicata solo da diecimila libri – come un professore, un collega, deciso a cancellare tra noi il suo massiccio vedettariato universale. Gloria, glorissima, e niente vanagloria, in lui. Tra seria e ironica comincio: «Umberto, il tuo libro, nel vuoto delle strutture, è il nostro unico tessuto culturale comune in Europa, e magari tra i due continenti. Mi segue implacabile dalle vetrine dei librai, da Bonn a Madrid, a Stoccarda, al Quartiere Latino, sempre in testa ai bestsellers da tre anni». Sorride parco, anche perché non sa mai se prendermi sul serio. Invece sì.

Grazie a Eco, l'Università di Bologna è diventata più europea. Vive curiosamente facendo lezione per quattro giorni, dal martedì al sabato, guidando decine di tesi al successo e gli allievi alle loro prime pubblicazioni. Gli altri tre giorni è introvabile, in un quadrilatero da fortezza medievale, tra la casa di campagna vicino Rimini, Milano e forse un'università al di là dell'Oceano. Lo guardo mentre fuma accanito tutto quel che gli capita. Finite le sue sigarette attacca il mio pacchetto di Dunhill verdi, un po' femminile. Credo che quel che ci lega è soprattutto l'idea di avere un comune amore per l'insegnamento, per gli studenti. Lui sa bene che per dieci anni ho lavorato nella Università di Vincennes, poi alla Sorbona e in altre università europee, dove si mescolava di tutto: studenti poveri, rivoltosi, emigrati politici, e magari tipi extra come Felipe Gonzales, che incontrai a Liegi, e all'ULB.

Nella nostra conversazione, lui sdrammatizza sull'Europa; è saggio, ironico, come a Parigi in quel Convegno planetario di Jack Lang, quando argomentò: «Viva la crisi!», liberando dalla tetraggine quegli eletti spiriti che lamentavano il declino dell'Occidente.

Lui è l'altro sguardo sull'Europa, in un certo senso. Uno sguardo pragmatico, mai cattivo e tutto sommato indulgente. Mi parla a lungo, senza alcuna astrazione, come il lettore constaterà. È molto diverso da un intellettuale francese, e io mi sento come la stanca amica di Nietzsche, quando andava ad ascoltare le lezioni di Freud. Meglio lui che cento discorsi di Delors sul futuro europeo.

Ma che lingua parlare in Europa? E l'università?
E l'organizzazione della cultura per la gente?

Riprendo dall'ingresso in casa sua. Umberto non ha ancora capito che cosa voglio, quando ci ritroviamo – è domenica pomeriggio – nel suo appartamento a Milano. Mi guarda di sottecchi, curiosità e diffidenza miste. Come atto pacificatore tiro fuori dalla borsa una cravatta di Saint-Laurent a losanghe, azzurro acceso e azzurro sfumato. «È il mio regalo. Sono riuscita a comprartela, prima di partire, correndo...». «Guarda, Maria Antonietta mi porta una cravatta...». Umberto chiama la moglie, Renate, che arriva offrendoci succhi di frutta. Una donna tedesca sottile, con nel volto la bellezza in sé e quel supplemento di fascino che solo il pensiero conferisce alle donne. Anch'io sono vestita d'azzurro – azzurro cielo. Niente rosso davanti a Umberto, che si era «imbufalito» contro di me nel 1977, come ho raccontato. «Sto finendo di scrivere un libro sull'Europa...» comincio a tirare i remi in barca. «Ci sono tante questioni di cui vorrei discutere con te...». Si rassicura, il mio amico Umberto, dinanzi a questa consultazione rivolta al semiologo, e con la sua voce modulata, da tenore, attacca un argomento che lo appassiona.

«Può dispiacere a tanti nazionalismi, ma oggi la lingua comune è l'inglese. Il latino di un tempo è diventato l'inglese...».

«Me lo ha detto anche Morin: lui pensa che bisogna adottare l'inglese come lingua di comunicazione europea. Una lingua che ci serva da utensile, molto semplice: l'inglese è il nostro esperanto. E Le Goff è arrivato alla stessa conclusione. Tu come la pensi?».

«Assolutamente allo stesso modo», mi risponde. «Le lingue non si inventano né si impongono! Il latino si è imposto, ma ci sono voluti secoli di *pax romana*. In tutto l'impero gli intellettuali parlavano ancora la *koiné* greca. Possiedo una lista di lingue artificiali inventate negli ultimi due secoli; è una lettura di un divertimento folle! Saranno tre o quattrocento e per ognuna c'è un esempio di *Pater noster*... Ovviamente fanno crepare dal ridere, perché ognuna resta ancorata alle radici di qualche lingua, e quindi una può essere parlata solo dai latini, l'altra solo dai germanici... Purtroppo le lingue artificiali non servono».

«Al Congresso di Venezia Anthony Burgess insisté, invece, sul latino del Medioevo. "Benché sia anglofono", disse, "il fatto che l'inglese venga sempre più utilizzato dai piloti, dai cantanti rock, eccetera, non mi sembra un fatto positivo. D'altra parte l'adozione del francese mi lascerebbe ancora meno soddisfatto. Ma accetterei volentieri il latino, lingua che parleremmo male tanto gli uni quanto gli altri. Occorre quel che per gli eruditi del Medioevo aveva valore di istituzione: una lingua sovranazionale. Il latino è questo". Tu ci credi? Mi hanno detto che i tuoi lettori, anche in America, sono rimasti affascinati dalle frasi latine del *Nome della Rosa*. È vero?», gli chiedo un po' provocatoriamente.

«Non ci credo», sorride Umberto. «Può essere che abbia agito il fascino della tradizione... Ma un conto è il fascino della tradizione e un altro è la praticità di una lingua. Si può provare grande ammirazione per il greco e per la civiltà greca – e sarebbe bene che anche gli americani la conoscessero –, ma questo non vuol dire che quando un pilota cerca di atterrare nella nebbia sia comodo dargli le istruzioni in greco o in latino. In latino bisogna aspettare troppo per dare alla frase un senso compiuto: nel frattempo l'aereo si sfracella! Si dà il caso che l'inglese ti dia subito complemento oggetto e verbo. E non è poco... E poi ci sono delle ragioni storiche per cui una lingua si affermma. Per esempio, la monosillabicità dell'inglese facilita le nuove creazioni linguistiche, gli accoppiamenti con altre sillabe. Tutti gli sforzi per creare nuove parole in latino possono portare al massimo a dire *birota ignifera* per motocicletta! E la parola si allunga... È difficile costruire in latino un nuovo termine significativo che sia mono o bisillabico. In inglese, invece, è facile. Siccome viviamo nell'epoca della velocità, i fini pratici impongono parole brevi. Si dà il caso che l'inglese sia in grado di crearle e il tedesco, per esempio, no. La differenza tra la pronuncia di una parola inglese e una tedesca sta tutta in quei pochi secondi che evitano l'esplosione dell'aeroplano al suolo. Per questo una lingua funziona».

«Certo è più semplice dire *okay* che *ottimo* o *muy bonito*...».

«Non è detto che la cosa duri», riprende Umberto, «ma deve passare da sola. Magari tra un secolo...».

«Inoltre, con l'inglese si può parlare con tutti: indiani, cinesi, africani...».

«Tuttavia l'inglese non è la lingua ideale, perché per esempio si scrive diversamente da come si pronuncia. Se arrivasse sul mercato una lingua più facile, potrebbe anche affermarsi. Ma come tutte le lingue, non si affermerebbe per ragioni semplicemente culturali ma per ragioni di diverso tipo».

«Lo sai che al Parlamento Europeo ci sono nove lingue? È la torre di Babele, perché a parte il fatto che si sta sempre con la cuffia, c'è un immenso sciupio di carta, visto che ogni emendamento di tre righe dev'essere tradotto e stampato in nove lingue. Bisognerebbe arrivare a una semplificazione linguistica, perché lavorare in nove lingue significa ogni volta ammucchiare tonnellate di carta straccia. Insomma finiremo col distruggere le foreste europee! Ti sembra che usare nove lingue significhi rispettare le culture nazionali?»

«Vedi, non si può imporre una sola lingua in un ambiente come il Parlamento Europeo, dove bisogna rispettare le singole identità. Anche questo è un problema di libero mercato. Dov'è che l'inglese si afferma? Nelle pubblicazioni scientifiche. Se non scrivi in inglese, gli altri non ti leggono. È quel che chiamo la *scandinavizzazione della cultura*: qualsiasi svedese prima scrive il suo libro in inglese, poi eventualmente lo pubblica in svedese. Chiunque di noi si accorge che se scrive un saggio in cui dice qualcosa che gli sembra nuovo, o lo fa in inglese e lo pubblica in inglese, oppure è come se non l'avesse scritto. Perché anche se poi glielo traducono, è troppo tardi. È un problema di libero mercato, com'è sempre il problema linguistico».

«Quindi secondo te», gli chiedo sempre più interessata «una lingua risponde storicamente a delle esigenze geopolitiche...».

«Geo-economico-politiche. C'è l'impero latino, comandano loro, però, guarda caso, se vogliono parlare con i Parti, con gli Egiziani, è più comodo usare il greco della *koiné*, cioè il greco unificato, esattamente com'è oggi l'inglese. Gli intellettuali latini parlano greco quando è necessario. Poi, con la decadenza dell'impero e con l'inizio del Medioevo, il greco si limita all'impero bizantino e si afferma il latino. È curioso, del resto: il latino come lingua colta universale si afferma con la caduta dell'impero romano. Si afferma con un distacco di secoli... più o meno ai tempi di Sant'Agostino. Nel frattempo l'impero romano era già andato a carte quarantotto. Il latino, dunque, non l'ha imposto nessuno, perché se c'era uno che poteva imporlo quello era Augusto, ma lui non ci pensava affatto».

(Umberto parla come un professore della Columbia University, mescolando nel suo discorso di erudito parole dotte e parole della dedrammatizzazione, parole che non sono però scudisciate... Certo non si devono annoiare i suoi studenti, quando lui è in cattedra! Ah, se parlassero come lui i politici, invece di cantare quelle nenie avellinesi... periodi avvitati a cavaturacciolo nel vuoto...).

«Quando i mercanti di Augusto andavano in Cilicia», riprende il mio interlocutore, «parlavano greco oppure parlavano misto: parlavano quello che potevano! Se andavano in Egitto parlavano greco, perché questa era la lingua che gli Egiziani avevano imparato. Io credo che Antonio e Cleopatra si parlassero in greco. Certo Cleopatra conosceva molte lingue; Antonio comunque doveva parlar greco con il maggiordomo di palazzo: che lingua vuoi che parlasse? Quindi, si parla greco quando la Grecia come potere culturale e politico non c'è più, si parla latino quando l'impero romano non c'è più... Questo dovrebbe spaventare inglesi e americani: se tutti si mettono a parlare inglese, vuol dire che il potere è già in decadenza...».

«Come se il potere che porta la lingua si logorasse prima della lingua stessa...».

«Guarda», continua Umberto, «quando la Francia si afferma come grande monarchia, fino al Rinascimento avanzato, parla italiano. Il francese diventa lingua diplomatica non al tempo del Re Sole, ma quando in fondo la Francia è già in lizza con Inghilterra e Germania. Anche questo è curioso. Le lingue si affermano (questa certo è un'ipotesi) su pressioni geo-economico-politiche, ma con disparità di sviluppo rispetto all'evoluzione politica. La lingua del vincitore si afferma, dunque, ma quasi sempre quando il vincitore non è già più vincitore».

«Malgrado questo *décalage* storico di secoli tra l'affermarsi di una lingua e la decadenza che porta con sé, ci si affanna tanto in questo XX secolo per la purezza della lingua. Guarda la Francia... Il Collège de France sta lavorando alla *défense de la langue française* con un vocabolario che è arrivato alla lettera M. Da Richelieu in poi non fanno che difendere la lingua francese...».

«Questo l'hanno fatto tutti i paesi d'Europa».

«Noi abbiamo creato l'Accademia della Crusca!», concordo. «Da un lato c'è, insomma, l'impossibilità di regolare certi eventi che dipendono dallo spostamento degli interessi all'interno del nostro mondo, e dall'altro c'è questa volontà statale di lingue pure, difficilmente conciliabile con l'apertura verso gli altri. Da qui anche il dissidio dentro la Comunità Europea... Quando dici che l'inglese è una lingua utile per comunicare, i francesi ti saltano immediatamente addosso, perché difendono ancora disperatamente il loro retroterra linguistico».

«Sì, ma questo è molto pericoloso. Prendi per esempio il commercio del *software*, dei programmi per computer. Ora, a parte il fatto che si usa sempre far programmi in inglese, perché basta imparare quelle trenta parole e si può manovrare un computer, ma persino i programmi tradotti in italiano cercano di mantenere riferimenti, calchi dall'inglese. I francesi sono stati gli unici ad abolire *computer* per poter dire *ordinateur* e non dicono *software* ma *logicien*. Questo fa sì che io non acquisterò mai un programma francese, perché mi è faticoso capirlo, mentre posso acquistarne uno tedesco, dato che mantiene la terminologia di base... Infatti, nella misura in cui si nazionalizza il linguaggio di base, si salva la purezza della lingua, ma si blocca il mercato. Può essere suicida... Certo, la lingua se la cava da sola. Quando il fascismo ordinava di non dire *cocktail* ma "coda di gallo", la gente ci rideva sopra; quando non voleva che si dicesse *chauffeur* ma autista, la gente ci stava. Perché? Forse perché è più facile dire autista invece di *chauffeur*, mentre non è più facile dire "mescita" al posto di bar, e la gente continua a dire bar».

«Ho scritto un articolo per "Le Monde" nel quale affermavo che l'unica cosa che si vuole vergine, in un mondo in cui non si attribuisce più alcun merito a qualsiasi verginità, è la lingua: la verginità delle favelle sarebbe l'unico valore da salvaguardare! Ho sostenuto che l'interesse dei francesi è di accettare un po' di espressioni *métèques*, di lasciar correre le parole nuove che sono più funzionali... Sai che ho avuto una seria reprimenda, anche indiretta, visto che qualche giorno dopo c'è stata una protesta al Collège de France, dove poi Mitterrand è andato a fare un energico discorso sulla purezza della lingua francese! Quando tocchi i francesi sulla questione della lingua, rischi di farti dei nemici accaniti, come se tutto l'avvenire della Francia fosse nella lingua!»

«Sì, hai ragione. Ho assistito a scene di amici non certo stupidi, dei francesi che venivano in America e dicevano: "Io parlo francese!" Okay! Invece di parlare a cento persone, parlavano a trenta! Quando sono andato in Brasile, mi sono trovato di fronte a un'assemblea di studenti; mi hanno detto che non capivano né l'italiano né il francese, ed io ho provato a dire, malamente, qualcosa in portoghese... In queste cose o si è flessibili o...».

«Proprio nella misura in cui sei flessibile», lo interrompo, «puoi portare avanti quel tuo prestigio, non chiamiamolo più egemonia... Altrimenti veramente resti chiuso in un angolo della storia della cultura... Molta gente di cultura a Parigi pensa che lo sciovinismo linguistico francese sia idiota. E i giovani, anche in Italia, non studiano più il francese ma l'inglese; chi parla inglese entra in rapporto con americani, russi, giapponesi... E Le Goff aggiunge: con i cinesi...».

«Qui in Italia ci sono ogni anno i corsi internazionali di Urbino, dove la maggior parte degli studenti o studiosi iscritti sono francesi o anglofoni. Ebbene, una volta un illustrissimo studioso italiano si impuntò: "Siamo in Italia e qui si parla italiano!". Dopodiché gli restarono trenta persone, perché cinquanta erano uscite... Sapeva benissimo il francese, ma ha agito per orgoglio... Invece il ragionamento da fare era: portali qui, fagli le lezioni in francese, ma intanto che son qui, vanno al bar, a comprare il panino, eccetera, e piano piano impareranno anche un po' d'italiano!».

Tiro fuori dalla borsa un facsimile del progetto di libretto universitario europeo e lo mostro ad Eco:

«Guarda questo libretto dello studente... L'ha pensato il matematico René Thom per le scienze. Mi chiedo se sia possibile realizzarlo per le scienze umane; ne ho parlato con Duby e mi ha detto che voleva pensarci. Tu credi che sia realizzabile?».

«In effetti, non è difficile concepirlo per la filosofia o per la sociologia, diventa un po' più difficile per le letterature...».

«La mia idea è che un libretto europeo dello studente, a parte il grande piano Erasmus che impiegherà chissà quanti anni ad entrare in vigore, dovrebbe essere come un passaporto...».

«Non è una *boutade*, è proprio così! Un PASSAPORTO» (lo pronuncia tutto in maiuscolo...). «Anche per la storia delle letterature ci sono bei programmi comparati, dove non si studia il Seicento italiano ma il concettismo in Europa... Si lasciano stare i fenomeni minori e si va a cogliere quel che c'è di comune... Si può fare benissimo il Romanticismo in Europa...».

«Già questo sarebbe una straordinaria ricerca di identità. Penso al passaporto dello studente come a un libretto semplice su cui vengono registrati i corsi seguiti, i voti, il lavoro svolto... Questo libretto riporta un po' all'idea dello studente medievale che pagava i suoi corsi... Certo sarebbe meglio se fossero gli Stati a pagare, ma questi continueranno a foraggiare in primo luogo le vacche. Eppure il passaporto dello studente non costerebbe nulla al bilancio comunitario, anche se presuppone tutta una sequela di decisioni parlamentari e governative... Queste nuove "leggi" consentirebbero allo studente che ha intenzione di spostarsi, di andare a seguire Eco a Bologna o Le Goff a Parigi, e di vedersi registrato il corso sul libretto, valido quindi anche presso la sua università. Ti sembra un'idea poco realizzabile?».

«No, è ottima. Il problema è proprio quello del riconoscimento reciproco tra università. Per meglio dire, i problemi sono due: uno è il riconoscimento della validità legale di un titolo straniero sul territorio nazionale; l'altro è il riconoscimento reciproco tra università. Il primo è un problema stupido, particolarmente ridicolo in Italia, dove tutta la preoccupazione sta nel riconoscere se un titolo avuto in Francia o altrove ha valore legale anche da noi. In Italia il valore legale significa, in fin dei conti, il poter partecipare al concorso per Ispettore delle Dogane o per Guardia Forestale. È ovvio che ad Agnelli non gliene importa niente se il diploma di uno che esce dalla London School of Economics ha corso legale in Italia oppure no. Se deve assumere un funzionario con un buon curriculum della London School of Economics, lo assume e basta. Quindi, come vedi, la questione del corso legale dei diplomi sul territorio nazionale è una menata che dovrebbe scomparire anche in Italia. Ma purtroppo ci sono resistenze».

(«Umberto», mi dico io. «Hai detto proprio *menata*? O devo tradurre "scempiaggine"? A Parigi si sta molto attenti alla castigatezza del linguaggio professorale... Certo è meglio *menata* che scempiaggine...».)

«Hai ragione. Io, per esempio, sono dottore in Scienze Politiche e il titolo mi è stato attribuito in Sorbona. Un dottorato di Stato, preceduto da un pubblico esamone nell'Aula Magna della Sorbona. Ma in Italia non ha valore e magari conta di più la piccola laurea in Lettere che presi a Roma da ragazza...».

«Per conto mio sono convinto che l'importante è il mutuo riconoscimento tra università e università, perché è questo che incide sulla possibilità dello studente di cambiare università. Il primo è un problema sciocco, ma il secondo è un problema di grande importanza. Il libretto dello studente dovrebbe servire a questo secondo caso».

«Ascoltando uno come te, ci si rende conto che l'Europa pullula di rapporti culturali, che le iniziative possono essere tante...».

«Di iniziative culturali ce ne possono essere duecentomila! Ti faccio subito un esempio. Io produco ogni anno, tra tesi, manoscritti e lavori che faccio pubblicare in Italia, diciamo tre eccellenti testi di allievi e di giovani. Li faccio vedere al mio editore americano, alla Press University tal dei tali, e cominciano a interessarsi. Però solo la traduzione viene a costare diecimila dollari. Allora l'editore americano dice: "Non potresti farmelo avere già tradotto?". Chiedo in giro per trovare i fondi... insomma, passano due o tre anni e intanto il libro è stato già superato, oppure non si trova un bravo traduttore e tutto finisce lì. Quindi, se io ho tre testi validi di autori italiani da far conoscere all'estero, dovrei avere a disposizione un'organizzazione statale o una Fondazione che decida, per esempio, che costano due milioni ciascuno di traduzione e spende perciò sei milioni; poi, siccome ha un'attività abbastanza intensa, individua anche il traduttore giusto, eccetera, eccetera. Se pensi che Istituti di cultura, Ministero degli Esteri, spendono certe volte per operazioni d'immagine dei miliardi e che si potrebbero realizzare progetti di prestigio con dieci milioni, ti rendi conto dello spreco. Ma si controbatte: "Se io organizzo una mostra di pittura italiana a New York e spendo dieci miliardi, se ne accorge tanta gente; se invece faccio pubblicare un libro, se ne stampano al massimo duemila copie". Ma se impiego due o tre miliardi, allora di libri se ne pubblicano mille in vari settori editoriali! Questi penetrano profondamente nel tessuto dell'opinione pubblica e sulla lunga distanza *fanno più immagine* della mostra di Raffaello. Voglio dire che nessuno si mette a calcolare come con la stessa spesa si possa invadere un mercato culturale straniero con una serie vastissima di contributi artistici, narrativi, scientifici, eccetera, che poi fanno humus. A questo non ci pensa nessuno».

(Umberto il Pragmatico, mi viene da chiamarlo. Efficiente, all'americana, guarda soprattutto al concreto. Con un furore di idee e pochi soldi, mi descrive l'organizzazione della cultura, non più nel senso delle ideologie, ma nella pratica quotidiana di coloro che cultura producono, e pensa anche a come si può esportare un po' d'Europa in America senza spendere delle fortune.)

«Ci vorrebbe uno sforzo minimo», continua sempre più appassionato il mio interlocutore, «una specie di Interpol della cultura. Solo nei romanzi polizieschi, in edicola, si crede che l'Interpol esista davvero. L'Interpol è semplicemente un organo di coordinamento. Se la polizia italiana ha un problema a Parigi, si mette in contatto con la polizia francese e fa svolgere a quest'ultima un'azione per la polizia italiana. Non esiste nessuno, a quanto mi risulta, che faccia di mestiere l'agente dell'Interpol. Quindi un'Interpol culturale potrebbe magnificare, senza grosse spese ulteriori, quello che già avviene, ma in maniera disordinata. È più interessante che far congressi sulla latinità. Sono tutte operazioni di razionalizzazione dell'esistente, perché se l'Europa fosse un piccolo paese del Terzo Mondo che non sta producendo nulla di originale, per bene che si organizzasse, non riuscirebbe a vendere la propria immagine. Invece abbiamo gente che sta producendo grosse cose! Se vai nei laboratori di astrofisica della California, li trovi pieni di italiani, di francesi, ma nessuno se ne ricorda più! Allora si tratta di saldare a una realtà esistente, che c'è già e va per conto suo, un minimo di razionalità che ne decuplica l'impatto».

«E per le lingue, per l'audiovisivo... Anche questo è un problema di coordinazione».

«Questo avviene per i film. L'America compra film italiani, però quanti film italiani girerebbero nelle sale americane, se con un minimo di aiuto glieli dessimo già sottotitolati! Ti faccio un esempio. Una volta, con Tullio De Mauro abbiamo fatto un programma per la RAI in cinque puntate sulla storia della lingua italiana. Sono poi riuscito, grazie alla gentilezza di qualcuno in RAI a cui ho rotto le scatole, a farmi arrivare le pizze a Yale e ho proiettato il programma per cinque sere. Beh, c'era gente che s'interessava! Questi problemi di circolazione culturale sono i meno costosi. Se li metti in mano a una buona agenzia milanese che fa le pubbliche relazioni, ti monta la cosa molto facilmente».

«Quante idee, Umberto! L'*Interpol della cultura* è formidabile! Un luogo dove sia rapidamente segnalato quel che c'è d'interessante, affinché venga immediatamente tradotto e diffuso... Ma vorrei chiederti: si parla continuamente del nostro declino, del nostro sfinimento culturale... È un discorso alla moda, soprattutto in Francia. Eppure non è vero rispetto alle energie reali che si esprimono in mille modi sul piano culturale, senza che riusciamo a utilizzarle pienamente. Esse restano spesso racchiuse all'interno di un luogo, di un'aula universitaria...».

«Ieri ho ricevuto un fascicolo pubblicitario di un'organizzazione americana che ti fornisce 18 volumi di titoli e un breve riassunto di tutte le centinaia di migliaia di tesi universitarie fatte in America dal 1800 fino ad oggi. Non ricordo se è una pubblicazione mensile o bimestrale, ma ti dà l'aggiornamento di tutte le tesi. Se fosse scritta in bulgaro, certo avrebbe minori possibilità di diffusione! Però, siccome noi sappiamo che c'è gente che si affanna a imparare una certa lingua, perché ci sono alcune ricerche che gli interessano in quel campo, potrebbe anche esserci un'entità europea che prenda un'iniziativa analoga. Perché non c'è?»

«Perché si pensa sempre in termini di megalomania, di angoscia paritaria. Si direbbe che ci vogliono cento funzionari, rappresentanti dei dodici Stati, capisci...».

«Probabilmente quest'organizzazione americana avrà venti impiegati; una volta che si è stabilito con un buon lavoro di avviamento un rapporto con ogni università, che segnala titoli, tesi e indirizzo dei laureandi, si fanno le bibliografie e quando qualcuno richiede la tesi del tale laureando, gli si telefona e via... Magari sui cinquanta dollari che costa gliene danno dieci a lui, non so... Credo che si tratti di una piccola impresa commerciale, non ci vogliono duecento impiegati! Ci vuole una serie di segretarie efficienti. Se poi si usa il computer, la cosa si fa da sola!».

«Certo ci sono possibilità straordinarie, senza dover spendere troppi soldi...».

«Sì, si tratta di poche centinaia di milioni, e a questi livelli è poco. Non si tratta di miliardi, ripeto».

«Oggi in Europa c'è una divisione gravissima. Da un lato c'è questa straordinaria circolazione di intellettuali che sono chiamati qua e là per conferenze, dibattiti, eccetera. Dall'altro, la gente si sente completamente estranea al concetto d'Europa culturale. Nessuna iniziativa polarizza la gente europea da un punto di vista d'informazione culturale, di concezione della storia o anche solo di come geograficamente siamo. Oltre tutto c'è l'invasione massiccia dell'America, anche se è vero che loro ci portano qui un sacco di roba a prezzo di concorrenza, e questa roba circola facilmente. Credo che noi non siamo capaci di fare altrettanto, non dico per diffonderlo tra gli americani, ma neppure qui tra noi! Se ci riuscissimo, la cosa avrebbe due sensi: uno di distribuzione interna, tra paese e paese, e l'altra di proiezione, non solo per l'America, ma per la Cina, l'Australia o l'India! Certo più ci si allarga più costa, ma potrebbe anche essere un investimento, perché se riesci a imporre il gusto di certe cose, poi le vendi invece di regalarle».

«E pensa se gli Stati europei si mettessero insieme per comprare una stazione televisiva americana! Tu cerchi di trasmettere alcune cose belle, che la gente ha voglia di vedere: un film, l'ultimo cantante europeo interessante, un telegiornale europeo. Forse non lo vedranno duecento milioni di americani, ma qualcuno che si sintonizzi su quella stazione lo troverai pure! Non so monetizzare tutto questo, magari si scopre che costa talmente tanto che non ne vale la pena. Se, però, si mettono insieme tutti gli Stati europei, non credo che non si riesca a sostenere un'impresa del genere. E poi ne monti una pure in Australia! Hai notato che quando Gassmann o Dario Fo vanno a recitare a New York, anche in italiano, la gente ci va? E perché ci vada, ci vuole un impresario americano che rischi quel tot di migliaia di dollari. Anche lì, non ci vorrà mica una somma immensa per finanziare Dario Fo o la Comédie Française, no? Ed ecco che ogni anno tu fai circolare alcuni aspetti del teatro europeo. Semplicemente, non inventando le cose, ma incoraggiando le ditte. L'impresario che vorrebbe farlo c'è già e magari lo fa a scala ridotta. Tu gli dai semplicemente quel minimo d'incoraggiamento finanziario, per farglielo fare su più ampia scala».

«Ma perché a tuo avviso l'Europa è nata così infreddolita dal punto di vista culturale?» passo a chiedergli io. «Perché quando i tre cattolici di frontiera l'hanno creata hanno parlato solo di agricoltura e di rapporti doganali?»

«Ma perché è nata dopo una serie di decenni in cui la caratteristica dell'Europa è stata di sbranarsi a vicenda», mi risponde imperturbabile. «Il processo di unione non poteva essere che di un'esasperante lentezza. È facile fare l'America, quando a farla c'è un gruppo d'inglesi tutti protestanti...».

«Mi ha sempre stupito quel Trattato di Roma, in cui l'unico capitolo che manca è quello culturale...».

«Ma le urgenze erano altre in quel momento. Se vuoi, la cultura è sempre stata considerata quella che alla fine, bene o male, marcia pure da sola. Perché se non incrementi l'agricoltura, il mercato si blocca, ma se non incrementi Jean-Paul Sartre, quello in qualche modo circola lo stesso. È la cosa più naturale del mondo!»

«Perché il concetto di Europa, di azione europea comune, non dice niente a nessuno? È una faccenda di mass media?»

(Umberto il Saggio. Ecco che nell'incalzare dei miei interrogativi: perché non c'è coscienza europea? perché non comunichiamo tra noi?, lui mi rimette nel flusso di una storia nient'affatto allegra di massacri reciproci.)

«È una faccenda che viene fuori da duemila anni in cui l'educazione consisteva nel riconoscere le differenze e non le identità. Duemila anni in cui tutta l'educazione si è concentrata nel mostrare come i francesi sono diversi dagli inglesi, come a trovarsi in casa degli stranieri si rischia che t'ammazzino... Ah, se non esistesse l'America, che cosa renderebbe evidente, agli occhi della gente, l'esistenza di un'Europa? Niente. La differenza sarebbe tra uomo bianco e barbari. Ci permettiamo di parlare di Europa perché esiste l'America, che fa notare una differenza. La gente al massimo può sentire lo scarto tra Occidente e quello che non è Occidente, ma obbligarli a capire che l'Europa è unità, quando per duemila anni gli hai fatto capire che non lo era... L'Europa è una storia di divisioni: tra Impero e Papato, tra protestanti e cattolici, tra francesi, inglesi, tedeschi e italiani. È una storia di divisioni che dura da duemila anni e poi vuoi che all'improvviso, solo perché è cascata una bomba su Hiroshima, un'intera civiltà dica: "Ah, no! Qui siamo tutti uguali!". Con le barriere linguistiche! Ma, dico io, in un certo senso è già abbastanza eccezionale che possa esistere, anche se malamente, questo organismo artificiale che è la Comunità Europea. Anche se uno, dovendo scommetterci da tifoso, beh, non ci scommetterebbe una lira!»

«Eppure quest'idea dell'unità europea percorre tutti i pensatori. Prendi gli uomini del Medioevo, il Rinascimento, i Lumi, l'Ottocento... Parlano sempre di unità tra popoli europei...».

«Ma sono gli intellettuali! Non la gente. Gli intellettuali hanno parlato italiano per secoli, ma la gente parlava il dialetto! È come dire che è esistito l'italiano, perché Dante, Boccaccio e Machiavelli scrivevano in italiano. Erano gli unici. Mia nonna no. Se pensi che in Italia hanno cominciato a parlare italiano dopo la televisione... L'unità d'Italia è stata fatta da un re che parlava francese! Quando mai la gente parlava italiano!... Allora è inutile dire: esiste l'italiano. L'italiano esiste come fatto, ma non esisteva nella coscienza della gente. I soldati che sono andati a fare la Grande Guerra non si capivano fra loro, non avevano coscienza dell'italiano! Le due cose che hanno creato la coscienza dell'italiano sono state la Grande Guerra e Mike Bongiorno. Cioè, due brutte cose. Allora non mi venire a dire che c'è l'Europa perché c'era un *pirla* qualunque che scriveva dei libri sull'Europa! La gente mica lo sapeva! Madre Coraggio, nella guerra dei Trent'anni, non lo sapeva mica se c'era l'Europa... Quel che tu mi chiedi adesso non è perché non c'è la coscienza europea in Moravia o in Günther Grass, ma perché non c'è nella gente... Non c'è per le stesse ragioni per cui a Lampedusa si parlava ancora dialetto, finché non sono arrivati i turisti. A Lampedusa avranno cominciato a parlare italiano dopo i missili di Gheddafi...».

(Umberto l'Economista. Gli dico che forse qualcosa potrebbe succedere se un contadino del Sud e uno di Bretagna, per esempio, fossero pagati direttamente in scudi [Ecu]. Se un emigrato o un professionista potessero far circolare lo scudo nel proprio e nell'altrui paese senza essere sottomessi a cambi valutari, senza problemi di balzelli o di tasse, forse l'Europa potrebbe funzionare. Magari mantenendo a fianco dello scudo la moneta nazionale.) Lui concorda con me e mi risponde:

«L'Europa si farà se ognuno si sentirà ovunque a casa propria. Avere una moneta comune, andare e venire, portare e riportare... Poi alla fine tutto si compenserebbe; uno porta di qua e l'altro porta di là».

«Io ormai spendo i soldi francesi in Francia e quelli italiani in Italia...», gli dico.

«Sì, ma io non ho potuto fare nemmeno questo. Ti faccio un esempio. Sono andato a Beaubourg per una conferenza. Mi hanno detto: "Hai diritto a questo gettone di presenza". "Okay. Grazie! Datemelo!" "No, non si può dare così; bisogna fare un assegno". "E allora datemi l'assegno, così lo cambio e pago l'albergo, eccetera...". "Se non ha già un conto in banca a Parigi, non può cambiare l'assegno". "Ma se apro un conto a Parigi vado in galera!". "Allora glielo mandiamo in Italia". Così io sono andato a Parigi, ho fatto un lavoro, ci pago le tasse in Italia e per spendere sul posto... devo comprare i franchi a Milano.

«Ho esportato soldi italiani che potevano rimanere in Italia ed ho importato soldi francesi che potevano restare in Francia. Certo tutto questo è a livello di alcune centinaia di migliaia di lire o magari un milione, ma se lo moltiplichi per tutti gli italiani o i francesi che si spostano, ti rendi conto dell'assurdità!»

«La gente non può sentire l'Europa, perché gli rendono la vita impossibile. Come si fa a pensare che siamo molto avanti nell'unità, come si ripete in continuazione?»

«Ti faccio un altro esempio. L'Università di Bologna vuole comprare un libro straniero, una certa *History* che è uscita a Cambridge. Io ho un amico che me la può comprare direttamente sul posto, dove costa 50 sterline, e poi posso chiedere all'Università di rimborsarmi. E invece no, non è possibile. L'ordinazione deve avvenire attraverso i canali ufficiali, che sono gli importatori di libri. Così questo libro viene a costare allo Stato italiano non 50 ma 100 sterline. Inoltre, per fare la richiesta bisogna specificare il prezzo del libro, l'anno di edizione, il numero di pagine e il peso! Ora, sai bene che nessun catalogo al mondo riporta il peso di un libro! Tutti naturalmente ne mettono uno fasullo. Il libro è un esempio sciocco – sciocco per me e per te, ma non per Giuseppe Rossi, capisci? Per me è anche sciocco che i libri italiani costino cari, perché me li mandano quasi tutti in omaggio, ma per uno studente...».

«E che cosa ne pensi del grande progetto Erasmo?», gli chiedo. «Il progetto Erasmo? È veramente un progetto dell'accoppiata! [Anche se non è esattamente questa la parola che Umberto usa...]. Perché lo studente va a studiare là, poi si fa la ragazza, si sposa e nel giro di tre generazioni hai meticciato un sacco di gente. Ma come vedi non sono progetti culturali, sono finti progetti culturali, che mirano a risultati quasi biologici. Se vuoi avere dei muli, non devi far dei corsi ai cavalli. Devi prendere tutti i cavalli maschi e tutte le asine femmine, sbatterli in un recinto, e poi vedi che muli vengono fuori!»

«Mi pare la più bella definizione del progetto Erasmo!», gli dico divertita.

(A Bruxelles hanno stampato migliaia di fogli per spiegarlo all'inclita e al colto: statistiche da capogiro, con diecimila studenti che circolano nel primo anno, raddoppiano nel secondo, poi triplicano, eccetera, eccetera. Ma in realtà che succederà? Mélange, chiamava Braudel questo suo incontro tra asine e cavalli! Come sarebbe facile far propaganda all'Europa, se ci fosse gente come Eco a Bruxelles! Anche Borges in fin dei conti fece la réclame allo yogurt argentino. Fu un successo.)

Siamo stati già interrotti due volte dal figlio di Umberto, che chiede che gli si lasci libero il salotto. Poi arriva una ragazza punk, la testa ossigenata a metà, quasi rasata da un lato. Credo che dobbiamo sgomberare. Figlio e punk si danno da fare con un grosso strumento musicale elettronico, avuto in prestito per quella domenica. Ma è Umberto, stupore, che loro aspettano e non solo il salotto libero! Eco passa la mano sui tasti di una pianola meccanica e ne estrae armonie che rimbalzano come pietre contro la parete. «No, non così!», lo rimprovera scontenta la ragazza punk. Lui va a prendere allora una fisarmonica a bocca e si mette a modularvi l'accompagnamento per l'orchestra. Dopo aver divagato per attribuirgli un'immagine, tra Hemingway, Enrico IV e un monaco medievale in jeans, sono arrivata alla certezza che trasmetto al lettore: Eco è Pan con il suo flauto e, come nel mito, tutti noi gli corriamo dietro.

VIII

VACCHE FELICI, CHIERICI TRISTI

La fattoria degli animali

«I maiali hanno preso il potere ed ora mangiano mele e bevono latte», esplose dal suo aereo ufficio bruxellese l'interlocutore di alto rango, quasi un Commissario, come a chiamarmi a testimone. «So che lei fa una sorta di crociata per la cultura europea. Ma vede, se non si fa qualcosa per trovar sfogo alle eccedenze, annegheremo nel latte, soffocheremo tra i pani di burro. Abbiamo creato un meccanismo perverso e ci è sfuggito di mano; ci abituiamo a vivere con le eccedenze e a trasformarle in mangimi e foraggi per le vacche stesse, oppure vendiamo il burro alle industrie che ci fabbricano vernici, e consideriamo questo "botto economico" come uno sbocco commerciale normale...». Il quasi-Capo-Divisione era uno di quegli uomini onesti, di cui ho troppo poco sottolineato il ruolo, ma che sono tuttavia presenti in questo libro, dove si può trovare tanta parte della loro collera ed esasperazione, anche se sono obbligata a mantenerli in un indispensabile anonimato per non danneggiarli.

«Non controlliamo più la macchina agricola», aggiunse quell'uomo ironico e colto, che usava le immagini di Orwell.

L'avevo raggiunto nel suo spazioso ufficio all'ultimo piano del palazzo di Berlemont, *sancta sanctorum* del potere comunitario, dove si arriva con un ascensore speciale, che corre senza soste fino all'anticamera, dove si aprono le Porte di bronzo dei potenti. Nel Palazzo a fianco si era appena conclusa la riunione del Consiglio dei Ministri, che aveva varato in prima lettura la legge finanziaria del 1987. Lui ne usciva quasi clandestinamente; aveva utilizzato quell'ora destinata alla colazione per parlarmi e gentilmente aveva fatto portare dallo snack del Ristorante un piatto di salmone che, secondo l'uso bruxellese, era cosparso di cipolle dal forte afrore... Mettemmo da parte le cipolle, mangiammo il salmone e bevemmo il caffè – una ciotola di un quarto di litro, come si usa nel Nord d'Europa. Riprendemmo a parlare. «Lei deve sapere», mi disse «che il timone agricolo ci è sfuggito di mano... e così continueremo fino a quando non saremo sommersi da una grande risata che verrà dai porcili di tutta Europa, ma anche dai pollai e dalle stalle, perché stiamo imponendo il burro e il latte in polvere perfino ai polli e alle mucche. E se non ci sotterreranno le risate degli animali, allora sarà il momento dei consumatori, detti anche cittadini europei, il giorno in cui sapranno che adesso stiamo studiando la maniera di mettere il burro denaturato nelle vernici...».

Da corretto funzionario, non mi lasciò il testo della legge finanziaria, ma mi usò la cortesia di farmi gettare uno sguardo sui documenti segreti dell'incontro della Commissione Delors, riunitasi a Londra nel luglio 1986, mentre si allontanava per una mezz'ora. Con stupefatta emozione lessi che la situazione agricola peggiorava di giorno in giorno; lo stock comunitario di burro era passato da 1 milione a 1 milione e 300.000 tonnellate, quello del latte in polvere da 500 a 900 tonnellate, e quello della carne bovina non era sceso dalle sue 700.000 tonnellate. C'era sempre una montagna di dieci milioni di tonnellate di grano, un milione di tonnellate di segala e l'orzo era salito da 4,3 a 5 milioni di tonnellate...[1]

La via lattea

Quei documenti londinesi erano come una mappa astrale: si disegnava quella che chiamai la via lattea nel cielo d'Europa: «Si può constatare», lessi ancora «un aumento dello 0,7% delle raccolte di latte, del 2% della produzione di burro e di quasi il 4% della produzione di latte in polvere». Aveva ragione lui: c'era un mare di latte, come un pelago che saliva con l'alta marea. Le cose peggioravano: «Alla fine del primo trimestre '86, le stime rivelano un aumento di oltre il 10% per il burro e di quasi il 20% per il latte in polvere, rispetto al primo trimestre dell'85...». Nel documento si escludeva l'ipotesi di trasformare il burro in «vernici, detergenti, pitture», in quanto troppo costosa, a causa dei trattamenti ai quali avrebbe dovuto essere sottoposto il burro per trasformarlo da alimento in «materia grassa neutra». L'unica soluzione sulla quale erano tutti d'accordo consisteva nel trasformare il burro in mangimi per animali, ma il problema restava perché gli animali – mucche, maiali e galline – non sono in quantità sufficiente per ingurgitare tutte le eccedenze. Si poteva fare un'eccezione solo per smaltire il latte in polvere, in quanto i maiali e le galline ne sono ghiotti e non abbisogna di trasformazioni particolari. La soluzione sarebbe stata, per il resto, di aumentare la tassa sul latte del 200 per cento, sfidando le reazioni dei produttori (francesi e tedeschi, in primo luogo...). Il funzionario mi colse rientrando col volto esterrefatto, mentre prendevo appunti dai dati che disegnavano la via lattea...

«E la tecnologia?» esplosi. «È la via lattea!»

«Entro un anno vedrà!» rise lui alla mia battuta. «Mentre prima l'agricoltura era il cemento comunitario, perché soddisfaceva molteplici interessi, adesso si prevede il grande "botto"!»[2] Quanto all'Europa della tecnologia, i paesi membri preferiscono gli accordi alla pari, tra paesi industrializzati, francesi, inglesi, tedeschi, italiani...».

«E l'Europa della cultura?» continuai con maggiore indignazione.

«C'è una Fondazione a Parigi con tanto di Trattato comune, che attende il via, il benestare di qualche Stato recalcitrante, ma soprattutto la buona disposizione della Commissione, visto che deve finanziare la Fondazione per i primi tre anni...».

Mi aspettavo da lui, che mi aveva svelato l'enorme «imbroglio agricolo» comunitario, una parola d'incoraggiamento, invece mi avvertì:

«Signora, non c'è nulla da fare: o l'agricoltura o la cultura... O le vacche o le università...».

«È così: vacche allegre e studenti melanconici... O se preferisce, vacche grasse e università magre...».

Così ci salutammo, mestamente.

«L'asino di Buridano», faccio in tempo a dirgli, prima di chiudermi la porta alle spalle, «apre il IV canto del *Paradiso*: "Intra due cibi, distanti e moventi / d'un modo, prima si morria di fame, / che liber'omo l'un recasse ai denti". Loro qui sono incapaci di scegliere e potrebbero somigliare all'asino, ma la mia convinzione è che al fondo l'asino non è altri che il cittadino europeo, il "liber'uomo".»

Le Università europee sequestrate dalle nazioni: una Sorbona europea?

Nella mia esperienza universitaria francese, ho sofferto, come chissà quanti altri intellettuali, delle difficoltà, delle rivalità e dei litigi per occuparvi un posto come professore straniero, pur avendo avuto in Francia tutti i miei diplomi, ovvero essendo da un punto di vista universitario come un francese (oltre la mia laurea in Lettere dell'Università di Roma). Ho conosciuto grandi maestri, come Maurice Duverger, e con lui ebbi l'onore di discutere il mio dottorato in Sorbona in Scienze Politiche. Ho incontrato François Châtelet, uno spirito illuminista. E Althusser, che mi aveva guidato per vari anni nel mio cammino universitario. Ma ho conosciuto anche professori mediocri, scansafatiche, collezionisti implacabili di decreti del «Journal Officiel» per estrarne i bandi di concorso, nuovi posticini qua e là per la Francia, aggrappati alla struttura universitaria come termiti alle travi, e molto spesso ostili a ogni professore *non francese*. Mi sono tornate sotto la penna, come attuali, le descrizioni del viaggiatore inglese Daniele di Morley, in visita alla medievale Sorbona, di cui descrive alcuni maestri «selvaggi e ignoranti», «installati sui loro seggi, che mascherano l'incultura come saggezza, tacendo».

Mentre vado scrivendo e ho già alle spalle il decimo anno del mio insegnamento nelle università di Francia tra Parigi 8 e Parigi 1 (Sorbona), mi sento ben collocata, per ricordare la misera decadenza nazionalista delle Università europee. Mentre si progettano università europee, non meglio precisate, si centuplicano al contrario gli ostacoli che le Università gia esistenti frappongono ad ogni cultura, e ad ogni professore che non sia *figlio della nazione*.

Potrei evocare le mie trafile interminabili, le pratiche burocratiche per essere accettata, di anno in anno, come professore straniero. Alla fine, giunge il momento del placet all'insegnamento, ma solo per un anno; accompagnato dal maestoso decreto presidenziale pubblicato sul «Journal Officiel», il che non usava nemmeno all'epoca di Filippo il Bello, quando quel re ridusse l'università alla disciplina verso la nazione. Il candidato professore straniero percorre un labirinto di stanze del potere universitario, l'una incastrata nell'altra, caselle del gioco dell'oca, dal Dipartimento universitario dove lavora, e comincia col chiedere l'*imprimatur* dei propri stessi colleghi (auto-elettisi «specialisti universitari» in quella certa materia), poi passa al Comitato consultivo universitario e, ottenuto il benestare, va a sottoporsi al Consiglio superiore universitario e, ancora più in alto, la sua domanda arriva all'Amministratore Capo del Ministero, prendendo infine la strada dell'Eliseo, dove il Presidente della Repubblica stesso apporrà sul decreto di nomina la propria firma autografa. Le nazioni europee hanno creato, ognuna, la propria grande burocrazia universitaria, una struttura chiusa come quella degli eserciti, del fisco, esclusiva come un inno nazionale, una bandiera, un francobollo. In Italia, a sua volta, l'università, ancor peggio che in Francia, è *furiosamente nazionalizzata*, attraverso tutta una serie di disposizioni legislative, che il Parlamento italiano è andato in tutti questi anni approvando, con uno *sciovinismo* culturale ridicolo.

Ora l'Europa resterà solo una menzognera finzione e accentuerà il suo sgretolamento culturale fin quando le cattedre universitarie non ospiteranno insegnanti «stranieri» ovvero professori «europei», ovvero appartenenti non a quella specifica nazione, ma ad un'altra, dello stesso spazio culturale europeo. Forse non sarà inutile ricordare che, prima che l'Europa esistesse, ad Einstein fu rifiutata a Parigi la cattedra di fisica nel Collège de France per *manque d'attitudes* nell'insegnamento della fisica... Fu allora che Einstein prese la strada dell'America. La capacità dinamica degli Stati Uniti deriva anche dall'apertura delle loro università ai professori stranieri, dalla ricchezza delle voci che all'interno di esse esprimono. Eco è stato professore a New York per una decina di anni, fondatore dell'insegnamento semiotico nella grande Università di Columbia. Così come il fisico Rubbia insegna fisica a Berkeley, partendo in aereo da Ginevra ogni settimana, a spese di quella università. Fernand Braudel, poco prima di morire, mise in guardia in un Convegno sulla *Identità Francese* i propri connazionali contro l'angusta visione dell'insegnameto universitario, con un severo ammonimento: «La Francia non può esercitare il suo ruolo di diffusione culturale se non si apre all'esterno... Per anni, i matematici del Collège de France sono stati in maggioranza di origine polacca... Né, certo, l'arte francese può vivere senza gli artisti venuti da altrove... La nostra civiltà, come le altre, è formata da strati sovrapposti pervenutici dai quattro lati del mondo, e sta in piedi grazie ad un'architettura indispensabile, necessaria quanto fragile: è su questa, sulla sua qualità, sui suoi mezzi di diffusione che occorre sorvegliare». (*L'identité française*, «Espaces» Editions Tiercé – Atti del convegno, marzo 1985.)

Scrivendo di cultura e di Europa, si è precisata in me l'esigenza di attirare l'attenzione del lettore sull'itinerario umiliante che viene richiesto per il rinnovo di un insegnamento, la corsa agli ostacoli, che comincia bussando alla porta di un professore presidente di una facoltà, magari di Scienze Politiche, compito e irriducibilmente imbarazzato, in quanto egli sa bene, come gli altri, che nell'università non si può disporre di posti per professori... stranieri. Egli, nell'imbarazzo, fa balenare una sola possibilità: che, magari, un ambasciatore francese in Gabon, richiamato a Parigi, dopo la sconfitta della *gauche*, possa rinunciare al suo posto di professore... che allora sarebbe messo volentieri a disposizione di uno «straniero». Ma poi l'ambasciatore rientra, e tutto finisce lì...

Questo libro, tra le molte cose di cui parla, serve anche a spiegare che uno dei temi *chiave*, *decisivi*, surdeterminanti della costruzione europea sta nella libertà degli scambi universitari, studenti e professori. Ma ne siamo lontani anni luce. I nostri *mentori burocratici* di Bruxelles vanno chinando ora la testa, attraverso il Piano Erasmus, su un progetto tanto ambizioso quanto ipocrita. Fare della Sorbona di Parigi l'Università europea, che sarebbe finanziata dai miliardi di Ecu di Bruxelles! Ma per realizzare il sogno di creare in Sorbona «il cervello universitario» dell'Europa, occorrerebbe guardare più attentamente a quelle che sono le sue attuali strutture, perché nessun afflusso di denaro da parte di Bruxelles potrà arrivare a correggerle. Queste strutture appaiono furiosamente nazionali. L'Università è sequestrata dalla nazione. In questo non trovo nulla di sbalorditivo – l'ho constatato già cento volte – ma quel che trovo sbalorditiva è l'ingenuità con cui si abbordano e si discutono determinati progetti. Quando si guardi più attentamente all'interno del Piano redatto dalla signora Ahrweiler per fare della «Sorbona, l'Università europea» ci si accorge che all'origine c'è un bel comitato d'iniziativa – dove si allineano, come alibi, nomi celebri di cattedratici di tutti i paesi europei – ma che stanno lì solo per indorare il prestigio di qualcosa di inesistente. Ci si accorgerà, poi, che non esiste nel Piano alcuna garanzia né disposizione legislativa, né quorum stabilito, per l'insegnamento di professori stranieri in quella «Università europea». Prima di destinare un solo Ecu alla «Sorbona europea», gli eurocrati bruxelesi dovrebbero arrivare a capire, se ci riusciranno, come la *struttura chiusa* della Sorbona che si oppone (tranne i problematici invitati...) agli insegnanti non francesi, vada corretta e *riformata*. Per il momento, l'imbroglio universitario-amministrativo è così fitto, che non c'è barba di esperto che capisca come quel Piano per la «Sorbona europea» serva esclusivamente a soddisfare bisogni professionali francesi pagati col denaro degli altri paesi europei.

Mentre scrivo, (autunno '86) Parigi straripa di ragazzi in rivolta contro la selezione universitaria del nuovo potere, nato dopo la sconfitta della sinistra nella primavera del 1986. La Sorbona non è più silente, come l'ho vista durante tutto quest'anno. Quei ragazzi anonimi che prendono appunti di ogni scempiaggine professorale, o di ogni parola pronunciata *ex cathedra*, sono di nuovo nel cortile famoso, tra le statue solenni e gremiscono le gradinate. Hanno ritrovato, improvvisamente, la voce per protestare. La signora Ahrweiler, Cancelliere delle Università di Parigi, nel gran trambusto, fa appello al ministro dell'Interno, Charles Pasqua, e la polizia coi caschi neri si precipita in Sorbona per ristabilire l'ordine. I poliziotti gremiscono, in file nere e tristi, il grande anfiteatro, sotto gli affreschi di Puvis de Chavannes. I *flics* si girano i pollici perché non trovano studenti su cui metter le mani. È stata la prima volta che la polizia occupava l'anfiteatro dell'Aula Magna. Ho qui la fotografia. Indimenticabile, più del '68, come un boomerang. La pulsione di rabbia ha allora scatenato i poliziotti in quel reticolo di stradine attorno alla Sorbona, e precisamente in rue Monsieur le Prince, dove hanno messo le mani su uno studente emigrato, Malik, e l'hanno steso morto a furia di bastonate. Ora lì, su quel punto del marciapiede, ci sono spesso i fiori. E gli *chauffeurs* parigini vi portano in visita gli stranieri, indicando con pietà quel pezzo di piancito che fu bagnato dal sangue di un ragazzetto del Nord Africa. Forse non è inutile ricordare tutto ciò, mentre i nostri papaveri della Commissione bruxellese parlano di *Università europea*, e di libera e rispettosa circolazione di studenti e di professori dall'uno all'altro dei nostri civili paesi.

«Se fosse da rifare, comincerei dalla cultura»...

Jean Monnet, prima di passare a miglior vita, si pentì della costruzione europea che ci lasciava in eredità, con la celebre frase: «*Se l'Europa fosse da rifare, comincerei dalla cultura*». Questa frase drammatica del miglior architetto dell'Europa contiene il senso del fallimento della sua aspirazione e della sua visione più alta: «Noi non coalizziamo gli Stati, noi uniamo gli uomini».[3]

Il lettore non potrà comprendere l'amarezza delle pagine che precedono senza rendersi conto, almeno attraverso un rapido passaggio, come agisca da pungolo in alcuni di noi l'ammonimento di Monnet, e come cercai di realizzare in parte la sua idea, al mio povero livello di deputata europea, organizzando quei due congressi di intellettuali a Venezia e a Madrid (1984 e 1985) la cui eco si ritrova di tanto in tanto in queste pagine.

La donna con la valigia aveva pensato spesso alla macchia cieca, all'assenza di cultura in cui errava fra i tre desolanti recinti parlamentari europei. Cominciò così a lavorare al progetto ambizioso e un po' utopico: riunire in un posto d'Europa gli uomini di cultura, gettare le premesse di un dialogo sulla identità culturale europea (Venezia) e sullo spazio culturale europeo (Madrid) per lanciare due appelli all'intellighenzia. Con scrittori, artisti, registi, musicisti, architetti, si voleva analizzare il perché di questo vuoto culturale in cui l'Europa è sprofondata, in un panorama delineato da montagne di burro, di latte, di mangimi, con le vacche e i maiali che scorrazzano dentro le nostre cattedrali... Perché c'è nella cultura silenzio, afonia, disinteresse? Mi misi a cercare qualcuno che mi aiutasse. Il primo che incontrai fu Gaston Thorn, allora presidente della Commissione, un uomo sensibile alla letteratura, all'arte. Il progetto utopico non gli dispiacque: «C'è un uomo che fa per lei», mi incoraggiò, «è Grégoire, un funzionario che dirige al mio fianco una piccola fetta del lavoro spettante alla presidenza, la direzione del "servizio cultura"». Robert Grégoire era l'uomo che aveva cercato di far parlare di cultura il pietroso Trattato di Roma. Con un lavoro da orafo, aveva spulciato quei frigidi testi, volti a creare un mercato comune, articolo per articolo, per dimostrare che l'azione culturale, anche se non esplicitata, percorreva tutte quelle nostre Tavole della Legge. Lui era un entusiasta. Di uomini come Grégoire ho l'impressione che oggi non ce ne siano più. Inoltre, amava gli intellettuali, cosa ancor più rara.

Andai a ritrovarlo al Lussemburgo, dove si era ritirato in pensione nel 1987, con la moglie Marianne. Gli ero rimasta legata dall'epoca del Congresso di Venezia, e affrontavo di buon animo la neve e il gelo di quelle lande, dove si levava il gran castello diruto di Beaufort, per entrare nella sua casa confortevole e amica. Robert Grégoire, nel suo studiolo, mi riassunse, modesto come una mammola, il suo ruolo all'interno della rachitica storia culturale europea. Il primo a chiamarlo era stato Spinelli e per lui aveva abbozzato un piano di quaranta pagine, servendosi del Trattato di Roma come di un grimaldello per aprire le porte blindate della cultura. Quando nel Trattato si parlava di libera circolazione dei beni, visto che ogni mercanzia si esprime in una valutazione in denaro, nelle merci che circolavano lui introduceva i quadri, le opere d'arte, i libri, le manifestazioni culturali. Fu lui, più che Strehler, a far sorgere il Teatro d'Europa a Parigi, facendolo includere nella Dichiarazione dei capi di Stato sui rapporti culturali, a Stoccarda. Servendosi dell'articolo 130 del Trattato, ottenne i finanziamenti per il restauro del Palazzo dei Dogi a Venezia, per il Partenone, per la Colonna Traiana a Roma, per i trulli di Alberobello, per la Torre bianca di Salonicco; finanziò a York il centro di architettura, a Lovanio un centro di urbanistica e architettura; creò a Roma venti borse di studio presso la Facoltà di architettura e a Venezia venti borse per apprendisti artigiani della lavorazione del vetro, nell'isola di San Servolo. Mi fermo qui perché la lista sarebbe infinita.

L'uomo che aveva fatto parlare i Trattati era lì, davanti a me, pieno di vita e di idee, ma messo a riposo per limiti di età. Il settore cultura era entrato nel portafoglio del nuovo Commissario Ripa di Meana, che gli aveva inviato una nobile lettera di commiato, ringraziandolo con una medaglia.

Tutto cominciò a Venezia, per poi continuare a Madrid, tra intellettuali europei

Senza l'«uomo della cultura», che poi era solo un semplice funzionario, non so se sarei mai riuscita in quell'impresa. Dove trovare il luogo? Mi accorsi che mettere insieme gli intellettuali spaventa governi, partiti, giornali, padroni di televisioni, spaventa tutti. Qualcuno mi venne incontro, il veneziano Visentini che offrì la Fondazione Cini. E già sognavo l'incontro, in quell'isola di San Giorgio, zattera delle meraviglie in mezzo alla laguna, come una sorta di assemblea volterriana, solenne e un po' severa, l'Europa dell'intellighenzia da far pronunciare. Cominciai ad attaccarmi al telefono e stesi pian piano come una tela di ragno su tutta l'Europa colta. Presi a viaggiare tra capitale e capitale. A Berlino, dove il termometro stava a venti gradi sotto zero, incontrai lo scrittore Peter Schneider. Parlammo a lungo in uno di quei caffè berlinesi che sembrava costruito per un film di von Trotta, immenso, pieno di giovani. Telefonai a Monaco, a uno scrittore dal nome impossibile, e lui disse: «A patto che non vi sia la televisione sono pronto a starci...». Da Berlino me ne tornai a Parigi e cominciai a far appello ai grandi amici: Braudel, Foucault, Alain Touraine, Morin, Fontaine, Le Goff ecc. Meno gli ex nuovi filosofi, che non credevano all'identità europea, più o meno tutti rispondevano sul tono: «Sì, è giusto...». Cominciava a formarsi una pattuglia di gente di prim'ordine, filosofi, registi, antropologi, storici. Un lavoro massacrante. In Italia c'era ostilità sotterranea e mi si avvertiva: «Non si può fare da sola un lavoro così», mi diceva un famoso intellettuale. «Occorrerebbero cento segretarie!» Mi sostituivo alle segretarie. Avevo solo un assistente francese, ventiquattro anni, viso roseo chiazzato di efelidi, che non sapeva distinguere uno scrittore da un musicista, ma robusto come occorreva. Accadde di tutto. Venezia diventava goldoniana. Un giorno sparivano gli hôtels, destinati ad albergare gli invitati, un altro giorno spariva il sindaco, il solo che potesse garantirci di fronte agli albergatori veneziani. Un altro giorno mancavano i soldi. Ritrovavamo altri alberghi, facevamo nuove questue. Ottenni dal Parlamento Europeo la somma che veniva destinata a ognuno di noi per fare la propaganda all'Istituzione, ovvero, in quella vigilia di elezioni, la propria campagna elettorale. Mi si consentì di utilizzare la somma per il Congresso di Venezia.

Mi rincuorava l'aver parlato con Borges per telefono in Argentina: lui confermava quel che mi aveva detto a Buenos Aires l'anno prima («Certo che vengo, signora Maria, per me sarà un onore aprire questo Congresso»). Aveva una sola piccola richiesta ed era di abitare all'hôtel Londra di Venezia, dove i genitori l'avevano portato da bambino, alla vigilia dello scoppio della prima guerra mondiale. Al contrario, Kundera disdiceva: «Milan il 30 marzo riceve la BBC», annunciò irremovibile la moglie. Sognai in un incubo notturno Kundera. Stavamo di nuovo in quel teatro di Bruxelles ad ascoltare quella sua conferenza sull'«Europa rubata» che mi aveva entusiasmato e che sarebbe stata uno dei temi al cuore del Convegno. Nel sogno, lo vedevo con il volto tutto impecettato, fettucce di cerotto che percorrevano il setto nasale, le sopracciglia, il mento. Ripa di Mena non veniva più, perché partiva con Verdiglione per il Giappone. Moravia rifiutava, ma Anthony Burgess annunciava la sua presenza. Vi erano a catena altre disdette, e qualche conferma. L'assistente mi raggiungeva dovunque, ora rallegrato, ora triste, e mi trasmetteva il risultato delle sue centomila telefonate nei paesi europei. Gli scienziati erano tra i più solidali. Rita Levi Montalcini, che avrà il Nobel due anni dopo, avrebbe tenuto il rapporto di apertura nella tavola rotonda destinata alla comunicazione scientifica. E poi c'era Rubbia, a sua volta non ancora insignito del Nobel. Scola non veniva, ma Liliana Cavani avrebbe presentato un rapporto sulla crisi del cinema italiano.

Su Venezia, in quel marzo, continuava a piovigginare. Uscendo dall'hôtel Londra, andavo a guardare tra la nebbia la sagoma di San Giorgio, e la limpida facciata mi veniva incontro come una nave leggera a vele spiegate. Quello era il nostro punto di Archimede, la solida piattaforma per l'atterraggio del velivolo europeo degli intellettuali. Anche se ogni tanto mi accadeva di aver voglia di fuggire, mi tratteneva il bel manifesto di Topor per il Congresso: un profilo di donna azzurro che si moltiplicava degradando in altri profili azzurri. Il programma era ormai pronto, anche se gli assenti sarebbero stati numerosi. E poi «Le Monde», sprint finale, aveva dedicato due pagine all'avvenimento, come a considerarlo un evento di prim'ordine. Il 31 marzo, una settantina di intellettuali europei riempirono il salone sublime della Biblioteca Cini. La scommessa era vinta. Dal '46, quasi trent'anni prima, non si era più riunito liberamente un libero gruppo di intellettuali senza ipoteche politiche, senza partiti, senza poliziotti statalisti. Borges aprì la seduta, con l'indimenticabile esordio: «Sono un europeo in esilio...».

L'*Appello* votato alla fine del Congresso è qui, con dentro le grandi linee del progetto, che si può sintetizzare in una frase: «L'Europa o sarà culturale o non sarà!». Si erano impiegati tanti anni a capire, e forse a non capire ancora, che l'unità europea è impossibile se non è preceduta da un rinascimento culturale. Occorreva uno spirito, un'anima, una passione europea, in quanto nessun gran mutamento storico era potuto andare disgiunto da un pensiero innovatore.

Il Colloquio veneziano, per quanto difettoso, zoppicante, disseminato d'incidenti e nient'affatto volterriano, apriva un dialogo. Questo sarebbe continuato l'anno successivo a Madrid (ottobre 1985), secondo l'impegno lì preso. Perché Madrid? Perché con la Spagna nella Comunità si ricomponeva il volto democratico dell'Europa e perché lì a Venezia un intellettuale spagnolo, Juan Luis Cebrian, il cui prestigio e potere poggiavano sul giornale «El Pais», aveva accettato di proseguire in Spagna quell'esperienza di «ritrovamento» culturale.

Un anno e mezzo dopo, nell'Aula Magna dell'Università Complutense ci ritrovammo sotto gli antichi lampadari che l'illuminavano a giorno. Non eravamo più settanta ma centoquaranta. Si allargava «lo spazio culturale europeo», e la Spagna ne era, a Madrid, la capitale non fittizia. Anche a Madrid fu votato un documento, che chiamammo con solennità *Manifesto di Madrid*, in cui si articolavano i punti salienti di una politica culturale europea. (Valido ancor oggi, mi dico.) Infine ci si impegnava a riunirci una terza volta, l'anno successivo, in Inghilterra o in Germania.

La sfida del Commissario

Il tempo passò: ci ritrovammo in un piccolo gruppo, invitati a colazione nella casa di Simone Veil, che aveva seguito con attenzione quei lavori madrileni. «E allora», mi interpellò Sollers, «il vostro terzo Congresso?». Le Goff lamentò che gli atti dei congressi di Venezia e di Madrid non fossero stati pubblicati, per esser messi a disposizione degli studiosi. «La Commissione ha rifiutato di aiutare il finanziamento della pubblicazione», spiegai con amarezza «e gli editori hanno paura di perdere dei soldi». «Che sbaglio», intervenne Alain Touraine, «occorre un'antologia di testi europei; quei discorsi e quei dibattiti erano di grande interesse, anche per capire gli orientamenti culturali di oggi». «Venezia e Madrid», affermò Sibony, «hanno rappresentato la prima cristallizzazione intellettuale europea. E allora non si tratta di continuarla con un terzo Congresso?». Mi spiegai meglio: «La Commissione», e in me c'era un filo d'imbarazzo «ha deciso di non far più scivolare un Ecu dalla nostra parte, e nemmeno un po' d'appoggio. Dopo Madrid, siamo stati accusati di élitismo, buttati nel ghetto degli arroganti, dei presuntuosi. Il Commissario, poi, si è lamentato di non essere stato abbastanza citato dalla stampa spagnola e del fatto che non ci fosse la sua foto sui giornali. Anzi, c'è di più: ha deciso di farsi da solo un Congresso di intellettuali a Firenze che chiama: "La sfida culturale". Credo che saremo tutti invitati, come intellettuali, alla sfida».

«Non sono un intellettuale», rispose beffardo Sollers. Marc Augé, B.H. Lévy, Glucksmann dissero che non avevano tempo. La signora Veil annusò il vento anticomunitario e tacque prudentemente.

A quella «sfida culturale» fiorentina, voluta dall'Eurocrazia, mancarono gli intellettuali, anche se moltissime lettere erano state spedite da Bruxelles. Io vi andai, e con Riccardo Bofill e Anthony Burgess, i soli presenti, facemmo più d'una considerazione, che stimolò la mia penna nel racconto che qui segue.

Durante le pause, andavamo scambiandoci con Bofill l'idea che ora l'intellettuale è impersonato, nella società consumistica soprattutto, dalle celebrità del cinema, del rock, della televisione. «L'intellettuale che difende le proprie idee contro la grande adunata delle opinioni», come diceva Camus, «è piuttosto snobbato, messo ai margini. Nei riverberi della società consumistica considerano se stessi grandi Intellettuali, organici ai poteri, non soltanto il funzionario bruxellese, ma soprattutto i padroni di mezzi di comunicazione, da Parigi a Roma, a Londra, a Bonn. Son loro che assoldano la «ciurma», dai cineasti ai giornalisti, agli scrittori, ai musicisti, agli storici, ai filosofi. Folle di intellettuali bisognosi bussano alle loro porte. Sono i nuovi Mecenati a decidere dei loro meriti, sia che si tratti di un libro, di un film o di una direzione di giornale. Il prodotto culturale che ordinano deve rendere: è la legge del profitto che impera.»

Mentre così chiacchieravamo, si materializzò davanti a noi Berlusconi, proprio in quel Convegno fiorentino. Lo guardavamo affascinati, mentre pronunciava il discorso sulla «sfida» televisiva. Lui parlava liscio, tondo, come un capomastro garbato. Ben sbarbato e incravattato per la funzione domenicale, ascoltato con rispetto dal Commissario alla cultura, per rivolgersi agli intellettuali e soprattutto ai manager dell'Europa, nella sala duecentesca di Palazzo Vecchio, tra valletti in costume, le guardie medievali con le alabarde, il

giglio dei Medici sul gonfalone. Per Berlusconi, pensavo, uno slogan
pubblicitario vale quanto un racconto di Voltaire. Può decidere, tra
tivù e case editrici, se un libro di storia vale più che un disco di rock,
se un'opera di filosofia val meno di Stallone, o di una telenovela bra-
siliana, o dello sceriffo di Miami che viene proiettato su Antenne 2,
puntualmente ogni venerdì, immediatamente prima della rubrica culturale di Pivot.

Aveva manine grassocce e bianche, capelli lucidi neri con riflessi
violetti, denti candidi da bestiola onnivora. Parlava come Demoste-
ne, non aveva nemmeno bisogno del cece in bocca, tanto le parole
fluivano tranquille, senza un appunto nelle mani. Ci raccontava delle
sue imprese, come un western felice, per piazzare antenne televisive
private in tutto il mondo. Chiamato a consulto al capezzale di ogni
tivù statale morente, come un cardiologo per una *greffe* difficile. Per
giustificarsi di tanta foga ci ha poi confessato, col pudore di chi svela
infine un'intima relazione peccaminosa ed esaltante, dove potrebbe
rimetterci anche la reputazione: «Che volete, io sono un innamorato
dell'Europa!».

«Ma tu avevi esaltato "La Cinq" su "Le Monde", ti ho letto», mi
disse Bofill. «Lo so, me lo scrisse anche Le Goff che disapprovava,
che sentiva il pericolo. La cultura ha nuovi padroni, e questi non
sono né i signori del Medioevo né i principi del Rinascimento. Certo
hanno moltissimo denaro. Ma nelle critiche francesi io coglievo un
filo di sciovinismo, difendo quell'articolo, la concorrenza... e Berlusconi *métèque* di genio, in Parigi».

Con Berlusconi a Palazzo Pitti

A Firenze, la sfida si era dispiegata in molti altri festeggiamenti, a
parte il colloquio. Un concerto in onore dei partecipanti durante la
cena a lume di candela in una villa secentesca fiorentina. E una colazione da privilegiati, che avvenne nel Museo degli Argenti, a Palazzo
Pitti. La gran cavalcata per raggiungere la sala da pranzo, con la tivù
in avanscoperta e Berlusconi dietro, caracollò attraverso la Galleria
degli Uffizi e il Corridoio vasariano. Officiava dovunque il bravo
Bogianckino, che dopo aver lasciato la direzione dell'Opéra di Parigi, come sindaco di Firenze, Capitale d'Europa, mi sembrava più triste e come rinsecchito. Berlusconi era la stella assoluta. Con garbo,
decise di lasciare attendere il suo aereo, per far colazione lì, negli Uffizi, con gli «europei». A passo di carica avevamo insieme percorso

la Galleria, preceduti dalle sue implacabili macchine televisive che filmavano ogni gesto di sua Emittenza Berlusconi, il quale guardava rapido con la coda dell'occhio i capolavori del mondo lì racchiusi, mentre signore diafane, abbandonando i bei modi, si spingevano con colpi di gomito in avanti, per farsi riprendere accanto al nostro Lorenzo il Magnifico. Vi dirò il mio parere: Berlusconi è una degna persona. Somiglia ad un cercatore d'oro, o a uno scopritore di giacimenti petroliferi. Il mondo è l'avventura. L'unico suo limite risiede nell'idea che la libertà umana e quella dell'intellettuale stiano nel poter cambiare canale seduti in poltrona, premendo un pulsante televisivo.

Poi, alla fine, arrivammo nella Villa Rasponi, dove ci attendeva il trio Matisse della Scuola musicale di Fiesole. Il pianista inforcò Beethoven, e si mise al galoppo con un allegro. Violino e violoncello seguivano servizievoli. Tutto sommato ai tavoli del banchetto nessuno sapeva cosa si stesse suonando poiché la perfezione del pianista impediva di concentrarsi su Beethoven, e la perfezione di Beethoven distoglieva l'attenzione dal pianista. Ma il trio raggiunse la meta nella sonata in re minore di Robert Schumann. Applausi degli intenditori. Applausi degli ignoranti. Applausi di quelli che aspettavano che la cena fosse infine servita. Applausi provocati da applausi. Applausi che nascevano da se stessi, che si accavallavano su se stessi, eccitanti, che evocavano se stessi e nessuno ormai poteva esimersi dall'applaudire, perché tutti applaudivano. Il trio fu richiamato tre volte. Le pietanze si raffreddavano. Era il trionfo per il Commissario, che indossava la sua grandezza come un frac. Nel tripudio che l'attendeva, si era messo una volitiva cravatta di un rosso cupo sfumante nell'amaranto. La moglie era vestita da Fata Turchina, tutta in veli d'oro, con damigelle lisce come giunchi e qualche miliardaria al suo seguito. La guardai, e rispose con ironia: «Non è tutt'oro quel che riluce». Sembrava lo slogan per l'Europa «in sfida».

La disfatta del pensiero

Malessere nella cultura. Perché la cultura è vita con il pensiero. Questa tesi, sostenuta in un bel libro (ne ho parlato nella seconda parte) di Alain Finkielkraut, da sei mesi best-seller filosofico in Francia con sessantamila copie vendute, senza passare per *Apostrophes* di Pivot (ovvero senza appoggio dei mass-media) ci ha dato modo di capire di che cosa è fatto questo malessere diffuso: si battezzano come culturali attività dove il pensiero non esiste affatto. Certo, nessuno tira oggi più fuori il revolver quando sente la parola «cultura», ma sempre più numerosi sono quelli che quando sentono la parola «pensiero» tirano fuori la *loro* cultura. Tutto si confonde: le recite e i gesti televisivi più piatti, i libercoli della mondanità valgono quanto le più grandi creazioni dello spirito. Come si è arrivati fin qui? Si abbozza una prima risposta, per l'onnipotenza dell'invasione del banale, dell'insignificante, del nulla, nella vita del pensiero. Ce n'è un'altra, di risposta, che mi preme segnalare, data nel libro di B. H. Lévy, *Elogio degli intellettuali*, che riaccredita l'idea di una civiltà occidentale da salvare. «Per lungo tempo» scrive Lévy «l'Occidente è stato colpevole. Ha vissuto se stesso come criminale. Per lungo tempo il fatto stesso di nascere occidentale era assimilato a un peccato. E noi non avevamo né il tempo di un'opera, né di tutta una vita per espiare il nostro peccato originale. Oggi le cose cambiano. E gli intellettuali, sbalorditi, cominciano a scoprire quali favolosi tesori per lungo tempo essi avevano ignorato... Pensare l'Occidente come cultura... come memoria... come fonte dei diritti dell'uomo... e pensare questo Occidente così come è concepito all'Est dell'Europa, come la più scintillante promessa di libertà».[5]

O l'Europa sarà culturale o non sarà. Dove si legge l'ultimo capitolo della storia sull'impossibile identità culturale comune

Mentre cala il sipario su Firenze, «capitale della cultura europea», esso si leva su Amsterdam, che le succede in questo ruolo, per l'anno di grazia l'87-88. Questo è il momento buono scelto dalle varie eurocrazie per affossare la Fondazione culturale di Parigi, tramite il vecchio senato olandese.

Il lettore che ha percorso l'affannato cammino di chi scrive, nella ricerca ben improbabile di un'identità o magari solo di una comunanza culturale tra i Dodici, avrà dato già per scontato il fallimento del progetto, abbozzato dieci anni prima, per coronare «l'Europa dei cittadini»: la Fondazione Europea di Parigi. Il lettore, addirittura, considererà ben ingenua la fiducia riposta da chi scrive nell'intesa culturale europea, e per certo stravaganti e ridicole le sue speranze. Infatti, perché tanta ironia e desolazione percorrono queste pagine che raccontano l'abisso culturale su cui sta seduta l'Europa, se poi i dodici Stati avessero davvero creato un centro culturale dinamico per le nuove generazioni?

Diamo la parola a François Mitterrand, allorché prese lui in mano l'*Europa dei cittadini*, nel 1982: «L'ora è venuta di sprigionare dall'Europa burocratica l'Europa dei cittadini... Gli Europei resteranno indifferenti alla loro Europa, finché questa resterà estranea alla vita quotidiana dei cittadini, oppure se ne interesserà ma solo nell'aspetto di costrizioni e di obblighi, dettati da un potere lontano e quasi astratto».

Chi potrebbe dir meglio? L'*Europa dei cittadini*, dagli accordi di Fontainebleau, si disegnava chiara, e nel cuore di essa si materializzava la spirale culturale. «Riavvicinare l'Europa agli Europei», continuava solennemente il Presidente francese, «dandogli il sentimento che un nuovo mondo si apre davanti a loro, forte e liberatore, dove avranno la loro parola da dire e dove il loro modo d'esistenza cambierà di dimensioni».

Quella Fondazione si delineava con i compiti di collegare le università tra loro, creare una comune storia d'Europa, operare per la conoscenza delle lingue europee, far viaggiare la gioventù tra paese e paese, reinventare i programmi audiovisivi in funzione della conoscenza reciproca, ecc. ecc. Tutto ciò era cominciato dieci anni prima, quando al potere c'erano Giscard d'Estaing e Chirac, e non *la gauche*.

I capi di Stato, in un certo giorno del '78, riuniti in uno dei loro inconcludenti conclavi, erano stati presi dal dubbio: non era il caso, tra tante barbabietole, vacche e porci, di offrire alla CEE un profilo un pochino più intellettuale, o culturale? Qualcuno aveva fatto notare che nei depositi c'erano immensi stoccaggi di cibo che si andavano avariando e che l'agricoltura si mangiava il bilancio. Quelle cifre impressionarono al punto che si rispolverò il rapporto del belga Tindemans sull'«Europa culturale» e i capi europei abbozzarono le linee del Trattato per la Fondazione in Parigi. Un discreto accordo, anche se sottomesso alla vecchia regola capestro della Comunità: o tutti dicono sì o si butta via il Trattato.

I provvidi governanti, a cominciare da quelli francesi, sembravano avvertire che la commedia dell'unità politica europea stava per finire agli occhi della gente; sapevano che non si può imbellettare *ab aeterno* una zona di libero scambio per darle il volto di un'Europa intelligente che pensava in europeo. Tutti loro sapevano, è ovvio, che tra Bruxelles e dintorni erano stati messi l'uno sull'altro migliaia di burocrati, in una piramide che uguagliava ormai l'altezza dell'Everest o del monte Bianco. Gli *Eurocrati*, come li chiamava De Gaulle, e di cui Braudel diceva: «Non si pretenderà mica che a Bruxelles ci mettano gente colta!». Gli *Eurocrati*, come ho spiegato, sono una piccola tribù a sé che si distingue dalle altre comunità umane anche perché parla una sua neolingua ferrosa detta «il comunitario»; e perché ha imparato a leggere cifre ma non libri; e a contare in Ecu e mai in aule universitarie, in vacche e mai in studenti. Tribù strana, sempre angosciata dall'egualitarismo culturale tra Stati e mai dai contenuti della cultura.

I provvidi governanti europei, a questo punto, volevano spodestare un pochino gli *Eurocrati*, ma a buon fine. Far esprimere il Trattato di Roma, che non parla di cultura, nel senso di creare una nuova Istituzione (la Fondazione già detta), quasi a correggere un vuoto troppo vistoso. Non era né uno schiaffo né un'opposizione agli *Uomini eurocratici*; anzi, assicuravano i paterni capi europei – Mitterrand, Andreotti, Craxi, Kohl, e poi Léotard, Chirac eccetera – era un modo di alleviare un tantino le fatiche di quelli, facendo qualcosa che, a conti fatti, non rientrava nelle loro competenze. Dopo quello storico Vertice, venne in fretta creato un «Comitato Preparatorio della Fondazione», e gli venne finanche assegnata una sede nel cuore del Marais parigino. Era un bugigattolo melanconico, sito nell'ala di servizio del bell'Hôtel de Coulanges, già appartenuto alla famiglia Sévigné, nella Rue des Francs-Bourgeois. Entrando nel cortile, si prendeva a sinistra, ci si inerpicava per le scalette fino al secondo piano, dove si aprivano due uffici con dentro un ciclostile e una sterminata pila di copie del Trattato, abitati da una cortese segretaria e un amministratore (sempre timorosi di perdere il posto...), e infine dal responsabile del Comitato Preparatorio in persona, un ex ambasciatore di Francia in Olanda, e ora in pensione. Capii, a occhio e croce, che l'Attività preparatoria consisteva in un maneggio di questo tipo: ogni tre mesi, l'Ambasciatore francese riuniva altri ambasciatori o diplomatici dei paesi membri, li riforniva di nuovi progetti e idee culturali a venire, che la solerte segretaria aveva già passato al ciclostile, per una generosa distribuzione. Lui li informava sulla lenta adesione degli Stati e, infine, tutti complimentandosi a vicenda per i progressi compiuti, andavano a colazione, ora nel Ristorante celebre per le ostriche, ora in quello famoso per gli arrosti. Un gruppo di gente lucida, a conti fatti, per cui la Fondazione si identificava giustamente per quello che era: l'occasione di un viaggio a Parigi (spesato dal Bilancio Comunitario, o dai governi) un buon pranzetto tra amici e qualche scappellata reciproca sul futuro della cultura europea.

Quando cominciai a occuparmi della Fondazione, la trovai in questo stato di onorevole ibernazione, come uno di quei «cadaveri squisiti» che in America restano imbalsamati per anni, dando l'impressione di viventi. Lì, nella Rue des Francs-Bourgeois, c'era il nostro Mausoleo, con dentro la Mummia della Cultura. Mi impressionò subito quella placca nera con scritto in oro il nome della Fondazione (e che ognuno può vedere ancora al n. 35 della strada parigina), come si usa per le lapidi funerarie. Ma tutti, giuro tutti – ambasciatori, ministri, commissari, responsabili di enti competenti – facevano finta che non fosse così, come convinti che dal bugigattolo grigio si sarebbe presto innalzato prepotente l'albero culturale, sfondando le mura dell'abbaino, verso il cielo di Parigi. Lavorai, testarda e malvista, per cercare di riportare in vita quell'infelice Istituzione gettata lì e poi dimenticata dai capi di Stato. Rappresentavo il governo italiano (presidenza Craxi 1984-87) in questo incarico, che potrebbe riassumersi nella frase biblica: «Svegliati e canta (o Fondazione...) tu che sei nella polvere». In verità Craxi e Andreotti ritenevano questa faccenda tanto secondaria quanto gli altri partners europei. Ma, quando li incontravo o scrivevo loro, sempre sembravano piuttosto interessati e di buon umore nel vedermi tessere con tanto impegno la rete del nulla, detta anche identità culturale dell'Europa. Solo Suni Agnelli, in uno slancio di amicizia, mi suggerì, come Simone Veil, di non perdere più il mio tempo in questa inutile impresa.

A quell'epoca, ero considerata dai poteri ufficiali come un'imperterrita seccatrice, che chiamava a raccolta gli intellettuali in un'opera tanto gloriosa quanto inesistente, come a Venezia e a Madrid. Per caso, dopo aver perduto con tristezza il mio studio della Rue Bonaparte e dopo la vana ricerca di un alloggio nel Quartiere Latino, ero finita nel Marais, – un quartiere ora alla moda, ma per me, come per altri parigini, com'è duro attraversare la Senna! – dove avevo trovato un appartamentino non lontano dalla Rue des Francs-Bourgeois. Così, per fortuite ragioni personali ero capitata lì, ma qualche diplomatico, come il mio amico Thierry de Beaucé, incontrandomi nel reticolo di strade attorno alla Fondazione dicevano: «Brava, fa bene a star qui, a vigilare. Basta affacciarsi alla finestra, e lei tiene d'occhio la Fondazione».

Incontrai qualche volta Mitterrand, che era il più vicino a quel gran progetto. Scrissi a tutti i capi di Stato. Parlavo a governanti e a ministri, qua e là per l'Europa, e quando non riuscivo a parlar loro inviavo messaggi dallo stile acceso (si tratta dell'orribile linguaggio della «passione europea») altrettanto numerosi delle lettere di Caterina da Siena, anche se privi di quei meriti letterari, e degli stessi grandiosi interlocutori.

Furono, a conti fatti, due anni stupendi, perché non è dato a tutti nella vita di lavorare intensamente a qualcosa di così intensamente inesistente. D'altronde, il primo gran personaggio della letteratura, Don Chisciotte, non era stato immortalato dalla sua inane furia verso i mulini a vento?

I nemici più irriducibili della Fondazione stavano, a quei tempi, nei palazzi dell'Eurocrazia europea, nascosti sotto slogan del tipo «È un problema di governi e non della Commissione», «Non è di nostra competenza». Invece guadagnavano tempo per studiare, finemente, il mezzo per porre fine a quel *colpo di testa* compiuto dai capi di Stato, dieci anni prima, con l'Europa dei cittadini. Avevano due solide ragioni: una, di potere (dopo l'Atto unico del Lussemburgo, la Commissione cercava di passare ai fatti e voleva «tutto il potere al suo soviet culturale»); l'altra, di soldi (la Commissione non voleva privarsi di un solo Ecu per quello stolido Trattato culturale di cui i Dodici volevano imporle per tre anni il finanziamento).

Intanto, malgrado tutto, i governi pian piano aderivano. Passò l'inverno, venne la primavera, l'estate e così via. Il vecchio ambasciatore mi telefonava ad ogni stagione, pieno di ottimismo, dal suo modesto ufficio-soffitta. Frasi incoraggianti del tipo: «Meno quattro, meno tre...». L'ultimo inverno era decisamente del tipo: «Ci siamo, mancano solo le ratifiche del Belgio e dell'Olanda, anzi solo dell'Olanda, perché il Belgio segue... È il Nord Europa che, come sa, marcia unito...». Al Quartiere Latino, o per telefono, i miei amici parigini mi accoglievano ormai con la frase rituale: «Come va, allora, per la Fondazione?». Erano piuttosto solidali, anche se sentivo l'ironia perché, a ragione, non capivano granché in quel groviglio tra Stati, Commissione, diplomatici, Comitato preparatorio, eccetera, e ancor meno perché vi tenessi tanto... «Virtù di Maria Antonietta», titolò comunque Bernard-Henri Lévy un suo articoletto per approvare quell'impegno.

Che si trattasse poi di un lavoro da acchiappanuvole me lo spiegò sul volgere a termine dell'anno, a Venezia, il professor Cesare Branca, oculato vicepresidente della Fondazione Cini. «Non si dia tanto da fare», mi esortò, «la Fondazione è un fantasma. Allorché rifiutavo di essere nominato nel futuro Consiglio della futura F., seppi la verità delle cose da Andreotti stesso, che mi sollecitò così: "Accetta, tanto la Fondazione non si farà mai!"».

Scrissi allora la mia centesima missiva a Giulio Andreotti, nostro Mazarino, per chiedergli spiegazioni del suo pessimismo. Lui lasciava cadere, ma la sua cerchia mi rassicurava che era una *boutade*, solo una *boutade*, perché «il ministro ama l'ironia». Craxi era invisibile da sempre, ma più che mai allora, mentre entrava in crisi il pentapartito. Mitterrand non lo disturbavo; da un anno non avevo più bussato alla porta della sua difficile «coabitazione», come una navigazione senza bussola, sul mare in tempesta. Felipe Gonzales era solidale, ma gli spagnoli potevano far poco in quanto il Trattato era opera dei Dieci.

Tutto si sciolse a fine maggio, e più esattamente nella serata del 18 maggio 1987, quando il Senato olandese votò contro l'adesione al Trattato (42 no contro 27 sì), affermando che quella Fondazione era «ingiustificata, inutile, superata» e poi loro ne possedevano già una, di Fondazione per la Cultura, ad Amsterdam; la stella culturale brillava al nord e non al sud d'Europa. Tra i 42 senatori notai che vi erano, compatti, i socialisti olandesi, che si facevano eredi della tradizione antieuropea di cui ho parlato in questo libro, all'epoca del dopoguerra, e, curiosamente, i liberali. In quanto ai 27 sì, le agenzie nordiche non ne riferivano gli argomenti e saremo in grado di conoscere quei positivi giudizi solo andando a leggere, in Olanda, i verbali in olandese, della storica seduta. Dalla Comunità, si erano affrettati a rendere noto il decesso. La legge comunitaria-capestro aveva ancora funzionato: senza l'accordo di uno diventavano minoranza i nove che avevano ratificato. Supernazionalismo di uno? Ipertrofia sciovinista di uno Stato protetto dalla regola comunitaria, di cui si dice che è la più democratica del mondo?

Allorché appresi la notizia, al termine di un'estenuante giornata su questo libro, mi accorsi di essere stranamente sollevata, come chi ha visto per troppo tempo straziarsi un malato per non preferirne la morte. E poi chiarezza era fatta: la coerenza di questo mio lungo ragionare sulla discrasia tra Europa e cultura si rafforzava con il dissolversi della Fondazione, quasi come una conclusione a questo testo. Meno amara di quel che può apparire...

In Italia nessuno mi domandò nulla, le elezioni infuriavano. Il Commissario alla Cultura, invece, poté infine pronunciare il suo magniloquente discorso funebre che conteneva il dolore per tanto decesso e al tempo stesso la volontà di raccogliere l'eredità dell'Estinta. Per l'occasione aveva messo la solita cravatta rosso amaranto di Firenze. L'indomani del voto, a L'Aja, si inaugurò solennemente il grande evento: Amsterdam, dopo Firenze, diventava la capitale della cultura europea. La Regina, il Principe consorte, la principessa Beatrice (che fra l'altro è l'Illuminata *patronne* della Fondazione di Amsterdam), il governo olandese al gran completo e tutti i dignitari comunitari mossero in gioioso corteo. La folla applaudiva. «La Fondazione è morta. Viva la cultura europea!», si udì commentare. I festeggiamenti restarono celebri. Il jet-set di tutta l'Europa mondana o cultural-politica si estasiò tra i canali e il superbo pranzo a lume di candela nel Museo di Amsterdam. Ascoltò concerti diretti dai più divini maestri, visitò esposizioni e udì conferenzieri illustri... E l'Europa dei cittadini?, chiederà il lettore. Grazie, sta bene, e circola perfino voce che si dica ancora: «O l'Europa sarà culturale, o non sarà». L'appuntamento è rinviato a Berlino, crocevia di ogni dramma e speranza europea – capitale d'Europa per il 1988.

Note

1 La politica agricola comune costa agli europei il 70 per cento del bilancio, un pozzo senza fondo che potrebbe prosciugare le risorse comunitarie da un giorno all'altro. Il Feoga (Fondo europeo d'orientamento e garanzia dell'agricoltura) opera per il sostegno totale dei mercati agricoli. Tutti i paesi, malgrado le loro lamentele, hanno tratto enormi vantaggi dalla politica agricola; questa, come Mitterrand ha detto «ha dato ai nostri paesi una capacità agroalimentare di potenza mondiale... La Francia» aggiungeva «non accetterà che la Comunità europea si distacchi dai principi ai quali essa deve di esistere, tanto più che tutti e ognuno hanno tratto immensi profitti dal patto iniziale. È vero soprattutto per i cereali». (F. Mitterrand, *Refléxions sur la politique étrangère*, Fayard, Paris 1986).
    Per comprendere le parole del presidente francese bisogna sapere che la Francia è il più grande produttore agricolo europeo nell'esportazione dei cereali. La legge vigente nella Comunità stipula che la CEE deve rimborsare ai paesi membri che esportano la differenza tra il prezzo di vendita e i prezzi mondiali e poiché i primi sono più elevati dei secondi, lo smercio dei prodotti agricoli all'estero si fa a detrimento della cassa comune.
2 Uno dei problemi della CEE è la truffa delle produzioni gonfiate per ottenere i contributi. Ancora recentemente («la Repubblica», 6 maggio 1987) c'è stato il caso di 800 produttori siciliani incriminati per la truffa del grano. Il magistrato ha accertato che per ottenere contributi dalla Comunità Economica Europea i produttori avevano presentato certificati catastali falsi, oppure avevano dichiarato un'estensione del terreno coltivato a grano superiore a quella reale.
3 Jean Monnet, *Mémoires*, Fayard, Paris 1986.
4 Alain Finkielkraut, *La défaite de la pensée. Essai*, Gallimard, Paris 1987.
5 Bernard-Henri Lévy, *Éloge des Intellectuels*, Grasset, Paris 1987.

Parte Quarta
IL CONTINENTE RITROVATO
INCONTRO CON KAROL WOJTYLA
L'EUROPA DALL'ATLANTICO AGLI URALI

I

VERSO CASTELGANDOLFO

Ho cercato la verità sull'Europa valicando molte *porte di bronzo*: quelle che si chiudono sul mistero dell'unità spirituale e culturale del Medioevo; quelle che nascondono la formazione dell'idea d'Europa nei secoli andati; ho forzato quelle che si levano all'Est dopo Yalta, per svelare la complessa domanda di Europa unita, che viene dall'Europa «vampirizzata». Ne ho poi attraversate altre, istituzionali, tecnocratiche, moderne. Da quelle della Sorbona, a quelle del Parlamento Europeo, a quelle che sbarrano i marmorei palazzi della Commissione di Bruxelles, o che si serrano misteriose dietro i vertici dei capi di stato europei, o che ci sbarrano la vista sulla rivendicazione inesausta ad Est dei diritti umani e della libertà spirituale. Sono giunta, dopo aver, bene o male, superato tanti sbarramenti, per cercare di far parlare l'Europa quasi naturalmente, alle ultime porte, a quelle del *Portone di bronzo*. È lì che ho infine bussato e, come il lettore vedrà, anche Wojtyla ha dato la sua risposta.

«Sua Santità non ha nulla in contrario ad incontrarla, domenica 19 luglio, dopo l'Angelus, lei sarà ricevuta a Castelgandolfo. Il Papa si intratterrà da solo con lei.» Così mi annunciò con tanta più calma voce quanto più la notizia era per me felice e sempre incerta, per telefono, un dignitario pontificio, ben un mese prima di quell'incontro che appariva al di fuori di ogni protocollo abituale. Mi vennero chiesti tutti i miei recapiti, indirizzi e telefoni, i miei eventuali spostamenti, per preannunciarmi possibili mutamenti per quell'appuntamento eccezionale.

(«Non è facile trovarla», soggiunse lieve il Monsignore...)

Da un anno, perseguivo il disegno un po' utopico di incontrare il Papa, mentre ponevo quasi la parola fine a questo libro sull'Europa, che ero andata scrivendo tra delusioni e speranze. Poi, *foto-choc*, su tutti i giornali del mondo (9 settembre 1986): Wojtyla aveva scelto il Monte Bianco, la vetta assoluta del mondo, sorta di simbolico centro geopolitico del nostro continente, per «spaziare con lo sguardo sui territori di diverse nazioni e per rinnovare il suo appello all'Europa». «Libération» aveva ironizzato: «Papa e Immacolata Concezione mentre vanno a spasso insieme sul Monte Bianco» per commentare la preghiera dell'Angelus, sotto la statua della Madonna sul Mont Chetif. Proprio da quel momento, invece, ne ero stata del tutto conquistata. Anche perché parlava quasi come uno di noi, tra fede e scetticismo, annunciando che occorreva ormai mettere fine «agli anacronismi e ai preconcetti, per riscoprire le ragioni dell'unità e ritrovare quei valori che hanno fatto grande la storia stessa d'Europa». Il vecchio continente si svegliasse: esso aveva un ruolo da svolgere nella vicenda umana del terzo millennio!...

Un gesto spettacolare, imprevedibile (qualcuno pensava a Mao che attraversava lo Yang-Tse-Kiang per proclamare la «rivoluzione culturale») in quel modo di invocare l'unità dell'Europa dal massiccio cristallino, a quattromilaottocento metri, nei suoi paramenti bianchi, contro il bianco abbagliante delle nevi eterne!

I più, tra quelli che conoscevo, e gli *esperti vaticani*, erano scettici sulla possibilità di un tale incontro: «Lei è matta, ma si immagini se il Papa riceverà mai una donna intellettuale in udienza privata; ci scommetto quel che vuole: non accadrà», mi avvisò a Parigi un giornalista famoso. E un'antropologa aggiungeva: «Wojtyla è misogino, retrogrado, disprezza le donne, è un uomo delle steppe. Ma non ha letto i suoi discorsi sull'aborto, sul divorzio? E ha già scordato che è un anticomunista? Il solo fatto che lei sia stata nel PCI, e che si sia tanto interessata alla Cina di Mao, lo farà entrare in *trance*». Al contrario di tante dotte previsioni catastrofiche, per una sorta di interiore volontà o convinzione, continuavo a prepararmi all'incontro, leggendo tutto quel che riguardava questo Papa. Con tanto più scrupolo da neofita, in quanto era la prima volta nella mia vita che mi interessassi ad un pontefice romano. Così da vicino, per lo meno. Mi ero andata studiando, col fervore delle esaminande, le sue decine di testi sull'Europa, belli e sconosciuti, che mi avevano aiutato a srotolare l'enigma della sua passione europea, e avevo annotato le Encicliche, le omelie, e i discorsi che aveva pronunciato a decine nel corso di questi anni, nei luoghi più diversi, da quelli pontificali come il Sinodo dei Vescovi alle Università, all'ONU, all'Unesco, alla CEE. Appresi dal colto Monsignore che mi aveva ricevuto nella Curia, che quei discorsi li scrive lui stesso, di proprio pugno, in polacco, molto spesso. Oppure ne fa la scaletta, che i collaboratori sviluppano, per poi tradurne gli argomenti nelle varie lingue. Wojtyla controlla talora le traduzioni, anche perché conosce e parla una decina di lingue. Tutto ciò mi dava l'idea che il Papa era un intellettuale, uso a quel tipo di lavoro che sanno fare solo i professori universitari. E Wojtyla aveva occupato la Cattedra di Morale nell'Università di Lublino, a trentasei anni.

In effetti, quei discorsi erano pieni di passione culturale oltre che religiosa, nello sforzo di ricongiungere Chiesa d'Oriente e Chiesa d'Occidente, dall'Atlantico agli Urali, riproponendo all'Europa di ritrovare le proprie radici come aveva fatto nel seducente discorso a San Giacomo di Compostela, evocando le parole di Goethe sull'«Europa che nasce dai pellegrinaggi». E poi mi sembrava proprio che, talora, quanto ero andata scrivendo coincidesse con quelle sue ammonizioni, fatte in pubblici discorsi a Bruxelles e a Strasburgo, perché l'Europa non fosse soltanto una costruzione economica, ma una costruzione culturale, dove soffiasse all'interno un nuovo spirito... Nell'era faraonica dei tecnocrati, nel trionfo della cibernetica e della futurologia dell'innesto, lui ricordava proprio lì, tra i mille grattacieli, che l'Europa aveva bisogno di Fede, e di fede in se stessa.

Così mi andavo convincendo, sempre più, che questa unità europea, iscritta nelle nostre gazzette e documenti ufficiali, aveva sotto la penna di Wojtyla una dimensione religiosa e un afflato spirituale che sgorgavano dal profondo della nostra storia e, da quelle radici comuni della cultura, su cui ho cercato di riflettere nelle due parti iniziali di questo libro. E questo Papa enigmatico mi poneva al tempo stesso davanti al quesito storico dei nostri tempi moderni: dopo le stragi, dopo il gulag, la distorsione e l'annientamento dei diritti dell'uomo, dopo il lungo tempo dell'ateismo di stato, dove si fermano le frontiere dell'Europa? Si tratta solo dell'Europa della nostra piccola e pingue Comunità, che scoppia di falso benessere e di bolso edonismo? O esse si allargano al continente intero, comprendendo i nostri fratelli separati dell'Est, i paesi dell'Europa «rubata» a Yalta? Il lettore ha trovato più volte questi interrogativi nel corso delle pagine che precedono, con le diverse risposte: da un lato, l'orgoglio di essere europei *solo noi*, europei dell'Occidente, e dall'altro il dubbio di chi sa come la nostra cultura si sia nutrita vivamente di quella russa, e di quella slava dei paesi del centro Europa, a loro volta matrici inalienabili del moderno pensiero creatore della civiltà europea. Era chiaro, interpretando il pensiero di Wojtyla, che tutta la nostra storia di europei sta oggi racchiusa esattamente in questo stesso quesito. E allora il grande scisma tra ragione e fede che ha caratterizzato il XVIII, XIX e XX secolo, si era andato ormai ricomponendo? I due poli, quello della fede e quello della ragione, non apparivano più due termini contrapposti, visto che il razionalismo è diventato tanto spesso mitologico e che la fede, invece, si è fatta spesso critica. In controluce, poi, c'era la storia drammatica delle rivoluzioni europee e della nostra planetaria esportazione di ideologie spesso fallite, dal 1789 al 1917, alle rivoluzioni e le guerre del Terzo Mondo, e a tanti grandiosi sollevamenti da noi mitizzati: miti rutilanti, poi «rientrati» nella piattitudine del nulla, o nell'autodistruzione compiutane dagli stessi artefici o dai loro eredi. Siamo in un'epoca di svolta. Più che di crisi, come sempre si dice. Anzi la risposta alla *crisi della cultura* che costella libri e saggi, era contenuta sobriamente nel discorso di Wojtyla più o meno in questi termini: la crisi della cultura sta nella sua assenza o perdita di rapporto con le fedi: la cultura è come un albero rinsecchito dall'assenza di una linfa spirituale. Niente altro che questo sarebbe la nostra crisi.

Certo, nessuno pensava a questa svolta, quando Wojtyla fu eletto, meno facilmente di quel che si dice, passando in verità attraverso la porta stretta, lasciata aperta dalla rivalità tra due grandi cardinali italiani, l'uno e l'altro «papabili». Ricordo che era il 16 ottobre 1978; io stavo a Montreal ad insegnare scienze politiche e filosofia in quella università. Il telefono squillò. Era uno scrittore francese da New York, a darmi l'annuncio, urlando la sua approvazione esaltata: «Evviva. Il Papa non è più italiano. Evento favoloso, la storia si ribalta. Il Papa è polacco». «Polacco?» Pausa d'interrogazione sul futuro, in una vicenda che cominciava appena. Dal punto di vista dell'equilibrio del pianeta, certo, qualcosa cambiava con un vescovo polacco alla testa del Vaticano; ma in che cosa? In che direzione? La nostra fantasia a quei tempi non era fertile (e nemmeno oggi; e ci vorrà un secolo e forse più per misurare, credo, la grande svolta di Roma eleggendo il primo Papa non italiano dopo mezzo millennio, e il primo slavo in assoluto).

Andavamo a tentoni, allora, e contavamo soprattutto le nostre cicatrici, i punti morti o raggelati delle grandi rivoluzioni perdute, l'origine dei traumi di parecchie generazioni. Poi, negli anni che seguirono quell'ottobre '78, ci abituammo ad attribuire valore non solo agli altri «due grandi» – quello che abita alla Casa Bianca e quello che sta a pigione al Cremlino – ma apprendemmo ad occuparci di un Papa che veniva dal freddo, Karol Wojtyla, già arcivescovo di Cracovia. Questi andava emergendo pian piano, come un seducente leader, non solo spirituale ma politico, nel nostro spazio planetario. I grandi erano morti: Churchill, Roosevelt, De Gaulle, Mao Zedong, e anche Che Guevara e anche Ho-Chi Min. L'unico grande del tempo nuovo, che era a occhio e croce rimasto – e proprio per questo privo di interlocutori della sua tempra nella mediocrità della leadership mondiale – diventava a poco a poco soltanto lui, il «Papa Polacco», come lo chiamano a Roma familiarmente nel popolino. Nella grande ricaduta della speranza sul trionfo assoluto della Ragione, dopo tanto snodarsi di tragedie e di violenze, il mondo trovava in questo apostolo itinerante, un personaggio capace di battersi senza spada e solo con la fede, per il rispetto dei diritti universali dell'uomo, e dell'Atto di Helsinki?

Adesso, curiosamente, ci siamo abituati ai sondaggi stupefacenti che conferiscono al «Papa Polacco» il più alto indice di gradimento della gente di tanti paesi diversi e di ceti sociali disparati. Vediamo dai teleschermi maremoti di folla che punteggiano i continenti. Tensione miracolosa di una parola che si dispiega, in dieci diverse favelle. Negli Stati Uniti, dove sui dollari c'è scritto «Confidiamo in Dio», dove il cattolico presidente Kennedy è stato assassinato, la Chiesa cresce, forse più che dovunque. Al tempo stesso, nella società consumistica (simboleggiata anche dai poster col Papa che suona la chitarra elettrica e col cappello texano), la Chiesa rischia di apparire «come un supermercato, dove la gente acquista quel che vuole».

Davanti al galoppo del consumo, alla ricchezza sterminata, Wojtyla, al cui seguito c'erano diciassettemila giornalisti, ha dedicato il proprio messaggio ai poveri, ai diseredati, ai non integrati, ai marginali. Qualche cosa di valido, nella sua mente, anche per l'Europa, contro il razzismo, l'emarginazione.

Il mito europeo, la modernità come Apocalisse, è descritto da Baudrillard, così: «Questa liberazione dei folli, nelle città, mi sembra un segno diverso della fine dei tempi, l'eliminazione dell'ultimo sigillo dell'Apocalisse... Tutto ciò testimonia che la morte ha trovato il suo domicilio ideale...» (*America*, 1986). Il confronto con l'America dell'iperrealismo – «né un sogno né una realtà ma una iperrealtà» ovvero la versione originale della civiltà mentre noi ne saremo la copia sottotitolata, – è stato meno drammatico di quel che si è scritto, in quanto Wojtyla ha capito benissimo e scelto di conseguenza. È possibile che la verità dell'America non possa apparire interamente che a qualcuno che è europeo fino in fondo, e magari polacco, e non solo «romano». Lui solo può trovare qui il simulacro perfetto, la modernità come meccanica infinita, e magari i giri a vuoto. Tutta questa società compresa la sua parte attiva e produttiva, tutta questa gente non corre davanti a sé perché ha perduto la formula per arrestarsi? Solo un europeo può comprendere tutto ciò.

Dopo il viaggio nelle città del potere, Boston, New York, Filadelfia, sceglierà l'America del Far West, degli indiani canadesi di Fort Simpson, dei peones, dei negri di New Orleans, degli emigrati. L'America povera per la trentaseiesima missione all'estero. Altari drizzati nei campus sterminati, o su terre fangose, appena riassestate e battute in fretta; dai grattacieli newyorkesi alle miserande *bidonvilles* sudamericane; ai bordi di foreste equatoriali o di lande gelide, terre lontane e leggendarie, e tra superstiti tribù di pellerossa e di lapponi, che stanno all'altro capo del pianeta, baciate come terre casalinghe da questo Papa.

Ad Assisi, Wojtyla si era mescolato, oltre che coi cristiani di ogni confessione, con musulmani e buddisti, indù, shintoisti, zoroastriani, sacerdoti della foresta africana: e al centro di tutti c'era lui che levava la sua preghiera universale per la pace. Un bellissimo proposito francescano, e un momento di magnificazione del Pontefice (anche, forse, se parte della Curia conservatrice non inghiottiva il rospo).

Lui seduce con la seduzione che erompe dai media, dove porta l'immagine più arcaica (o più vecchia del mondo) come la risposta più moderna alla pubblicità più scatenata dai nostri ritmi rock indiavolati. Sbalordimento dei sociologi... «Giovanni Paolo II», ha scritto Jean Baudrillard, «professionista dei media, del *look* evangelico e della turbo-predicazione, ha completamente sconvolto la scena apostolica.»[1]

E Alain Finkielkraut incalza: «...Quanto al Papa, lui sposta folle immense, al momento stesso in cui i migliori esperti diagnosticano la morte di Dio. Il successo di Giovanni Paolo II sta nel suo modo di essere, e non nella sostanza dei suoi propositi; scatenerebbero lo stesso entusiasmo se autorizzasse l'aborto o decidesse che non c'è obbligo per il celibato dei preti».[2] Non so se è esattamente così, ma quel che conta è la meraviglia intellettuale che accompagna la personalità di Wojtyla.

Eurovisioni, trasmissioni sponsorizzate dalle potenti catene televisive giapponesi, americane o inglesi, conferiscono ora ad ogni sua iniziativa un successo sconosciuto a qualunque predicazione. Anche l'iniziativa più teologica, come quella dell'apertura dell'Anno Mariano, è stata votata al successo internazionale, come il più grande spettacolo del mondo, in quanto Wojtyla non è mai ripetitivo, monotono. Più che un Papa appare un condottiero, un capitano coraggioso. Suscita passione ed odi deliranti. Se hanno tentato di ucciderlo, è perché un tale personaggio si presenta agli occhi di molti come un nemico pressoché invincibile; si confronta col futuro e fa progetti geopolitici per l'avvenire dell'Europa, dell'America, del Terzo Mondo, del pianeta, irradianti il suo carisma tanto più forte quanto più c'è la delusione per l'efficacia della modernità e della scienza.

Quando si afferma che è un «reazionario» che ha favorito Pinochet, stringendogli la mano in quel viaggio in Cile, si tira un frego su qualcos'altro: nello stadio di Santiago, recandosi a baciare le zolle dove era corso il sangue dei mille martiri della rivoluzione di Allende, è l'unico capo di stato che abbia avuto il coraggio di un tal gesto. E d'altronde lungo quei «viaggi deprecati», non è soprattutto a lui che si rivolgono, per la difesa dei diritti umani nell'America Latina, i nostri più rispettabili capi di governo europei?

L'altro scandalo, la visita di Stato di Kurt Waldheim in Vaticano. Malgrado la furia e lo sdegno che gli si sono scatenati contro, c'è anche chi ha pensato – e solo in futuro ne capiremo le pieghe e i perché storici – che il Vaticano è il luogo dove i *dossiers* sono tra i più completi e i meglio informati del mondo.... Così, la gente, per pura intuizione, deve pensarla allo stesso modo: che deve esserci una ragione che sfugge al calcolo dei politici, o alla debolezza interna ai sistemi politici e alle ideologie. E anche dopo l'accoglienza al «collaborazionista Waldheim», la gente ha risposto ad un sondaggio Doxa a Parigi, dove si erano levate le più furiose bordate anti-Wojtyla: «*È simpatico*», al 74,7 per cento; contro l'8,4 per cento che ha detto: «*È antipatico*». Anche questo ha un senso: i media, come la classe politica, non sono più del tutto credibili. La gente d'Europa rifiuta gli odî inestinguibili.

La finezza del leader politico (osservava, con me, il corrispondente di «Le Monde» a Roma), ha in Wojtyla tutta una gamma di dimensioni sottili e inattese. E mi spiega come gli americani dell'Ambasciata USA a Roma (le relazioni diplomatiche tra gli USA e la Santa Sede sono state formalizzate soltanto all'inizio del 1984) continuino ad interrogarsi su quel curioso gesto, venuto direttamente dal Papa, di lasciare lì vuote le sedie dei diplomatici accreditati in Vaticano che avevano rifiutato di presenziare alla cerimonia d'accoglienza del Presidente austriaco. D'abitudine, le sedie vengono tolte. Wojtyla invece aveva voluto che restassero lì, *chaises vides,* come si dice all'ONU, per sottolineare i vuoti della non-rappresentanza di un paese.

Quel che la gente approva è il rifiuto tenace di Wojtyla di farsi strumentalizzare da una classe politica (che d'altronde non è più credibile ai suoi stessi occhi), dal gioco dei poteri, dalle ragion di Stato, dalla prepotenza ideologica e politica. È vero che siamo in un periodo di discrasia tra popoli e poteri in Europa. Ma la gente che lo trova «simpatico» fiuta qualcosa di più: la contraddizione che c'è in quelli che un giorno sollecitano Wojtyla ad esercitare un ruolo spirituale-politico in certe zone «calde» del mondo (il Cile, l'Argentina, il Nicaragua, il Sudafrica razzista, e cento altre); e un altro giorno gli rimproverano come illegale qualunque espressione di simpatia – nemmeno sua, magari, ma dei Vescovi verso idee a loro più congeniali – all'interno dei nostri civilissimi paesi, dove la separazione tra Stato e Chiesa è sancita dal XVIII secolo. Fino a minacciare di voler rimettere in causa o di cancellare, come ha scritto «la Repubblica», il nuovo Concordato (1984) per via di una polemica, più enfatizzata che sentita, sull'ingerenza politica del Vaticano nella scuola. Ma che pensa la gente?

In conclusione, e sbagliando, lo vedono come un Papa buono per la difesa delle «cause umanitarie», e più precisamente quelle che sceglie l'Occidente, e che guarda caso non investono quasi mai il disprezzo per i diritti dell'uomo in Russia, e all'Est dell'Europa, ma il Terzo Mondo. Salvo a tappargli subito la bocca se parla – e nemmeno lui ma i Vescovi, ancora una volta – dell'insegnamento religioso nella scuola. Su questo tema, la «società civile» italiana si era espressa favorevolmente al 90 per cento, mentre la società politica (ignorando l'altra) ha rispolverato la vecchia *bagarre* tra Stato e Chiesa. Come non capire che il paese reale non faceva fiducia a quello legale? Tra droga, AIDS, assenza di valori, le famiglie rimettono a quest'ora di religione anche qualcuno dei compiti che non si sentono più capaci di assolvere nell'educazione dei figli.

C'è poi l'aspetto culturale, componente determinante, soprattutto in un paese come l'Italia, della formazione intellettuale. Il nostro *environnement*, ad ogni passo, è composto da piazze, chiese, monumenti, pitture, cui è impossibile dare un nome, senza preparazione religiosa. Ora ci imbattiamo in universitari che non possono qualificare, né distinguere in nessun modo le opere dell'immenso mondo dell'arte che ci circonda, perché vergognosamente digiuni, come ha scritto Massimo Cacciari, della loro stessa storia, perché amputati dalla conoscenza della storia del Cristianesimo.

Certo, Wojtyla ha una sorta di magia operativa che non ha bisogno di appelli particolari. Anche in Francia – allorché ho visto riversarsi su Parigi oltre un milione di persone (giugno '84), che riufiutavano l'abolizione della scuola privata (religiosa), aprendo una ferita che non si è più rimarginata nel potere socialista – non credo che nemmeno allora Wojtyla si fosse espresso in prima persona. Erano i suoi vescovi, i cardinali della Chiesa di Francia, ai quali il Papa aveva detto quelle due solite paroline, «vi sostengo, sono con voi». (Come farà a Piazza S. Pietro, al raduno dell'Azione Cattolica, nell'autunno '87).

Magari, se sono bene informata, allora lui si era limitato a invitare alla sua messa mattutina, che celebrò un'ora prima del solito, alle 5.30, mentre su Roma albeggiava appena, qualche leader politico francese, che l'aveva raggiunto in Vaticano. È quel che chiamo la sua magia operativa.

Craxi, che viene definito a sinistra e a destra un neoclericale per aver difeso il rispetto del Concordato sull'ora di religione, si è dimostrato soprattutto un politico accorto, che sa come vanno le cose nell'animo di un paese, e non intende ripetere gli errori dei socialisti francesi.

Ma, forse, c'è qualche cosa di più, che potrebbe accennare a una nuova collocazione anche in Europa: al di là delle reciproche convenienze di accettazione tra i laici e cattolici, tra Stato e Chiesa, nel rispetto delle varie forme giuridiche concordatarie e di convivenza, il socialismo potrebbe, partendo dall'Italia, ritrovare le radici originarie di un suo essere umanitario e tollerante, che cambierebbe la fisionomia dell'Europa, che fino ad ora ha ignorato la propria dimensione religiosa, per assumersi soltanto come dato economico. Non è una certezza. È una possibilità. Forse, una scommessa. Se viene vinta, avrò preceduto con queste riflessioni la rimessa in causa di un immobilismo paralizzante, per trovare altre strade.

Lui, certo, conserva, e difende i suoi dogmi, su cui tra l'altro poggia la legittimità del proprio potere di Papa. Lo si vorrebbe invece moderno come una femminista americana anni sessanta (aborto), spensierato come un gay di Los Angeles (omosessualità), allegro assertore di ogni stravagante accoppiamento sessuale e benevolo spettatore dello spericolato consumismo erotico (*hard-core* londinese) e perfino agnostico sull'educazione religiosa: tutte cose utili, certo, ai fini di sbullonare il trono di Pietro. Mentre non si chiederebbe (e infatti nessuno lo fa), ad Elisabetta II (dalla severa morale) di dinamitare quello dei Windsor e a re don Juan quello dei Borboni in Spagna, e a Reagan il seggio presidenziale statunitense. Da qui l'accusa: è un *conservatore*...

Mi andavo preparando all'incontro non solo rimuginando queste idee, ma confrontandole con i migliori conoscitori della vita vaticana (*vaticanologi*) e leggendo qualcuna delle tante biografie disseminate in tutta Europa sul Papa venuto dalle nevi d'Oriente. L'antico vescovo di Cracovia emergeva piano piano ai miei occhi sempre meno estraneo.

Era un uomo che aveva osato, da sacerdote, poi da vescovo, difendere la propria fede in un rapporto aspro con lo Stato polacco, sotto l'impero ateo di Mosca e il totalitarismo della dottrina ufficiale marxista-leninista. E, alla fine, mi pareva di conoscerlo più di quello che non accadesse ai giornalisti abituati alle consuetudini vaticane, cercandone le orme del percorso dentro la boscaglia di una storia i cui sentieri non mi erano sconosciuti.

L'incontro era imminente, allorché una nuova telefonata mi raggiunse dalla Curia, e lo stesso garbato dignitario stavolta mi diede un annuncio per nulla allegro. «Tutte le udienze sono state annullate per la prima domenica, all'inizio della vacanza in Castelgandolfo. Il comunicato, come può vedere, è stampato sull'"Osservatore Romano". Quindi anche l'incontro con lei, e me ne rammarico, è sospeso. Ma pur essendo depennata ogni udienza, forse riusciremo ancora a salvare questa.»

Poi vi furono, altalenanti fra loro, ora conferme e ora misteriose pause interlocutorie, come se quell'incontro vivesse sempre al limite dell'incerto possibile fino al giorno prima di quel 19 luglio, quando la solita voce calorosa, affermò pacatamente: «È dunque deciso, lei sarà ricevuta alle 12,15 dopo l'Angelus, a Castelgandolfo. Arrivi, se non le dispiace, alle 11,30». Ogni indicazione dava idea di cerimoniali rigorosi, orari esatti, suggeriti da una etichetta che è più antica e severa di quella che usa la corte di Elisabetta di Inghilterra, immagino, ma sempre sorretta ed ammantata da una sorta di educata premura, col riguardo che si usa per quelli che non conoscono le regole del loro gioco diplomatico.

La classe di un potere, nella mia esperienza di viaggiatrice, che spesso si è seduta sui gradini del trono di tanti governi e di tanti leaders, si distingue proprio da dettagli come questo. L'espressione «Principi della Chiesa», che da ragazza sentivo usare in casa mi pareva sempre più pertinente per gli alti dignitari della Curia, e perfino attuale in un mondo di falsi principi del potere, tra i leaders involgariti e sprezzanti, i giornalisti vocianti la loro arroganza, gli scrittori avidi e tronfi, i miliardari meschini... In effetti, a occhio e croce, in tutti quei lunghi e pedagogici contatti, non si mirava ad altro che a prepararmi ad un incontro, così fuori del consueto, e quelli che avevano portato avanti questo delicato rapporto, lo facevano da diplomatici eleganti e discreti, come difficilmente avevo conosciuto nella mia vita.

Così, al mattino del 19 luglio, chiamai un taxi per dirigermi verso il palazzo dei Papi, a Castelgandolfo.

Racconterò al lettore, magari ovviamente, che nelle ore che precedono l'incontro con un tale personaggio – che non è solo il capo della Chiesa cattolica ma che occupa per molti di noi, nella prospettiva storica dell'Europa, un posto chiave, e sul pianeta è uno dei pochissimi leader di cui una maggioranza dei nostri cinque miliardi di uomini conoscano almeno il nome «Papa» – si è guadagnati da un nervosismo crescente, una agitazione serpeggiante, una punta di panico, come quella che prende davanti all'inatteso, all'ignoto, per una super seduzione o super delusione, ambedue possibili. Si riscrivono le domande che non si faranno mai, si rileggono i discorsi e i testi delle Encicliche, si compera puntualmente l'«Osservatore romano» (che è un bel giornale stampato nei suoi antichi caratteri, coi suoi 115 mila esemplari al giorno e l'edizione settimanale in sei lingue, meno *brutto* di quel che vuole la sua fama laica e più cosmopolita di tanta stampa), si prevedono domande a risposte che non vi saranno mai, e così via. Infine si ascoltano gli ultimi consigli, quasi sempre superflui o sbagliati e che così vi spiazzano. Quel che peggiorava la tensione, poi, in quell'attesa, era il tempo inclemente. Il cielo di Roma si era ammantato da giorni e giorni di un lenzuolo sporco che filtrava una caligine immota, come una coperta imbottita o termoelettrica. A Roma si boccheggiava. Sua Santità invece rientrava appena dal viaggio tra i monti del Cadore, ossigenato, e a quel che sembra di buonumore. Tra gli avvertimenti più affettuosi ne ebbi uno preoccupante, anche se improntato a benevolenza: «Non si turbi», mi avvisò un interlocutore ben informato, «se il Papa sarà un po' brusco o lontano quando la riceverà. Non la guarderà che una sola volta, all'inizio e alla fine dell'udienza. Dopo il primo sguardo, girerà la testa altrove, si raccoglierà in se stesso, parlandole, ma come ripiegato nel suo pensiero, lontano da lei».

«Perché sono donna?» (Silenzio... forse.) «Perché provengo da lontani lidi ideologici?» (Silenzio... forse.) «Perché non riceve mai donne, studiose o scrittrici o politiche che siano?» (Silenzio... forse.) «Ma lei non si preoccupi, è il suo modo di fare.» «Ma con chi?» La frase non terminava. Ma mi sembrava di capire lo stesso.

Wojtyla dunque sembrava compiere uno di quei gesti anticonven-

zionali che rompono costrizioni e schemi che vengono imposti dall'e-
sterno, dai vari poteri. Ma più che colpi di scena, i suoi, sono quasi
sempre atti destinati a ribaltare le immagini prefabbricate, le consuetudini correnti, giudicando da solo, senza mentori. E forse c'è in lui
talora qualcosa di più: una risposta sottile al dolore o alla umiliazione degli individui che quest'Uomo sembra avvertire più di altri, forse
per la stessa storia che gli sta alle spalle, all'interno di una terra dominata dal comunismo di stato.

Contro le donne in Europa, così come in America, si va consuman-
do, dopo il femminismo, più di una raffinata vendetta: lo sappiamo
bene e lo constatiamo in Italia proprio in questo torno post-elettorale
con qualche vicenda allucinante come l'elezione di una porno-diva al
seggio parlamentare. Una beffa culturale oscena contro la donna, destinata ad avvalorare il silenzio sulla diserzione o la dimissione intellettuale femminile. Virginia Woolf vale quanto Brigitte Nielsen.
Anzi, meno. Madonna è meglio di Einstein. Se uno cita alla TV, poniamo, quella frase di Baltasar Gracián rivolta alle donne – «Un essere umano privo di istruzione è un mondo al buio» – si ride attorno
a noi imbarazzati, e si diventa antipatiche. La cultura, nella società
del «megashow», è una zavorra. Superflua. Bisogna imparare a valo-
rizzare soltanto quello che c'è sotto il vestito. Dico *solo* e non *anche*.

Giovanni Paolo II, dipinto come il misogino planetario, l'antifem-
minista d'urto, il feroce dogmatico della inferiorità della donna, è in
verità soprattutto un mistico che ha scelto la donna per antonomasia,
la Vergine Maria, quale archetipo assoluto della propria ispirazione
mistica e del proprio pontificato, tanto che nel suo stemma campeg-
gia la scritta: *Totus tuus*. Questa stessa invocazione mormorò, quando si riversò nel sangue, colpito dalle pallottole del suo assassino, in
Piazza San Pietro, in quel momento di verità assoluta che separa la
vita dalla morte. Culturalmente, egli compie una sorta di sintesi di
due millenni non solo di elaborazione teologica, ma di esaltazione da
parte dei poeti e degli artisti più eccelsi, di questa misteriosa ragazza,
che risponde al nome di Maria di Nazareth. Dante aveva sublimato
Beatrice che l'attendeva sulla porta del Paradiso, ma lui la lascerà poi
invocando Maria, «Vergine madre, figlia del tuo figlio», sintesi tra
le più geniali, che comprende purezza, rapporto d'unione particolare
con Dio, autocancellazione e trionfo imperituro di una donna, che
è madre e figlia nello stesso tempo. Un enigma su cui filosofi, teologi, psicanalisti ed antropologi si sono piegati. E se non c'è soluzione
al mistero, ciò avviene perché, forse, la risposta sta nell'inconscio di
ognuno: inconsapevolmente siamo affascinati da questo personaggio

di Donna. Come accadde a me, senza averlo programmato, quando la «vidi»; o ne ritrovai le tracce in Gerusalemme ed a Nazareth, ed intitolai il mio ultimo libro, «surdeterminata» anche da questa storia di donna, tra parto, Calvario e sublimazione, *Duemila anni di felicità*.

Da un punto di vista religioso, la Maria di Wojtyla, non è la Madonna pellegrina che sciamava in Italia negli anni cinquanta (quella che nei villaggi del Sud piangeva nelle parrocchie per chiedere ai contadini di votare Democrazia Cristiana) ma è la Vergine di Czestochowa, la nera Vergine polacca, oppure è quella Maria di Fatima, che parla, apparendo ai pastori, di strategia politica, di futurologia, quella che può mediare una sorta di intervento divino risolutore nelle grandi contraddizioni della storia: farsi intermediaria della Chiesa verso l'Est dell'Europa. Compito quasi politico che Wojtyla le ha confidato con l'ultima Enciclica che si intitola *Redemptoris Mater* e tutta rivolta al dialogo coi cristiani all'Est. E più che la ricerca del miracolo nel rivolgersi a questa Maria, vi è una domanda, un interrogativo angosciato, per ottenerne una formulazione di senso, di fronte al terzo millennio della cristianità. In quella drammaturgia che lo porterà a raccomandare ai fedeli nell'Angelus del 2 agosto '87: «È giusto e salutare pensare alla fine del mondo».

Questo Papa è di destra, è conservatore? Forse, ma che vuol dire? Conosco gente di destra e di sinistra, come suol dirsi, che trattano le donne come sottosviluppate nel cervello e ultrasviluppate in vari altri muscoli. Conosco politici di sinistra e di destra che dalle loro alte poltrone ministeriali rifiutano di trattare con le donne (magari del loro stesso partito), proprio perché formano una comunità tutta omosessuale, com'è quella politica. È un liquidatore del Concilio? È un restauratore? Uno che, addirittura, riprenderebbe i temi che furono propri della destra fascista, ripensati nel quadro di una società tecnologica? Al contrario, a me pare che ogni razzismo, ogni nuova destra all'assalto (si veda Le Pen in Francia) si troverà invece la strada sbarrata dalla Chiesa, e proprio da un pontificato che detesta il fascismo e il totalitarismo, come questo. A tale conclusione ero arrivata insieme a Jean Le Clerc, in una conversazione romana che precedeva l'incontro.

Via, la faccio finita. Ho una sola conclusione da trarre per chi legge: questo stupefacente atto di Wojtyla non era soltanto un segno di gentilezza, di buona disposizione verso di me, ma verso Una tra Molte. Sentivo che, oltre ad essere identificata con quel nome e cognome e quella storia politica, intellettuale e personale, sgorgavo dritta da un tempo di rivolta femminea per la conquista della dignità e di un ruolo, nel terribile universo maschile delle idee e della politica (a sinistra, a destra...).

Rimuginavo tutte queste considerazioni, mentre il taxi mi portava verso Castelgandolfo. «Dove?» aveva chiesto il taxista mettendo in moto. «Alla residenza del Papa.» L'autista romano si era avviato per rispetto verso quella meta un po' meno strascicone del solito. Dopo venti minuti di percorso, eccomi giungere a un non preordinato incontro, davanti a quel punto della strada, là dove c'è quella biforcazione che indica a destra, Castelgandolfo, e, a sinistra, la località Frattocchie. Cortocircuito.

Qui alle Frattocchie sorgeva (e sorge) la scuola quadri del PCI dove mi avevano spedito negli anni cinquanta (soldi spesi male, ad occhio e croce) per studiare il marxismo leninismo e diventare una «brava militante rivoluzionaria», un'*intellettuale organica*. Ricordavo quel giardino della scuola, da cui vedevamo levarsi sul profilo delle colline avanti a noi, la massa bianca e silenziosa del Palazzo di vacanza dei Papi, che era nelle sue lontane origini la villa di Domiziano e del «Calvo Nerone», che vi si faceva portare pigramente a passeggio, e per non sobbalzare al rumore dei remi, veniva trainato a distanza da un'altra nave. Poi era passata, per breve tempo, a Lucrezia Borgia, ed infine era stata acquistata dai Barberini...[3]

Nell'epoca del dopoguerra, il generalissimo Stalin, col petto rigonfio di medaglie, chiedeva brutale e provocatorio: «Ma quante divisioni ha il Papa?». La sarcastica sfida aveva fatto il giro del mondo, tutti avevano riso della frase guerriera; ed anche nella nostra «scuola di partito» essa risuonava come una beffa ingegnosa, una *boutade* irresistibile per riproporre il rapporto di forze bellico come l'unico rapporto risolutivo nel mondo. E dell'infelice Trockij, fatto assassinare da Stalin, pur nella censura totale, si lasciava passare quella definizione al vetriolo: «Il Papa? Il Superdruido di Roma.»

Era epoca di guerra fredda, di furia sanfedista da una parte e dall'altra. Lassù, in quei nostri anni, c'era Pio XII in vacanza, attorniato a Roma dai suoi Comitati Civici e dagli integralisti dell'Azione Cattolica, mentre un po' più sotto, sulle pendici che digradavano verso la capitale, c'eravamo noi ragazzi che studiavamo il marxismo materialista che intendeva il pensiero come irreversibilmente ateo, e dove facevamo indigestioni di *totalitarismo indiretto*. Malgrado il voto favorevole di Togliatti all'articolo 7, noi imparavamo le prime doppiezze, e gli altri le prime intolleranze.

E che la religione, ogni religione, non rappresentasse per l'uomo altro che un fattore alienante (il marxiano «oppio dei popoli»): anche questo c'era stato inculcato. Mi veniva in mente d'aver letto, pochi giorni prima, l'estratto di un discorso di Wojtyla all'episcopato polacco, nel corso della sua ultima visita in Polonia, e che ora, tanti anni dopo, mi sembrava quasi una risposta a quell'ingordigia e quella bulimia di ateismo scervellato del passato. Nel discorso ai Vescovi del 14 giugno 1987, Wojtyla diceva : «Il secolo ventesimo è divenuto il tempo di una nuova sfida... contenuta nel marxismo dialettico, che qualifica ogni religione come un fattore alienante per l'uomo... che lo priva della pienezza della sua umanità, la Chiesa ha accettato la sfida...» Una sfida che poteva essere distruttiva, ma in verità è stata costruttiva in quanto «svela pienamente l'uomo all'uomo e gli rivela la sua altissima vocazione». E questa sfida la sta vincendo, penso, senza le invincibili armate che evocava il Generalissimo. Lo stalinismo, regista testardo del film che voleva masse atee e laboriosamente costruttrici del nuovo mondo, non avrebbe immaginato, nemmeno in un *cauchemar*, queste folle dalle mani nude che, a perdita d'occhio, si uniscono attorno ad un Papa dalle mani nude, anche quando riesce a varcare, come in Polonia, i confini dell'Est, dove è stata inalberata la bandiera ufficiale dell'ateismo.

Il dialogo tra ragione e fede, come ormai si dice comunemente tra gli intellettuali europei, mai interrotto in verità, ha ripreso vigore nel mondo, sospinto da quel vento ideologico che soffia dal pontificato di Wojtyla. Fede e scienza devono trovare un punto di interazione. E, forse, è per tale volontà che questo Papa è il primo che abbia osato riabilitare Galileo, un anno dopo la sua elezione, il 10 novembre 1979, in occasione della sessione plenaria della Pontificia Accademia delle Scienze. Lui formulava il voto che «tra scienza e religione, i teologi, gli uomini di scienza, gli storici... approfondissero l'esame del caso Galileo, e riconoscessero lealmente... che occorre superare la diffidenza che questo caso suscitò in molti spiriti, a scapito della collaborazione tra scienza e fede». Gli abbagli sono stati riconosciuti. Come affermava Galileo, la Bibbia insegna come andare in Cielo, e non come si muovono i cieli.

In quanto al suo «umanesimo integrale», esso ripropone l'uomo nella pienezza della sua umanità, col rispetto dei suoi inalienabili diritti, con la propria libertà di fede, l'uguaglianza, la fraternità (parole che hanno una matrice antica nella tumultuosa storia dei nostri tempi). Indirettamente questa concezione fa centro su quello che è il punto di crisi del pensiero occidentale. Infatti, dopo tanta negazione

344 Di là dalle porte di bronzo

dell'uomo e del soggetto, e tanto «anti-umanesimo teorico» (e pratico) e tanto disprezzo per l'individuo cui si contrapponeva la purezza e il ruolo di anonime *masse* che fanno la storia (di cui si è letto in questo libro), attraverso le tesi dei diligenti filosofi e pensatori marxisti nel dopoguerra, Wojtyla ha riproposto uno dei principi mai logorati del cristianesimo: l'umanesimo dei diritti dell'uomo come punto centrale della dottrina e dell'azione cristiana. La stessa dimensione fondamentale delle libertà dell'uomo, riconosciuta negli Accordi di Helsinki, su una Europa spaccata in due a Yalta e atrofizzata in due blocchi ostili, che parevano inconciliabili e sull'orlo di una guerra latente, e che pur tuttavia vanno comunicando sempre più fra di loro, hanno ritrovato un vigore inusitato grazie a questa convergenza tra protocolli politici siglati dai grandi Stati del mondo, e un'autorità spirituale come quella della Chiesa. Wojtyla parla in nome di una strategia planetaria, la cui dimensione fondamentale sta «nell'uomo, nella sua integrità, in un uomo che vive nel medesimo tempo la sfera dei valori materiali e quella dei valori spirituali», come mi dirà nell'incontro di Castelgandolfo. Quando egli si espresse la prima volta a questo modo, all'Unesco a Parigi, fu lì che innescò la prima bomba a orologeria, contro il cosiddetto «libero pensiero» negatore di ogni spiritualità o religiosità nell'uomo.

Ma in fondo vi è sempre più razionalità nella critica religiosa dei limiti della ragione, che non nella ragione stessa, almeno a partire da Pascal nel cui pensiero la religione diventa più razionale del razionalismo stesso. Mentre gli atei assoluti, nel volgere di questi anni, appaiono sempre di più, loro, come i veri bigotti, e non è illogico. Perché la matrice di ogni fideismo cieco è identica.

Nuovo flash, che mi balugina da ricordi diversi, subito dopo aver attraversato la località Frattocchie. È il 1979, l'anno successivo a quello in cui Wojtyla è stato eletto Papa. Rammento una riunione politica avvenuta lì sotto, sempre dalle parti di Castelgandolfo: era un incontro di radicali, in un Hôtel, quasi ai margini di quell'antico giardino d'ulivi della scuola, ormai dalle mura un po' sbrecciate, che si ergeva lì a fianco. Guardando a sera verso la silenziosa dimora papale, un deputato radicale per nulla ignoto, mi soffiò nell'orecchio: «È il Papa più pericoloso che la storia abbia mai conosciuto». Nel laicismo furibondo, vi possono essere nuovi paraocchi fideistici. Estraggo dal mio quadernetto di appunti qualche frase che ho trascritto da un libro di testo francese per le scuole medie, che un ragazzetto parigino di dieci anni leggeva sull'aereo Air France, che percorreva il tratto Parigi-Roma. Una frase dice: «Lo sapevi? l'URSS è cinquanta milioni di volte più grande della città del Vaticano. Se l'URSS fosse un terreno di football la città del Vaticano avrebbe la dimensione di un quarto di francobollo». E poi, sotto la domanda: «Quali sono i paesi meno abitati del mondo?», la risposta era: «La città del Vaticano, con 738 abitanti».[4] Il Vaticano? 44 ettari. È il Bois de Boulogne. In altra forma, era la vecchia solfa del georgiano: «Quanti eserciti? Quanti abitanti? Quanti chilometri quadrati di territorio terrestre? Quanti missili?» e magari: «Quante atomiche?».

L'intelligenza di Sandro Pertini, Presidente, era stata invece quella di aver capito, pur da laico, che la forza di un Papa, in generale, non si misura in parametri materiali, in chilometri quadrati di territorio, in possanza di partiti politici e voti elettorali – e soprattutto che, con Wojtyla, il Vangelo tornava a essere un *text-book*, che contiene i principi stessi della fraternità, anche socialista se si vuole estremizzare, dell'eguaglianza fra gli uomini, e che un nuovo tempo incombe mentre il mondo si avvia a scavalcare il Duemila.

Questo Papa non mi era sconosciuto. L'avevo incontrato con le *Madres* argentine della Plaza de Majo nel giugno 1984, in una pubblica udienza in Piazza San Pietro, che avevo io stessa sollecitato dopo aver compiuto un viaggio drammatico a Buenos Aires alla ricerca dei *desaparecidos*. Ed ora le due madri argentine, accompagnate da me, arrivavano dritte nel cuore di Roma, giustamente polemiche contro l'atteggiamento ambiguo dell'episcopato argentino verso la giunta dei generali assassini. «Sono una cattolica,» disse una delle madri, «che aveva visto scomparire due figli, ma abbandonerò la Chiesa se a Buenos Aires i Vescovi continueranno a stare dalla parte della dittatura». Giovanni Paolo davanti all'*altolà* esasperato della madre cattolica, non si irritò, non la richiamò all'obbedienza, anzi vidi nei suoi occhi una sorpresa, un dolore, più che una scintilla di biasimo. Anche se non sconfessò affatto il suo clero argentino, rassicurò le due donne che si sarebbe informato subito. Sotto la canicola del luglio su Piazza San Pietro, lui chinava la testa, porgendo l'orecchio al veemente intervento delle *Madres*, promettendo loro di fare qualcosa, e al tempo stesso volgendo lo sguardo lontano. Mi apparve, lì, un uomo di grande pietà personale ma anche un fine politico, che voleva rassicurare senza promettere troppo, sensibile alla tragedia di quelle donne, ma al tempo stesso vigilante, come in guardia.

In quella piazza incendiata da 40 gradi di sole – mentre lui percorreva a passo di carica le autorità lì schierate, sedute su tante sedioline, come quelle che si allineano sulla platea di un teatro all'aperto, dicendo una parolina a ognuno e stringendo rapido le mani – egli non m'aveva fatto che una impressione simpatica, soprattutto quella del politico accorto, ma non ne avvertivo quella tensione interiore, che si propaga di colpo, quasi un corto circuito, nella solitudine di un incontro, soli di fronte a Wojtyla. Come sarebbe avvenuto tra poco. Rivedo il nostro gruppo di allora, che il fotografo ufficiale del Vaticano ci spedì puntualmente dalla Santa Sede: io rido disinvolta verso il vescovo di Roma che ricambia cordiale le nostre strette di mano. Per me, era una foto-ricordo: momento della lotta per i diritti delle donne argentine, e così l'avevo portata a Parigi e messa, visibile, sul caminetto del soggiorno. Finché, un giorno, venne a trovarmi un professore dello Zaïre, che dopo averla guardata perplesso più volte, alla fine non potette fare a meno di esclamare: «Certo, fa una tale impressione vedere lei col Papa... due mondi, due universi opposti: non si capisce come loro si siano potuti incontrare...» Questo stupore curioso accompagnerà con diversa veemenza il mio incontro d'oggi, ma gli interrogativi saranno mutati in perfidie, o si attribuirà ad ogni annotazione il colore della drammaturgia femminile, venata dal solito romanticismo. Conto non sulla generosità degli uomini, ma forse su quella delle donne. E tra queste (può apparire un paradosso) su quelle che si continuano a definire «femministe», e che mi appaiono in questa fase della storia le figure più drammatiche.

André Glucksmann, che era stato invitato da Giovanni Paolo II a Parigi nel corso del viaggio dell'83, insieme ad un gruppo di «nuovi filosofi», mi aveva confidato di essere stato così intimidito ed emozionato per la forza che emanava da quella personalità, da non essere quasi riuscito a parlare. «Sarà perché sei francese,» gli rispondevo disinvolta. «Per noi, a Roma, il Papa è uno di casa... dietro cui emergono le immagini delle nostre bisavole...». Lui si meravigliava di quella scioltezza di modi. Ma il mio era per certo, a quell'epoca, un giudizio epidermico.

Ritrovando gli intellettuali parigini, in questi flashes prodotti dalla mia eccitazione mentale, che incrocia i ricordi alla velocità del lampo, confesso a me stessa, nel percorso verso Castelgandolfo, che è a Parigi più che a Roma che mi erano giunte le prime informazioni e interpretazioni sulla personalità di Wojtyla e sulla portata della riabilitazione di Galileo. Alcuni intellettuali parigini parlavano dell'aspetto più ignorato, quello della sua dimensione culturale. È invece tipico di certi intellettuali italiani sottovalutarla. Da noi, quel poco che si sa è questo: Rita Levi Montalcini è membro della Pontificia Accademia delle Scienze; Umberto Eco ha ricevuto la laurea *honoris causa*, conferitagli a Roma nell'87, dalla Loyola University di Chicago; Benedetti Michelangeli esegue i suoi concerti in Italia solo nell'Auditorium Nervi nella Città del Vaticano. «È un provinciale», l'ha definito invece Moravia in un'intervista al «Matin». Il perché è spiegato in giorni recenti da Giorgio Bocca, in un articolo del tutto insolito e problematico: «La guerra [di Wojtyla] ha una sua storica grandezza... Purtroppo l'Italia e la sua informazione non sono il luogo e il mezzo più adatto per seguirne lo svolgimento e prevederne l'esito. Il trionfalismo o il servilismo papista dominano sovrani i media. Dopotutto Wojtyla è l'unico vero re d'Italia.»[5]

Adesso qualche orgoglioso scrittore – star dei media parigini – lo compara a Giulio II, protettore di Bramante, Michelangelo, Raffaello. Anzi, ascoltandoli più volte, mi era tornato alla mente quel ritratto del Papa rinascimentale, dipinto da Raffaello (non quello degli Uffizi, ma l'altro che sta nei Musei vaticani) dal profilo guerriero, le mani eleganti giunte in preghiera, e l'occhio che fissa Dio senza paura. E come un Papa rinascimentale, Wojtyla ha ora ospitato in piena estate, qui a Castelgandolfo, un convegno interdisciplinare di scienziati di varie fedi: universitari cattolici, ebrei, protestanti, atei, fra cui qualche premio Nobel, che esponevano dotte relazioni sull'«Europa e le sue conseguenze».[6] Lui se ne stava seduto in un angolo del bel Salone degli Svizzeri, dietro un piccolo banco, un po' defilato rispetto alla tavolata quadrangolare di uomini illustri, il capo appoggiato alla mano, una fila di libri davanti insieme a qualche disordinato foglio di appunti. Ascoltava attento ma non dominatore, non da *Maître à penser*. La reazione diffusa è che, forse, soltanto prima della Riforma, in pieno Umanesimo, un Papa ospitava gli artisti e dialogava con loro – anche durante le pause per il caffè e la colazione, o le passeggiate in giardino – mentre quelli andavano esprimendo le inquietudini e le filosofie che agitano l'uomo contemporaneo. La definizione del molto intellettuale cardinale di Parigi, Jean Marie Lustiger, mi sembra puntuale.

Lustiger, riferendosi a questi confronti, spiega che c'è oggi «un deliberato ingresso della cultura moderna nel pensiero cristiano, e che Giovanni Paolo II desidera essere al corrente delle grandi questioni filosofiche e scientifiche del nostro tempo». «Tutta una cultura universitaria,» continua il Cardinale, la cui autorità intellettuale è indiscussa a Parigi, «sottintende alla sua riflessione. Abbiamo un Papa che ha letto nei testi i più grandi autori moderni. Questa modernità non è libresca, ma riposa essenzialmente sull'esperienza di una Chiesa che si è scontrata con i grandi imperi ideologici, col fantastico tentativo prometeico di dominio dell'uomo sulla vita sociale: il marxismo. Un Papa venuto da una Chiesa successivamente stritolata dalla guerra, perseguitata dal nazismo, che ha dovuto battersi per mantenere la sua identità nazionale e che dal '44 resiste in uno scontro quotidiano... Ecco un'esperienza di modernità che non ha nessun altro Paese occidentale. Giovanni Paolo II è sicuramente oggi "il più moderno degli europei", per riprendere la formula che Apollinaire applicava a Pio X.»[7]

Ma questo Wojtyla, che ha l'ironia slava di Kundera, nota, in quello stesso convegno, la stranezza della propria presenza: «È un fatto curioso che il Papa sia presente alla vostra discussione. Eppure anche questo fa parte della missione di Pietro. Non è possibile dire quanto sia importante per me sapere che cosa è l'Europa, che cosa era e che cosa ne è derivato. [Anche se] San Pietro, agli inizi del Cristianesimo a Roma, duemila anni fa, non poteva certo immaginare questo genere di attività da parte dei suoi successori». Si sottintende: eppure, eccomi qui, non ho esitato un minuto.[8]

Nel suo interrogare gli uomini di scienza e di sapere si avverte la sua ricerca di una risposta di fronte ad un panorama della Chiesa completamente mutato. Alcuni suoi predecessori pensavano di agire in un mondo che perdeva la fede, da riconquistare alla Chiesa, e si chiedevano se erano degni di quella immensa missione. Wojtyla appare come un capitano coraggioso, sicuro del ruolo che gli è stato affidato. Ma lui si trova al centro della più grande svolta vissuta dalla Chiesa: il mondo riacquista la fede, anche nel riflusso delle teorie basate sull'ateismo, e assorbe tutte le religioni, la musulmana, l'ortodossa, la protestante, l'ebraica, in maniera caotica, tumultuosa. Ma allorché cerca l'innesto tra fede e scienza, tra fede e magia tecnologica, tra fede e opzioni omosessuali, tra fede e manipolazione genetica, tra fede e lotta contro le nuove epidemie (AIDS), non si rivolge certo a Khomeini, ma soprattutto a Wojtyla, alla religione che loro appare non solo più umana ma più moderna, quella cattolica di Roma.

Avevo già scritto queste frasi, per pura intuizione, allorchè ne ho trovato casualmente conferma nella riflessione del fisico John Polkinghorne, professore di fisica-matematica all'Università di Cambridge: «Sarebbe disonesto sostenere che nella mia scelta di essere cristiano non abbia pesato il fatto di essere nato in Inghilterra: sarei con tutta probabilità musulmano se avessi visto la luce, poniamo, in Pakistan. Ma se c'è del vero in tutte le religioni, non mi pare che vadano messe tutte sullo stesso piano... Il Dio cristiano, che è ragione e amore, è miglior garante della realtà del mondo e del

suo essere governato da leggi: leggi che riusciamo a comprendere».[9]
In America, (riprendo di nuovo qui la mia riflessione) ha potuto confrontarsi con le frontiere più avanzate di una società che ci precede spesso nella spericolata corsa di cui ho detto per esplorare il nuovo, e anche nell'esplosione dei drammi e delle rivolte. Si è imbattuto in quella democrazia diffusa, capillare, individuale, per cui un Papa può essere interrogato a tu per tu, come un presidente americano. E ogni individuo, anche il piu semplice, può sollevare un problema individuale, col diritto acquisito alla risposta, mentre giornali e televisione non fanno mistero di nulla di quel che si dice o accade anche attorno a un Papa. Anzi, soprattutto. Quando, andandosene, Wojtyla ha esclamato: «America bellissima», nel suo vocativo c'era la voce dell'uomo moderno, in un Paese dove, anche se le vocazioni diminuiscono, i cattolici aumentano, fino ad arrivare a 53 milioni.

Ognuno è solo. Ma Wojtyla sembra più solo di tutti nel decidere davanti all'orizzonte di una Chiesa tanto più in crescita quanto più i suoi figli sono oggi anche i preti guerriglieri della «teologia della liberazione», i sacerdoti dissidenti dalle scelte teologiche, i preti che chiedono di sposarsi, e le suore che sollecitano il diritto al sacerdozio. Penso a suor Teresa Kane, attivista Woc, che gli ha detto in America: «Molte donne soffrono per l'esclusione dal sacerdozio», facendo gran scandalo sulla stampa mondiale. Ma Wojtyla non ha battuto ciglio. Ha teso con un gesto benedicente la mano sul capo di questa suor Teresa che gli si era inginocchiata davanti e l'ha rialzata con una particolare tenerezza.

Nel taxi giallo entravano sbuffi di aria come le fiamme di un camino acceso, e mentre il taxista romano mi rassicurava che a Castelgandolfo c'era «l'aria fina», perché è lì che i Papi vanno a villeggiare, io mi interrogavo su quale tra le due personalità di Wojtyla – il politico o il profeta – mi sarei imbattuta. Col leader abile che tiene testa ai russi, e sembra loro aggirarsi notte e giorno con la sua ombra alle frontiere dell'*Est proibito*, parlando di rispetto dei diritti e di uguaglianza degli uomini, e solo per questo seminando il panico al Cremlino? O mi sarebbe apparso sotto quel carisma di cui tanto si parla e che mi era sconosciuto, una sorta di forza interiore irresistibile? D'altronde, nessuno sa mai chi decide delle nostre emozioni, così come delle nostre parole.

Note

1 J. Baudrillard, *La sinistra divina*, trad. it., Feltrinelli, Milano 1984.

2 A. Finkielkraut, *La défaite de la pensée*, NRF, 1987.

3 Su Castelgandolfo, cfr. E. Bonomelli, *I Papi in campagna*, Gherardo Casini ed., Roma 1953.

4 Da *Encyclopedie en Images* - Géographie et Atlas - Editions du Pélican, Paris 1985.

5 Giorgio Bocca, *La Grande illusione del Papa polacco*, «Repubblica», 19 settembre 1987.

6 È il terzo incontro di «Filosofia del dialogo» di Giovanni Paolo II con gli intellettuali. Due anni fa il Papa aveva dibattuto con gli scienziati, tra cui Carl Friedrich von Weizsacker, il progetto di un Concilio delle Chiese cristiane da cui, a quanto sembra, ebbe ispirazione per convocare l'incontro di Assisi.

7 Jean-Marie Lustiger, *Osez croire, osez vivre*, Le Centurion, Paris 1985.

8 E conclude con un gesto umanista, l'impegno a creare un'*Accademia delle scienze umane*, che avrebbe come impegno culturale l'indagine nelle scienze umane, nell'antropologia. La porta viene dischiusa così ai letterati, agli scrittori, ai romanzieri, ai sociologi.

9 John Polkinghorne, *Scienza e fede*, prefazione di Giulio Giorello, Mondadori, Milano 1986.

II

LA FINESTRA SUL CORTILE

L'autista mi risveglia dalle mie meditazioni, quasi incuriosito dalla mia visibile tensione, e mi avvisa col tono familiare: «Signò, è quasi arrivata al palazzo del Papa. Vuole salire fino alla piazza?». Dico sì, e lui: «Ma è meglio che resti giù... guarda che folla!» commenta. Famiglie romane in gita ai Castelli, turisti italiani e stranieri vanno ad ascoltare il primo Angelus dell'estate papale a Castelgandolfo. Miscuglio di lingue. Sudamericani, cileni, argentini. E poi molti polacchi. Col mio salvacondotto della Prefettura Pontificia, dopo essermi messa in fila con la folla dietro le transenne, (il servizio di vigilanza controlla il contenuto di ogni borsa) giungo al solenne portone d'accesso alla villa, dove le Guardie Svizzere d'onore, con quei rutilanti costumi che Michelangelo disegnò, montano la guardia. Mi accoglie il Prefetto della Casa Pontificia che ha la responsabilità dell'organizzazione di ogni incontro. Garbato riguardo. Insieme, saliamo le armoniose scale rinascimentali che portano al secondo piano, verso la sala dell'udienza, dal lato dove la facciata del palazzo si apre tutta sul lago immoto di Castelgandolfo, di un azzurro che imita il mare, ma che non ne ha davvero l'allegria, nella sua piattezza uniforme. Attraversiamo più di una sala; in una, si intravvede il busto bronzeo di Giovanni XXIII, il suo volto massiccio, di buon Papa del Concilio. In un'altra, si staglia da un quadro ad olio la severa, rigida silhouette di Pio XII, nei suoi paramenti sacri, presenza ieratica, inquietante. I pavimenti di marmo di Carrara, in accostamenti di colori tenui, tra il bianco e l'avorio e il nocciola, sono lustre superfici che illuminano le sale quasi nude d'arredi. Sua Eccellenza mi accompagna in un salottino, in attesa dell'udienza; poi torna con premura, e mi conduce sul lato interno del palazzo, verso una finestra dalle persiane socchiuse. Da qui, potrò assistere all'Angelus.
Mi allontano dalla finestra un momento per prendere nel salotto

l'apparecchio fotografico, e al mio ritorno trovo, seduto disinvolto
sul davanzale, le gambette distese lungo il parapetto di marmo, un
bambino dalla testa d'oro come un cherubino, capelli fini color grano maturo, volto rosato. Dipinto da Raffaello. Messo là, nella se-
quenza pensata da un misterioso regista, per preparare un colpo di
scena che si attende, imminente, e non ancora pensabile. A fianco
della finestra c'è una donna vestita di un modesto abito bianco a
mezze maniche, età matura, volto severo, che si addolcisce parlando
al bambino in polacco. Lei diventa, indirettamente, la mia guida nello sguardo che getto dalla finestra sul cortile. È una donna colta, co-
noscitrice attenta di quei luoghi ed anche, pare, del pensiero del
«Santo Padre». «Vede, noi polacchi lo chiamiamo Santo Padre; è
così, come può sentire, che lo invoca la folla dal cortile, perché è più
intimo e familiare che dire Papa.» Guardo il suo volto disegnato da
rughe sottili e penso di trovarmi tra gli ospiti polacchi (di cui tanto
si parla) che Wojtyla riceve in estate nella sua villeggiatura di Castelgandolfo. Cerco di aprire la finestra, per fotografare la folla. Ma la
donna mi rimprovera con fermezza cortese spiegandomi che, per misura di sicurezza, tutte le finestre devono restare chiuse sul cortile,
prima della cerimonia e soprattutto quando il Santo Padre si affaccia.

Dall'alto del balcone, che si staglia giusto di fronte a noi, pende
un drappo scuro color amaranto, con sopra ricamato in oro lo stemma pontificio. Attendiamo che si mostri nell'impazienza della folla
che lo invoca, la silhouette bianca del Papa planetario. Col «cherubino», troviamo allora un pertugio tra imposta e imposta per fotografare e di buon animo il fanciullo stesso mi aiuta a fissare nella pellico-
la quel mare vivo, chiuso nel cortile del castello come in un acquario
che si agita in onde, in contrasto col piatto lago immoto che cinge
il palazzo. Sulla folla si muovono a stormi bandiere azzurre, bianche,
gialle, poi veli neri, violetti, bianchi, ed ancora celesti. «È più emozionante qui che a San Pietro,» dice la donna polacca, «in questo
spazio ristretto, dove lui, «il Santo Padre» si affaccia dal balcone e
dialoga con la gente, coi gruppi... ora vedrà. Molte bandiere, vede
quante? sono polacche.» Mi trovo a dirle: «Lei sa che ho conosciuto
Walesa, anni or sono?». La donna si tende subito verso di me, mi
scruta: «E dove? è stata in Polonia?». Le rispondo che no; ero a Parigi, in quell'unico viaggio fatto da Walesa anni fa e poi le parlo della
autobiografia (un po' raffazzonata, forse per le condizioni in cui è
stata scritta) dell'uomo di Solidarnošč, *Un chemin d'espoir*, uscita da
Fayard nel giugno scorso. «È un grosso volume, farà seicento pagi-

ne,» dico io. «Già» mi risponde, «allora è quasi impossibile farlo entrare in Polonia.» Filo di amarezza.

Le chiedo come si chiama il luminoso bimbo. «Il suo nome è Wojciech – in italiano Adalberto. Lo stesso nome del generale Jaruzelski», aggiunge con un filo di ironia. «Ma lo porta solo perché è il nome del più grande santo della Polonia. Suo padre ha avuto una vita dura, di persecuzioni, e il Santo Padre, quando il bambino aveva tre anni – ora ne ha sette – lo ha talora accolto alla sua tavola, l'ha fatto mangiare e parlare con lui, ne aveva grande pena.» Fortunato «cherubino» polacco, malgrado tutto. Si capisce ora perché il Papa è per lui una figura del suo universo familiare. Il bambino chiacchiera fitto in polacco con la donna, per commentare quel che avviene nel cortile, allungato comodo con le spalle contro l'infisso di pietra della finestra, i sandaletti impolverati di un ragazzetto che ha corso molto nei giardini papali: la camicetta bianca, i calzoncini al ginocchio portano i segni delle sue scorribande. Lui attende il Santo Padre. Con tranquilla serenità. Con la signora polacca, parliamo della crudeltà verso i bambini, uccisi e seviziati in Italia, di cui la stampa riporta il martirio quasi ogni giorno. La polacca, che ha tutta l'aria di un'intellettuale, esplode, con lo sdegno di un forte carattere: «Nel mondo si aggira il demonio. L'ho detto anche al Santo Padre, di fronte a tanto massacro di innocenti, e ad altri presagi così disumani e foschi sul mondo».

Da quella finestra sul cortile, dove attendevamo, Adalberto, il bimbo polacco, senza saperlo, rimette a fuoco nella mia mente una delle pagine più nere della storia europea che ha come teatro la Polonia: Auschwitz, l'olocausto degli ebrei, di fronte a cui il sentimento del polacco Wojtyla mi sembra consistere in una condanna senza duplicità. Non mente, quando va ad Auschwitz, si inginocchia davanti alla lapide dell'olocausto, per dire che «il popolo ebreo, che ha ricevuto da Dio il comandamento di non uccidere, ha provato su se stesso in misura terribile che cosa significa l'uccidere» (giugno 1979). Non mente, visitando la Sinagoga di Roma (aprile 1986) e affermando che «con la religione ebraica abbiamo rapporti come con nessun'altra religione» e che «gli ebrei sono i figli prediletti e, in un certo modo, fratelli maggiori». Non mente beatificando Edith Stein, morta nel lager come figlia d'Israele, e al tempo stesso come suor Benedetta della Croce (1° maggio 1987). All'incomprensione aggressiva degli oltranzisti, per aver accolto in visita di Stato Waldheim, ha replicato affermando che si è trattato «di una questione morale: Waldheim è il presidente di un paese costituzionalmente democratico, quindi dovevo riceverlo». Poi ha risposto con qualche storica riga di quel comunicato congiunto, tra Santa Sede e Comitato ebrei internazionale sull'olocausto, dove si dice che «l'olocausto ha significato religioso per i cristiani, gli ebrei, l'umanità». Seguono due altre piccole righe tanto ignorate quanto decisive per far avanzare il dialogo intrapreso con gli ebrei: «L'ideologia nazista non è stata soltanto antisemita, ma anche profondamente demoniaca e anticristiana».

Penso che sotto altro aspetto le premesse religiose del gesto di ricevere Waldheim stavano già in quel discorso di «Addio alla Germania», quando si indirizzò all'Europa, da Bonn, con un Appello,[1] per «una civiltà mondiale dell'amore». Affermando che «è trascorso abbastanza tempo dalla catastrofe dell'ultima guerra che con le sue immagini terrificanti è passata come un terremoto sull'Europa... E l'avvenire dell'Europa resta precario finché gli uomini e le donne saranno divisi, separati dall'odio». Come non essere sensibili a questo giudizio per chi avverta, come alcuni di noi, che il trauma, non solo tedesco, ma europeo, passa per Berlino, per il Muro?

Il bambino polacco mi rammenta altri bambini. Pochi giorni prima di affacciarmi dalla finestra sul cortile, avevo visitato il «Museo del terrore» (Gestapo, SS, e i loro crimini), fianco a fianco della Mostra sul 750° Anniversario di quella città, ospitata nel superbo edificio di Martin Gropius, solo ora riparato dalle offese delle bombe. Ritornando all'aria e al sole che illuminava Berlino, fuori dalla testimonianza implacabile del «Museo del terrore», dove avevo ancora una volta assistito allo svolgersi del film sull'Olocausto, dentro quella casetta modesta, appena fabbricata proprio in occasione della nascita di Berlino, sette secoli e mezzo prima – le mura ancora fresche di calce – mi ero interrogata, perplessa. Dicevo a me stessa: e la Germania spaccata in due e Berlino in quattro pezzi, non sono in fondo giustificate, nella coscienza europea, nella loro frantumazione in blocchi, anche da un passato così duramente rievocato, da diventare quasi il presente? Non si finisca per legittimare il Muro, che vedevo proprio lì, a cento passi da me, levarsi come una siepe ecologica, una innocente protettiva cortina, colorata dai disegni dei berlinesi dell'Ovest?

Il '68 aveva smascherato le colpe dei padri sotto il nazismo, taciute fin dall'epoca di Adenauer. Aveva messo fine al silenzio su una storia agghiacciante, e infine rivelato il non detto e l'indicibile, dei misfatti passati. Bene, è giusto. Ma adesso?

Una bambina bionda come Carlotta, con i fiocchi alle lunghe treccine, che sembrava uscita da un dipinto, s'era messa a piangere silenziosa. Era avvenuto davanti alla foto n. 159 del «Museo del terrore», coi due bambini, marcati sul petto dalla stella sinistra: «ebrei», che, attoniti, stanno per salire sul carro di deportazione verso Auschwitz (ottobre 1944). E alla foto n. 148, dove si vedono altri due piccoli polacchi, poveri questi, intirizziti nei loro cappottini rappezzati, che stanno per essere fucilati davanti a un muro, nel ghetto di Varsavia. La bambina piangeva col contegno di una beneducata ragazza tedesca, e le lacrime le rotolavano giù silenziose, asciugate da un fazzolettino ricamato. Uscendo, non potei contenermi dal rivolgere una domanda al mio amico scrittore, Peter Schneider, che mi attendeva: «Ma non credi che questi innocenti, che si sentono inconsciamente marcati, ancora e sempre, come "belve tedesche", un giorno non si rivolteranno all'ingiustizia, per cui i figli devono eternamente rispondere delle colpe dei padri?».

Volsi lo sguardo verso il piccolo polacco, che era altrettanto biondo di Carlotta. E fu così che un Adalberto e una Carlotta, un polacco e una tedesca, improvvisamente si fusero nella stessa immagine delle nuove generazioni europee ancora separate dall'odio, lì, alla finestra di Castelgandolfo.

Oggi, stendendo i miei appunti su quel che vedevo dal cortile papale, si è affiancata, perentoria e difficile per me da cancellare, l'immagine del bambino americano di cinque anni, morente per il contagio della peste moderna: l'AIDS. L'abbraccio con cui Wojtyla avviluppa, nella «Mission Dolores», quel bambino americano, considerato infetto a ogni contatto, è forse l'immagine più forte che ci lascia quel lungo periplo americano. Tre bambini, e la storia del mondo.

Alle 12 in punto, l'alta figura bianca di Giovanni Paolo II, *star* universale, emerge infine dal balcone di fronte a noi. Il Papa recita l'Angelus e discorre con la folla, invocando la Vergine di Lourdes. Il bambino ci interroga: «In che anno è apparsa la Vergine di Lourdes?». Rapido consulto. Poi: «1858». «E la Madonna di Fatima?» aggiunge. (È la Madonna del presagio del viaggio in Russia del Papa e che apparve a tre bambini.) Nuovo consulto, stavolta più semplice: «1917». Il «cherubino» è contento. Ora il Pontefice canta con la folla, e si ode la sua voce, armoniosa, con alti toni. La gente lo interrompe con molti *Evviva*. Lui li zittisce: «Se volete ascoltare il Papa, tacete per un po'». E rivolto al gruppo più rumoroso di polacchi lo interpella in polacco: «Conosco il luogo da dove provenite, quel piccolo borgo dove c'è il santuario...». Il «cherubino» ride, si diverte. È entusiasta di questo dialogo vivo e delle battute, del tu per tu nella sua lingua polacca tra il Papa e la folla. Ed esclama per descrivermi il Santo Padre, e trasmettermi la sua immagine, con la verità del fanciullo verso la donna straniera: «Quando ero piccolo lo chiamavo Superman» (la signora traduce senza severità, gentilmente). «Perché stava nel mondo intero, perché volava dovunque?» Il bambino assente, contento di essere stato compreso.

A ripensarci, oltre alla Curia di Roma – che nella parte più consapevole è affascinata da questo Papa, presaga del ruolo storico, del tutto unico, di Giovanni Paolo II, contrariamente a quanto si scrive nei libri e sui giornali – è stata una famigliola di ospiti polacchi del Papa, a Castelgandolfo, a stringermi amichevolmente la mano, lì, dietro la finestra sul cortile. E a presentarmi a Superman.

Prima di allontanarmi in fretta, per essere accompagnata verso la sala dell'udienza, mi volto per avere un'ultima immagine della finestra sul cortile. Un bambino polacco dalla testa tutta d'oro – simbolo delle generazioni a venire? – che spia dietro le persiane socchiuse; una polacca adulta che lo sorveglia, ed io, di famiglia romana, ma anche un po' francese, e tutta europea, che li affianco, mentre guardiamo, fissi e tesi attraverso le imposte, l'immagine di un Polacco vestito dei panni di Pietro, pescatore di Galilea, capo della Chiesa di Roma.

Come in un negativo, le cui immagini si scorgono nitide solo dopo lo sviluppo della foto, fu nelle ore successive che compresi come quel bambino e quella donna polacca ricomponessero a loro volta, insieme ai miei ricordi della bambina berlinese, il disegno simbolico di quell'Europa che invoca la sua unità oltre la lacerazione di Yalta.

Note

1 19 novembre 1980.

III

INCONTRO COL PAPA:
L'EUROPA DALL'ATLANTICO
AGLI URALI

Nel cerimoniale meticoloso che accompagna ogni udienza, spettava a Monsignor Dino Monduzzi, chiunque io fossi – regina, o capo di governo o, come nel mio caso, semplice intellettuale – introdurmi fin sulla soglia della sala del trono, dove vigilava un gentiluomo di anticamera di corporatura possente e larghe spalle quadrate che mi faceva pensare a Ursus del *Quo Vadis*. Lì restai in attesa, sorpresa dalla solitudine e dal silenzio di quel luogo senza pompa, la cui solennità è impressa dalla geometria papale dei luoghi. Come nel bianco e nero della Cappella dei Pazzi, l'effetto che si raggiungeva era l'annullamento della pesantezza del mondo, con i suoi simboli di lusso, insistenti, esagerati, sottolineati dai nostri desideri, vizi, passioni. Ma un vuoto, come un punto di sospensione, sovrastava; e proprio nella rinuncia all'orpello, da quel luogo emanava la forza misteriosa della legittimità. Le finestre socchiuse sul lago disegnavano un merletto d'ombre. Ero sempre più intimidita.

Mi sono rivolta a «Ursus», all'ingresso, per chiedergli consiglio sul cerimoniale destinato a svolgersi. E lui mi ha indicato un punto preciso, nel salone marmoreo dal piancito immacolato: «Attenda lì, da quel lato. Sua Santità arriva da questa porta e la metterà subito a suo agio». Bella frase, mi dissi. Tranquillizzante. «Ursus» mi aveva suggerito, in risposta ad una nuova domanda perplessa sul cerimoniale, che si faceva un inchino, spiegandomi che il baciamano era facoltativo, e caso mai avveniva solo all'inizio dell'udienza. Stavo diritta e sola nella sala del trono – dove, per l'appunto c'era esclusivamente un trono bianco con qualche sgabello di fattura rinascimentale coperto di damasco bianco, a fianco dei due gradini – allorché l'aria si è mossa vivamente, e Wojtyla è entrato, nelle vesti bianche e ondeggianti, porgendomi le due mani tese. Il suo seguito era scomparso dietro un'altra porta in fondo alla sala. Mi sono inchinata verso la destra ed ho stretto la sinistra di Karol Wojtyla, con uno slancio più emotivo che protocollare. Quel viso chiaro e limpido si è chinato allora verso di me. Il suo sguardo ha fermamente incrociato e interrogato il mio. Da quella intensità del gesto irradiava una forza interiore, una piccola aria luminosa, metafisica, che gli faceva corona attorno al viso abbronzato dall'aria dei monti, e ridente. Mi imbattevo nel celebre carisma di Wojtyla, cui si attribuisce forza universale. Lui sembrava dipinto da Giotto, col viso tondo compatto, la carnagione trasparente, la forza geometrica del capo, una di quelle teste affrescate in Santa Croce, uno strano San Francesco coi discepoli, tutti avvolti di luce chiara, rosata.

L'emozione si è messa allora a disordinare il mio volto e nel mio razionale spirito qualcosa di non programmato, di non previsto, prendeva possesso di me, e penetrava a spirale. Quell'Uomo era vestito semplicemente della zimarra bianca, con la pellegrina assicurata da finte maniche, in vita una cintura di moire bianco, sul petto la croce d'oro, e al dito l'anello d'oro a forma di croce e sulla testa lo zucchetto bianco. Ma non era quel bianco che mi abbagliava, bensì la sensazione confusa di incontrarmi con la storia del mondo, di subire l'urto o l'impatto con una vicenda che dura da duemila anni, la più lunga che si conosca, la sola che resista alle successive distruzioni in cui sono rovinati i più grandi imperi, i regni, i domini e le civiltà splendide che apparivano imperiture.

Lo choc della ragione è violento. Nella mia vita non avevo mai incontrato un Papa, mentre avevo desiderato, sollecitato l'incontro con Wojtyla, spinta dal desiderio di udirlo parlare della sua strategia europea, ma anche di penetrare il suo enigma di condottiero, le cui radici affondano in Europa. Avevo incontrato Mao, De Gaulle, Ho-Chi Minh, e una volta, nel fondo di Qom, la città santa dell'Iran, ero stata ricevuta dal terribile Khomeini. Ma mai mi ero sentita così spiegazzata, e nessuno mi aveva sconvolta nelle certezze o presunzioni che portiamo in noi stessi, e turbato quella nostra «leggerezza dell'essere» come mi accadeva ora con Wojtyla, il Polacco, Papa di Roma. O, forse, all'altro capo del mondo, non dissimile dall'impressione che mi fece Mao, liberatore della Cina, da cui emanava la seduzione del condottiero. L'unicità del ruolo. Ma, a Pechino, Mao era attorniato da un drappello di funzionari che non si allontanavano di un passo, e mi parlava in cinese, reinterpretato dai traduttori ufficiali. Wojtyla stava invece solo, come appartiene ad un Papa, e parlava la mia lingua.

La mia imprevedibile emozione era così palese, che Wojtyla stesso mi ha guardato un po' stupito, poi, gentilmente, mi ha tratto a riva cominciando per primo a parlare. Ha rotto il ghiaccio col familiare tono al quale «Ursus» aveva accennato, assicurandomi che mi avrebbe messo a mio agio. «Lei è venuta qui, a Castelgandolfo, a farmi visita...» La favella allora mi è tornata, per iniziare quel discorsetto che risultava ora scucito, destinato a presentarmi, e che mi avevano raccomandato di tenergli perché Wojtyla poteva non ricordare, con tutti i volti di gente che gli turbinano attorno, nel mondo intero. Anche se quel giorno ero la sola persona che varcasse la soglia della sala delle udienze. Il senso delle mie parole, da quel che ricordo, doveva suonare più o meno così: «Per me è un grande dono incontrarla, e un onore infinito... Vengo da lontani lidi, quelli del marxismo-leninismo, da una vita politica agitata e da una vita personale difficile, come accade a molte donne». Mi guardò in fondo alle pupille per nulla ostile.

Mi chiederò a lungo, dopo, perché abbia usato questa espressione di gergo ideologico (marxismo-leninismo), come se in me parlasse l'antico frasario di Althusser e di tanti altri infelici amici; o forse perché questa definizione (che mai adopero, da anni) mi veniva naturale, dettata da una assurda determinazione inconscia, come se andassi parlando al solo uomo che potesse capire fino in fondo quel genere di espressione ideologica, e lo spessore della vicenda che c'è dietro.

O la usavo perché «sentivo» che Wojtyla non è solo il Papa, ma un Papa *slavo*, un uomo di quel lontano universo, dentro cui mi dibattei giovanetta tra speranze e sconforto, tra il furore di cambiare il mondo e le sconfitte. Un uomo che sa tutto dall'interno di quella storia, come *uno di noi* per assurdo, ma che l'ha vissuta dall'altra parte del Muro Ideologico. «Sono professore d'università, sono stata deputato europeo e scrivo da quattro anni un libro sull'Europa, arrivando alla conclusione che l'unità europea non potrà vivere senza unire alla dimensione politica, la dimensione religiosa dell'Europa. Un giorno ho bussato al Portone di bronzo [sorrise divertito a questa espressione...]. Mi è stato aperto dalla sua Curia, [approvò col capo, con una contentezza che mi colpì come un segno politico] con amicizia. Lei ha dedicato tanta parte del suo pontificato a delineare la nuova unità europea, e il suo messaggio è giunto dovunque... Ma l'Europa è sempre divisa, anche se i popoli ne invocano l'unità. Che fare?» «La ringrazio della sua presentazione,» disse quel volto, nel flusso di una sorta di gioiosa disposizione «anzi, la ringrazio del suo piccolo discorso,» aggiunse con un filo di bonaria ironia (ho creduto allora di capire che ricordava tutto quel che occorreva su di me, e che quell'introduzione forse era superflua perché certo c'era stata una scheda biografica tra le sue mani, e magari si accennava anche alla mia collocazione politica e dentro la vicenda del femminismo). La sua voce era allegra, una voce raddoppiata da un'altra voce un po' cantante. Come quella che prima avevo udito levarsi insieme alla folla del cortile. «Ma dov'è il suo libro?» – interloquì incuriosito. «Vorrei leggerlo!» E lo chiese con quella ferma premura intellettuale che è tipica dei professori, così che subito si può riconoscere il tono di qualcuno che ha insegnato da una cattedra, come d'altronde lui ha fatto per lungo tempo.

«L'ho finito, ma è ancora in bozze,» risposi arrossendo: «ed è proprio chiudendone la stesura, che mi è venuto sempre più naturale chiederle di essere ricevuta da lei, perché vi sia nel libro l'eco del suo pensiero che mi sembra così dominato dall'ansia dell'unità europea, e talora in modo più deciso che non nei capi di Stato della nostra Europa.» Non mi lasciò finire la frase, e di colpo si gettò in un meraviglioso discorso europeo. Mi accorsi che l'amore per l'Europa scorre in lui con la violenza di un fiume sotterraneo, alla ricerca di una via di sbocco. Non si possono prendere note mentre un Papa parla, né registrarlo. I Papi, da duemila anni, non danno interviste. E questo era un incontro – tanto raro quanto non occasionale – ma di cui dovevo trattenere a mente le frasi, per ricostruirle sul filo della memoria.

Cominciò con uno sconvolgente attacco: «Il mio paese è la Polonia...», ed era bello udirlo lì – con quella fierezza irriducibile di appartenere al suo paese e al suo tempo – nella residenza estiva dei Papi. *Ex Arce Gandulfi*, dove le villeggiature papali cominciarono con Maffeo Barberini, Urbano VIII, nel 1614, e da cui Enrico Barberini fu espropriato l'11 febbraio 1929 con il Concordato che cedeva la Villa in proprietà alla Santa Sede, la cui misteriosa suggestione è stata descritta da Goethe, Byron, Stendhal.

«Sono il figlio,» continuò il Papa, «di una nazione che ha vissuto le più grandi esperienze della storia, che i suoi vicini hanno condannato a morte più volte, spartita e occupata, ma che è sopravvissuta, è restata se stessa non appoggiandosi alla forza materiale, ma a quella della sua cultura. Nel mio paese la cultura è stata una forza più potente delle altre. E non vi è qui l'eco di alcun nazionalismo, ma la conferma che il diritto di una nazione ha spesso una base stabile nella propria identità culturale che non cede agli invasori e mantiene una sorta di soggiacente sovranità.»

«Noi europei,» aggiunsi io, «abbiamo talora l'ansia di una ricerca di radici culturali comuni, di una identità comune.» E come se il mio accenno lo spingesse a continuare, proseguì: «Le radici comuni dell'Europa, esse, affondano nella nascita cristiana di nazioni come la mia, la Polonia (nel 966) l'Ungheria (nel 972) e nel battesimo della RUS di Kiev di cui ricorrerà l'anno prossimo (1988) il millenario».

Quell'allusione mi lasciava avvertire che egli tendeva e tende con tutte le forze a compiere nell'88 il suo «viaggio spirituale, viaggio pastorale» («e non politico», dice) verso quella terra russa dove la Chiesa ortodossa celebra il millenario del battesimo cristiano, prima a Mosca, poi a Kiev, quindi a Leningrado e a Novgorod. Lui, figlio di una Polonia avamposto della fede cattolica, ai confini di terre dove il Vangelo è stato un libro all'indice, ha una missione da portare a termine.

Wojtyla, da grande politico qual è, sa anche che il banco di prova del *new look* di Gorbačëv è la libertà di fede religiosa, e il rispetto della libertà di coscienza non solo agli occhi dell'Europa, ma del mondo intero.

Un appuntamento a Mosca? Forse; ma senza passare per quella Lituania, dove la popolazione è nella stragrande maggioranza cattolica, i figli battezzati sono oltre il 50 per cento? Un viaggio problematico, questo, quasi impossibile, sembra, tanto più che Mosca lo negozia duramente, per strappare condizioni vantaggiose, un riconoscimento dei suoi confini, si dice, una sorta di «prezzo da pagare»... Una intricata vicenda, insomma, la cui matassa deve essere ancora districata dall'abile diplomazia vaticana.

«In Europa» egli continuò come a darmi il senso del tempo «e in questo secolo, sono scoppiate a breve intervallo due guerre mondiali che hanno provocato infinite sofferenze ai popoli e piombato l'umanità nella paura e nella tensione. Si è presi da vertigine davanti alle innumerevoli morti che hanno provocato questi due conflitti, ferite dei corpi e dei cuori, rivelatrici della crisi che attraversa l'umanità intera. Al primo sguardo che si getta sull'Europa, questa rivela la sua mancanza di unità, nella frattura che separa i popoli dell'Est e dell'Ovest, tra i due la Cortina di ferro. E a Berlino, il Muro. Si conoscono gli eventi che ne stanno all'origine. Si è creata una situazione inaccettabile per ogni coscienza nutrita dagli ideali umani e cristiani che hanno presieduto alla formazione di questo continente. Per sua natura stessa e per la sua missione fondamentale, la Chiesa è chiamata a promuovere la cooperazione e la fraternità e la pace anche tra queste due parti d'Europa. Né gli europei possono rassegnarsi alla divisione in due del continente, al dramma di questa violenza, che ha svuotato l'Europa del suo sangue...» («vampirizzata», ha scritto Milan Kundera).

Parlava con foga. Come uno che dà libero corso ad una passione contenuta. Di colpo, mi misi a pensare che, una volta tanto, nella mia vita le parole di una così grande autorità mi raggiungevano non attraverso interpreti né traduttori ufficiali, ma proprio nella mia lingua. Come egli può fare in altre otto, con i propri interlocutori. Il suo italiano è corretto, quasi circospetto, nel controllo dei verbi e delle parole che fluivano precise e generose. Aveva quel divertente accento polacco, che mi ricordava ogni volta Eva Kühn, la polacca di Vilno (quando Vilno non era ancora «diventata russa»), la moglie di Giovanni Amendola, madre di Giorgio e nonna di mia figlia Giorgina (che ha così un quarto di sangue polacco...). Un tono che mi sembrava di riconoscere, in quel passionale crescendo in cui si impenna spesso il discorrere dei polacchi.

«Se l'Europa è una,» diceva Giovanni Paolo II, «essa può esserlo nel rispetto di tutte le sue differenze, ivi compresa quella dei diversi sistemi politici; se l'Europa si mette a pensare a se stessa nella vita sociale, nella vita culturale, spirituale e religiosa, col vigore contenuto in certi principi come quelli della Dichiarazione universale dei Diritti dell'Uomo, dell'Atto Finale di Helsinki, se l'Europa apre le sue porte al Vangelo e alla sua potenza di salvezza, se non teme di comunicare oltre le frontiere degli Stati, di entrare in rapporto con sistemi economici e politici diversi, allora i campi della cultura, della civiltà, dello sviluppo rinverdiranno. E l'avvenire dell'Europa non sarà più dominato dall'incertezza, dalla paura, ma si aprirà al contrario un nuovo periodo di pace, di vita benefica per gli uomini.»

Mentre parla, emana il carisma di una fede universale, come ho detto. Guarda al pianeta intero, come sappiamo, e lo attraversa da un punto all'altro, vertiginosamente. Da Superman, come ha detto il «cherubino». Ma l'aspirazione più intensa che pare dominarlo, fin da quando era cardinale a Cracovia, sembra quella di riunire i popoli europei, spiritualmente parlando, dall'Atlantico agli Urali, contro ogni barriera e divisione.

Sotto lo zucchetto, da cui sfuggono capelli argentati, mentre evoca quel che noi chiamiamo l'*Est rubato*, o l'*Est vampirizzato*, il volto si accende. Egli non è più allora solo il Papa di Roma, ma fa pensare ad un lavoratore operoso, che ha seminato e mietuto nei campi dell'Europa centrale, e che aspetta il raccolto, paziente. La sua Polonia è stata martirizzata, la dittatura nazista l'ha lacerata, poi sono entrati i vittoriosi liberatori, trasformatisi presto negli occupanti russi. Io l'avevo vista, la Polonia, nei lontani anni cinquanta, come una zattera della Medusa. Nel paese, mucchi di macerie nere affastellate. Quella piazza di San Venceslao sventrata, una terra passata a ferro e fuoco dal nazismo. Ed ero entrata in quel ghetto di Varsavia, mostruosa ara sacrificale, su cui Hitler aveva immolato centomila ebrei, di cui pareva ancora di udire il lamento. L'Esercito rosso aveva liberato tutti. Ma altre prigioni si sarebbero aperte, per rinchiudervi nuovi oppositori... e pensavo a quel povero cardinale Wyszyński che per tre anni restò segregato in cella, fino al 1956.

Quest'uomo appartiene al suo paese e al nostro tempo. Ha avversato e combattuto il nazismo, ricostruito come ha potuto la propria terra, ha passato la giovinezza e gli anni di formazione confrontandosi con l'ateismo marxista ufficiale, l'ortodossia dogmatica di un socialismo, di cui ha conosciuto i postulati sociali, verso cui non mi pare abbia complesso alcuno, ma anche i terribili limiti, le crudeltà e le prigioni, per poi trovare, per l'amore che porta verso i poveri, le vie della liberazione che viene dallo spirito. È proprio un uomo di quel lontano universo, mi vien fatto di pensare, uno che sa tutto, dall'*interno*, di quella storia rimasta tagliata in due dalla spada di Yalta, e di cui una metà è restata afona, dietro l'artificiale frontiera. Quell'ecumenismo che le folle applaudono quando parla, non è il dolce messaggio di Giovanni XXIII che affondava le radici nella coscienza evangelica occidentale, non è la politica paziente e duttile tessuta da Paolo VI con l'*Ostpolitik*, ma l'ecumenismo di uno slavo, diventato interlocutore dal *di dentro* di quel sistema, uno che può dire: «Vi conosco, vi ho visti all'opera». È questa identificazione che il potere moscovita definisce «l'anticomunismo» di Wojtyla. Mi viene in mente qualcosa di non dicibile ma vero. Wojtyla, nel raggelamento della storia del marxismo, ha capito: non c'è un buon proletariato come non c'è un buon indiano se non morto. Penso alla sua gioventù, alla sua maturità, e a quel tempo duro che ha visto succedersi i traumi mondiali di Budapest, della Polonia, di Praga. L'immagine di Wojtyla emerge ai miei occhi sempre più vicina, quasi familiare.

Allora tirai fuori due fotografie ingiallite, che parlavano di quel tempo in cui ha vissuto come vittima ma anche come lottatore e ribelle. Le guarda, le riconosce immediatamente. I suoi occhi si offuscano solo un momento davanti a quelle immagini, poi mormora con un filo di emozione, tra perdono e oblio: «Queste immagini fanno parte della nostra storia». Nient'altro. Il lettore vorrà sapere di che cosa parlo. Quali sono le immagini. Mi spiego. Una premessa: era il 16 aprile 1974, qualche anno dopo la Primavera di Praga, quando morì il cardinale ceco Tsepan Trochta. Quel cardinale aveva trascorso vari anni nel lager nazista, e poi aveva ritrovato la sua cattedrale, dove in una delle sue pubbliche omelie, rivolgendosi al cardinale Beran (che sarà incarcerato, poi, dal regime) pronunciò queste frasi: «Ricordi, Beran, come tiravamo, noi due, il carro nel lager, dovendo portare via il concime e i resti dei cadaveri? Ora non c'è più il lager; non ci sono più cadaveri ma odio... non più concime ma tante false ideologie».[1]

A celebrare il rito funebre per il coraggioso cardinale Trochta erano arrivati tre cardinali stranieri: Koëning di Vienna, Döpfer di Monaco di Baviera e Karol Wojtyla di Cracovia. A tutti e tre, il potere comunista ceco proibì di celebrare la messa ed accordò loro solo di comunicarsi come semplici fedeli laici (*ad usum laicorum*), rompendo con un atto grave il protocollo dei rapporti tra Chiesa e Stato.

Dalla fotografia sfocata, scattata chissà come e da chi, si vede un giovane ed alto sacerdote ceco (somiglia irresistibilmente ad Henry Fonda) che porge, perplesso ed emozionato, il calice del sacramento a Wojtyla. Questi, col capo scoperto, il cappello cardinalizio poggiato sul banco come una corona intoccabile, leva il volto, e su quella faccia c'è sì un soffio di misticismo, ma dalla contrazione dei muscoli si avverte umiliazione contenuta e dolore. Nell'altra fotografia, presa all'esterno della chiesa, mentre Franz Köening e Julius Döpfer guardano con grave serietà la folla che si è assiepata attorno a loro, fuori della chiesa, Wojtyla ha il suo solito sorriso ironico. Gli occhi ridenti fissano un orizzonte lontano, sotto il cappello cardinalizio che ha calcato bene sulla fronte così da sembrare un elmo. Non mi sembra che quel cardinale polacco porgerebbe l'altra guancia... Chi poteva pensare, allora, tra i troneggianti capi del duro potere ceco, presi in un raffinato inganno del demonio, che uno di quei tre, e addirittura il meno importante per loro, *lo slavo*, nell'incrociarsi imponderabile dei destini, sarebbe diventato Papa?

Oso chiederlo... sì, perché no? Wojtyla sorride ancora in modo indefinibile. Forse è per quella storia che lui ha alle spalle, che ha tutto conosciuto sulla propria pelle che a Mosca negli ambienti più retrivi, che probabilmente non coincidono nemmeno con quelli di Gorbačëv, l'accusano di odio per il comunismo, mentre la forza di questo Giovanni Paolo II, così come il suo fascino, sta nel levarsi al di sopra delle furiose idee che hanno bistrattato quel mondo, e nel mescolare la sua dimensione istituzionale con la visione, magari apocalittica, del futuro...

È un mistico di quel mondo slavo che persegue irriducibilmente la

sua missione di unificare Oriente ed Occidente «sotto l'egida dei diritti umani, della libertà di coscienza, del rispetto della libertà religiosa, e del cristianesimo che sta alla base della civiltà comune di questa Europa». Quest'aria di familiarità che emana mi è familiare...
«L'Europa è una famiglia di popoli», disse allora come se comprendesse l'idea che mi agitava. «Questi sono legati tra loro da vincoli di una comune ascendenza religiosa. L'Europa ha un suo ruolo da svolgere nella vicenda umana del terzo millennio: essa potrà ancora domani costituire una luminosa base di civiltà se saprà tornare ad attingere alle sue origini fondatrici: il migliore umanesimo classico, arricchito dalla rivelazione cristiana.»

Quel richiamo culturale mi consente di dire che ho cercato di trovare, nelle riflessioni, qualche risposta ai problemi per la circolazione della cultura in Europa, per il libero scambio tra università europee e professori, evocando Tommaso, professore itinerante, tra Napoli e la Sorbona. È un argomento che lo tocca. So che è all'Angelicum di Roma, nell'università intitolata al dottor Angelico, che lo studente polacco di Cracovia sbarcò nel giugno 1948, per sostenere la sua tesi in teologia spirituale. Né la passione dell'insegnamento l'ha mai abbandonato. Dall'università Cattolica di Lublino – dove teneva corsi di filosofia e di teologia (neo-tomista) in un anfiteatro stracolmo – e poi le sue lezioni a Cracovia, fino, penso, a quel discorso a Bologna nell'aprile '82, per onorare quell'università che egli definiva la «primigenia esperienza universitaria europea», per aggiungere che: «L'università è il principale banco di lavoro dove si realizza la vocazione dell'uomo alla conoscenza, il gradino più alto della scala che l'uomo sale verso la conoscenza della realtà del mondo che lo circonda».

«L'università,» mi rispondeva, «è una gloriosa istituzione europea che la Chiesa ha originato. Ma non si mostra capace oggi di elaborare un progetto culturale accettabile. La funzione stessa di guida della cultura nella società attuale è mancata. All'Est l'uomo è stato sacrificato alla struttura, all'Ovest al benessere. Venne prima l'*ottimismo razionalista*, che spinse gli intellettuali a negare ogni ideale che sfuggisse al dominio del proprio genio, poi seguì la *crisi della cultura*, e a questo ora i simposî, e dotti professori, cercano di dare una risposta. Questa crisi della cultura sta nella morte, nell'indebolimento dei valori morali. La crisi della cultura è crisi dei principi morali e religiosi... occorre ridare all'Europa un'anima.» Ma chi gliela darà, interrogai, le Istituzioni? «Le Istituzioni,» disse netto, «da sole non faranno mai l'Europa, sono gli uomini che la faranno.»

Siamo giunti a 5 miliardi di uomini, è nato in questi giorni il «baby

5 miliardi» a Zagabria, e l'idea mi viene di parlargli di questa marea, che non è fatta di grani di caviale ammucchiati nella scatola della terra. Sorride del mio paragone, e risponde caloroso: «Ogni essere umano è unico agli occhi di Dio; la persona umana, anche un solo uomo, ha un valore assoluto, irripetibile» e aggiunge che «la storia ha un senso»; che «il progresso è possibile dovunque la speranza resta di costruire un mondo fondato sulla giustizia e la solidarietà»; che «è possibile non farsi sommergere dal male». Questa fiducia nell'uomo è così forte che egli lo invoca talora come «il nuovo uomo», e si capisce come anche il bambino che vagisce appena, il cinquemillesimo milione di uomo, è per lui come se fosse Adamo, il primo, «a qualunque terra e a qualunque religione appartenga, per la dignità stessa della vita che porta con sé».

Questo è il momento, per me, di lasciare cadere una parola che lo interroghi sulla sua visione *planetaria ecumenica*, con l'appello alle religioni non cristiane a promuovere il bene comune dell'unità che il Vescovo Lefebvre contesta, accusandolo di «sincretismo religioso».

So che Assisi non è il sincretismo, l'equivalenza delle religioni, ma la convinzione che in ognuna vi sono i *Semina Verbi*. Tentativo estremo anche contro il fanatismo, che divide tra loro i credenti musulmani, in una guerra tra Iran ed Irak che dura da sette anni e che ha causato milioni di morti (8 milioni solo tra gli iraniani).

Sapevo che era andato a Casablanca nell'83 a parlare ai giovani musulmani. E poi c'era stato quell'incontro interreligioso di Assisi, nel trascorso 1986, nella «città senza mura» di San Francesco, il «pazzo cristiano» che si recò disarmato a visitare il sultano, «la spada dell'Islam» Melek-el-Khamel, e anche se questi rifiutò il Vangelo, diventarono amici, così che da quell'incontro Francesco cancellò per sempre dall'anagrafe cristiana il termine «nemico». Questo spirito ecumenico che ha riunito ad Assisi musulmani, ebrei, protestanti, indù, buddisti, shintoisti, egli me lo spiega così: «La pace si costruisce con l'unione degli uomini, intorno a ciò che eleva gli esseri umani e decide della loro grandezza indiscutibile. Nel documento conciliare "Nostra aetate", si dice che abbiamo il dovere di promuovere l'unità costruttiva con le religioni non cristiane e prendere in esame, insieme, tutto ciò che gli uomini hanno in comune, ed è il valore della dignità umana, la pace».

In lui si avverte che il totalitarismo della ragione si è frantumato nell'apertura dialogica di nuovi spazi alla dignità, ai diritti dell'uomo, nel rispetto della libertà di religione e della libertà di coscienza. Proprio perché ha vissuto la sciagurata avventura delle dittature come grandi disavventure della ragione, e la storia impetuosa della metamorfosi occidentale non è che un seguito di insurrezioni teologiche.

Mi accorgo che mentre parla mi guarda in volto, e non ha mai girato la testa dall'altra parte né l'ha chinata nel dialogo interiore con se stesso, come mi avevano avvisato. Anzi, è un Papa che guarda dritto negli occhi di colui che ha la fortuna di incontrarlo. Non è vero che «questo Papa gestisce le folle, ma nel dialogo personale, come è stato scritto, abbassa gli occhi, non dà l'impressione di un vero contatto col singolo interlocutore». Così da vicino, così dialogante, ebbi allora l'impressione curiosa che fosse di statura meno alta e di fisico meno possente di quel che la TV ci trasmette. Anzi, nel suo volto, così dappresso, mi pareva scorgere una sorta di asciuttezza, le pieghe profonde di chi spesso è immerso nella meditazione, e nella solitudine di chi deve decidere.

A questo punto, il Prefetto dei Palazzi Pontifici sopraggiunse da dietro la porta che stava dal lato opposto da cui era entrato il Papa, dove ora collaboratori impazienti e incuriositi si affacciavano facendo gruppo sulla soglia. Facevano capire che era tardi, che nuovi impegni premevano, e che era tempo di porre termine all'incontro. «Va bene,» rispondeva disciplinato il Papa, ma senza muoversi ancora. Mentre io, indisciplinata, continuavo, per trattenerlo ancora un momento. E, tornando all'Europa, gli chiedevo del simbolo che racchiudono Cirillo e Metodio – di cui ho con me la colta enciclica – che egli ha eletto, a fianco di San Benedetto, protettori d'Europa. Lui, dimenticando l'ammonizione di S.E. il Prefetto, riprende il suo appassionato discorrere: «Loro, sono i missionari partiti da Bisanzio, che portarono il cristianesimo ai popoli slavi; ebbero il genio di innestare la cultura ellenica nella formazione bizantina, facendosi eredi di tutta la tradizione dell'Oriente, in un felice accordo con la Chiesa di Roma. Due fondatori che possono simbolizzare l'avvento sereno di uno spirito europeo tra gli uomini, che vangano la terra, costruiscono una cultura, e uniscono nella fede la Chiesa di Oriente e di Occidente... La croce e il libro, l'aratro».

Come questi due santi slavi, egli appare – oltre che Pietro – l'apostolo itinerante, alla ricerca di nuove frontiere, adattando e riformando il cristianesimo ai popoli nuovi, nuovi sistemi sociali e politici. È in un certo senso Paolo di Tarso, il primo leader cristiano che si apre al dialogo con le altre culture, al dialogo con i Gentili. (Nella sceneggiatura del *San Paolo* di Pasolini per un film mai realizzato, l'apostolo Paolo si recava in America, a New York – dove Pasolini trasferiva l'antica Roma mentre Parigi era spostata a Gerusalemme e Roma ad Atene – e Paolo predicava tra i grattaceli, teneva tumultuose assemblee, era contestato. «Attorno a lui,» scrive Pasolini, «c'è come una profonda pace quotidiana, perduta nella luce e nel tempo».)

Ora prende spunto dalla mia annotazione sul medioevo colto della Cristianità, per delineare molto fermamente che «anche se la grande matrice culturale sta in quell'Europa del pellegrinaggio evocata anche da Goethe, l'oggi è diverso...». «Oggi noi siamo di fronte ad un mondo nuovo fatto di idee diverse,» dice, «da far rispettare e convivere nell'ecumenismo, tra eredità culturali disparate e fedi differenti. Dall'Europa sul mondo intero, si sono riversate ideologie che esercitano talora ruoli preponderanti. Il nostro è un continente di paradossi: capace di intelligenza e di dominio, ma anche capace di distruggere per avidità e per orgoglio. L'uomo è avvolto nelle contraddizioni: domanda libertà e sfugge alle proprie responsabilità, proclama l'uguaglianza, e cede all'intolleranza razziale.» «Tra Nord e Sud passa la frontiera della fame,» prosegue con fermezza, «una maledizione che colpisce l'America come l'Europa ricca, la violenza dei padroni contro gli schiavi. Ma, padrone o schiavo, l'uomo e la donna dell'Occidente sono lacerati dal dubbio e dalle contraddizioni, più che vivificati dal soffio dell'amore.» Quel che noi chiamiamo *Idola Fori*, lo interrogo, cosa sono per lui? «Gli idoli che tutte le nazioni hanno, sono in Europa l'ebbrezza della razionalità, la manipolazione dei mezzi di comunicazione, la violenza genetica, lo statalismo contro la società civile.» E incalza: «Il progresso dell'umanità si misura non solo con il progresso della scienza e della tecnologia ma anche con quello del primato dei valori spirituali e etici.»

Lui teme che la ragione possa impazzire nella futorologia degli innesti, negli esperimenti di manipolazione biologica. «La caratteristica del totalitarismo moderno non è un Cesare, un Napoleone, ma l'ambizione folle della ragione che pretende di imporsi come scienza assoluta per liberare l'uomo. Uno scientismo onnipotente può farsi di nuovo prigione e i diritti diventare non-diritti». Ecco quel che teme. Che vi possa essere «un totalitarismo neoscientifico, genetico, che crea un imperialismo della ragione, la pretesa imperialista della ragione sulla vita.» Si duole del «suicidio demografico dell'Europa», che nel '60 costituiva il 25 per cento della popolazione mondiale, ma se la tendenza attuale dovesse persistere, a metà del 2000, scenderebbe al 5 per cento. Lui pensa che in nome della libertà dell'uomo di disporre del proprio corpo si negherà la vita a bambini concepiti, mentre si inventeranno bambini artificiali come si fabbricano le bambole in un *Grande magazzino* della specie umana. «Occorre alleare scienza e coscienza. Si può raggirare e capovolgere contro l'uomo – con ogni tipo di sperimentazioni, nelle manipolazioni genetiche – la stessa nobiltà della ricerca scientifica, come fece il nazismo. La potenza della scienza resta affidata talora a persone fragili. I migliori doni possono così tramutarsi nelle peggiori perversioni. E penso alla rettitudine di Socrate che sostenne come la scienza fosse al tempo stesso una virtù morale.» Accennando al nazismo è come ricordarmi il mostruoso dottor Josef Mengele, che fabbricava e disfaceva gli uomini nelle sue esperienze di laboratorio. (Lacan l'aveva definito «precursore maldestro degli attuali manipolatori dei corpi e delle vite».)

La domanda che mi sta a cuore affiora. Ho spesso pensato che le donne sono come Chaplin nel film *Tempi moderni*, o come la protagonista della *Strada* di Fellini, in corsa angosciata e comica, per rispondere operose alla richiesta di globale efficienza in un universo che le tartassa. La donna chapliniana deve saper far tutto, disperata e infaticabile. Più che una donna è una *media-donna*. Sa assicurare il successo in TV a una lavapiatti, o all'ultimo Berlusconi-show ma è anche capo d'azienda, e sa guidare il proprio yacht quando è ricca. Solleva pesi, fa lavorare i suoi muscoli come un pugile, corre dieci chilometri al giorno nel *jogging*, oppure si fa scucire e ricucire la pelle secondo la voga del *lifting*, e ne mena eroicamente vanto.

Quando è povera, rivendica il servizio militare, quello di vigile municipale e un posticino nella grande società della politica e dei media. Se è sterile, la manipolano biologicamente e fa inseminare, al suo posto, un'altra, detta madre surrogata. Se è feconda, «porta» i figli delle altre.

«Certa scienza,» dice «si serve delle donne come *business*, per l'affarismo più scatenato. Conti correnti speciali nelle banche, consacrati alle tecniche moderne per la riproduzione, commerci illeciti come la droga, con diramazioni nel traffico mondiale. Si configura un nuovo, assurdo, tipo di madre: le infelici madri "portatrici" (100 mila dollari a Mary Beth, per "portare" il bambino degli Stern) si rivolgono poi alla giustizia per nuovi giudizi di Salomone dall'alto dei tribunali, al fine di stabilire chi è la vera madre, quella che ha "portato" il bambino oppure quella che ha pagato milioni in franchi, in dollari o in lire, per partorirlo.»

Sul suo volto c'è una sorta di pietà, quasi di dolcezza, quando parlo delle donne. Ma lui ripete ciò che ha detto più volte, che le donne hanno in Maria il loro simbolo, in quanto mediatrice tra Dio e la storia del mondo, con la sua funzione «speciale e straordinaria». Ma egli stesso, forse, sa che non basta. E allora aggiunge una piccola frase perplessa, che accenna in modo incandescente al nodo dei problemi contemporanei: «Occorre promuovere l'autentica emancipazione della donna». Riaprirà questo discorso?

Dico che le femministe sono turbate, almeno in Francia, in Germania, e forse in America. Alcune si chiedono se è stato giusto portare un attacco così frontale contro la Chiesa, e non cercarne piuttosto l'alleanza o la protezione. È interessato. Lui deve pensare che la *sexual revolution* è un problema di paesi ricchi, e non di paesi poveri. Né in Polonia deve aver conosciuto, se abbiamo ben letto Kundera, le tribolate vicende dell'*eros difficile* del nostro Occidente, con il mercato del consumismo erotico, nella molle demenza della società del benessere, che si dibatte nell'impotenza sessuale. Lo strano è che si chiede a lui, proprio a lui, come petulanti bambini al genitore che non li accontenta mai, di accettare aborti, trapianti folli, manipolazioni genetiche, bimbi in provetta, vendita del seme maschile, omosessualità, e integrare tutto ciò nella sua dottrina... Perché avviene?

«Perché c'è dubbio, disperante incertezza tra le scoperte di certa scienza e l'accettare di farsene protagonisti, o cavie. E allora l'uomo, la donna, chiedono alla Chiesa di farsi mediatrice, un avallo, un consenso. Non tanto perché sono più moderni e perché alzano il livello delle risposte che la religione deve dare alle loro esigenze, ma forse perché hanno più paura, la paura che sottintende quella soglia del Duemila, col terrore che la ragione impazzisca.»

Quando si dice che lui non è moderno, risponderei che Wojtyla è moderno quanto lo era Socrate alla ricerca dell'uomo, e del *conosci te stesso*. La sua ricerca di sintesi tra modernità e morale fa parte di quel 90% della storia del mondo, che sempre si ripete, come affermava Fernand Braudel, in quella magica concezione della «storia immobile», che si muove nella ripetizione.

Sul suo volto passa l'ombra di un pensiero preoccupato. Ma nel suo mondo *cool*, che ha raggelato la storia millantatrice e chiassosa del progresso ad ogni prezzo, torna presto la quiete di questi luoghi e il carattere sereno di quest'uomo che dilata gli spazi e muove alla ricerca di terre sempre più lontane, dall'Europa al Terzo Mondo, attraverso l'energia di un'azione che si pensa non solo attraverso l'energia di un discorso, di un *logos*, ma di un *theo-logos*.

Quel che emerge in lui – che osa confrontarsi col futuro e fa progetti per l'Europa, l'America, il Terzo Mondo, l'universo – è l'assenza sdegnosa di ogni sogno di potere temporale o di disegno politico, come gli si attribuisce ogni tanto da parte dei suoi avversari. Lui non è un Carlo Magno polacco, né un Cesare slavo. Ma un apostolo itinerante, come ho detto, e forse solo questo vuole essere o, magari, un sindacalista come m'ha rivelato, giorni or sono, uno dei suoi più stretti collaboratori: «Egli si sente come l'operaio che, diventato sindacalista, conosce sulla propria pelle, senza bisogno di aver studiato Diritto a Parigi, lo sfruttamento. Sindacalista alla testa di masse e per questo forse ha tanto creduto e crede in Solidarnošč, perché contiene, *in nuce*, l'idea di difesa dei diritti, quelli sindacali, e quelli della dignità umana».

Penso che quando gli hanno sparato a bruciapelo in Piazza San Pietro, fu per far tacere per sempre questo invincibile senso della sua enigmatica missione spirituale, quasi una forza arcana, che lo accende, quando esalta il rispetto dell'uomo, in un umanesimo integrale, che fa pensare a Maritain. Guarda al di là delle frontiere che si levano imperscrutabili all'Est e non solo, ma verso quelle terre dominate dalle dittature che si dispiegano su tant'altra parte della terra, come nel Sudamerica, o in Africa.

Mi viene in mente che «Superman», come lo chiama il cherubino, sta per involarsi verso San Francisco, in un'America dove Reagan, destinato a rappresentare definitivamente lo slogan «Siamo i migliori», nell'America dell'«utopia realizzata», ha perduto ogni magia. E che lo accoglierà, riconoscendogli, comunque, che «egli è colui che può parlare con più forza di ogni altro alla nostra generazione». Risposta indiretta alla domanda: chi resta come grande nel mondo?

Sul vano della porta ora, insieme al Prefetto dei Palazzi Pontifici – che di nuovo manifestava la sua inquieta presenza – si stagliava il sacerdote nero, Monsignor Kabongo, dal volto rotondo simpatico e buono, che gli sta sempre a fianco; tutti sollecitavano la fine dell'incontro con Wojtyla che, come loro sanno bene, non si stanca mai di parlare tanto e sempre d'Europa e di diritti dell'uomo. S.E. il Prefetto, nella sua magrezza distinta, avanzava ancora verso di noi, toccando quasi il braccio del Pontefice, ed avvisandolo: «È tardi».

Dalle finestre si riverbera la luce fredda del lago immoto, e penso che qui passerà le sue vacanze d'un mese come vuole la tradizione per il capo della Chiesa di Roma (Pio XII vi restava fino a novembre...) ma so che amerebbe meglio riposare sulle montagne, che soffre della calura di Roma, e forse gli pesa un po' quella eccelsa solennità dei luoghi dove esercita la sua missione, che è poi il magistero di Pietro. «Perché ama i monti?» «Li amo come luogo di una esperienza privilegiata e duratura,» dice «mentre l'esistenza dell'uomo è precaria e mutevole. Sui monti tace il frastuono della città, la sua violenza, domina il silenzio di spazi senza fine, e in essi all'uomo è dato di sentire la pace di Dio.»

Il Prefetto allora consegnò a Wojtyla una scatola quadrata di pelle bianca con sopra stampato in oro lo stemma pontificio, con una M impressa nel riquadro, in alto a destra. Conteneva un rosario molto bello, formato di grani chiari come perle, che il Papa mi mise in mano, con gesto rapido, senza parole di commento. (È il suo dono alle donne, mentre agli uomini offre la medaglia del Pontificato, mi spiegarono più tardi.) E mentre il drappello dei collaboratori di Wojtyla aumentava sulla soglia e scalpitava, egli mi incoraggiò ancora con due parole. Con quella magia operativa che gli appartiene, con quella presenza intensa, porgendo verso di me le sue mani protettive, mi lasciò ancora un messaggio e pieno del suo naturale ottimismo, intelleggibile anche per il suo alto seguito disse: «Mi porti presto il suo libro. La riceverò con più calma, parleremo ancora...». Non so perché a fianco del mio ripetuto «grazie», la mia voce interiore aggiunse: «E, forse, allora Gorbačëv avrà attraversato il Portone di bronzo, e lei, forse, sarà andato nelle terre russe. E, forse, allora, lei mi parlerà ancora della "vera emancipazione femminile" perché a chi, meglio che a lei, meglio che a chiunque, si applica quella celebre frase: "Le donne sono la metà del cielo"?».

Ma lui era già scomparso; monolitico ed agile, si era dileguato, dissolto, attorniato dal suo seguito di collaboratori. Restai di nuovo sola, un tantino stordita, ma per fortuna «Ursus» mi raggiunse, e, un po' esterrefatto, mi condusse a lenti passi verso l'uscita. Fuori del palazzo dei Papi, l'orologio che sormonta la facciata continuava a battere il lento trascorrere delle ore e segnava l'una. La Guardia Svizzera d'onore presentò le armi, come a tutti i visitatori del Pontefice, e subito mi avvolse la coltre di calura che gravava anche sui colli, mentre il taxi giallo imboccava la strada di fuoco dei Castelli al cui termine c'era Roma, che sembrava vuota...

In fondo non capisco. Leggo, rientrando, Chateaubriand, che nel *Genio del Cristianesimo* scrive sulla «religione cristiana che considera se stessa come una passione»: «Non contenta di aumentare il gioco delle passioni nel dramma e nella epopea, la religione cristiana è essa stessa una sorta di passione, che ha i suoi trasporti, i suoi ardori, i suoi sospiri, le sue gioie, le sue lacrime, i suoi amori del mondo e del deserto. Noi sappiamo che il nostro secolo ha chiamato questo fanatismo... Ma il fanatismo... è l'irreligiosità... La bellezza che il cristiano adora non è bellezza che sfiorisce. È quella eterna per cui i discepoli di Platone si affrettavano a lasciare la terra. Essa non si mostra ai suoi amanti qui a terra altro che velata; essa si avviluppa nelle pieghe dell'universo come in un mantello; perché, se uno solo dei suoi sguardi cadesse direttamente nel cuore dell'uomo, egli non potrebbe sostenerlo, si fonderebbe in delizia».[2]

I miei critici mi accuseranno di nuovo «culto della personalità», o di filo-papismo. Diranno che ho valicato, disinvolta, nuove frontiere intoccabili; che non si deve, nel nostro salotto bene, rompere le regole del gioco e che occorre restare ognuno al proprio posto. Come farfalle, infilzate nello spillone. Sempre sono stata combattuta, come intellettuale o come donna, nella ricerca di quello che in un mondo che non è statico ma si muove, si configura all'orizzonte. La mia morale è antistrategica, come ho detto più volte. Ma perché non fare tesoro dell'esperienza e della prudenza? Chi legga l'appendice della bella edizione della *Pléiade* al *Genio del cristianesimo* di Chateaubriand, vi troverà chilogrammi di insulti della stampa di allora contro lo scrittore. Non mi aspetto da meno. Ho toccato, dopo tanto viaggiare, il punto intangibile, per i laici, tra cui mi schiero.

Ma, come dice il filosofo (andate a scoprire chi), l'uomo rivela a un certo punto che egli non è più guidato da concetti ma da intuizioni, che «parla solo per metafore proibite, con la demolizione e l'irrisione delle vecchie barriere del concetto, con l'impressione del possente intuire che lo abita». Mi spiego più semplicemente. Più volte, avrei voluto attenuare, smussare, spegnere. Ma poi sentivo che il racconto non sarebbe stato più vero, ma sfalsato, diplomatico, prudente. La «mania di verità» che mi perseguita ha forse la sua origine, non tanto e solo nella morale e nell'intuizione, ma anche nelle ragioni della mia scrittura. Un amico letterato dice che sono «ingualcibile». Non è così. Wojtyla mi ha spiegazzato in quella *insostenibile leggerezza dell'essere* o in quell'ambizione dei laici colti di apparire a priori anti-religione, anti-Papa, per far figura di veri intellettuali. Alla fin fine restare in questo «complesso anti-romano» semplifica le cose. Ma io preferisco la donna di Betania – che versa tutta la sua anfora di profumo sul capo di Gesù, sotto i rimproveri degli apostoli per la sua generosità – all'avarizia di Giuda. Eppure l'emozione generosa che traspare da queste pagine, ingannerà solo i più superficiali. Sotto di essa, i meno grossolani avvertiranno la fredda passione intellettuale di una che pensa che i nostri atei sono gente pia. Cosa è più bigotto di un sano laico, così burbanzoso e credulo verso i suoi principi? Sono passati due secoli dall'epoca in cui la dea Ragione danzava nuda nella Cattedrale di Nôtre-Dame, e molte cose ricominciano. Il processo di secolarizzazione non riesce a consumare o a estinguere il sacro, come si pretende: lo sposta, null'altro. (È il principio da cui parte quello Stirner, che conoscemmo solo perché Marx e Engels gli dedicarono tante caustiche e frementi pagine nell'*Ideologia tedesca*.)

C'è un personaggio colossale, che risponde al nome di Wojtyla. Fra l'altro, è anche Papa. Per me, è stato appassionante occuparmene. E scriverne. Come forse altri pensano, ma pochi osano (non si usa entusiarmarsi per la personalità di un Papa).

C'è una felice annotazione di uno dei più grandi giornalisti europei, di recente a Roma, che Wojtyla intrattenne in dialogo privato: «A Roma» mi raccontò il mio amico al ritorno a Parigi, «fui invitato a colazione da un personaggio che si prendeva per il Papa, e poi dal Papa che si prendeva per un semplice intellettuale».

Note

1 Dal libro *Avvenne in Europa* di Jiri Maria Veselý-Krystac, Olomouc, Roma 1983. Nel volume vi è anche la riproduzione delle due fotografie di cui si parla.

2 René de Chateaubriand, *Génie du Christianisme*, Bibliothèque de la Pléiade, N.R.F., Gallimard, Paris 1978.

I

INDICE DEI NOMI

«Di là dalle porte di bronzo»
di Maria Antonietta Macciocchi
Arnoldo Mondadori Editore S.p.A., Milano

Questo volume è stato impresso
nel mese di novembre dell'anno 1987
Presso lo Stabilimento Nuova Stampa di Mondadori - Cles (TN)
Stampato in Italia - Printed in Italy

88-04-29841-3
87
3